D1087713

CHAMPION CLASSIQUES
Série « Moyen Âge »
créée par Emmanuèle Baumgartner et Laurence Harf-Lancner
sous la direction de Laurence Harf-Lancner

BEUVE DE HAMPTONE

Dans la collection *Champion Classiques*

Série « Moyen Âge »

27. RICHARD DE FOURNIVAL, *Le* Bestiaire d'Amour *et la* Response du Bestiaire. Édition bilingue. Publication, traduction, présentation et notes par Gabriel Bianciotto.
28. CHARLES D'ORLÉANS, *Le Livre d'Amis. Poésies à la cour de Blois.* Édition bilingue. Publication, traduction, présentation et notes par Virginie Minet-Mahy et Jean-Claude Mühlethaler.
29. RENAUT, *Galeran de Bretagne.* Édition bilingue. Publication, traduction, présentation et notes par Jean Dufournet.
30. HUON LE ROI, *Le Vair Palefroi.* Édition bilingue. Publication, traduction, présentation et notes par Jean Dufournet.
31. *La Prise d'Orange. Chanson de geste (fin XIIe - début XIIIe siècle).* Édition bilingue. Texte établi, traduction, présentation et notes par Claude Lachet.
32. *Lais bretons (XIIe-XIIIe siècles) : Marie de France et ses contemporains.* Édition bilingue établie, traduite, présentée et annotée par Nathalie Koble et Mireille Séguy.
33. *La Chanson d'Antioche.* Chanson de geste du dernier quart du XIIe siècle. Nouvelle édition, traduction, présentation et notes par Bernard Guidot.
34. *Le Jeu d'Adam.* Édition bilingue, établie, traduite, présentée et annotée par Véronique Dominguez.
35. PHILIPPE DE REMI, *La Manekine.* Édition bilingue. Publication, traduction, présentation et notes par Marie-Madeleine Castellani.
36. *Le Roman de Renart. Tome 1 (Branches I-XI).* Édition bilingue établie, traduite, présentée et annotée par Jean Dufournet, Laurence Harf-Lancner, Marie-Thérèse de Medeiros et Jean Subrenat.
37. CHRISTINE DE PIZAN, *Le Livre du Duc des vrais amants.* Édition bilingue. Publication, traduction, présentation et notes par Dominique Demartini et Didier Lechat
38. *Beuve de Hamptone. Chanson de geste anglo-normande de la fin du XIIe siècle.* Édition bilingue. Publication, traduction, présentation et notes par Jean-Pierre Martin.

DÉCOUVREZ TOUS LES TITRES DES COLLECTIONS

Série « Essais »
Série « Références et Dictionnaires »
Série « Littératures »

SUR NOTRE SITE

www.honorechampion.com

BEUVE DE HAMPTONE

Chanson de geste
anglo-normande de
la fin du XIIe siècle

Édition bilingue.
Publication, traduction, présentation
et notes par Jean-Pierre Martin

CHAMPION CLASSIQUES
HONORÉ CHAMPION
PARIS - 2014

Jean-Pierre Martin, professeur émérite à l'Université d'Artois et président du Réseau Euro-Africain de Recherches sur les Épopées, est un spécialiste de la chanson de geste. Sa thèse de 3e cycle, *Les Motifs dans la chanson de geste. Définition et utilisation*, a été publiée en 1992 par le Centre d'Études Médiévales et Dialectales de l'Université de Lille 3, et sa thèse d'État a donné lieu à deux publications aux Éditions Champion, *Orson de Beauvais, chanson de geste du XIIe siècle* (CFMA, 2003), et *Orson de Beauvais et l'écriture épique à la fin du XIIe siècle. Traditions et innovations* (NBMA, 2005).

www.honorechampion.com

ISBN 978-2-7453-2691-1 ISSN 1636-9386

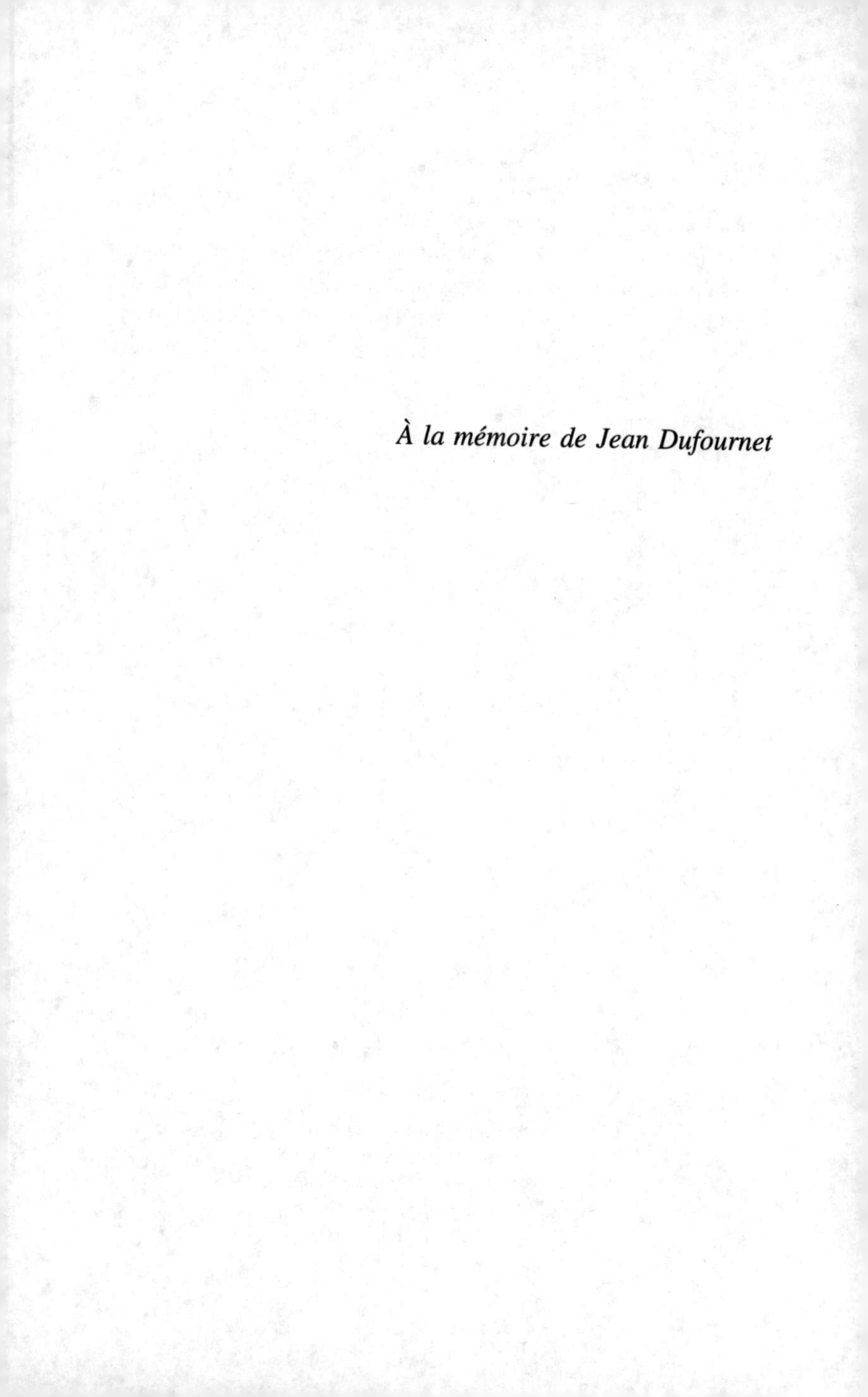

À la mémoire de Jean Dufournet

Introduction

1. Les manuscrits, et les précédentes édition et traduction

La chanson de geste de *Beuve de Hamptone*[1] dans sa version anglo-normande a été publiée pour la première fois en 1899 par Albert Stimming à partir de deux manuscrits incomplets mais complémentaires, avec édition synoptique des passages communs (et numérotation commune des vers)[2] ; ces manuscrits demeurent les deux seules véritables sources permettant d'établir un texte intégral. Le premier se trouve à la Bibliothèque nationale de France sous la cote NAF 4532 (ms. B) ; ses ff°° 69-82 contiennent les vers 1 à 1268 (moins les vers 930-934, 1068 et 1206-1207). Il s'agit d'un manuscrit très lisible, copié sur parchemin à la fin du XIIIe ou au début du XIVe siècle ; il comporte une seule colonne de 45 vers par page, chacun terminé par un point. Les 68 premiers ff°° de ce codex, copiés sur papier, sont pour moitié vierges et pour moitié occupés par une recension des différents domaines seigneuriaux d'Angleterre ; le f° 2 porte la mention « *This book is cald in Peter le Neve's Catalogue An account of several mannors in divers counties* » tracée par une main du XVIe siècle. On lit, en haut du f° 69 recto, d'une main plus tardive elle aussi, *Vie de Boevin (?) de hamtone le chivaler*. Le fait que les ff°° 83 et 84, eux aussi en

[1] L'appartenance de la rédaction anglo-normande de *Beuve de Hamptone* au genre épique a parfois été contestée. L'article de Marianne Ailes, « The Anglo-Norman *Boeve de Haumtone* as a chanson de geste », dans *"Sir Bevis of Hampton" in Literary Tradition*, ed. by Jennifer Fellow and Ivana Djordjević, Cambridge, D.S. Brewer, 2008, p. 9-24, a très clairement, et à mon sens définitivement, démontré cette appartenance.

[2] *Der anglonormannische Boeve de Haumtone*, hrsg. von Albert Stimming, Halle, Niemeyer, 1899.

Au bout de sept ans, Beuve parvient à s'échapper. Bradmont le poursuit, mais lorsqu'il le rejoint et qu'ils s'affrontent en combat singulier, le jeune homme le tue. Après diverses péripéties au cours desquelles il tue un géant et va se confesser auprès du patriarche de Jérusalem, Beuve finit par s'introduire à Monbrant en habit de pèlerin ; Josiane l'accueille aimablement, sans toutefois le reconnaître malgré la ressemblance qu'elle lui trouve avec celui qu'elle n'a jamais cessé d'aimer, et c'est Arondel qui, par sa conduite à son égard, lève tous les soupçons. Josiane assure alors Beuve de sa virginité, de sorte qu'il décide de l'emmener avec lui en Angleterre. Un plan est aussitôt combiné avec l'écuyer Bonnefoy : Yvori est éloigné sous un prétexte, la garnison endormie au moyen d'une herbe dont le jus a été mélangé au vin, et les deux amants et Bonnefoy s'enfuient avec dix chevaux chargés d'or. Pour échapper à leurs poursuivants, ils se réfugient dans une caverne ; Beuve part chasser pour nourrir Josiane affamée, mais pendant son absence surviennent deux lions qui dévorent l'écuyer et son cheval, mais ne font que blesser Josiane, parce que les lions ne peuvent pas manger l'enfant d'un roi. Beuve revient, découvre les membres épars de l'écuyer et du cheval et tue les lions. Mais c'est alors qu'il est attaqué par une espèce de géant sauvage et monstrueux appelé l'Escopart, un serviteur d'Yvori envoyé à sa poursuite, qui n'est finalement maîtrisé qu'avec le secours d'Arondel, et accepte alors de se mettre au service des fugitifs (1035-1840).

Tous trois gagnent par mer la ville de Cologne, dont l'évêque se révèle être l'oncle de Beuve. Josiane et l'Escopart reçoivent le baptême. Beuve part alors pour l'Angleterre avec une troupe mise à sa disposition par l'évêque, confiant la jeune fille à la protection du géant fraîchement baptisé. Passant d'abord par Hamptone, il se présente à Doon sous un faux nom comme un mercenaire disposé à se mettre à son service, et se fait ainsi offrir armes et victuailles : en effet l'empereur est sans cesse harcelé par Soibaut depuis la forteresse imprenable que celui-ci s'est bâtie en bord de mer. Ainsi renforcé par son ennemi lui-même, il rejoint son vieux maître tout heureux de le revoir vivant (1841-2050).

Demeurée à Cologne, Josiane est en butte aux avances du comte Miles, qui parvient à enfermer l'Escopart dans une tour et la contraint au mariage. Mais, le soir même, elle l'étrangle avec sa ceinture de soie. Aussi est-elle dès le lendemain condamnée au bûcher. Heureusement, Beuve a été prévenu par un messager et l'Escopart a réussi à se libérer : tous deux arrivent à temps pour massacrer les chevaliers de Miles et délivrer la demoiselle, avec laquelle ils gagnent le château de Soibaut. C'est alors que Doon entreprend de les attaquer avec une nombreuse armée, mais il est capturé par l'Escopart ; son armée se débande, et il est lui-même jeté dans une fosse pleine de plomb en fusion. À l'annonce de cette mort, la mère de Beuve se suicide. Sans attendre, le jeune homme gagne Hamptone et reçoit l'hommage de tous les vassaux de Doon, puis il fait venir l'évêque de Cologne pour célébrer son mariage avec Josiane. Le soir même, deux fils sont conçus (2051-2398).

Après quelques mois, Beuve se rend avec sa suite à Londres pour faire hommage au roi Edgar, qui le confirme dans les fiefs et les titres qui étaient autrefois ceux de Guy. Le lendemain, jour de la Pentecôte, une course de chevaux est organisée, et Arondel la remporte aisément. Le fils du roi, pris de convoitise pour l'animal, cherche à s'en emparer, mais il est tué d'une ruade. Beuve est contraint de s'exiler après avoir fait don de tous ses biens à Soibaut. Il part avec Thierry, le fils de ce dernier, et sa femme enceinte. L'Escopart, qu'il a souhaité laisser en Angleterre, retourne alors auprès d'Yvori et lui demande une troupe pour s'emparer de Josiane (2399-2674).

Ayant franchi la mer, les trois exilés se retrouvent dans une forêt lorsque la dame est prise des douleurs de l'enfantement ; Beuve et Thierry lui confectionnent une hutte de feuillage et s'éloignent. À peine a-t-elle mis ses deux enfants au monde que survient l'Escopart avec sa troupe de Sarrasins : ils l'enlèvent de force, laissant les nouveau-nés sur place. Soibaut est cependant alerté par un songe ; il part à sa recherche et la retrouve à Saint-Gilles en compagnie de ses ravisseurs, qu'il attaque à coups de bourdon et extermine avec l'aide des pèlerins qui l'accompagnent. Grâce à une herbe dont elle frotte son corps et son visage et à des habits masculins, Josiane est rendue méconnaissable ; tous deux partent à la recherche de Beuve et des enfants, mais Soibaut tombe malade : il reste alité pendant plus de sept ans, et la jeune femme subvient à leurs besoins en chantant les aventures de son mari. Beuve et Thierry cependant ont confié l'aîné des jumeaux, Guy, à un forestier, et le second, Miles, à un poissonnier, puis sont repartis à la recherche de la dame (2675-2817).

Leur quête les amène dans une cité, Civile, dont la dame est une jeune fille, au moment où elle est attaquée par une nombreuse armée, et c'est l'intervention de Beuve qui décide de la victoire. La demoiselle veut alors à tout prix épouser le héros, qui se voit à son tour contraint au mariage, mais obtient un sursis de sept ans avant de le consommer : s'il a retrouvé Josiane au terme de ce délai, c'est Thierry que la demoiselle prendra pour mari. Voilà donc Beuve duc de Civile, et bientôt vainqueur d'une nouvelle attaque. Au bout de sept années, Soibaut, guéri de sa maladie, arrive dans la cité en compagnie de Josiane. Reconnaissance, on va chercher les enfants, et Josiane se joint aux jongleurs pour animer les noces de la demoiselle et de Thierry. Deux enfants sont conçus : Thierry et la dame ont un fils qu'ils nomment Beuve, Beuve et Josiane une fille appelée Béatrix (2818-3062).

Ces derniers reprennent alors la route pour rejoindre Abreford, capitale du roi Hermin. Pour que la réconciliation avec celui-ci soit possible, Beuve se fait livrer les traîtres qui l'ont fait envoyer en prison et les décapite. Le grand-père fait connaissance avec ses petits-fils, et promet son royaume à Guy et un duché à Miles. Yvori, prévenu par un espion, attaque la ville, mais essuie une défaite ; il appelle alors à son secours le chef suprême des païens, mais Beuve de son côté a fait venir Thierry et l'armée de Civile, avec lesquels il part attaquer Monbrant et met les païens en déroute. Yvori est fait prisonnier et propose, pour garder la vie sauve, de payer une somptueuse rançon, que Beuve a le tort d'accepter (3062-3318).

Hermin va mourir. Il fait venir l'évêque de son pays (qui est désormais chrétien sans que le texte ait signalé sa conversion). C'est Guy, armé chevalier en compagnie de son frère, qui lui succède après son enterrement. Alors Soibaut retourne enfin auprès de sa femme. Mais Yvori machine une nouvelle traîtrise. Il a à son service un voleur magicien qui réussit à s'emparer d'Arondel, au grand désespoir de Beuve. Un songe toutefois prévient Soibaut, qui se remet en route et récupère le cheval. Yvori et son armée le poursuivent, mais du haut d'une tour Josiane les aperçoit et prévient Beuve et Guy ; ce dernier organise une sortie avec son frère et le fils de Thierry et les païens sont mis en fuite. Beuve décide alors d'en finir. Il fait appeler Thierry (dont le fils épousera Béatrix), et celui-ci vient accompagné d'une armée formidable. Yvori de son côté s'est procuré de nouveaux renforts et une nouvelle fois vient attaquer Abreford. Dans l'intention d'éviter un massacre, Yvori et Beuve s'affrontent en combat singulier et le païen est tué. Une mêlée s'ensuit au cours de laquelle plusieurs chefs sarrasins sont capturés et décident de se faire chrétiens. Ils aident Beuve et ses fils à s'emparer de Monbrant, dont les habitants sont convertis par de longs sermons de l'évêque Morant. On fait venir le pape qui couronne Beuve et Josiane roi et reine de Monbrant (3319-3697).

On vient alors prévenir Soibaut que le roi d'Angleterre a saisi les domaines de son second fils Robant. Tout le monde prend la mer et rejoint Hamptone. Le roi Edgar prend peur ; il sait sa mort prochaine et propose de donner sa fille en mariage à Miles. Les noces sont célébrées, Edgar meurt, et voilà Miles roi d'Angleterre. Avant de repartir, Beuve fait jurer à Soibaut de toujours veiller sur lui. De retour à Abreford, il trouve Josiane mourante ; dans l'écurie Arondel est mort. Beuve et Josiane rendent l'âme ensemble. Guy les fait ensevelir dans un sarcophage de marbre et joint la couronne de Monbrant à celle d'Abreford. Ainsi s'achève l'histoire de Beuve : il est temps pour le public de payer le jongleur qui l'a chantée (3698-3850).

3. Date et origines de la chanson

Les aventures de Beuve de Hamptone n'ont aucun fondement historique et les éléments susceptibles d'en éclairer l'origine sont extrêmement sommaires. Il est toutefois vraisemblable que nous sommes en présence d'une chanson de geste proprement anglo-

Très grossièrement, on peut regrouper ces différentes versions en trois ensembles :

– les versions anglo-normande, moyen-anglaises, galloise, irlandaise et scandinaves ;

– les versions françaises continentales et les éditions néerlandaises ;

– les différentes versions italiennes, d'où dérivent les textes yiddish, roumain et russe.

À cette tradition portant strictement sur le personnage de Beuve de Hamptone, quelles qu'aient été les formes précises données à son nom, il faudrait joindre les récits qui s'en sont inspirés de plus ou moins près, comme *Orson de Beauvais*, *Daurel et Beton*, et en Espagne le *romance* de Gaiferos et Melisenda, très vraisemblablement inspiré de la scène des retrouvailles entre le héros et sa bien-aimée à Monbrant, poème qui a pu lui-même servir de modèle à divers autres *romances*[31]. Cela suffit à témoigner du large succès

evo romanzo e orientale. Temi e motivi epico-cavallereschi fra Oriente e Occidente, VII Colloquio Internazionale (Ragusa, 8-10 maggio 2008), Atti a cura di Gaetano Lalomia e Antonio Pioletti, Soveria Mannelli, Rubbettino, 2010, p. 275-289 ; et Edith Wenzel, « "Bovo d'Antona" ("Bovo-Bukh") und "Paris und Wiene". Ein Beitrag zur jiddischen Literaturgeschichte des 16. Jahrhunderts », dans *Integration und Ausgrenzung. Studien zur deutsch-jüdischen Literatur- und Kulturgeschichte von der Frühen Neuzeit bis zur Gegenwart. Festschrift für Hans Otto Horch zum 65. Geburtstag*, hrsg. von Mark H. Gelber, Jakob Hessing und Robert Jütte, Tübingen, Niemeyer, 2009, p. 19-34.

[31] Voir Michael Heintze, « Bueve de Hantone et la tradition moderne du romance sur la libération de Melisenda », dans *Plaist vous oïr bone cançon vallant ? Mélanges de Langue et de Littérature Médiévales offerts à François Suard*, Villeneuve d'Ascq, Université Charles-de-Gaulle – Lille 3, 1999, I, p. 395-406 ; « *Bueve de Hantone* en Espagne. À propos des romances sur Gaiferos », dans *Quaderni di filologia romanza della Facoltà di Lettere e Filosofia dell'Università di Bologna*, 14 (1999-2000), p. 349-355 ; « "*Caballero, si a Francia ides*" : Melisenda am Fenster von Almanzors Plast in Sansueña. Das "*romance tradicional*" und das "*romance juglaresco*" », dans *Raumerfahrung – Raumerfindung. Erzählte Welten des Mittelalters zwischen Orient und Okzident*, hrsg. von Laetitia Rimpau und Peter Ihring, Berlin, Akademie Verlag BmgH, 2005, p. 251-279 ; et, s'agissant des textes inspirés par le romance, « La

rencontré par cette légende, entre le XIIIe et le XVIe siècle notamment.

On s'accorde d'une façon générale à voir dans la version anglo-normande la plus ancienne et vraisemblablement celle dont les autres, directement ou non, sont issues[32]. Mais il s'agit de la version, non des manuscrits qui nous l'ont conservée. Christopher Sanders montre clairement que les textes norrois en sont indépendants, et présentent par rapport à eux le même type de variantes, parfois assez importantes sans pour autant constituer véritablement des rédactions différentes, qu'on trouve entre deux manuscrits d'une même chanson de geste[33]. Quant à la version anglaise, sans compter les différences qu'on y trouve dans le traitement de divers épisodes, par exemple en ce qui concerne la libération de Josiane par Soibaut ou le nombre des combats opposant Beuve à Yvori, un détail montre que le copiste de D devait lui-même la connaître, puisque, au vers 3223, dans un passage d'ailleurs visiblement fautif, il donne à Soibaut son nom anglais de *Saber*, et non celui de *Sabaoth* dont il le désigne ordinairement.

5. Composition

Un tel succès n'est pas pour autant signe d'une absolue originalité, qualité au demeurant étrangère au jugement littéraire avant le

---

bien-aimée à la fenêtre : un motif dans les romancéros carolingien et épico-national du siècle d'or », dans *Par la fenêtre. Études de littérature et de civilisation médiévales réunies par Chantal Connochie-Bourgne*, Aix-en-Provence, Publications de l'Université de Provence, *Senefiance*, 49 (2003), p. 221-239.

[32] Pour une autre hypothèse, voir J. E. Matzke, *art. cit.*, qui, en se fondant sur des arguments assez largement réversibles, voit dans les versions italiennes le témoin le plus fiable de la forme originelle.

[33] Christopher Sanders, « *Bevers saga* et la chanson anglo-normande *Boeve d'Aumtone* », *R.L.R.*, 102, n° 1 (1998), p. 25-44 ; et *Bevers Saga*, *op. cit.*, p. cxliii-cxlv. Cf. aussi la note de J. Weiss au vers 163 de sa traduction.

XVIIIe siècle. C'est la façon dont *Beuve de Hamptone* combine toute une série de schémas et de motifs traditionnels qui lui donne ses traits propres et son intérêt particulier.

La structure d'ensemble permet de dégager deux grands mouvements[34], correspondant aux deux parties distinguées ci-dessus. Le premier se fonde sur le schéma des *enfances* tel que l'a clairement dégagé Friedrich Wolfzettel, notamment en s'appuyant sur l'exemple de *Mainet* : « 1. Le jeune héros est déshérité et doit s'enfuir (le plus souvent à cause d'un traître) ; libéré des liens du lignage, son destin est celui d'un hors-la-loi exilé. 2. Il grandit dans des conditions non chevaleresques ou non conformes à son état, mais qui ne peuvent étouffer sa vocation profonde. [...] La priorité de la *nature* par rapport à la *norreture* atteste du caractère naturel et conforme à la volonté divine du rang social. 3. Le héros se rend à l'étranger accompagné de camarades ou d'un serviteur fidèle pour faire ses preuves, et gagne grâce à ses faits d'armes la reconnaissance d'un seigneur étranger. 4. Il gagne par là la reconnaissance et l'amour de la fille du seigneur, qui lui offre son amour. [...] 5. La querelle ou la trahison domestique, cause de l'exil, trouve son pendant dans les machinations traîtresses qui, après la première épreuve, tout près du but, font retomber le héros dans des difficultés, et le conduisent éventuellement à un nouvel exil. 6. Suit le retour du héros, qui a récupéré ce qu'il avait perdu et se réhabilite, lui-même et sa famille. Ainsi le fils est-il devenu le remplaçant de son père, et ses enfances sont-elles achevées »[35]. De ce schéma, les

---

[34] Je reprends ici en partie les deux études que j'ai consacrées à cette question, dans mon article « *Beuve de Hantone* entre roman et chanson de geste », *Le Romanesque dans l'épique*, Dominique Boutet éd., *Littérales*, 31 (2003), p. 97-112 ; et dans mon livre sur *Orson de Beauvais* mentionné *supra*, p. 38-47.

[35] « Zur Stellung und Bedeutung der *enfances* », art. cit., p. 325-326. Pour une interprétation psychanalytique de ce schéma, F. Wolfzettel renvoie (note 31) à Otto Rank, *Der Mythos von der Geburt des Helden* ; voir la traduction française, *Le Mythe de la naissance du héros* suivi de *La légende de Lohengrin*, édition critique avec une introduction et des notes par Elliot Klein, Paris, Payot, 2000

vers 1 à 2389 de notre chanson offrent une fort bonne illustration, sur laquelle on reviendra ; seuls manquent les compagnons évoqués au troisième point.

Le second mouvement est quant à lui visiblement inspiré du conte type 938, *Placide Eustache*, ainsi analysé par Claude Bremond à partir des *Types of Indic Oral Tales* de Stith Thompson et Warren E. Roberts : « Un roi, s'étant engagé par une promesse imprudente, est contraint de donner son royaume à un mendiant. Il part, accompagné de la reine et de leurs deux fils. Tous quatre errent misérablement. Un riche marchand enlève la reine qui, pour protéger sa vertu, obtient par une prière de devenir lépreuse. Au passage d'un gué, le roi est séparé de ses fils. Les deux garçons sont recueillis par de pauvres gens qui les élèvent comme leurs enfants. Le roi arrive dans un royaume dont le souverain vient de mourir : il est choisi pour lui succéder sur le trône par l'éléphant royal (selon certaines versions, il ne devient pas roi, mais obtient un poste de confiance auprès d'un autre roi qui compatit à ses malheurs). Le hasard amène son épouse et ses fils à sa cour. Quand il entend leur histoire, il les reconnaît et se fait reconnaître d'eux. Tous quatre retrouvent leur premier royaume »[36]. Le résumé plus succinct fourni par Aarne et Thompson donne les variantes et précisions suivantes : la femme est enlevée par le capitaine d'un bateau, les enfants emportés par un lion et un ours ; une autre variante fait accoucher l'épouse au cours de l'errance du couple dépossédé de ses biens[37]. La littérature médiévale connaît un grand nombre de

[1983]. Dans cette perspective, le meurtre mythique du père est sublimé en vengeance de sa mort.

[36] « La famille séparée », dans *Communications*, 39 (1984), *Les Avatars d'un conte*, p. 11.

[37] Antti Aarne et Stith Thompson, *The Types of the Folktale*, Folklore Fellows Communications n° 184, Helsinki, Academia Scientiarum Fennica, 1961, p. 331-332. Voir aussi Paul Delarue et Marie-Louise Tenèze avec la collaboration de Josiane Bru, *Le Conte populaire français. Contes-nouvelles*, Paris, Éditions du Comité des Travaux historiques et scientifiques, 2000, p. 162-165.

versions de ce conte, dont les plus fameuses sont, en latin, la légende de saint Eustache dans la *Légende dorée*, en français, le roman de *Guillaume d'Angleterre* et, en espagnol, celui du *Caballero Cifar* ou *Zifar*[38]. On aura aisément reconnu, dans les Sarrasins commandés par l'Escopart, le ravisseur de l'épouse, marchand ou capitaine de bateau ; dans l'herbe qui rend Josiane méconnaissable en modifiant l'apparence de sa peau, l'équivalent de la lèpre temporaire protégeant la chasteté de la reine[39] ; dans le pelletier et le poissonnier, les formes humanisées, mais encore marquées par la proximité avec le monde animal, des bêtes sauvages qui emportent les enfants ; dans la dame de Civile, le souverain auprès duquel le héros retrouve un statut honorable et un poste de confiance ; et dans le récit permettant la reconnaissance et la réunion finale de la famille, la chanson de Josiane déguisée en jongleur.

De là l'utilisation d'un certain nombre de motifs folkloriques bien attestés[40], comme par exemple celui de l'*exécuteur compatissant*

---

[38] Jacques de Voragine, *La Légende dorée*, éd. Alain Boureau, Paris, Gallimard, Pléiade, 2004, p. 881-888 ; Chrétien de Troyes (?), *Guillaume d'Angleterre*, éd. et trad. Christine Ferlampin-Acher, Paris, Champion Classiques, 2007 ; *Historia del Cavallero Cifar*, hrsg. Heinrich Michelant, Tübingen, Bibliothek des literarischen Vereins in Stuttgart, CXII, 1872 ; *Libro del caballero Zifar. Códice de París*, ed. Manuel Moleiro y Francisco Rico, Barcelona, Moleiro, 1996.

[39] Soit hasard dû au thème de la lèpre au Moyen Âge, soit croisement avec d'autres versions du conte, la version moyen-anglaise (*The Romance of Sir Beues of Hamtoun*, ed. Eugen Kölbing, London, The Early English Text Society, 1885, 1886, 1894) écrit explicitement (v. 3680) que l'effet de ce traitement est de donner à Josiane l'apparence d'une lépreuse, ce qui la met aussitôt à l'abri des désirs de son ancien mari ; celui-ci en effet, lorsqu'il la voit, n'a rien de plus pressé que de l'envoyer dans un château éloigné (v. 3699-3704). Cf. Melissa Furrow, « Ascopard's Betrayal : A Narrative Problem », dans *"Sir Bevis of Hampton" in Literary Tradition*, *op. cit.*, p. 145-160, et plus particulièrement p. 154.

[40] Voir Stith Thompson, *Motif-Index of Folk-Literature*, Bloomington, Indiana University Press, 1955, dont je reproduis les références entre parenthèses. Voir aussi Gerald Bordman, *Motif-Index of the English Metrical Romances*, Folklore

(K 512.1), lorsque Soibaut, ayant reçu l'ordre de tuer son pupille, recouvre ses vêtements de sang de porc et les jette à la rivière attachés à une meule de moulin (v. 228-239) ; la *lettre d'Urie* (K 978), qui invite le destinataire, ici Bradmont, à faire un mauvais sort à Beuve qui la lui apporte (v. 791-818) ; ou l'*anneau magique permettant de s'informer sur autrui* (D 1310.4.1), dans lequel le roi Garcie peut voir Beuve fuyant avec Josiane (v. 1593-1598). Le plus notable, d'ailleurs présent dans plusieurs autres chansons de geste, est celui du *protecteur magique de chasteté*, une herbe dans *Orson de Beauvais*, une racine dans *Raoul de Cambrai*, et ici la ceinture que se confectionne Josiane (D 1387), motif qui donne en outre lieu à une série de variations[41] : avec sa ceinture (la même ou une autre ?), Josiane tord le cou du comte Miles lors de son deuxième mariage forcé ; l'herbe que lui fournit Soibaut pour changer son apparence est, comme on l'a vu, l'héritière du motif qui, dans certaines versions du conte AT 938, protège aussi la chasteté de la reine. Enfin le délai obtenu par Beuve avant la consommation éventuelle de son deuxième mariage en représente une dernière variation, cette fois avec inversion des rôles sexuels. Divers autres motifs pourraient être encore relevés. La place de la tradition folklorique apparaît donc essentielle dans la composition de notre texte.

La tradition épique n'en est pas moins importante, encore que la chronologie relative des chansons de geste conduise à se demander si *Beuve* reprend tel motif attesté ailleurs ou s'il n'en donne pas au contraire l'occurrence la plus ancienne. Ce qui importe toutefois à cet égard est moins la question de la première occurrence que le fait qu'une même situation, un même motif, puisse se rencontrer dans divers textes, ce qui atteste clairement son appartenance au genre

---

Fellows Communications n° 190, Helsinki, Academia Scientiarum Fennica, 1963, où la version moyen-anglaise de la légende est analysée en détails.

[41] C'est un anneau magique dans la version moyen-anglaise.

dans son ensemble[42]. Sans même envisager les diverses batailles rangées, contre Bradmont, Doon ou Yvori, ni les combats singuliers au cours desquels Beuve tue Bradmont, son neveu Grandier et son frère le géant, on peut relever, en quelque sorte au fil du texte, bon nombre de motifs présents aussi dans diverses autres chansons[43]. Le méfait initial est la *chasse tragique* au cours de laquelle Guy de Hamptone est assassiné (cf. *Garin le Loherenc*, v. 9826-10 098 et 16 303-16 368 ; *Jehan de Lanson*, v. 5760-5863 ; et, avec une conclusion différente, *Girart de Vienne*, v. 6332-6428). L'exil de Beuve s'ouvre ensuite avec le motif du *héros vendu aux Sarrasins* (cf. *Le Moniage Rainouart*, v. 3284-3719). Après sa victoire sur Bradmont, il reçoit la visite d'une *princesse amoureuse*, qui, n'étant

---

[42] Principe de méthode exposé dans mon ouvrage, *Les Motifs dans la chanson de geste. Définition et utilisation (Discours de l'épopée médiévale, I)*, Centre d'Études Médiévales et Dialectales de l'Université de Lille III, 1992, p. 20-21.

[43] Je m'appuie ici essentiellement sur les relevés effectuées dans mes *Motifs*, *op. cit.*, p. 345-356 notamment, mais en excluant *Orson de Beauvais* à cause de son évidente parenté avec *Beuve*. Les références aux textes du corpus renvoient aux éditions les plus récentes : *Aye d'Avignon*, éd. S. J. Borg, Genève, Droz, 1967 ; *Garin le Loherenc*, éd. Anne Iker-Gittleman, Paris, Champion, CFMA, 1996-1997 ; *Gerbert de Mez*, éd. Pauline Taylor, Namur-Lille-Louvain, Facultés Universitaires de Namur-Giard-Nauwelaerts, 1952 ; *Raoul de Cambrai*, éd. Sarah Kay, Oxford, Clarendon Press, 1992. Autres éditions citées : *Girart de Vienne* par Bertrand de Bar-sur-Aube, éd. Wolfgang van Emden, Paris, Picard, SATF, 1977 ; *Jehan de Lanson*, éd. John Vernon Myers, Chapel Hill, The University of North Carolina Press, 1965 ; *Le Moniage Rainouart I*, éd. Gerald A. Bertin, Paris, Picard, SATF, 1973 ; *Renaut de Montauban*, éd. Jacques Thomas, Genève, Droz, 1989 ; *Les Enfances Guillaume*, éd. Patrice Henry, Paris, SATF, 1935 ; *Simon de Pouille*, éd. Jeanne Baroin, Paris, Genève, Droz, 1968 ; *La Chanson d'Antioche*, éd. Suzanne Duparc-Quioc, Paris, Geuthner, 1976-1978 ; *Aiol*, éd. Jean-Marie Ardouin, thèse pour le Doctorat de Lettres Modernes, Université de Valenciennes et du Hainaut-Cambrésis, 2010. Voir aussi Marianne Ailes, « The Anglo-Norman *Boeve de Haumtone* », art. cit., p. 22. Pour un relevé plus détaillé des points de contact entre *Beuve* et la littérature médiévale dans son ensemble, voir Christian Boje, *Über den altfranzösischen Roman von Beuve de Hamtone*, *op. cit.*, p. 59-133.

pas parvenue comme les autres à l'attirer dans sa chambre, vient littéralement le tirer du lit où il fait semblant de dormir (cf. *Gerbert de Mez*, v. 3686-3848 et 4215-4387, et *Raoul de Cambrai*, v. 5381-5587). Josiane subit bientôt un *mariage forcé* avec Yvori, puis un autre avec Miles, mais le recours à sa ceinture lui permet dans les deux circonstances de rester vierge (cf. *Raoul de Cambrai*, v. 6555-6708 ; et aussi *Aye d'Avignon*, v. 1234-1238 et 1597-1604, où les choses en restent à l'état de projet, mais où un anneau protecteur de chasteté est bel et bien mentionné aux v. 2005-2012). Quant à Beuve, une fois évadé de sa prison, pour s'introduire auprès d'elle, et plus tard auprès du meurtrier de son père, il opère un *retour incognito*, comme tous les héros victimes d'une trahison amenés à s'introduire auprès de leurs ennemis (cf. *Raoul de Cambrai*, v. 6962-7377). Puis lorsque Josiane, ayant tué Miles, se voit conduite au bûcher, le salut que lui apporte Beuve suit le schéma du *secours à un héros sur le point d'être exécuté* (cf. *Renaut de Montauban*, v. 9703-9789). Plus tard, quand le messager de Beuve vient à Hamptone narguer Doon, celui-ci, cherchant à le frapper, fait une *victime innocente* en la personne de son propre frère (cf. *Garin de Loherenc*, v. 3837-3848 et 17 514-17 521 ; *Gerbert de Mez*, v. 7372-7378). Dans l'épisode final, les chrétiens attaquent Monbrant selon la tactique de l'*embuscade*, qui consiste à dissimuler dans les bois le gros de la troupe et, au petit jour, à envoyer un détachement s'emparer des troupeaux pour attirer la garnison dans le piège (cf. *Garin le Loherenc*, v. 9233-9350 et *passim* ; *Gerbert de Mez*, v. 8514-8579 ; *Raoul de Cambrai*, v. 3672-3847 et 5714-5804). Et le dernier affrontement entre Beuve et Yvori donne lieu à un *duel entre champions*, qui choisissent de se mesurer en combat singulier afin d'éviter en principe le massacre qu'entraînerait une bataille rangée (cf. *Raoul de Cambrai*, v. 4072-4402 et 4403-4511). Je noterai encore que le voleur qui réussit à s'emparer d'Arondel au profit d'Yvori en recourant à des procédés magiques n'est évidemment pas sans rappeler Maugis, Basin, Malaquin et autres larrons enchanteurs dont le modèle se rencontre à diverses reprises dans l'ensemble de l'épopée médiévale[44], et que la statue de Mahomet dont s'échappe un chien roux lorsque Beuve la brise après s'être emparé de Monbrant fait penser aux divers occupants humains ou démoniaques qu'on découvre régulièrement dans les idoles païennes (cf. *Les Enfances Guillaume*, v. 1542-1552 ; *Simon de Pouille*, v. 1529-1607 ; *Aiol*, v. 9635-9654 ; *La Chanson d'Antioche*, v. 5303-5308). Le point de départ de la deuxième partie, l'exil du héros chassé d'Angleterre parce que son cheval a tué le fils du roi, fait aussi penser au meurtre accidentel qui suscite l'hostilité de Charlemagne pour le héros de plusieurs chansons de révolte, *Renaut de Montauban* ou *Huon de Bordeaux* notamment[45]. Qu'il s'agisse de la première ou de la deuxième partie, on voit ainsi que la chanson recourt très largement à des motifs bien attestés dans l'ensemble de la production épique, et cela sans qu'il s'agisse de définir quelque rapport particulier d'imitation. Il y a enfin deux réminiscences vraisemblables de la *Chanson de Roland*, d'une part avec l'épée que Josiane donne à Beuve, et qui porte le même nom, *Murgleie*, *Morgelei*, que celle de Ganelon, *Murglies* ou *Murgleis* ; d'autre part avec la réaction d'Yvori, lorsque Beuve lui fait croire que son frère est assiégé et a un urgent besoin de son aide : « *Mahon ! ce dist il, com si ad dure vie !* », qui fait irrémédiablement penser à celle de Charlemagne à la fin de la chanson, lorsque l'ange Gabriel lui ordonne de voler au secours du roi Vivien assiégé par les Sarrasins : « *Deus ! dist li reis, si penuse est ma vie !* »[46] ; et peut-être encore dans la victoire finale contre les Sarrasins,

---

[44] Voir Joël H. Grisward, « Le thème de la révolte dans les chansons de geste : éléments pour une typologie du héros révolté », dans *Charlemagne in the North*, ed. Philip E Bennett, Anne Elizabeth Colby and Graham A Runnalls, Edinburgh, Société Rencesvals British Branch, 1993, p. 412-414.

[45] La place occupée par Arondel dans l'histoire de Beuve est aussi à rapprocher de celle de Bayard dans la légende de Renaud.

[46] Édition critique par Cesare Segre, traduite de l'italien par Madeleine Tyssens, Genève, Droz, 2003, v. 4000. Voir aussi *La Chanson de Roland*, texte présenté, traduit et commenté par Jean Dufournet, Paris, Garnier-Flammarion, 1993.

repoussés jusqu'à un fleuve comme, après Roncevaux, Charlemagne poursuit les fuyards jusqu'à l'Èbre[47]. On notera d'ailleurs l'inversion axiologique à laquelle se livre le trouvère dans les deux premiers cas, l'épée du traître devenant celle du héros, et la réaction du roi chrétien inspirant celle du roi païen : ne faudrait-il pas y voir le signe d'une explicite réappropriation de ces emprunts ?

Le choix de reprendre des éléments narratifs attestés par ailleurs joue aussi dans l'économie interne de la chanson, dont plusieurs épisodes sont en quelque sorte redoublés, et cela dans chacune des deux parties. C'est particulièrement le cas avec le motif du mariage forcé où, par deux fois, Josiane défend sa virginité au moyen d'une ceinture. C'est aussi le cas lorsque Beuve capture un roi sarrasin, Bradmont, puis Yvori, auquel il laisse la vie sauve, contre son hommage à Hermin pour le premier, contre rançon pour le second : il en sera chaque fois mal récompensé, puisque Bradmont le gardera sept ans prisonnier et qu'Yvori lui fera dérober son cheval et conduira une nouvelle attaque contre lui. Et de même que Beuve cherche à passer pour un autre sous son habit de pèlerin quand il retrouve Josiane après sa captivité, ce qui s'explique aisément puisqu'elle est alors officiellement l'épouse d'un roi païen, d'où une scène de reconnaissance mettant en valeur le rôle d'Arondel, Soibaut retournant auprès de sa femme sous le même costume prétend n'être qu'un simple messager jusqu'à ce qu'elle le reconnaisse elle-même ; la chanson montre d'ailleurs un goût marqué pour cette sorte de scènes, puisque l'arrivée de Beuve au château de Soibaut et celle de Soibaut à Civile auprès de Beuve et de Thierry sont également traitées sur le mode de la reconnaissance. Vers la fin notamment, la composition joue avec des redoublements, dans la suite de batailles contre Yvori : deux attaques de celui-ci contre Abreford, capitale d'Hermin puis de Guy, et deux contre-attaques des chrétiens contre Monbrant, la première aboutissant à la capture du roi païen, bientôt délivré contre rançon, et la seconde à la prise définitive de la ville (dédoublement au demeurant absent de la

---

[47] Voir aussi la note au vers 3289.

version moyen-anglaise). À l'intérieur même de ce conflit, divers détails sont redoublés : de même qu'Yvori a un espion à la cour d'Hermin (v. 3122), Beuve en a un à Monbrant (v. 3180), ce qui suscite deux brefs récits successifs construits sur le même modèle. De même la récupération d'Arondel par Soibaut s'inspire visiblement du rapt du cheval par le voleur à la solde d'Yvori ; cela est confirmé par l'apostrophe du premier au second, « *Arundel est pris, mal vus en est venant* » (v. 3471), répondant ainsi à la satisfaction exprimée par le roi païen lorsque l'animal lui avait été amené, « *Ke en mal an est Boves entrez* » (v. 3431)[48].

Le contenu narratif de la chanson n'est pas cependant sans présenter un certain nombre de difficultés, et même de contradictions. Ainsi, alors qu'autrefois le roi d'Écosse s'était opposé farouchement au mariage de sa fille avec Doon, et l'avait donc contre son gré donnée au vieux Guy de Hamptone, on le voit voler au secours de l'assassin de celui-ci lorsque son petit-fils revient venger son père, et périr misérablement sous les coups de Soibaut. Une autre difficulté au moins apparente concerne la localisation du royaume d'Hermin, explicitement situé en Égypte aux vers 362-367, mais qui devient l'Arménie lorsque Guy, son successeur, est désigné au vers 3529 comme *rois de Hermins*, ce qui signifie en principe « roi des Arméniens »[49], qualité confirmée au vers 3744. C'est en effet seulement après le retour de Beuve et Josiane accompagnés de leurs enfants dans ce royaume, qu'est donné le nom de sa capitale, Abreford, par ailleurs impossible à identifier, et dont l'allure anglaise invite à voir une invention de trouvère britannique. Surtout, alors qu'Hermin est clairement païen dans toute la première partie, puisque, en particulier, il cherche à convaincre Beuve de renier la religion chrétienne, sa propre foi chrétienne ne fait aucun doute dans la fin de la chanson, où il meurt presque en odeur de sainteté, sans qu'à aucun moment le texte ait mentionné la moindre conversion le

---

[48] D'autres parallélismes ont été relevés par J. E. Matzke, art. cit., p. 32-35.

[49] J. Weiss traduit « *king of Hermin's people* », « roi du peuple de Hermin », ce qui est une façon de tourner la difficulté.

concernant. Mais elle s'accorde fort bien alors avec l'identification de son royaume comme étant l'Arménie. Les versions continentales ultérieures résoudront le problème en faisant d'Hermin un roi chrétien dès le début[50]. D'où sort par ailleurs ce Ténébré, chef sarrasin que Beuve, au vers 2505, dit avoir tué, alors qu'il n'en est fait aucune mention jusque-là ? L'hypothèse avancée par Judith Weiss d'une seconde partie plus tardive et d'auteur différent, destinée à offrir à la chanson une meilleure issue, fournit à la plupart de ces incohérences une explication vraisemblable, et s'en trouve par conséquent solidement confirmée. Elle permet aussi de rendre compte, non seulement des contradictions évidentes qui viennent d'être signalées, mais aussi de certaines bizarreries. Ainsi le pèlerin que Beuve rencontre lorsqu'il se rend à Damas, dans la première partie, se présente comme le fils de Soibaut (v. 840), sans donner d'autre nom, et il n'intervient à aucun moment lors de la reconquête du fief de Hamptone ; dans la deuxième partie au contraire, le fils de Soibaut – le même ? un autre ? – est appelé Thierry, *Terri*, dès sa première mention, au vers 2465 ; il devient alors le meilleur compagnon de Beuve, jusqu'à le remplacer auprès de la dame de Civile une fois Josiane retrouvée, et se voit dès lors attribuer un rôle de tout premier plan dans le récit ; et lorsque le poète pourvoit Soibaut d'un second fils au vers 3386, il lui attribue aussitôt un nom, Robant, bien que celui-ci n'occupe pas plus de place dans le récit que le pèlerin de la première partie. L'entrée de Thierry dans l'histoire coïncide d'ailleurs avec le retour de l'Escopart au paganisme, autre indice qu'on a alors affaire à une continuation ajoutée par un nouvel auteur : si en effet le personnage pouvait être utile à Beuve dans la première partie, où il compensait l'absence de compagnons l'ayant suivi en exil, et venait à point

---

[50] Il y a aussi des contradictions au moins apparentes entre diverses données chiffrées : vers 86 et 172, 1949 et 1982, 3636 et 3641, 3623 et 3672. Faute de copie ? ou absence d'intérêt pour la précision de nombres dont la mention vise uniquement à donner un ordre d'idées ? De telles variations ne sont au demeurant pas rares dans d'autres chansons de geste.

nommé remplacer l'écuyer Bonnefoy dévoré par les lions[51], ses aptitudes physiques exceptionnelles se seraient moins bien accordées avec les malheurs vécus par le héros dans le schéma du conte 938 ; mais dès lors qu'il retourne auprès de son ancien maître, il offre en revanche à l'enlèvement de Josiane une explication aisée, qui permet en outre de réintroduire, en remettant Yvori en scène, une thématique proprement épique étrangère à l'épisode parallèle du conte 938. Enfin, alors que Beuve n'avait à l'origine réussi à le vaincre que grâce à l'intervention d'Arondel (v. 1812-1815), le fait qu'un simple coup de bourdon assené par le père de Thierry suffise à le tuer aux vers 2764-2765 souligne le besoin éprouvé par le continuateur de se débarrasser de lui au plus vite[52].

Mais quelles que soient les incohérences ponctuelles qu'il a pu introduire entre les deux parties, le continuateur ne s'en est pas moins inspiré de la première pour adapter à l'histoire de Beuve le conte 938, lui aussi fondé sur la perte par le héros de ses biens et de son statut, puis une restauration qui le fait accéder à un niveau supérieur : de même que Josiane s'est magiquement conservée chaste sept ans après son mariage forcé avec Yvori, tandis que Beuve croupissait dans la basse-fosse de Damas, celui-ci fixe un délai de sept ans de chasteté à la dame de Civile, lorsqu'elle lui impose un nouveau mariage, et c'est effectivement au terme de ce délai qu'il retrouve Josiane ; au-delà de la valeur symbolique du

---

[51] La complémentarité entre ces deux personnages a bien été vue par J. E. Matzke, art. cit., p. 33, mais il considère qu'ils sont tous deux issus du Pelucan des versions italiennes, personnage mi-homme, mi-chien, et qui se montre fidèle serviteur de Buovo, sans relever que son nom dérive de toute évidence du peuple des *Publicants* auquel dit appartenir l'Escopart dans la version anglo-normande (v. 1780), ce qui suggère au contraire l'antériorité de celle-ci. Voir la note aux vers 1780-1781.

[52] Voir à ce propos Melissa Furrow, « Ascopard's Betrayal », art. cit., p. 145-151.

chiffre sept[53], il est clair que l'auteur de la seconde partie a voulu souligner ici le parallèle que son modèle lui offrait par rapport à la première. De même le motif du déguisement et de la reconnaissance, légitimement utilisé lors de l'arrivée de Beuve à Monbrant auprès de Josiane, revient vers la fin, mais sans claire motivation, lorsque Soibaut rejoint sa femme à Hamptone. Ainsi cette seconde partie, malgré les incohérences qu'elle introduit, cherche néanmoins à établir des liens avec la première, et donne aux aventures de Beuve une dimension supplémentaire, en leur fournissant une conclusion plus glorieuse et plus conforme à la vocation généalogique de l'histoire, avec la naissance des enfants de Beuve et Josiane et leur destinée royale.

6. Personnages

Comme il est naturel dans une chanson de geste, Beuve fait évidemment figure de héros chrétien. On le voit dans la première partie, où il refuse de renier sa foi et où il ne cède à l'amour de Josiane que lorsqu'elle lui annonce son désir d'être baptisée. Arrivé à Damas, son premier soin est de détruire l'idole de Mahomet, et son évasion est marquée par deux prières, dont la première lui vaut un soutien miraculeux lorsque ses chaînes tombent d'elles-mêmes et qu'il fait un bond prodigieux jusqu'à la sortie souterraine de sa prison, et dont la seconde prélude immédiatement à la traversée presque aussi extraordinaire d'une rivière impétueuse qui le met hors de portée de ses poursuivants. Enfin, avant même de chercher à rejoindre Josiane, il va se confesser au patriarche de Jérusalem. Mais alors que jusque-là le lien avec la foi concernait sa destinée personnelle, dans la deuxième partie, plutôt qu'un simple héros

[53] Qu'on retrouve dans la tradition arménienne, selon laquelle un remariage en cas de disparition d'un des deux époux n'était possible qu'au terme d'un délai de sept ans, information qui m'a été donnée par M. Jean-Pierre Mahé, Président de l'Académie des Inscriptions et Belles-Lettres pour l'année 2012 ; qu'il en soit ici remercié.

chrétien, il devient, selon le modèle ordinaire de nombre de chansons de geste, un héros de la chrétienté qui, par le combat contre les Sarrasins, conquiert de nouveaux territoires à la vraie foi. Alors que, dans la première partie, la conversion se limitait en quelque sorte à son espace privé, sa femme et son serviteur, dans la seconde, c'est un royaume entier qui est converti ; il ne rencontre plus seulement des prélats, patriarche de Jérusalem ou évêque de Cologne, mais le pape en personne : c'est dire que son aventure concerne alors la chrétienté tout entière[54].

Si ce statut de héros chrétien est en quelque sorte consubstantiel au genre de la chanson de geste, c'est celui d'*enfant* qui, dans notre chanson, caractérise le mieux Beuve. Au vers 2828, il est encore appelé *Boves l'enfes*, alors même que sa femme vient d'accoucher, et c'est d'abord par des exploits d'enfance qu'il se définit. Ses aventures, dans la première partie de la chanson, sont en effet conformes au modèle exposé ci-dessus[55] : dépossédé de ses domaines héréditaires suite au meurtre de son père, il descend au plus bas degré de l'échelle sociale, d'abord en étant réduit, lui fils

---

[54] Valérie Fasseur, « La tentation sarrasine de Beuve de Hantone », dans *La Chrétienté au péril sarrasin*, Actes du colloque de la section française de la Société Rencesvals, Aix-en-Provence, CUER MA Université de Provence, *Senefiance*, 46 (2000), p. 27-39, relativise cette qualité de héros chrétien en faisant remarquer qu'il semble dans un premier temps se satisfaire de son existence en terre païenne, oubliant son serment de venger son père, acceptant de se conduire en parfait vassal d'un roi sarrasin, prétendant même que Beuve est mort lorsqu'il rencontre sur la route de Damas le fils de son maître parti à sa recherche ; il oublierait ainsi le lien fondamental qui doit exister entre la chrétienté terrestre et le royaume céleste, et ne retrouverait une foi profonde qu'à partir du moment où, ayant enfin prié Dieu dans la prison-purgatoire où l'a mené la confiance accordée ainsi aux infidèles, il fait l'épreuve de sa puissance en voyant ses chaînes tomber d'elles-mêmes. Bien que cette analyse, dans son souci de plier le plus grand nombre possible de données à la thèse qu'elle défend, ignore la bipartition de la chanson et ce que celle-ci doit au poids de modèles narratifs préexistants, elle n'en reste pas moins aussi stimulante qu'ingénieuse.

[55] Voir p. 26.

d'un comte, à l'état de berger et de fils de putain (v. 263 et 278), et surtout quand, bientôt, il se retrouve vendu en terre lointaine, c'est-à-dire réduit au statut d'esclave ; il doit dès lors reconquérir sa dignité degré par degré en combattant successivement un sanglier terrifiant, dix forestiers, un roi sarrasin, un géant, deux figures royales avec les lions, et enfin le meurtrier de son père : il se montre ainsi chasseur, combattant, chef de guerre, héros capable d'affronter monstres et rois, pour finalement venger son père et reconquérir son héritage. En même temps, et toujours conformément au schéma des *enfances*, il conquiert l'amour d'une princesse, elle-même héritière d'un royaume, et se trouve promis par là à un destin royal, mais le refus qu'il oppose dans un premier temps à Josiane souligne, au delà de l'indignité sociale qu'il invoque, une immaturité sexuelle qui le maintient dans l'enfance malgré les exploits qu'il vient d'accomplir. La seconde partie répète cet itinéraire de dépossession suivi de récupération. À nouveau chassé de son pays, privé de ses domaines et bientôt de sa femme, il reconquiert son statut de chef de guerre en venant au secours d'une ville, ce qui lui vaut l'amour d'une nouvelle princesse (qu'il repousse cette fois encore), avant de récupérer femme et enfants et finalement d'accéder à la dignité royale, non seulement pour lui-même mais aussi pour ses fils. Le parallèle entre les deux parties souligne bien ce qui caractérise son personnage : la difficulté d'accéder à une pleine maturité, à la sérénité et à la plénitude de l'état adulte, et en effet, lorsque, devenu roi lui-même, et ayant assuré l'avenir de ses deux fils par l'obtention d'une couronne pour chacun d'eux, sa carrière est achevée, il ne lui reste plus qu'à mourir.

Après la mort du père, la fonction paternelle de protection est transmise au maître, Soibaut, déjà en charge de l'éducation chevaleresque du petit Beuve, et qui cherche alors à le protéger par tous les moyens. Après que l'enfant a été vendu, il envoie d'abord son fils à sa recherche, et, alors même qu'il a tout lieu de le croire mort, il continue à assumer son hostilité envers les meurtriers, se faisant ainsi le conservateur, sinon de ses biens, du moins de son droit, notamment en menant depuis son château imprenable des coups de main répétés contre les places-fortes et les troupeaux de l'usurpateur. Toutefois, dans la première partie, essentiellement consacrée aux aventures du héros en terre païenne, sa présence est limitée aux épisodes du tout début et de la reconquête finale de Hamptone. Dans la seconde, il apparaît sous un jour nouveau, d'abord parce que Beuve, désormais chassé d'Angleterre, lui a définitivement transmis la charge du comté, mais surtout parce qu'il devient alors, pour reprendre l'expression de Valérie Fasseur, le « médiateur de la Providence »[56] : à deux reprises, c'est lui qui est averti en songe des malheurs dont Beuve est victime, l'enlèvement de Josiane puis le vol d'Arondel ; chaque fois, il se met aussitôt en route en costume de pèlerin, parvient la première fois à délivrer la dame, et la seconde à récupérer le cheval, non sans avoir, dans un cas comme dans l'autre, usé de son bourdon comme d'une arme pour tuer le ravisseur et le garçon d'écurie. Ce costume de pèlerin rappelle évidemment celui que porte son fils dans la première partie, lorsque, sans le reconnaître, il rencontre Beuve et reçoit de lui ainsi la fausse nouvelle de sa mort, mais aussi lorsqu'il cherche à le mettre en garde contre le contenu de la lettre qu'il porte au roi de Damas et qui lui vaudra sept ans de captivité. Le pèlerin, dans les chansons de geste, n'est pas un voyageur quelconque : s'il n'est pas un traître déguisé pour passer inaperçu, il est toujours, d'une manière ou d'une autre, porteur d'informations que Dieu seul peut lui avoir transmises[57]. La première partie montre donc en Soibaut le père d'un messager de l'au-delà soucieux de la vie et des biens du héros, et la seconde développe ces deux traits, non seulement parce qu'il lui ramène sa femme et son cheval, mais aussi parce qu'il est

[56] *Ead.*, « Un médiateur de la Providence : le personnage de Sabaoth dans la version anglo-normande et la version en prose de *Beuve de Hantone* », *L'Épopée tardive*, études réunies et présentées par François Suard, *Littérales*, 22 (1998), p. 25-38.

[57] Voir Jean-Pierre Martin, « Le pèlerin messager : un exemple de motif modalisateur dans l'épopée médiévale », *Ethnologie française*, 25 (1995-2), *Le Motif en sciences humaines*, p. 187-195.

désormais le père de deux fils, Thierry, qui va fidèlement accompagner et seconder Beuve dans ses diverses aventures, et à la fin Robant, nouvelle victime de l'arbitraire royal.

La mention de Thierry attire précisément l'attention sur la figure du compagnon. Dans le schéma du récit d'enfances, le héros quitte le plus souvent son pays natal avec un ou plusieurs compagnons. Tel n'est pas le cas de Beuve, qui, ayant été vendu comme esclave, vit solitaire ses premières tribulations. Ce n'est qu'après sa captivité et les retrouvailles avec Josiane qu'il se trouve accompagné d'un écuyer, apparemment celui de la demoiselle, le vaillant Bonnefoy. Compagnonnage de courte durée, qui permet seulement à Beuve de recevoir quelques judicieux conseils en vue de leur évasion commune, avant que le fidèle écuyer soit dépecé par les lions.

C'est alors que survient le personnage le plus pittoresque de la chanson, le gigantesque Escopart, qui va seconder le héros jusqu'à la fin de la première partie. Celui-ci se signale d'abord par le physique monstrueux qu'il tient de ses origines païennes : comme le porte-étendard de Bradmont, il s'apparente à un sanglier, par la longueur de sa toison et de ses dents ; plus généralement, il présente des caractéristiques animales courantes chez les Sarrasins : ses ongles sont de véritables griffes, son nez est *cornu* (en forme de corne, ou carrément muni d'une corne ?), et il court plus vite qu'un oiseau ne vole ; haut de neuf pieds, soit presque deux hommes de taille normale, il est aussi d'une force herculéenne : son arme est une énorme massue, et lors de l'embarquement de Beuve et Josiane pour l'Angleterre, il peut sans effort prendre dans ses bras et porter dans la nef le cheval Arondel et les dix chevaux chargés d'or que Bonnefoy leur avait fait emmener avec eux. Avec cela excellent marin. Le portrait rappelle les monstres sarrasins qu'affronte Rainouart dans *Aliscans*, et aussi, pour sa force, sa vélocité et l'arme dont il se sert, Rainouart lui-même[58]. Ces traits lui vau-

---

[58] Sur les caractéristiques des monstres sarrasins d'*Aliscans*, voir mon article « D'où viennent les Sarrasins ? À propos de l'imaginaire épique d'*Aliscans* », dans Jean Dufournet (éd.), *Mourir aux Aliscans. Aliscans et la légende de*

dront, comme au beau-frère de Guillaume d'Orange, un large succès dans la tradition littéraire ultérieure, notamment en Italie, où il devient le compagnon mi-homme mi-chien de Buovo, auquel il restera fidèle jusqu'à la mort.

La fidélité est en effet sa deuxième caractéristique notable. À peine a-t-il été maîtrisé à la suite de son combat avec Beuve, qu'il accepte de se faire chrétien, suit son nouveau maître et le sert avec constance, contre les autres Sarrasins avant d'arriver à Cologne, contre le comte Miles, et enfin lors de la bataille contre Doon, où il commande lui-même un corps d'armée entier. Son retour brutal au paganisme et au service d'Yvori dans la deuxième partie est un des signes par lesquels celle-ci se dénonce comme un développement postérieur à la rédaction initiale, et le rôle, d'ailleurs bref, qu'il y joue, est en contradiction avec la personnalité que lui attribue la rédaction initiale.

Enfin, une fois de plus comme Rainouart, son gigantisme, sa force et sa naïveté donnent lieu à divers effets comiques, dont le plus notable est la scène de son baptême, avec l'énorme cuve qu'on doit préparer, les conditions dans lesquelles il y entre, et surtout dont il en sort, frigorifié au contact de l'eau, criant qu'il est bien assez chrétien comme cela et bondissant comme un diable au milieu de l'église. Lors de l'épisode du comte Miles, quand, après avoir détruit avec ses ongles la tour où celui-ci l'avait enfermé sur une île, il fait appel, pour regagner la terre ferme, à l'aide d'un bateau de marchands, la peur qu'il inspire à ces derniers, au point de les faire tous se jeter à l'eau, fournit aussi un moment assez réjouissant. Sa laideur, qui lui vaut le portrait le plus détaillé de toute la chanson, sur trois laisses successives, comme l'évocation de son enfance auprès de congénères encore plus grands que lui, avec les moqueries dont il était victime pour sa petite taille, sont autant de traits initiaux destinés à faire de lui, d'entrée de jeu, une figure associée au rire.

Guillaume d'Orange, Paris, Champion, 1993 (Unichamp), p. 121-136 ; et la note au vers 1291.

Cette caractéristique disparaît précisément au début de la seconde partie, lorsque, déçu d'être laissé par Beuve en Angleterre, il retombe tout à coup dans le paganisme, rejoint Yvori et organise l'enlèvement de Josiane alors qu'elle vient d'accoucher. C'est qu'alors est apparu avec le personnage de Thierry un dernier compagnon destiné à seconder Beuve dans ses tribulations, et le renvoyer à l'univers sarrasin est le moyen trouvé par le continuateur pour se débarrasser de lui ; très significativement, d'ailleurs, c'est Soibaut, le père de Thierry, qui va le tuer d'un coup de bourdon (arme bien adaptée pour supprimer un renégat), alors que, dans l'épisode de la première partie où il était apparu, Beuve lui-même n'avait réussi à s'en rendre maître que grâce à l'aide de son cheval.

Thierry en revanche n'appelle guère de remarques. Chevalier sans défauts, il est le second fidèle de Beuve jusqu'à la fin de la chanson, présent auprès de lui chaque fois que nécessaire, contribuant à sa victoire sans jamais y occuper la première place, et surtout le remplaçant comme époux de la duchesse de Civile après que Josiane a été retrouvée.

Cette dernière est évidemment la figure féminine majeure de la chanson. Elle tient d'abord du personnage traditionnel de la princesse sarrasine amoureuse d'un héros chrétien[59] : séduite par sa vaillance, c'est elle qui fait les premiers pas, se montrant entreprenante comme la plupart de ses pareilles (mais aussi comme un certain nombre d'héroïnes chrétiennes de chansons de geste[60]) ; comme elles, elle fait preuve de beaucoup d'initiative, tant pour se défendre des hommes auxquels elle se refuse, allant jusqu'à étrangler le comte Miles avec sa ceinture, que pour aider Beuve à combattre les lions, ou plus tard subvenir en se faisant *jongleresse*

---

[59] Voir Paul Bancourt, *Les Musulmans dans les chansons de geste du cycle du roi*, Aix-en-Provence, Publications de l'Université de Provence, 1982, p. 741-764 notamment.

[60] La scène où elle déclare son amour à Beuve rappelle l'épisode initial de la partie assonancée de *Raoul de Cambrai*, où Béatrix fait à Bernier une déclaration analogue.

aux besoins de Soibaut malade et aux siens propres. Comme Sarrasine, elle est aussi magicienne et capable de se confectionner une ceinture enchantée qui ôte à Yvori toute velléité érotique à son égard[61]. Peut-être cette qualité disparaît-elle d'ailleurs après sa conversion, puisque, à Cologne, dans une situation analogue, la ceinture doit être serrée autour du cou de Miles. C'est sur elle du moins que se concentrent tous les éléments d'ordre merveilleux qui relèvent du *magicus*[62], ceux qui font peu ou prou intervenir les sciences occultes, qu'elle en soit l'initiatrice, comme dans le cas de la ceinture protectrice de chasteté, la bénéficiaire, comme pour l'herbe soporifique utilisée par Bonnefoy afin d'endormir la garnison de Monbrant, ou l'objet, avec la bague du roi Garcie, dont la pierre permet de voir à distance, ou encore, dans la deuxième partie, après qu'elle a été délivrée par Soibaut, avec les herbes qu'il s'est procurées pour assurer son incognito.

Dans cette partie, elle fait aussi paraître une compétence jamais évoquée jusque-là, celle de musicienne accomplie, capable aussi bien de chanter de geste que de composer des lais, et se montre ainsi plus proche des héroïnes courtoises. Peut-être faut-il mettre cette qualité en rapport avec le nom de son père, *Hermin*, qui devient alors aussi celui du peuple sur lequel il règne : on ne saurait exclure que la paronymie entre *Arménie/Hermenie* et *harmonie* ait pu jouer dans l'attribution de cette nouvelle aptitude à l'héroïne[63].

Enfin, dans l'économie particulière de la chanson, Josiane est aussi la chaste épouse, capable de tout pour se conserver vierge à celui qu'elle aime, opposée à la femme adultère. Donnée par son père, comme la mère de Beuve, à un homme qu'elle n'aime pas, elle adopte une attitude opposée, choisissant de rendre le mariage

---

[61] Cf. P. Bancourt, *op. cit.*, p. 600-607.

[62] Sur la distinction entre les différentes catégories de merveilleux, voir Jacques Le Goff, « Le merveilleux dans l'Occident médiéval », dans *L'Imaginaire médiéval*, Paris, Gallimard (Bibliothèque des Histoires), 1985, p. 17-39.

[63] Rapprochement explicite dans la version moyen-anglaise : voir la note au vers 3101.

nul en empêchant sa consommation, alors que la comtesse de Hamptone a mis au monde un fils avant, dix ans plus tard, de faire assassiner lâchement le mari détesté par l'homme qu'elle avait toujours désiré. Le baiser donné au comte Guy au vers 136, alors qu'elle l'envoie dans le piège qu'elle lui a fait tendre, contribue à assimiler la mère de Beuve à Judas. Josiane se trouve ainsi opposée à la comtesse infidèle comme Beuve l'a été à son père, et en quelque sorte le bon couple figuré par la nouvelle génération au mauvais couple incarné par la précédente.

Un dernier personnage important est le cheval Arondel, particulièrement lié à Josiane, et en premier lieu parce que c'est elle qui en fait don à Beuve lors de son adoubement, cheval que, à la différence de l'épée, il propose de lui rendre dans la scène de dépit amoureux qui les oppose après la bataille (v. 709). Son nom n'est pas seulement celui du fief des comtes autour desquels on peut supposer que la chanson a été composée. Dans les chansons de geste, on compare en effet souvent la rapidité d'un cheval à celle d'une hirondelle : ainsi, dans la *Chanson de Roland*, le cheval du Sarrasin Climborin, *plus est isnels que esprever në arunde* (v. 1492). Cette rapidité est notamment exploitée au début de la deuxième partie, quand est organisée à la cour d'Edgar une course de chevaux, remportée par Beuve, et origine de son projet d'édifier un château nommé lui aussi *Arundel*. Le texte établit ainsi un réseau de correspondances signifiantes entre le nom du cheval et ceux de l'oiseau et du domaine. La course fait évidemment penser à celle que remporte Bayard dans *Renaut de Montauban*, et Arondel n'est pas sans ressemblances avec lui : il montre une présence d'esprit tout à fait exceptionnelle dans plusieurs circonstances, d'abord lorsqu'il réveille Beuve évanoui aux vers 1688-1690, comme, au moment où Richard va être pendu, Bayard réveille les trois autres frères endormis afin qu'ils aillent à son secours[64] ; ensuite lors du combat qui soumet l'Escopart à Beuve, puisque c'est lui qui, en définitive, inquiet de la mauvaise passe où il le voit, assure la

[64] Éd. cit., v. 9703-9712.

victoire de son maître sur le géant aux vers 1812-1819, et le texte évoque explicitement son intelligence au vers 1442, lorsqu'il entend prononcer son nom à Monbrant.

Or non seulement Arondel peut apparaître comme le premier don amoureux de Josiane à Beuve, mais le texte établit à plusieurs reprises un parallèle entre le cheval et l'héroïne, parallèle souligné en particulier dans la deuxième partie de la chanson. Comme elle, il est dans cette partie enlevé par un serviteur d'Yvori, et c'est Soibaut qui, informé de l'enlèvement par un songe dans les deux circonstances, délivre aussi bien la dame que le cheval et les ramène également à Beuve. Le texte insiste même sur ce parallèle, puisque, interprétant le deuxième songe, l'épouse de Soibaut lui dit : « *Sa mulier ad perdu ou son destrer preysé* » (v. 3443). De même il refuse tout autre cavalier que Beuve, frappant également Yvori et le fils du roi d'Angleterre lorsqu'ils cherchent à le monter, comme la demoiselle se protège des velléités amoureuses d'Yvori puis de Miles. Il n'est alors pas étonnant que, à la fin de la chanson, sa mort coïncide avec celle des deux époux.

7. D'une génération à l'autre, l'établissement d'un nouvel ordre

Privé de père et d'héritage, Beuve ne tire son statut que de sa propre valeur et n'est le fils que de ses œuvres. C'est ce que développe notamment la seconde partie, en l'empêchant de se reposer benoîtement dans son fief reconquis. Il lui faut chercher ailleurs un domaine et une dignité supérieurs, que lui apporteront le retour auprès d'Hermin et surtout la conquête de Monbrant. Avec la permanence soulignée de son statut d'enfant, cette nécessité où il se trouve, doublement orphelin, de faire fortune par ses seuls exploits, fait apparaître l'un des thèmes de la chanson, celui de la disqualification des pères, thème clairement développé dans la première partie, mais auquel s'accorde aussi la seconde. Le roi d'Écosse, en refusant sa fille à celui qu'elle aime pour la donner au comte Guy ; celui-ci, en épousant une femme trop jeune, qui pourrait donc être sa fille[65] ; le roi Hermin, en écoutant les mauvais conseillers qui le poussent à trahir la parole donnée à un enfant traité jusque-là presque comme un fils, puis en réitérant la faute du roi d'Écosse lorsqu'il marie Josiane à Yvori ; et ensuite le roi Edgar, père d'un fils mal élevé qui essaie de voler le cheval d'un grand vassal : tous se montrent ainsi incapables d'assumer convenablement leur rôle. Beuve en particulier ne connaît que des pères de substitution, son maître Soibaut et le roi sarrasin Hermin. Cette disqualification est soulignée par un épisode-clef de la chanson : alors que le comte Guy est tué en allant chasser un sanglier illusoire et en se jetant dans le guet-apens tendu à l'instigation de sa femme par Doon et ses complices, c'est en tuant un sanglier terrifiant, et bien réel cette fois, puis en tuant ou en mettant en déroute les forestiers qui lui tendent une embuscade que Beuve montre pour la première fois ses qualités de combattant sous les yeux et pour le plus grand plaisir de Josiane ; il peut alors offrir la tête de l'animal au roi Hermin en gage de vassalité, alors que c'était la tête même de son père qui était envoyée en gage d'amour à l'épouse criminelle. Les mêmes éléments sont mis en jeu : héros chassant un sanglier, attaque de traîtres, tête coupée offerte au principal bénéficiaire, amoureuse comblée par le résultat de l'aventure – avec un résultat de sens opposé, qui aboutit à montrer dans Beuve un héros non seulement capable de remplacer son père mort, mais aussi de réussir là où son père a échoué[66]. Cette première victoire est en quelque sorte redoublée lors de la bataille contre Bradmont, au

---

[65] Sur le soupçon d'inceste qu'implique cette différence d'âge, voir Alfred Adler, « Alter Mann der jungen Frau... », dans id., *Epische Spekulanten. Versuch einer synchronen Geschichte des altfranzösischen Epos*, München, Wilhelm Fink, 1975, p. 149-165.

[66] Pour une analyse plus approfondie de ces correspondances, voir Romaine Wolf, « Nouer l'amour, nouer la mort : la ceinture sarrasine dans *Beuve de Hantone* », dans *« Si a parlé par moult ruiste vertu ». Mélanges de littérature médiévale offerts à Jean Subrenat*, textes publiés sous la direction de Jean Dufournet, Paris, Champion, 2000, p. 551-571, et notamment 565-566 ; et Valérie Galent-Fasseur, « La tentation sarrasine », art. cit., p. 28.

cours de laquelle il tue le porte-étendard ennemi, Rudefon, *plus velu ke nul porc o tusun* « plus velu qu'un sanglier couvert de soies » (v. 572). C'est ainsi qu'il entame une carrière de fils qui va en tous points surpasser celle de son père : après le sanglier (et le guerrier-sanglier), ce sont deux lions, dont l'affinité avec l'essence royale vient d'être rappelée au vers 1668, qu'il affronte victorieusement en refusant l'aide de Josiane ; il va épouser une femme qui l'aime et engendrer deux fils dès le soir de ses noces (v. 2394) ; non content de tuer l'assassin du comte et de récupérer son fief par les armes, même s'il doit ensuite s'en défaire, il finit par conquérir un royaume et voir ses fils accéder eux-mêmes à la dignité royale, y compris en Angleterre, réintégrant ainsi l'héritage paternel dans les domaines de sa famille. Mais si lui-même ne commet aucune des fautes qui ont disqualifié les autres pères, il n'en reste pas moins, père à son tour, dans l'incapacité d'éduquer lui-même ses fils, confiés pour cela à des personnages de rang inférieur – façon peut-être de leur faire subir à leur tour un déclassement initial –, puis en situation de voir l'aîné couronné avant lui. Les redoublements d'épisodes peuvent ainsi faire sens au plan thématique, et ne se bornent pas à produire l'effet esthétique évoqué ci-dessus.

Le fait que Beuve doive reconquérir le domaine paternel montre dans la première partie un univers dans lequel la puissance guerrière et la solidarité lignagère au sens large sont les seules garanties véritables du droit. Spolié de ses biens héréditaires, il n'en reprend possession qu'avec l'aide de sa parentèle, ici représentée par les chevaliers que lui fournit son oncle, l'évêque de Cologne, et de ses vassaux, au premier rang desquels Soibaut et l'Escopart ; et par le biais d'une stratégie consistant sans doute à s'appuyer sur des défenses solides (Soibaut s'attache particulièrement à mettre son château en état de résister aux attaques adverses) et à bien disposer ses troupes en vue du combat (comme le montre leur répartition en corps de bataille, motif au demeurant traditionnel dans les chansons de geste), mais sans négliger le recours à la ruse, légitime dans un monde où le droit le plus élémentaire n'est plus garanti : orphelin suite au meurtre de son père en trahison, Beuve est en droit de tromper à son tour le meurtrier en se présentant à lui sous un faux nom pour en obtenir l'argent, les vivres et les armes qui contribueront à le vaincre. Mais ce n'est qu'après s'être lui-même montré un chevalier accompli, contre Bradmont en particulier, qu'il se trouve en situation d'affronter l'usurpateur et de le vaincre. Si la naissance légitime la détention du fief, c'est dans la mesure où elle donne aussi les qualités guerrières permettant de le récupérer.

En chassant Beuve d'Angleterre, et en l'obligeant à transmettre Hamptone à Soibaut, la deuxième partie tire encore plus cette thématique dans le sens d'une légitimité tenant exclusivement à la conquête. C'est ainsi que Beuve devient roi de Monbrant, mais c'est aussi par la force de ses armes qu'il obtient un royaume pour chacun de ses fils et un duché pour Thierry, la conquête des terres se doublant chaque fois de celle d'une femme : Josiane, la dame de Civile, la fille d'Edgar. Tantôt les armes assurent la conquête au terme d'une ou plusieurs batailles : Civile, Monbrant ; tantôt il suffit de les montrer pour obtenir un royaume en héritage : Edgar préfère donner sa fille à Miles plutôt que d'avoir à affronter Beuve ; et c'est après avoir manifesté ses craintes à l'arrivée du héros et de son armée qu'Hermin annonce son intention de transmettre Abreford à Guy.

On retrouve ici un thème traditionnel des chansons de geste : la solidarité du clan est la meilleure garantie contre l'insuffisance, et parfois la trahison, des détenteurs du pouvoir royal. À ce propos Edgar et Hermin se conduisent d'une manière voisine. Dans un premier temps, ils se montrent généreux à l'égard du héros, Hermin en l'armant chevalier pour lui donner la conduite de son armée, Edgar en doublant la restitution gratuite de son fief de celle du commandement qui avait appartenu au comte Guy, générosité qui n'est pas totalement désintéressée parce qu'ils voient en lui un défenseur possible de leur pouvoir. Mais bientôt Beuve est menacé de mort et éloigné pour un méfait dont il n'est pas coupable, suite à des machinations de l'entourage royal, dénonciation calomnieuse auprès d'Hermin, tentative de vol d'Arondel par le fils d'Edgar. Et pour finir même frilosité lorsqu'il revient accompagné d'une puissante armée, aboutissant à l'abandon du royaume à l'un de ses fils. Pas plus que les pères, les rois ne se montrent ainsi réellement à la hauteur de leur tâche.

L'enjeu est alors la refondation d'un ordre par une nouvelle génération, tant au plan moral que politique et religieux. Grâce à la puissance de ses armes et à la solidarité de son clan, Beuve constitue pour sa descendance, ses fils et celui de Thierry auquel il marie sa fille, un espace dont il bannit l'injustice (exécution des mauvais conseillers d'Hermin, rétablissement de Robant dans ses droits) et l'impiété (conversion de Monbrant et des principaux chefs sarrasins). Toujours accomplis sous le sceau de l'enfance, ne serait-ce que parce qu'ils remettent en cause l'ordre des pères, ses exploits permettent le rétablissement pour les générations à venir d'un monde conforme aux valeurs de la féodalité.

8. Les vers

« Le vers dont est revêtue notre chanson, écrit Stimming, est presque d'un bout à l'autre l'alexandrin »[67]. Mais il ajoute un peu plus loin que cet alexandrin peut être rythmé 7+5 ou 5+7, et qu'à partir de là des vers comportant 7+6 ou occasionnellement 6+7 syllabes font des alexandrins tout à fait convenables[68] – et il fournit une liste de 74 premiers hémistiches heptasyllabiques pris dans les 1200 premiers vers de la chanson, non sans négliger plus d'une fois la nécessité de placer la césure après un mot tonique, d'où des « alexandrins » tels que :

> « Messager, dist ele, en / Alemaine ore tost alez (v. 51)
> L'enfaunt prit, si s'en va a / son hostel meintenant (v. 233)
> Treis plaies li donai, kar / il me apella truaunt (v. 319)
> Testes, poins, pez, jambes il / fet voler en laris (v. 617).

---

[67] *Op. cit.*, p. xxxiii.
[68] *Ibid.*, p. xxxvi-xxxvii.

Il est en réalité difficile de définir une mesure précise pour les vers utilisés. D'une part la possibilité, en anglo-normand, d'ajouter ou d'élider assez librement un *e* central et de conserver ou de réduire les hiatus (cf. *infra*, *Langue des manuscrits*, § 10-11 et 23), bien que susceptible de faciliter la réduction des hémistiches à une longueur constante, n'en crée pas moins un facteur d'instabilité dans le décompte. D'autre part la comparaison des passages pour lesquels nous disposons de plusieurs témoins montre que les scribes, comme souvent dans la tradition manuscrite des chansons de geste, s'accordaient sur le texte écrit des libertés analogues à celles que les interprètes d'épopées encore vivantes (et autrefois sans doute les jongleurs) prennent par rapport à la source qu'ils transmettent oralement, mais en outre qu'ils ne se sentaient pas même tenus à une mesure stricte. Voici par exemple les vers 1040 et 1042 dans chacune des copies conservées :

1040 Beau sire Dieus / ke me deignastes a fourmer (B, 4+7 ou 8)
E dist bele sire Deus / ke me deygnastes former (D, 6 ou 7+6)
Bels sire Deus / qui me deignas form[er] (G, 4+6)

1042 Jeo te pri beau duz sire / de fin quer e enter (B, 6+6)
Jeo vus pri bel sire / de fin qer (D, 5+3)
Jo te v[uche] sire / de fin qer enter (G, 4 ou 5+5).

Sans doute peut-on toujours trouver dans l'un ou l'autre témoin un décasyllabe ou un alexandrin indiscutable – mais la supériorité de cette leçon n'en sera pas plus évidente, et le fait que nous soyons en général limités à un seul manuscrit nous interdit d'envisager ce que pourrait être un hypothétique texte original. En revanche, la comparaison nous assure que les scribes auxquels nous devons de connaître la chanson ne se souciaient guère de la longueur précise des vers. Dès lors, comment juger un vers apparemment trop long, comme *E prent le tronsoun de sun espé ke il out fet debruser* (v. 448), ou trop court, comme *Quant Boefs out Radefoun occis* (v. 597) ? Même si on peut toujours imaginer les amendements nécessaires pour réécrire toute la chanson en décasyllabes ou en alexandrins académiques, mieux vaut essayer de comprendre une irrégularité métrique dont *Beuve* n'est pas le seul exemple, et qu'illustre notamment la *Chanson de Guillaume*[69], autre texte épique dont au moins la copie est nettement anglo-normande – et cela alors qu'un texte comme le roman de *Horn*, anglo-normand lui aussi, est écrit en alexandrins très réguliers[70]. Ne pourrait-on pas penser que le vers épique anglo-normand, en principe destiné à un auditoire populaire ou tout au moins socialement mêlé, puisse avoir subi l'influence de la métrique plus accentuelle que syllabique de la poésie traditionnelle anglaise ? ou – ce qui n'exclut pas l'hypothèse précédente – que le chant, qui permet de redoubler une note pour intégrer une syllabe supplémentaire, ou à l'inverse de chanter sur deux notes une syllabe unique pour compenser un déficit métrique, autorise par conséquent un certain flottement dans le nombre de syllabes que peut contenir un vers[71] ? Au contraire un texte destiné à la lecture non chantée dans un espace privé, et par conséquent plus homogène socialement, sera nécessairement plus respectueux de la métrique purement syllabique du français continental – et c'est ce que montrent, en alexandrins comme en octosyllabes, quantité d'œuvres non épiques d'origine insulaire.

Il serait hasardeux, dans de telles conditions, de s'étendre longuement sur l'usage stylistique d'un tel mètre. On peut tout au plus remarquer que le vers coïncide régulièrement avec une unité syntaxique, phrase complète ou élément de phrase. Il est exceptionnel en effet qu'un élément syntaxique déborde partiellement sur un

---

[69] *La Chanson de Guillaume*, publiée par Duncan McMillan, Paris, SATF – Picard, 2 vol., 1950 ; voir en particulier l'étude de la métrique dans le vol. II, p. 44-65. Pour une édition plus récente, voir *La Chanson de Guillaume*, édition de François Suard, Paris, Bordas, Classiques Garnier, 1991.

[70] *The Romance of Horn by Thomas*, edited by M. K. Pope, Oxford, I, 1955, et II, 1964.

[71] Ce qui ne signifie pas notre chanson ait réellement été chantée devant un tel auditoire, mais simplement qu'elle est écrite dans une forme suggérant un tel contexte de performance.

autre vers : un des quelques enjambements repérables se trouve aux vers 529-530, lorsque le roi Hermin donne à Beuve le commandement de son armée :

> « Jeo vus frai chevaler, e pus si porterez
> Ma banere en bataile devaunt mon baronnez. »

Comme on voit, la coïncidence avec le vers reparaît aussitôt. Même chose aux vers 618-619, 1279-1280, 1872-1873, 2148-2149, 2764-2765 et 3687-3688 (voir la note correspondante pour ce dernier exemple). Seule exception, les vers 1896-1898, où deux rejets se suivent :

> Li eveske de la vile cele jur fust alé
> Sus la rive de la mer, si ad encontré
> Boun de Hampton le chevaler menbré.

À cet égard, la version anglo-normande de *Beuve de Hamptone* ne se différencie guère des autres chansons de geste.

9. Les laisses

Le premier trait caractérisant l'usage des laisses dans notre texte est la composition de tout le début en laisses très courtes. À y regarder de plus près, la répartition des laisses longues et brèves fait apparaître trois groupes, le troisième correspondant à la seconde partie de la chanson :

Longueur	vers 1-502	vers 503-2398	vers 2399-3850
4	LIX, LXX, LXXII		CLXXIV, CLXXX
5	III, XII, XVIII, XXII, XXIII, XXXVII, LVI, LXV, LXVI, LXXIII	CIII, CV, CXXIV, CXXXII, CXLI	CLXVI, CLXVIII, CCV

6	I, II, IV, VI, VIII, IX, XI, XV, XVI, XVII, XIX, XXV, XXVII, XXVIII, XXIX, XXX, XXXI, XXXII, XXXIII, XXXV, XXXVI, XXXV-III, XXXIX, XLI, XLII, XLIII, XLVII, XLVIII, XLIX, L, LI, LII, LIV, LVII, LVIII, LX, LXI, LXIII, LXXI, LXXIV	XCV, CL, CLVII	CLXX, CLXXIII, CC
7	V, X, XIII, XIV, XXIV, XXXIV, XL, XLV, LIII, LV, LXII, LXIV, LXIX	LXXXI, CXI, CXXVI, CXXXVI, CXLII, CLII, CLXIII	
8	VII, XX, XLIV, XLVI, LXXVI	CXLIX, CLVIII	CLXXXIX
9	XXVI, LXVII	CLXII	CLXXII, CLXVII
10	LXXV	LXXXVI, CLI	CXCVIII
11		CVIII, CXLV	CXCIII
12	LXVIII	CII, CVII, CIX, CXXXVIII	CCII
13		XCVII, CX, CXIII, CXXXIII, CXXXIX, CLIII	CLXXXVIII
14		LXXX, LXXXV, LXXXIX	
15		LXXXIII, LXXXVII, XCI, CXX	CXCVII
16		XCVI, CXLIV, CLIV, CLXI	
17		CIV, CXXXI, CLIX, CLXIV	CLXXIX, CLXXXVI
18		CXXV, CXLVII	CLXXXII
19		CI, CXXII, CXLIII	CLXXXV, CXCVI

20		CVI	
21		CXVIII	
22		XCVIII	CLXXXIV
23		C, CXXIII	
24		LXXIX, CLV	
25		XCIII, CXXVIII	CLXXXVII
26		XCIV, CXXI	CLXIX
27		CXV, CXXXIV, CXXXVII, CXLVI	CXCI
28	LXVIII		
30		LXXXVIII	
31		LXXXIV, CXIV, CXIX, CXXXV, CLVI	
35		XCIX, CLX	
36		LXXVIII, CXXX	
37			CLXXI, CCI
39		LXXXII, XC	
40		XCII, CXII, CXVII	
44			CCIV
49		CXVI, CXLVIII	
52			CXCIV
53		CXXIX	CXCII
58		LXXVII	CLXXVIII
59			CIC
60		CXXVII, CLXV	CXCV
64		CXL	

65			CCIII
81			CLXXXI
84			CLXXVI
95			CXC
98			CLXXV
127			CLXXXIII
187			CLXVII

On aboutit à une longueur moyenne de 6,5 vers pour le premier groupe (6,3 si on rattache au deuxième groupe la laisse LXVIII, longue de 28 vers, et les suivantes), de 27,5 pour le deuxième et de 36,3 pour le troisième. La tendance fréquente dans les chansons de geste à allonger progressivement la longueur moyenne des laisses ne suffit évidemment pas à rendre compte de telles différences. Cette distribution confirme d'abord l'autonomie des vers 2399 à 3850, d'autant plus que la plus longue de toutes ces laisses se situe en deuxième position dans cette dernière partie. Mais il y a lieu d'autre part de s'interroger sur l'exceptionnelle brièveté de celles constituant le premier groupe (la longueur moyenne, dans la *Chanson de Roland*, l'une des chansons dont les laisses sont les plus courtes, est de 13,7 vers). Elles ont fait l'objet de diverses études, qui ont proposé, sans pouvoir en faire la démonstration assurée, un rapprochement avec les strophes de 6 vers de certains *romances* moyen-anglais. L'hypothèse prudente avancée par Marianne Ailes est que le poète était familier aussi bien de ces strophes que des laisses de dimensions variables de la poésie épique française[72]. La question est aussi de comprendre pourquoi ce choix initial est abandonné ensuite, et l'on ne peut guère avancer d'autre hypothèse

[72] « The Anglo-Norman *Boeve de Haumtone* as a *chanson de geste* », art. cit., p. 14.

que celle d'un allongement rendu nécessaire par un récit d'aventures souvent échevelées auxquelles une extrême fragmentation, originellement inspirée de la poésie narrative anglaise, aurait été mal adaptée. Il est intéressant de constater que l'auteur du *Beues of Hamtoun* moyen-anglais s'est ensuite efforcé de suivre ce modèle, en rédigeant lui aussi le début entièrement en strophes de 6 vers rimés *aabccb*, les troisième et sixième vers étant plus brefs que les quatre autres, avant de passer à des couplets d'octosyllabes à rimes plates[73], à peu près au niveau du vers 327 de notre chanson. Ivana Djordjević a montré de façon assez convaincante que l'auteur-adaptateur anglais avait ainsi cherché à suivre son modèle anglo-normand, quoique sans servilité inutile, dans la versification de cet épisode[74].

Mais le manuscrit de la Bibliothèque nationale de France offre une autre bizarrerie. Non seulement les espaces destinés aux lettrines en début de laisse sont restés vides, ce qui n'est pas pour surprendre s'agissant d'une copie visiblement inachevée, mais surtout il y a beaucoup moins de lettrines envisagées que de laisses telles que, après Stimming, on est amené à les distinguer ; près de trois fois sur cinq, les changements d'assonance ou de rime ne font l'objet d'aucune signalisation particulière, place de lettrine ou pied-de-mouche. C'est particulièrement le cas dans les 500 premiers vers, où l'on compte 26 blancs pour 76 laisses[75]. Si l'on se bornait à tenir compte de ces marques explicites, on compterait une seule laisse pour les 30 premiers vers, et non cinq ; une seule encore pour les 33 suivants au lieu de cinq, une troisième de 97 vers, là où on en distingue quinze en suivant l'édition Stimming, et ainsi de suite.

---

[73] A. Crépin et H. Taurinya Dauby, *Histoire de la littérature anglaise du Moyen Âge*, Paris, 1993, p. 113. Voir aussi l'édition d'E. Kölbing, *The Romance of Sir Beues of Hamtoun*, London, 1885, part II, p. X-XIII.

[74] I. Djordjević, « Versification and Translation in *Sir Beves of Hampton* », art. cit., p. 41-59.

[75] Les lettrines manquantes ont été restituées entre crochets dans le texte ci-après.

Seules huit laisses se trouvent prises entre deux lettrines prévues. Mais le phénomène ne se limite pas à ce début composé en laisses très brèves, et on le rencontre sur les 14 folios que nous conserve le manuscrit. On ne peut alors s'empêcher de penser aux « laisses multirimes » de la *Chanson de Guillaume*, bien que, dans cette dernière, le phénomène ne dépasse jamais trois timbres par laisse. Ce qui retient sur ce chemin et incite à conserver le même découpage que le premier éditeur, c'est la régularité relative avec laquelle on passe d'une rime à l'autre dans les strophes très brèves du premier groupe.

À cela s'ajoute le fait que, à six reprises, ces laisses ne retrouvent leur unité de timbre dans l'édition Stimming qu'au prix d'une intervention de l'éditeur, deux vers, au début ou à la fin, formant un couplet qui rime à part, changement de timbre vocalique pour les laisses XI et LVI, passage de la rime à l'assonance pour les laisses XIII, XXVIII, XXX, et XLVII. Et le même phénomène se retrouve dans la suite aux laisses LXXXI, XC, XCI, CV, CX, CXX, CXXIII, CLI, CLVII et CLXV, et dans la dernière partie CIC, toutes laisses dans lesquelles s'observe une bipartition entre deux finales, le plus souvent *é* et *ez/és* cependant[76]. Fautes de copie peut-être, d'autant que le *-z* final est souvent employé sans souci de cas ni de nombre. Cela montre en tout état de cause que, au moins pour le copiste, la coïncidence entre le découpage purement matériel, graphique, du texte et les séries de vers s'achevant sur le même timbre ne s'imposait pas automatiquement[77].

Or Stimming indique en introduction que, dans le manuscrit D, il arrive aussi qu'un certain nombre de laisses ne s'ouvrent pas sur une lettrine, mais, bien que le phénomène soit cette fois minoritaire,

---

[76] Le cas des laisses CXCV et CXCVI est un peu différent : pour les deux premières, il s'agit de laisses commencées en rimes et achevées en assonances sur le même timbre vocalique.

[77] Ce qui pourrait conduire à s'interroger à la suite de Duncan McMillan sur l'origine et la nature exacte des laisses multirimes de la *Chanson de Guillaume*, éd.cit., II, p. 26.

il ne précise pas lesquelles sont dans ce cas[78], et la perte du manuscrit nous laisse ici dans l'incertitude. Voici en tout état de cause comment s'opère la distribution des fins de vers dans chacun des trois groupes de laisses, en distinguant entre celles où les rimes ne souffrent aucune infraction, celles qui en tolèrent une minime[79], celles que leur nombre plus élevé fait ranger dans la catégorie des laisses assonancées – et celles où se rencontre la bipartition qui vient d'être signalée :

Vers 1-502

Timbre	Rime pafaite	Rime avec 1 infraction	Partition entre rimes différentes	Assonance
a	XXXI			
ai, oi				1
aut, aud	XLV			
eis, es	LII, LXI			
é	II, V, XX, XXXIX, LXII, LXVI	XXII	XI, XXVIII, XXX, XLVII	
ez	IX, XV	XLIX, LIII	XI, XXVIII, XXX, XLVII	
er	X, XXI, XXVI, XXX-VI, XXXVIII, XLII, XLVI, LI, LV, LXV, *LXXII*	*LXVIII*		XVI
i				XL
is, iz	XIV, LXVII, *LXXIV*		XIII	
i(s)t	VI, XXV, XLVIII		XIII	

[78] *Op. cit.*, p. v.

[79] Une par laisse dans le premier groupe, et la même proportion dans les deux autres, sur la base de la longueur moyenne des laisses du début ; au-delà du sixième, la proportion des infractions est d'ailleurs beaucoup plus élevée dans la grande majorité des cas. Sur la question des limites entre rime et assonance, voir J.-P. Martin, *« Orson de Beauvais » et l'écriture épique*, *op. cit.*, p. 227-252.

(o)ur, eur	XII, XIX, XXXII		XI	
u	VI			
aunt, aund, ent	III, VII, XXIII, XXXV, XXXVII, XLIV, L, LIV, LX, *LXXV*	XXVII, *LXXI*	LVI	
o(u)n, un	XXXIII, LXIII, *LXX*	XVIII	LVI	
(o)unt, ound	*LXXVI*			
age	LIX			
aunce	*LXXIII*			
ele	XXXIV			
e(i)re	XVII			
erent	LVII			
estre		XLI		
ie	VIII, XXIX, XLIII, LXIV	*LXIX*		
ine	LVIII			
endre		XXIV		

Vers 503-2398

Timbre	Rime parfaite	Rime avec au plus 1 infraction pour 6 vers	Partition entre rimes différentes	Assonance (plus d'1 infraction pour 6 vers)
a	CVII, CIX, CXXVI, CXXXVIII, CLIV, CLVIII			

é	LXXXVI, CXVIII, CXXIV, CLIII	CII, CXII, CXLVII	XCI, CV, CXX, CXXIII, CLI, CLVII, CLXV	LXXVII, LXXXIV, LXXXVIII, XCIV, C, XVIV, CXVI, CXXX, CXXXVII, CXL
és,ez	CXXXIII, CXLII, CXLIV		XCI, CV, CXX, CLI, CLVII	
é, és, ez				
er	LXXX, LXXXII, LXXXV, LXXXVII, XCVII, XCIX, CIV, CVI, CXIX, CXXV, CXXXV, CXLI, CLV	LXXXIX, XCII, CI, CXV, CXVII, CXXI, CXXVII, CXXIX, CXLIII, CXLVI, CXLVIII, CLX	XC, CX, CLXV	
er, ers				CXXXII
i				CXIII, CLXII
i(s)t	CXLIX			
is, iz		LXXIX		
(o)ur	CL			
oie		CLXIII		
u				CVIII, CLVI
a(u)nt, a(u)nd, ent, end	XCVI, XCVIII, CXXII, CXXVIII, CLIX	XCIII, CXXXI, CXXXIV, CLXIV	XC	
o(u)n, un	CXXXIX, CXLV	LXXXIII	LXXXI	LXXVIII, CIII
ouns			LXXXI	
e(i)re		CXXXVI	CX	
ie	CLII, CLXI		CXXIII	
en.e				
o(u)ne		CXI		XCV

Vers 2399-3850

Timbre	Rime parfaite	Rime avec au plus 1 infraction pour 6 vers	Partition entre rime et assonance	Assonance (plus d'1 infraction pour 6 vers)
é			CXCVa/b	CLXVII, CLXIX, CLXXI, CLXXVI, CLXXVIII, CLXXXI, CLXXXIII, CXC, CXCII, CCIII
ez		CC		
er			CIC	
é/i				CLXXV
i			CXCVIa/b	CLXVIII, CLXXVII, CLXXXII, CLXXXIX, CXCVIII
is, iz	CLXXX	CLXXXVII		
in	CLXXIII			
u		CXCIII		CLXXXV, CXCVII
an				CLXVI, CLXX, CLXXII, CLXXIV, CLXXIX
ant, and, ent		CLXXXIV, CLXXXVIII, CXCI, CXCIV, CCI, CCIV	CIC	
on				CCII
ons	CLXXXVI			
ie	CCV			

Il y a d'autre part deux circonstances où le changement d'assonance – et de laisse – se produit au milieu d'une phrase, l'une pour le récit du baptême de Josiane et de l'Escopart (laisses CXL et CXLI, v. 1954-1959) :

A muster sunt alé de Sent Trinitez,
Josian la bele est pus baptisez.
Adunc fu l'Escopart si longe e si lee

Ke dedens lé fons ne put entrer.
Un grant couve funt aparailer
Tut plein de ewe pur li baptiser.

Et l'autre, au début de la seconde partie, lorsque Beuve, rentré dans ses possessions anglaises après s'être vengé, se rend à Londres pour prêter hommage au roi (laisses CLXVI et CLXVII, v. 2400-2407) :

Boves apela ses chevalers vailans :
« Seynurs, vus aprestez si ke vus comand.
A le rei irrom parler meyntenant. »
E monte li quens e va esporonant

Jeskes a Lundres, ben sont herbergés.
Il se returne e Sabaoth le barbé,
Jeskes a paleis ne sont aresté.
Le roi trovent a marbrin degré.

Sans doute dans le premier cas l'assonance se poursuit-elle, mais si les finales *-é* et *-ez* peuvent alterner dans des laisses imparfaitement rimées, il est rarissime, dans la première partie (avant le vers 2399), qu'elles puissent inclure une finale en *-er*, et à trois ou quatre exceptions près les mots en *-er* n'apparaissent en fin de vers que dans des laisses strictement rimées ou ne comportant comme infraction que des finales en *-ers* ou *-el*, qui elles-mêmes ne se retrouvent jamais dans les laisses en *-é* et/ou *-ez*. Quant au second exemple, il offre bel et bien, si l'on considère que le changement de timbre marque nécessairement un changement de laisse, une coupe en cours de phrase[80]. Les deux passages provenant du manuscrit D,

[80] Une telle situation n'est pas tout à fait inconnue, puisque la laisse X d'*Aliscans* dans la rédaction *A* (Texte établi par Cl. Régnier, Présentation, traduction et notes de J. Subrenat, Paris, Champion Classiques, 2007) s'achève aussi sur une virgule (v. 292) – mais après une parenthèse où l'auteur s'est visiblement perdu, oubliant ensuite le début de sa phrase, de sorte que la deuxième laisse s'ouvre alors sur une répétition du début formant un vers

il est impossible de savoir si ces coupures étaient confirmées par un signe quelconque. Elles sont au demeurant exceptionnelles, et, n'était le décalage observé ailleurs entre séries de vers rimant ensemble et laisses explicitement marquées, il y aurait tout lieu de les faire disparaître en amendant le texte, l'hypothèse de fautes de copiste n'étant jamais à exclure.

D'autres changements de laisse, sans détruire une structure syntaxique, n'en paraissent pas moins fâcheux tant en considération de la continuité du récit que de la qualité des vers d'intonation qui en résultent. C'est à plusieurs reprises le cas dans la partie initiale, composée de laisses très brèves, où une action peut nécessiter deux laisses pour se développer, rendant plus difficiles les effets de répétition caractéristiques des enchaînements épiques, et tout au moins la pause relative à laquelle contraint un vers d'intonation bien frappé. Voici par exemple les laisses XII et XIII (v. 70-81), qui racontent le voyage du messager envoyé par la mère de Beuve à l'empereur d'Allemagne pour l'inciter à assassiner son mari :

Lui messager s'en turne – Deu lui doint mau jur ! –
E la mer tost pase, ne fet point delaiur,
E vint en Alemaine desur un bon chasur.
E il a encountré ileoc un vavasur,
Si lui demaunde ou est le emperur.

Cil dist ke il fust a Retefor asis.
Lui messager s'en turne tot saunz contrediz
E vint a Retefor, demoraunce ne fist.
Kaunt il vint a l'emperur, a genoil se mist :
« Deu vus save, emperur !, ly messager ad dist.
La dame de Haumtone a vus me tramist,
Ke vus facez son pleiser fortement vus requist. »

---

d'intonation très identifiable et constituant avec la suite une phrase complète parfaitement structurée, ce qui n'est pas le cas dans les deux occurrences de *Beuve*, où il faut absolument mettre bout à bout les deux membres séparés pour obtenir un énoncé cohérent.

Si le premier vers de la première laisse, qui s'ouvre sur un raccourci de l'action mettant le personnage au premier plan, avec une malédiction proférée par le narrateur, correspond assez bien à ce qu'on attend d'un vers d'intonation, celui de la deuxième ne fait que continuer le récit sans interruption, sans rien reprendre de ce qui précède, mais sans rien mettre non plus en valeur de ce qui va suivre. Simplement, le voyage du messager nécessitait plus d'une laisse pour être convenablement raconté. Et paradoxalement, c'est le vers suivant qui, en reprenant l'intonation précédente, paraît ici répondre le mieux à ce qu'on attendrait au début d'une laisse.

Lorsqu'on rencontre de telles ruptures dans la partie du texte que nous ne connaissons que par le manuscrit D, et donc où les laisses très brèves ne sont plus la règle, on est conduit à se demander si l'on a affaire à un choix d'enchaînement en quelque sorte non marqué de la part du trouvère, et relevant d'une esthétique privilégiant la fluidité narrative au détriment des pauses lyriques, ou d'une décision du premier éditeur fondée sur l'idée qu'il se faisait des limites à assigner aux laisses.

Mais, outre l'indication graphique des lettrines et l'unité tonale assurée par la rime ou l'assonance, il est une autre marque des limites de la laisse, bien identifiée depuis l'ouvrage fondateur de Jean Rychner[81], celle des vers d'intonation et de conclusion, et des enchaînements qu'ils permettent d'une laisse à l'autre. Même si les exemples précédents présentaient de nettes infractions à cet usage, notre texte les connaît et les utilise fort bien[82]. Je me contenterai de donner quelques exemples caractéristiques. D'abord de vers

[81] J. Rychner, *La Chanson de geste. Essai sur l'art épique des jongleurs*, Genève-Lille, 1955, p. 68-107. Voir aussi D. Boutet, « *Jehan de Lanson* ». *Technique et esthétique de la chanson de geste au XIIIe siècle*, Paris, 1988, p. 22-42 et 63-79, et Id., *La Chanson de geste*, Paris, 1993, p. 79-86. Plus récemment, J.-P. Martin, « *Orson de Beauvais* » *et l'écriture épique*, *op. cit.*, p. 262-326.

[82] Voir M. Ailes, « The Anglo-Norman *Boeve de Haumtone* as a *chanson de geste* », art. cit., p. 13-17.

d'intonation très identifiables, quand ils commencent par une proposition temporelle :

> Quant Bradmund veit que ne poeit plus durer... (v. 621)
> Quant Bradmund veit Boefs le baroun... (v. 635)

Cf. par exemple *Roland* :

> Quant Rollant veit que la bataille serat... (v. 1110)
> Quant Rollant veit la contredite gent... (v. 1932)

Ou par une épithète ou un adverbe antéposé au verbe :

> Grant est la bataile e l'estur pesant. (v. 2933)
> Mult fu bel l'eschec que Boves ad conquis. (v. 2950)

Cf. *Roland* :

> Granz sunt les oz de cele gent averse... (v. 2630)
> Mult est vassal Carles de France dulce... (v. 3579)

On trouve des enchaînements tout à fait conformes à la tradition du genre, avec reprise en intonation de la fin de la laisse précédente et modification du tiroir verbal et de l'effet temporel ou aspectuel qui en résulte (laisses LVI et LVII, v. 356-358) :

> Les paens se regardent e veient le emfaunt :
> Mult cher le achaterunt, pur veir vunt disaunt.
>
> Li marchaunz sarazins le emfaunt achaterent....

Autre exemple (laisses CLXX et CLXXI, v. 2626-2628) :

> Boves s'en torne, le chevaler vailant,
> Jeskes a Hampton est venu errant.
>
> Kant Boves vynt a Hampton la cité...

Il n'est pas impossible que Stimming ait en quelque sorte retrouvé un enchaînement de ce type dans l'amendement qu'il apporte aux limites des laisses XCIX et C. Beuve vient de prononcer à haute voix une prière dans sa prison, dans une laisse en *-er*, et le manuscrit B ouvre la suivante par le vers 1046 :

Les deus chartrers le oierent, si comencent a parler...

Il y a en effet au début de ce vers un blanc destiné au *L* majuscule, mais ceux qui suivent sont tous en *-ez* ou *-é*. Stimming a donc choisi de le rattacher à la laisse précédente, sans justifier son amendement. Le texte qu'il donne de D est évidemment coupé après ce même vers. Mais le fragment G semble donner raison à la fois au copiste de B et à l'éditeur allemand, en proposant entre les deux laisses l'enchaînement suivant :

Les chartrers l'orent, si prennent a crier.

Les chartrers unt haltement parlez...[83]

Comme dans les exemples précédents, on retrouve les mêmes mots ou les mêmes idées, avec changement de rime et d'aspect verbal.

Je mentionnerai enfin deux types d'enchaînement bien attestés dans notre texte. Le premier, déjà signalé par Duncan McMillan dans la *Chanson de Guillaume*, « consiste à annoncer l'*oratio recta* dans le dernier vers d'une laisse pour l'ouvrir par le premier vers d'une nouvelle laisse »[84]. C'est par exemple ce qu'on trouve lorsque le messager envoyé à l'empereur revient auprès de la comtesse (laisses XVIII et XIX, v. 111-112) :

Gentilement la salue tot en genulun :

« Dame, jeo vus porte saluz de l'emperur... »

---

[83] J. Weiss, « The Anglo-Norman *Boeve de Haumtone* », art. cit., p. 309.
[84] *Op. cit.*, II, p. 20-21.

Ou lorsque la demoiselle que Beuve a délivrée de ses assaillants et qui a décidé de l'épouser se rend auprès de lui (laisses CLXXVI et CLXXVII, v. 2865-2867) :

> Ore li salue com oyer purrez :
>
> « Jeo vus mandaie par un meschin :
> Vener ne deygnastes par seyr ne par matin. »

Plus ou moins explicite, cet enchaînement entre annonce et discours direct se retrouve une dizaine de fois dans la chanson. Ce procédé n'est pas absolument inconnu d'autres chansons, mais il est le plus souvent souligné, et en quelque sorte ralenti, par l'ajout d'une incise dans le vers d'intonation.

Un autre procédé pourrait *a priori* être rapproché des ruptures de phrase signalées ci-dessus, puisqu'il consiste à ouvrir un discours direct en fin de laisse pour l'achever au début de la suivante, souvent au détriment de l'effet d'intonation attendu de son vers initial, le début de la seconde laisse étant simplement souligné par une nouvelle incise. Mais en quelques occasions (toutes dans la partie conservée par le manuscrit B), la seule transition est le changement de timbre. Ainsi, lorsque le neveu du roi de Damas Bradmont qui retenait Beuve prisonnier vient de découvrir l'évasion du héros (laisses CVII et CVIII, v. 1157-1160) :

> A Bradmund vynt tost, si ly tretut counta :
> « Sire, par Mahun, jeo fu alé la.
>
> « Les chartrers en prisoun sunt morz e confunduz,
> E Boefs est eschapez, ses liens ad rumpuz. »

Une fois de plus, ce changement de laisse n'est pas marqué par l'attente d'une lettrine, et l'hypothèse d'une laisse multirime demeure toujours envisageable. Ailleurs, cette sorte d'enchaînement se rencontre au passage sans marque graphique d'une rime en *-é* à une rime en *-er* (v. 747-751) ou de *-er* à *-ez* (v. 1120-1123). À y regarder de plus près, il apparaît toutefois que la coupure s'opère alors entre une partie d'énoncé donnée à titre de thème, et que l'information proprement dite est renvoyée à la rime suivante. On se trouve ainsi devant un phénomène de pulsion entre laisses (ou parties de laisses) analogue à ceux observés par Edward Heinemann entre les hémistiches d'un même vers[85]. Sans doute plus favorable à une esthétique de la narration que de la célébration lyrique, ce type d'enchaînement n'en joue pas moins sur l'effet d'attente instauré par la rupture entre les unités musicales définies par les timbres des rimes. Il semble bien dès lors que le traitement de la laisse dans le *Beuve de Hamptone* anglo-normand ne soit pas abandonné au hasard mais résulte d'une certaine esthétique.

L'emploi des laisses longues et courtes résulte sans doute aussi d'une telle intention. On notera tout d'abord que, comme souvent dans les chansons de geste, les laisses pleinement rimées sont aussi les plus courtes. Dans les vers 503-2398, seules celles en *-er*, la rime la plus facile en anglo-normand puisqu'elle combine les infinitifs et les adjectifs en *-(i)er*, dépassent 30 vers (LXXII, XCIX, CXIX, CXXXV), la limite de 16 vers n'étant franchie que par l'autre rime facile, celle en *–ant*, (XCVIII, CXXII, CXXVIII, CLIX)[86] ; quant à la dernière partie, où se trouvent les laisses les plus longues, elle n'en présente que quatre qui soient rimées : CLXXIII (6 vers), CLXXX (4 vers), CLXXXVI (17 vers) et CCV (4 vers).

Cette dernière observation rappelle que les laisses très courtes se rencontrent dans toutes les parties de la chanson. Mais, dès lors qu'elles se trouvent combinées à des laisses plus longues, et qu'elles sont bien délimitées, celles de 4 à 12 ou 13 vers jouent souvent sur le contraste avec leurs voisines. Les petites laisses sont notamment consacrées à des sujets plus lyriques : imploration du vaincu pour

---

[85] E. A. Heinemann, *L'Art métrique de la chanson de geste. Essai sur la musicalité du récit*, Genève, 1993, p. 57.

[86] Sur le niveau de difficulté des différentes rimes, voir mon *« Orson de Beauvais » et l'écriture épique*, *op. cit.*, p. 237 et suivantes.

garder la vie sauve (LXXXI), plaintes du captif (XCV), *credo épique*[87] (CXIII), plaintes du roi Edgar après la mort de son fils (CLXX), etc. ; ou à des transitions narratives : introduction ou conclusion d'épisode (CXLVI, CLXXX), proposition de payer rançon pour garder la vie sauve (CLXXXIX), arrivée du pape qui va couronner Beuve (CC) ; elles peuvent, entre la captivité de Beuve et son mariage, être utilisées en courtes séries, souvenir peut-être du procédé initial, soit pour introduire un nouveau personnage dans le récit (CXXXII-CXXXIII, CXXXVI, CXXXVIII-CXXXIX), soit tout particulièrement pour rapporter une succession d'événements précipités : l'évasion de Beuve (CII-CIII), sa poursuite par Bradmont et ses guerriers (CVII-CXI), le meurtre du comte Miles par Josiane, sa condamnation au bûcher et sa délivrance par l'arrivée de Beuve et de l'Escopart (CXLIX-CLIV)[88]. C'est à elles aussi que sont naturellement réservées les rimes ou les assonances les plus difficiles : *-a* (entre 6 et 16 vers), *-age* (4 vers, une seule occurrence) ou *-è.e* (de 6 ou 7) notamment, alors que les laisses longues ou très longues sont majoritairement composées sur le ton de *-é*.

Deux conclusions s'imposent après cette rapide étude du *Beuve de Hamptone* anglo-normand tel que nous pouvons le lire à partir des témoins dont nous disposons. D'une part, l'hypothèse d'une composition en deux temps, avancée par Judith Weiss à partir de rapprochements historiques, se trouve confirmée aussi bien par l'analyse du contenu narratif que par celle de la versification. Il n'en reste pas moins que la continuation, si elle a pu donner au plan thématique une orientation quelque peu différente à l'histoire racontée, a globalement respecté le modèle esthétique mis en place

---

[87] Voir à ce sujet la note au vers 1254.

[88] Voir F. Suard, « Les petites laisses dans le *Charroi de Nîmes* », dans *Société Rencesvals pour l'étude des épopées romanes, VI**e* *Congrès International (Aix-en-Provence, 29 Août – 4 Septembre 1973)*, Aix-en-Provence, 1974, p. 651-667 ; E. A. Heinemann, *L'Art métrique*, *op. cit.*, p. 167-177 ; et J.-P. Martin, *« Orson de Beauvais » et l'écriture épique*, *op. cit.*, p. 327-346.

dans la première partie, la seule différence notable concernant la composition de certaines laisses. Mais cette esthétique, par ses traits les plus insolites, suggère un traitement spécifiquement anglo-normand du genre épique, tant dans les rapprochements qui ont pu être proposés par rapport à la *Chanson de Guillaume* que par la parenté qu'on peut trouver ponctuellement avec la poésie narrative moyen-anglaise. Au-delà de l'intérêt propre tenant au traitement particulier qu'elle donne du thème de l'enfance du héros épique, la chanson de *Beuve de Hamptone* se révèle ainsi comme une œuvre tout à fait singulière, une chanson de geste pleinement anglo-normande, non seulement dans sa langue, mais aussi dans son sujet comme dans son traitement poétique.

10. Langue des manuscrits

Le texte de *Beuve de Hamptone* a été composé et copié en Angleterre, et la langue de tous nos témoins, et en priorité des deux principaux manuscrits, présente toutes les caractéristiques de l'anglo-normand des XIIIe et XIVe siècles. Les différences entre eux ne sont pas dans l'ensemble assez importantes pour justifier deux études séparées. J'indiquerai simplement au cas par cas les traits par lesquels ils se distinguent[89].

10.1. Phonétique et graphies

1. *A*. Devant consonne nasale, /a/ tend à se vélariser, et est noté *au*, évolution caractéristique de la *scripta* anglo-normande à partir de la deuxième moitié du XIIIe siècle (Short § 1.6) : *vivaunt* (16), *saunté*

[89] Pour l'essentiel, l'étude de la langue s'appuiera sur le récent et fondamental ouvrage de Ian Short, *Manual of Anglo-Norman*, Londres, Anglo-Norman Text Society, 2007 (Short), sans oublier la classique étude de Mildred K. Pope, *From Latin to Modern French with Especial Consideration of Anglo-Norman*, Revised Edition, Manchester University Press, 1952 (Pope), à laquelle je me référerai aussi occasionnellement.

(114), *demaundez* (343), *chauntaunt* (865), etc. Ce trait est propre à B : D ne donne que l'exemple de *baunc* (3274).

2. *E.1*. La lettre *e* représente la réduction en anglo-normand de la diphtongue /ie/, qu'il s'agisse du résultat de la diphtongaison romane de /ɛ/ tonique libre : *arere* (1270), *ascer* (63, 1306), *ben* (58, 84), *fert* (616), *levent* (2119, < *levant*), *pé* (540), *q(u)er* (293, 1392, < *quaero*) ; ou des conséquences de l'effet Bartsch : *chef* (492), *congé* (3798), *facez* (81), *meyté* (1275), *pecché* (120), *pitez* (311) ; cf. aussi *primer* (56) ou *plener* (1300). Ce trait appartient aussi à la langue des auteurs, qui font rimer *nomé* avec *pecché* (119-120), *cher* avec *mer* (133-134), *miler* avec *aporter* (3335-3336), et même *demandez* avec *piez* (3425-3426), cette dernière forme étant donc purement graphique ; cf. aussi *parler : mulier* (2881-2882).

3. *E.2*. Occasionnellement, elle représente aussi la réduction de la diphtongue /ue/ : *quer* (33), *qer* (1385), pour cont. *cuer* (Short § 10.3). La rime *quer : demaunder* (346-347 ; cf. 406-407) montre la neutralisation de l'opposition avec /e/ issu de /a/ tonique libre.

4. *E.3*. Le résultat de la diphtongue /ai/ est souvent noté *e* (Pope § 1085) : *fere* (101), *plest* (182), *tret* (170) et même *e* (3461, *aver* IP1) ; ou *ei/ey*, pour les formes des verbes *amer*, *aver* et *aider* en particulier : *eim* (689, IP1), *eyme* (2953, IP3), *eie* (455, SP1), *eit* (2150, SP3), *eient* (462, SP6), *eider* (1030, 1586), *eyder* (2038), *eida* (943, PS3), *eydra* (1853, F3), *eyde* (124, SP3), etc.

5. *E.4*. La diphtongue /ei/ s'est conservée sans différenciation en anglo-normand comme dans les *scriptae* occidentales (Pope § 1085, Short § 12.1) : *aveit* (833), *burgeis* (2381), *corteis* (748), *crei* (683, 1577), *dreit* (105, 2371), *esteit* (38, 1281, *estre* Impft3), *lei* (2774), *mei* (113), *palefrei* (2180), *quei* (155), *rei(s)* (490, 1631), *seie* (1000, < *seta*), *treis* (3623), *veye* (1533), etc. Mais la graphie continentale *oi* est bien connue des deux scribes (et de celui de *G* : *rois*, v. 1020) : *avoit* (27), *crois* (383), *estoit* (14, 1334 *estre*, Impft 3), *roi* (1491) ; et dans la laisse CLXIII, on trouve une rime *joie : amoye* (2316-2317), qui ne peut donc s'expliquer que pour l'œil, le groupe *oi* de *joie* ne provenant pas de /ei/. Aussi exceptionnellement, on trouve *ai* : *curtays* (3), *crai* (6), *lai* (3375), *saie* (738).

Mais il y a eu d'autre part un traitement particulier pour les infinitifs en *-eir*, qui ont été alignés sur ceux en *-er* (cf. *infra*, § 51), et riment dès lors avec eux : *aver : trover* (130-132).
6. *E.5.* Il y a quelque apparence que ces différentes évolutions aient abouti à /ɛ/ (Short § 3.1). C'est ce qu'on pourrait déduire de la rime *creyre : Pere* (< **Petru*) *: mefere* (1834-1837) ou des assonances *conter : dey* (1584-1585) et *veyr : prïé* (2596-2597) ; celles-ci sont toutefois trop isolées pour qu'on en tire une conclusion sur la prononciation effective. Du moins l'assonance *ficher : kernel : garder* (449-451), *demourer : ciel : kernel* (866-868), *enfer : nomer* (2266-2267), *forester : dancel : ignel* (3014-3016) montre-t-elle bien que l'opposition entre /e/ et /ɛ/ s'est neutralisée en syllabe tonique.
7. *E.6.* Le digramme *ee* se rencontre pour transcrire l'allongement de la voyelle, notamment dans les monosyllabes (Short § 3.5) : *greez* (68), *feert* (190), *freez* (2633, 3664, F5 de *fere* – à moins qu'il ne s'agisse du résultat d'une métathèse, à articuler *frëez* : cf. § 25), *lee* (1264, 3206, < *laetum* ; 1956, < *latum*), *nee* (386, 2497), *pee* (1705, < *pedem*).
8. *E.7.* Devant nasale, /e/ semble s'être nasalisé et ouvert comme en français continental, puisqu'on relève à plusieurs reprises la rime *aunt : ent* dans B ou *ant : ent* dans D : *vivaunt : torment* (43-44), *pussaunt : vent* (146-147), *dolent : vailant* (1495-1496), *avant : estent* (2327-2328), *verement : ferant* (2668-2669), *grant : garnement* (3268-3269). C'est là un trait à attribuer conventionnellement aux auteurs, puisqu'il apparaît dans toutes les parties de la chanson, et n'est donc pas purement occasionnel, comme le suggère Ian Short (§ 1.4).
9. *E.8.* Un *e* svarabhaktique se développe fréquemment entre consonne et /r/ (Short § 19.1) : *ankeres* (363), *beyvere* (2027), *conerai* (2980), *enyverer* (1592), *liverer* (2039, cf. 2181), *offerant* (2468), *overer* (2291), *poverement* (245), *vinderent* (143) ; c'est tout particulièrement le cas au futur et au conditionnel : *averunt* (500), *creindereit* (424), *perderez* (146), *prendera* (2059), *touderai* (188). Même chose occasionnellement devant /l/ : *sabeloun* (582).

10. *E.9.* En revanche, toujours au contact de /r/, /ə/ s'efface devant la syllabe tonique (Short § 19.6) : *dreyn* (1250), *entrine* (366), *fray* (1221), *frum* (204). Cela se produit notamment au futur : voir § 59.

11. *E.10.* Il est aussi très instable en syllabe finale (Short § 19.8), d'où son effacement dans *baner* (598), *sa espé* (1410), *mund* (184), *la point* (445), *prei* (3218), mais aussi son ajout par graphie inverse, ou même par simple analogie pour allonger un mot dans *foreste* (88, 2687), *forresteres* (462), *lece* (548, pour *eslais*, avec effacement du préfixe : cf. *infra*, § 46), *mette* (179, 2327, IP3), *seinte* (538, < *cingit*). Cela se produit notamment en fin de vers, d'où une neutralisation fréquente de l'opposition entre rimes ou assonances masculines et féminines : *bordele : pucele* (215-216), *bestes fers : porter* (1493-1494), *meyné : verité* (1514-1515), *amener : sen Pere* (1572-1573), *mefere : sire cher* (1837-1838), *voie : moi* (2320-2321), *revener : occir* (2589-2590), *baner : trebucher* (2830-2831) ; peut-être aussi *derere : eyre : destrer* (1182-1184).

12. *IY.1.* Le même /ə/ peut être noté *i* ou *y* dans les mêmes positions que celles où il tend à s'amuïr (Short § 19.12 et 13) : *armis* (423), *cheynis* (1440), *certis* (1428), *facis* (2590, < *facias*), *gratit* (1456), *pilé* (1060), *primer* (56), *syné* (2568), *tenistis* (1716) ; cf. aussi *ferité* (1455) à côté de *fereté* (1446). Avec l'adjonction inorganique de cette voyelle en fin de mot, c'est ce qui explique, dans D, *oylis* (1409), et sans doute aussi *cheinis* (1617, cont. *chiens*), *Herminis* (3744), *pelerinis* (2776) et *Sarzinis* (1858, 2711), encore qu'une erreur de copie dans le nombre de jambages ne soit pas à exclure après *in*.

13. *IY.2.* Dans D, *i* peut apparaître en syllabe tonique là où on attendrait *é* (Short § 8.1) : *amis* (2055, part. pass.), *teniz* (1721), *trussis* (3284) – et inversement *e* pour *i* : *bruné* (2607), *leverer* (2181) – ce qui suggère une prononciation très fermée de /e/. D'où des assonances *é : i* : *doner : enyverir* (1551-1552, mais 1592 donne *enyverer*), *mecler : gesir : esquier* (1679-1681), *escharnier : servir : revener : occir* (2587-2590), *nez : amis* (2640-2641), *colurez : Terriz : Beatrix : montez* (3060-3063), *perciz : rompez : frussez : chaï* (3587-3590). Cette notation est à rapprocher de la fréquente substitution à l'infinitif de morphèmes *-er* aux morphèmes

-*ir*, trait commun aux deux manuscrits (Short § 8.7) : *ferer* (284), *füer* (2157), *morer* (484, 1828), *oyer* (5, 2408), *tener* (659, 2244), *vener* (493, 1608).

14. *O.1*. Comme en français continental, *o* peut représenter le son /u/, et alterne alors avec *u* et *ou* : voir *infra*, § 21.

15. *O.2*. Le digramme *eo* peut occasionnellement transcrire l'un des différents résultats possibles de la diphtongue /ue/ : /e/, /u/, /ø/ ou /œ/ (Pope § 1156 et 1229, Short § 10.1) : *ileoc* (73, 882), *ileokes* (89).

16. *O.3*. Un peu plus fréquent, notamment dans B, est le digramme *oe*, qui correspond plutôt à une prononciation /e/ ou /ɛ/ (Short § 10.4) : *doel* (142, 388), *poez* (100, IP2), *poet* (1074, 2366...), *poeple* (2412) ; il est particulièrement attesté par la graphie donnée dans B au nom du héros, *Boefs*. D écrit en revanche *duel* (983, 1946, 3830) et une fois *duil* (1941 : erreur de copie ?).

17. *O.4*. Enfin on la trouve notée *oi*, peut-être par analogie avec le résultat continental /ue/ de /ei/ > /oi/ : *coile*, *coilent* (3376, 3130), *estoit* (61, 438..., cont. *estuet*), *foile* (2720), *oilz* (519), *poyent* (2352, IP6, cont. *pueent*), *voil* (47, 154..., 1474, 1609..., IP1, cont. *vueil* ; 1305, SP3, cont. *vueille*), *voit*, *voyt* (1296, 1820..., IP3, cont. *vuet*). C'est particulièrement le cas devant *l*, où il pourrait y avoir confusion entre le digramme *oi* et la notation *il* de /λ/ dépalatalisé (Short § 10.7 et 10.8 ; cf. *infra*, § 38). Dans le cas de *poit* (2714, 2744), il est difficile de décider si on a une graphie d'IP3 correspondant à cont. *puet*, ou d'Impft3 *pooit* avec réduction d'hiatus.

18. *O.5*. Parallèlement à ce qui s'est passé pour *an*, *on* est fréquemment noté *oun* dans B (Short § 6.7) : *soun* (209), *noun* (224), *feloun* (346), *traisoun* (463), *doune* (121, 542...), *lioun* (564), *meisoun* (584), mais on trouve aussi *reisun* (110), *treison* (137), *compainons* (157), etc. Dans D, cette graphie n'apparaît que pour les noms propres *Boun* (2168 et 3736, seules attestations en toutes lettres) et *Doun* (2008, 2276, 2282, etc.), *bounté* (3525), *counter* (1294), et à dix reprises pour des formes du verbe *doner* (ou *pardoner*), où on peut se demander si *oun* n'est pas une mélecture pour *onn* : *doune* (1345, 1982, 3040, etc.), *dounent* (2834), *doununt* (2941, voir *infra*

§ 58), *pardoune* (2450). Trait à attribuer à l'auteur de la première partie, le groupe *oun* semble à trois reprises assoner avec *en* et *aun* : *destoundre : fendre* (148-149), *dromoun : felouns : emfaunt : disaunt* (354-357) ; ces occurrences sont néanmoins tout à fait isolées, et peuvent aussi être dues à des fautes de copie ; on ne peut pas non plus exclure dans le second cas l'éventualité d'avoir affaire à une sorte de laisse multirime.

19. *U.1.* En anglo-normand, /y/ a eu tendance à redevenir vélaire sans changement de transcription (Short, § 7.1). Mais dans le texte, les laisses en *u* ne comportent pratiquement pas de mots rimant en /u/ en français continental, ce qui empêche d'affirmer que cette vélarisation s'était déjà produite au moment de la composition du texte. Au contraire, les assonances *matins : venus* (3048-3049) ou *mue : mie* (1528-1529) suggèrent plutôt une articulation palatale ; il en va de même avec l'emploi à plusieurs reprises de la forme *abruvé* (1852, 1916, 2042), qui peut toutefois s'expliquer aussi par l'environnement labial de la voyelle[90]. Ces différentes occurrences appartiennent à D.

20. *U.2.* La réduction de *ui* à *u* est assez fréquente : *dedut* (260), *mur* (160, cont. *muir*), *pus* (1301, < **postius* ; 1084, 1482, < **possio*), *puse* (217, 2606, cont. *puisse*), *rust* (162), *su* (167, 2203, cont. *sui*), *vuder* (163), sans doute par effacement du second élément avant la bascule de l'accent ; même chose occasionnellement pour *ue* : *us* (152, cont. *ués*) ; *buyrent* (2854) s'explique vraisemblablement par une graphie inverse. Pour la raison mentionnée au paragraphe précédent, il est difficile de décider de la valeur phonétique de cette lettre ; Ian Short (§ 15.4) penche toutefois pour une prononciation vélaire.

21. *U.3.* Dans un grand nombre de cas la lettre *u* représente le son /u/, y compris devant consonne nasale, en concurrence avec *o* et, surtout dans B, *ou* (Short § 6.1 et 21.1), et cela quelle qu'en soit l'origine :

---

[90] Voir Pierre Fouché, *Phonétique historique du français*, II, *Les Voyelles*, Paris, Klincksieck, 1969, p. 429.

- Fermeture de /o/ roman atone ou entravé : *confund(u)e* (783, 2474), *confounde* (36), *curt* (1443, < *cohortem*), *court* (376), *curtays* (3), *curteis* (2791), *corteis* (748), *dunt* (17, 31…, 1637), *dont* (249, 1298), *dount* (13), *felunesse* (33), *felunie* (45), *felonie* (272), *felon* (2063), *feloun* (346), *jur* (70, 1473), *jor* (2871) *jour* (122), *muntez* (141), *munter* (2183), *monter* (2372), *mounté* (217), *montez* (2512), etc.
- Réduction occidentale de la diphtongue /ou/ issue de /o/ tonique libre roman (Pope, § 1085) : *gule* (440), *goule* (444), *hure* (308, 2393), *oure* (662, 2496), *mole* (238), *prus* (86), *pruz* (14, 252…), *seignur* (116), *seignour* (34), *seignors* (2088), *vigour* (115), et *dolerous* (353), *joius* (117, 3203), *orgulos* (1458), *orgulus* (1452). L'assonance *jur : vigour* (114-115), *jour : chasur* (204-205), *jur : luur* (2117-2118), etc., permet d'attribuer cette réduction aux auteurs. La notation *demeur* (203) est sans doute due à l'influence graphique du français continental, mais les autres fins de vers confirment qu'elle assone avec /u/ : il s'agit donc d'une sorte de graphie inverse. *Veus* pour *vous* (327, 485) résulte apparemment d'un phénomène voisin, de même que *deus* (347, 475, 1327), *neveu* (1178, 1907) ou *pecheurs* (2410).
- Diphtongue par coalescence résultant de la vocalisation de /l/ implosif après /o/ ou /ɔ/, dans ce dernier cas avec une nette prééminence de *o* et *ou* : *couche* (1140), *cocher* (1033, 2102), *coup* (4, 162), *cop* (1065, 2360), *duz* (133, 756…, 1578, 1620), *douz* (128), *mout* (209), *utre* (738, 1263), *outre* (1264, 1809, 2894…), *vout* (427, 1386, < **volit*), *vodrai* (152, 1622) ; *l* peut occasionnellement être conservé : *moult* (559), *oltre* (1269, 1363…), *voldra* (1364). Quant à *mult* (22…), il s'agit d'une graphie latinisante sans valeur phonétique. Bien que résultant d'un processus originel différent, le cas de *fou* (687, < *focum*) relève du même phénomène.

22. *U.5*. Enfin *u* ne transcrit pas seulement le résultat de la vocalisation de /l/ après *o*, mais aussi après *a* et *e*. On notera toutefois que, après /ɛ/, il n'y a pas eu, comme en français continental, développement d'un /a/ de liaison, d'où *aigneus* (244), *beu* (82, 2544), *burgeus* (2446), *cha(s)teus* (505, 3418), *heumes* (3295), etc. ;

d'où aussi *beuté* (382) et *feuté* (2631). Mais *chastels* (2446), *tonels* (1549).

23. *Hiatus.1*. Les hiatus sont très fréquemment réduits (Short § 19.2) : *age* (370, 1584), *arestu* (2198), *assurer* (1482), *chasur* (72), *espuntez* (525), *treson* (1884), *tretur* (310), *urent* (311, 2169).

24. *Hiatus.2*. Lorsqu'ils sont conservés, ils peuvent être marqués par une lettre intermédiaire, *w* ou *i/y* (Short § 28.3 et 19.3) : *purjuwe* (780, mais aussi *purgüe*, 911), *ayé* (1925 < *aetatem*), *chaier* (222), *conreyé* (2820), *deveyé* (1315), *deveyer* (1450, < **devetare*), *espeie* (4, 171, etc.), *leyens* (2452), *loyer* (1822, < *laudare*), *noyer* (2086, < *natare*), *oyer* (5, 2408), *seyens* (1434), *valeie* (622), *veyum* (2588). Aux vers 1430, 2695 et 3220, *seyns* et *leyns* peuvent aussi bien représenter des réductions monosyllabiques que des fautes de copie ; du moins la présence de *laeyns* à la fin du vers 3826 confirme-t-elle que le groupe final *-eyns* assone avec *-ent* et *-ant*, et conserve donc la prononciation finale de *seyens* et *leyens*.

25. *R*. Au contact de /r/, les métathèses sont fréquentes, dans un sens comme dans l'autre (Short § 22.4) : *breser* (1299), *gernoun* (561), *pernez* (310, 1581), *kernel/kerner* (450, 1279). Cela se rencontre aussi en fin de mot : *coluvers* (946), *enter* (314, < *inter* ; 2748, < *intrat*), *quater* (58, 86...), etc.

26. *R/L*. À plusieurs reprises, *-el* rime avec *-er* : *kernel : garder* (450-451), *demorer : ciel : kernel : mer* (866-869), *dreiturel : manger* (1292-1293 ; cf. 1400-1401 et 2079-2080).

27. *W.1*. Les deux copistes recourent occasionnellement au signe *w* pour représenter la consonne *v* suivie de la voyelle *u* : *ws* (2), *wlt* (1023), *wnt* (1032, 1183, 1588, 1979). Conformément aux recommandations des *Conseils pour l'édition des textes médiévaux*[91], cette graphie a été transcrite *vu*.

---

[91] *Conseils pour l'édition des textes médiévaux*, Fascicule I, *Conseils généraux*, Paris, École Nationale des Chartes, Comité des travaux historiques et scientifiques, 2001, p. 26. Ont été aussi mises a profit les recommandations du fascicule III, *Textes littéraires*, de Pascale Bourgain et Françoise Vielliard, Paris,

28. *W.2.* Dans *ewe* (239, 337, 1959, 2086), *w* représente la bilabiale /w/, qui semble avoir perduré plus longtemps en anglo-normand qu'en français continental (Short § 28.1).
29. *W.3.* Après *g*, il représente l'appendice labio-vélaire de la vélaire sonore /g^{w}/, résultat en ancien français de /w/ initial germanique : *gwenchent* (594, ms. *gwenche*), *gwerer* (800, 1146), position où il peut alterner avec *u* (Short § 28.3). L'exemple de *wakere* (1802) montre cependant que le développement de la vélaire peut n'avoir pas été générale. Enfin dans *swef* (814), si l'hémistiche compte bien six syllabes, *w* représente la voyelle labio-vélaire /u/ ; sinon sa valeur est celle de la semi-consonne de même articulation après réduction de l'hiatus.
30. *S.* En position préconsonantique, /s/ ne semble plus prononcé (Short § 23.8 et 23.9), d'où son absence dans *sime* (477, cont. *sisme*) ; mais aussi son emploi anétymologique dans *forfestes* (345), *hauste* (3022) et certains PS3 (cf. *infra*, § 54). Il en va de même en fin de mot, d'où le marquage irrégulier du pluriel (cf. *infra*, § 66), et même l'emploi occasionnel d'une forme *lé* de l'article défini pluriel au lieu de *les* (Short § 23.8) : voir v. 236, 944, 1549, 1617, etc.
31. *SC.1.* Entre voyelles, on trouve indifféremment *s*, *ss*, *c* ou *sc* pour représenter le son /s/, quelle qu'en soit l'origine : *ascer* (539), *asseré* (1707), *center* (3012, < *_semitariu_), *cesse* (416, < *sedecim*), *chasur* (72, cont. *chaceor*), *comensa* (1684, 1696), *musser/musça* (326 et 342, cont. *mucier*), *perse* (2926, cont. *perce*), *seinte* (538, < *cingit*), *sels/sil* (1630, 1594, cont. *cels/cil*). D'où l'emploi de *ces* comme possessif (178, 3007) ou *se* et *ses* comme démonstratifs (1619, 2033), de *ci* comme adverbe de phrase ou d'intensité (136, 1695) ou de *si* et *sa* comme adverbes de lieu (119, 203, 244, 1512, 2991) ; et même au vers 1828 *ceo* comme pronom réfléchi.

École Nationale des Chartes, Comité des travaux historiques et scientifiques, 2002.

32. *SC.2*. Dans la même position, *s* et *ss* transcrivent également la consonne /z/ : *baisez* (3020), *baissa* (1994), *beiser* (136), *cesse* (416), *enbraser* (1137). On peut aussi trouver *c* : *bricer* (1803), *enbracer* (1604).

33. *SZ*. Ces deux consonnes s'emploient souvent indifféremment comme morphème de fin de mot, d'où des risques de confusions dans la conjugaison entre certaines formes de P2 et de P5. Si toutefois l'accent a été placé sur *e* pour les désinences de P5, les emplois de *z* après /ə/ sont trop rares (*fetez* 792, *facez* 1045, *ditez* 1305, 2046, 3709) pour justifier une accentuation graphique chaque fois que *ez* porte l'accent tonique[92]. Au vers 275, *füez* peut être compris comme une P5, puisqu'on trouve *estes* adressé à la même personne au vers suivant ; et aux vers 1180 et 3020, *fiez* est sans doute accentué sur *e* puisqu'on trouve dans le même sens *fez* aux vers 1285, 1447, etc.

34. *K*. On trouve fréquemment *k* là où le français continental utiliserait *qu* : *ka(u)nt* (197, 294, 1341, 1381), *ke* (299, 300, 1274, 1409), *ki* (546, 2595), *ky* (292, 1284), *oveske(s)* (365, 377, 1383, 1569), *unkes* (6, 381, 1418) ; ou même *c* : *ankeres* (363), *brank* (170), *donk* (19, 107), *kar* (8, 114), *kave* (1629), *kerner* (1279), *sek* (1521), etc. (Short § 27.1).

35. *Q*. Dans D, *q* est fréquemment employé seul devant *er* : *qer* (1385, 1403, cont. *cuer* ; 1392, 2016, cont. *quier*), *qerre* (2736).

36. *G*. Dans B comme D, *g* peut représenter /ʒ/ même devant *a*, *o* et *u* : *mangüe* (833), *purgüe* (911), *sergant* (1754, 3722), *Dygon* (2012).

37. *D*. La conservation anglo-normande des dentales postvocaliques (Short § 24.2) ne se remarque que dans *ad* (*aver* IP3), sans aucun doute comme pure marque graphique servant à distinguer la forme verbale de la préposition *a*.

---

92 *Ibid.*, p. 49.

38. *L*. La latérale palatale /λ/ semble s'être dépalatalisée pour aboutir à /yl/ (Short § 21.3) : *acoylent* (2674), *agenoiler* (731), *bailez*, *baylez* (1465, 2671), *conseiler*, *conseylez* (1622, 3156), *entailé* (745, 1277), *foile* (2720), *maile* (1488), *meil(o)ur/meylur* (12, 2641, 1854), *merveile*, *merveyle* (261, 3679), *metailez*, *metaylez* (1763, 1774, < _*mistaleatus_), *oyls* (1749, < *oculos*), *paile*, *payles* (328, 3290), *saili* (1092), *travailer* (897), *vaila(u)nt* (839, 1433), *veilard* (145), *veyler* (1191), peut-être *coyltes* (3286) ; *cf.* aussi *file* (20, 397, 3060, 3256...) et *orilis* (3286).

39. *N*. La nasale palatale est généralement notée *in/yn* ou *ni/ny* (Short § 20.4) : *Alemaine*, *Almayne* (25, 2247), *alouyner* (2884), *bayné*, *bainer* (1228, 2366), *bosoyne* (2252), *Coloine* (2052), *compainons*, *compaynie* (157, 2292), *deyne* (1452, < *dignat*), *engine* (3518), *gainé*, *gayner* (94, 2517, 1223), *poinaunt*, *poynant* (172, 2337), *seynez* (1920, < *signatus*), *seynur* (1289), *veyne* (2251, < *veniat*), peut-être *poin* et *poyn* (429, 1214, < *pugnum*) ; et *Colonie* (1895), *esparnie*, *esparnié* (421, 1314), *senyture* (2106), *veinient* (59, < *veniant*), peut-être *frenytes* (3232, < _*franctas_).

40. *F*. Caractéristique de l'anglo-normand et des *scriptae* occidentales est la forme *na(u)frer* du verbe noté ailleurs *navrer* (Short § 29.5) : *nafré* (480), *naufré* (177), *naffré* (1321).

10.2. Morphologie

41. *Articles.1*. Dans B, l'article masculin singulier est souvent *lui*, variante de la forme archaïque *lu/lo* que conserve l'anglo-normand (Short § 33). Il est employé aussi bien pour des fonctions relevant du cas sujet (21, 27...) que du cas régime (126, 190...). On le rencontre aussi une fois au pluriel (364), à la place de *les* ou *lé* (cf. *supra*, § 30).

42. *Articles.2*. Pour l'article féminin, la forme peut être *le* aussi bien que *la* (Short § 1.8) : *la moy amur* (64) vs *le mei amur* (202), *le espeie* (171) vs *la espeie* (538), *le quise* (1683), *le nef* (1869), *Josian le bele* (2082) vs *la bele* (450, 1568), *la nuit* (2102) vs *le*

nuit (2905), *le contré* (3128). Situation analogue pour les possessifs : *me espeie* (180, 188) vs *ma espeie* (811).

43. *Articles.3.* Souvent, l'article *le* suit sans enclise les prépositions *a*, *de* et *en* (Short § 33) : *a le* (53, 1952...), *de le* (207, 1738...), *en le* (259, 1329...).

44. *Pronoms personnels.* La forme du pronom sujet P1 est *jeo* (Short § 6.4), toujours dans B (2, 54, 64...) et presque toujours dans D (1290, 1372, 1421...), où on rencontre *jo* à quatre reprises seulement (1427, 1577, 2126, 2505). Comme autres emplois notables, on signalera *lui* pronom masculin régime direct non prédicatif (44, 439, 1430, 2001, 2499, 2696) ; *le* et *la* indistinctement employés comme régimes féminins non prédicatifs (197 *vs* 210, 764 *vs* 773), *li* régime masculin prédicatif (313, 359, 1319, 1492) ou régime direct masculin non prédicatif (228, 334, 1307, 1434), et *lui* régime féminin prédicatif (1910). Notons enfin l'emploi occasionnel en fonction de CO2 de *les* (514) et de *la* (1704, 2369).

45. *Démonstratifs.* Le démonstratif est régulièrement *ceo*, employé comme adjectif au masculin comme au féminin, au singulier comme au pluriel (98, 246, 310, 1436, 1676...), ou *iceo*, apparemment réservé au singulier (13, 257, 1884), toujours aux deux genres ; et comme pronom neutre (*ceo* : 43, 124, 1283, 1315... ; *iceo* : 2485). Une forme renforcée du pronom masculin est *ceoly* (216), peut-être encore perçue comme régime prédicatif.

46. *Préfixes.* Les copistes tendent à utiliser indifféremment les préfixes *a-*, *es-* et *en-* : *abaudiz* (3261), *enforcez/aforcé* (1764 et 2203), *amaiez/enmaez* (552 et 2773), *aplaé/esplëez* (551 et 555), *enbaïs/esbaÿz* (599 et 1242), *assegé/enseger* (1505 et 2270), *ascient/escient* (176 et 1640), etc. Il arrive même qu'ils soient effacés (Short § 30.1) : *baudiz* (3238), *bonerement* (3825), *bruvé* (2601, 3137, cf. 1852 *abruvé*), *claré* (2824, cont. *esclaré*), *coler* (1489, cf. 137 *acoler*), *contré* (1851, cont. *encontré*), *dobbent* (3488, cf. 3487 *adobbés*), *lece* (548, cont. *eslais*), *molu* (2219, cont. *esmolu*), *sener* (1310, cont *asener*), *veiler* (1558, cont. *esveillier*).

47 *Adjectifs et participes.1.* Le morphème *-e* du féminin est employé de façon très irrégulière pour les adjectifs biformes et les participes

passés : *pute orde prové* (211), *fut ele colouré* (373), *bonuré fut cele* (454), *ore me avez oblïé e jeo serai perie* (2139), etc. Cela se remarque particulièrement à l'assonance : voir v. 122, 532, 619, 2397, etc. La laisse V en particulier, dont six des sept vers s'achèvent sur des adjectifs ou des participes appliqués à des noms féminins, est intégralement rimée en *-é*.

48 *Adjectifs et participes.2*. Il peut en revanche apparaître pour des formes épicènes en français continental, mais cette extension peut tenir au caractère instable de /ə/ final : on trouve aussi bien *tele* devant un masculin (1001, 1937) que devant un féminin (2301, 2575).

49. *Adverbes.1*. Cette extension de *-e* peut se rencontrer dans les adverbes de manière issus d'adjectifs épicènes : *cruelement* (979), *forement* (1592, 1740...), *fortement* (81, 499) et *gentilement* (111), à côté de *forment* (721, 1389), *fortment* (759), *lëaument* (253) ; et inversement, son effacement se retrouve lorsque la base de l'adjectif biforme sur lequel ils se fondent se termine par une voyelle : *hardyment* (2206), *irement* (2334, pour *iré* + *-ment*), *verreiment* (278), *vereiment* (921).

50. *Adverbes.2*. Comme il est ordinaire en anglo-normand (Short § 5.3), l'adverbe marquant la faible quantité est *poi* (61, 213, 1510, 1819...), occasionnellement graphié *poie* (1387).

51. *Verbes.1*. Les infinitifs issus des verbes latins en *-ēre*, qu'on s'attendrait à trouver en *-eir*, sont toujours notés *-er* : *arder* (151), *aver* (91, 1296), *saver* (127, 1370), *voler* (1576). Il en va souvent de même pour les verbes en *-ir* : *colier* (1561), *dormer* (1554), *failer* (3537), *ferer* (284), *füer* (2157), *morer* (484, 1828), *soffrer* (1817), *tener* (659, 2244), *veer* (1437), *vener* (493, 1608), *vester* (1978), etc.

52. *Verbes.2*. Le morphème *-e* de P1 des présents est employé de façon très irrégulière : fréquemment ajouté à l'indicatif : *doune* (958), *perde* (2604), *quide* (1308), *rengke* (2458), *trove* (845), *voile* (1448, 1484), ou au subjonctif des verbes en *-er* : *mangüe* (1216), il peut aussi être omis au subjonctif des verbes en *-e(i)r*, *-ir* ou *-re* : *ai* (2000), *pend* (910), *pus* (1615), *sei*, *sey* (217, 958, 1486, 1646).

53. *Verbes.3*. En P2 *-s* et *-z* s'emploient indifféremment, d'où quelques rares risques de confusions entre P2 et P5 (cf. *supra*, § 33) : *tu me facez* (1045) vs *[vus] me facez* (2360), *tu le poez* (100) vs *vus pöez* (735, 1579...), le tréma nécessité par l'hiatus permettant néanmoins de distinguer graphiquement les deux dans ce dernier cas. Lorsque P5 est noté avec *-s*, le recours traditionnel à l'accent aigu sur *e* évite en revanche la confusion pour le lecteur moderne : *aportés* (98, 3661), *averés* (1331, 1397), *frés* (725), *purrés* (2408), *sÿés* (1249), *vendrés* (251, 1378...), *verrés* (1554), *veÿsés* (3143).
54. *Verbes.4*. En P3 *-st* se substitue souvent à *-t*, au présent de l'indicatif : *fest* (120, 756), *occist* (2313), *sest* (2995), *veist* (3171), ou du subjonctif : *seist* (2642) ; d'où de nombreuses formes de PS identiques à des SI : *chaïst* (1028), *corust* (3408), *eust* (468), *ferist* (305, 444, 3619...), *fust* (12, 651, 1407, 1535...), *morust* (3835), *oïst* (303), *vist* (316, 439, 1279, 1451...) ; et inversement quelques SI sans *–s-* : *deut* (2096), *(e)ut* (649, 942), *feït* (2722), *poÿt* (1366). Mais il arrive aussi, surtout dans D, que *–t* soit omis au PS : *conquis* (1355), *pris* (1351, 2608)[93], comme au SI : *fu* (1706, 1729), *lessa* (1704) ; et, dans les deux témoins, qu'un *-e* y soit ajouté : *abate* (3248, IP), *departe* (864, IP), *mette* (636, 2327, IP), *seinte* (538, IP), substitué : *rumpe* (883, IP), ou au contraire effacé : *confound* (497, SP).
55. *Verbes.5*. Dans D, la P3 d'indicatif présent du verbe *estre* est notée à plusieurs reprises *e* (1412, 1579, 2680, etc.), et une fois *et* (2467) : faute de pouvoir choisir entre *est* et *e*, et vu la totale absence d'ambigüité du passage, cette forme n'a pas été corrigée. Quant à la forme *e* du vers 2955, elle représente la P3 de subjonctif présent d'*aveir*.

---

[93] Dans le cas de *ou* (366, 1751), il a semblé préférable de restituer le *–t*, d'une part à cause des confusions possibles avec l'adverbe et la conjonction, mais aussi sur le modèle très majoritaire des occurrences de la forme *out*, tout particulièrement dans B.

56. *Verbes.6.* Le morphème de P4 est régulièrement *-om* ou *-um* : *alom, alum* (1628, 1484), *avum* (2575), *creom* (3669), *devum* (2473, 2790), *dirrom, dirrum* (2730, 207, 2051...), *from, frum* (1824, 204, 1570...), *ir(r)om, irrum* (1555, 1999, 1172, 3536...), *porrom* (1498, 1511...), *prendrum* (1172, 2539), *savom* (1101, 3348), *serrom* (1559, 2272), *tenum* (3733), *veindrom, veinterum* (586, 3734), *veyum* (2588), *vodrom* (1036), *volum* (2644). La désinence faible *-mus* se rencontre aussi dans D : *sumus* (1858, 2003), *donamus* (1602), sans doute plus par latinisme instinctif de scribe que pour des raisons d'ordre dialectal (Short § 34.4).
57. *Verbes.7.* En trois occasions, dans D, P5 est marqué par *-et* : *comparet* (1884), *(e)uset* (2226, 2533) ; trop isolées, ces formes ont été corrigées. Par ailleurs, aucune des trois P5 d'indicatif imparfait ne présente la désinence *–ïez*, en contradiction avec ce qu'écrit I. Short (§ 34.6) : *voillez* (986), *solés* (2423), *estëez* (2988). Si, dans le dernier exemple, le caractère dissyllabique de la désinence peut être marqué par le premier *e*, cela ne semble pas autoriser un amendement dans les deux autres. Stimming, qui intervient dans le premier cas en écrivant *voliez*, laisse néanmoins les deux autres formes intactes.
58. *Verbes.8.* P6 est parfois noté *–(o)unt* : *chargunt* (1587), *dïunt* (1964), *fuount* (601), *furunt* (1102), *jurunt* (500), *oyerunt* (1700), *pensunt* (2311), *trovunt* (354), *veiunt* (479), etc. Le texte de D présente en outre quelques traits particuliers pour cette personne : on y rencontre deux fois la désinence tonique *-ant* : *pussant* (1668) ou *-ent* rimant en *–ant* : *portassent* (1747, rimant avec *pesant*) ; bien connue dans les *scriptae* orientales, cette désinence est aussi attestée en anglo-normand (Short § 34.4). On trouve aussi des formes en *-oint* au lieu de *-oient* : *point* (1961, cont. *pueent*), *soint* (3572). Enfin le *t* final peut être omis : *usen* (1667, cont. *eussent*), *un* (1847, 2478, 2553, cont. *ont*), *sun* (2482, cont. *sont*) ; pour éviter la confusion avec l'article et le possessif, il a toutefois paru souhaitable de restituer le *t* final dans ces deux derniers cas.
59. *Verbes.9.* Au futur, la voyelle précédant le morphème *-r-* est fréquemment effacée (cf. *supra*, § 10) : *frai* (68, 99...) ; si la consonne précédente était *r*, elle se confond avec le morphème du

futur, d'où des formes parfois identiques à celles du présent : *comprez/comparez* (219 et 1861), *entrez* (1329), *garez* (3225), *guerez* (1948), *jurez* (3279) ; ou du PS : *mustrai* (283).
60. *Verbes.10.* Le subjonctif présent apparaît souvent avec la désinence normanno-picarde *-ge-* (Short § 34.5) : *devenges* (396), *murgez* (3813), *prenge* (952, 3563), *quergent* (2727), etc.
61. *Verbes.11.* Le part. passé du verbe *arester* figure avec la forme ancienne *arestu* aux vers 2198 et 2207, mais aux vers 2406, 2687, 2818, 2913, 3166 et 3556 c'est la forme analogique *aresté(s)* qui est utilisée. On notera que la forme ancienne se rencontre dans la première partie de la chanson, alors que l'autre se trouve dans celle qu'il y a lieu de considérer comme une continuation ultérieure.
62. *Verbes.12.* Il faut encore signaler différentes formes verbales isolées et résultant de mécanismes analogiques. J'ai conservé les PS P1 *avai* et P6 *averent* d'*aveir* (2756, 2475), le PS P6 *vodrerent* de *voleir* (1117) et l'impératif P5 *dïez* de *dire* (3302) ; en revanche j'ai corrigé le PS P3 *abata* d'*abatre* sous l'influence de la forme *abati* du vers suivant (475-476 ; voir la note) et le PP *manjue* de *manger* (1667), par suite du grand nombre d'attestations de *mangé* (voir la note).

10.3. Syntaxe

63. *Mes.* Certains emplois de *mes* connecteur sont à noter. On le trouve par exemple après question rhétorique, pour suggérer une opposition au niveau de l'énonciation : *Que vus en dirrai plus ? Mes einz ke fu middiz* (618). Ou sans idée d'opposition : *Boefs vint a bois pur quere le sengler, Mes il le trova mult tost* (437-438). Voir aussi v. 375, 643, 775, etc.
64. À deux reprises, l'adverbe dénotant l'intensité apparaît dans B sous la forme *mon* (219 et 295) et dans D sous la forme *mun* (1443 et 2205), qui représentent apparemment *mont* ou *munt*, allomorphe de *mult* bien attesté[94], avec effacement de *t* final (cf. *supra*, § 58).

---

[94] Pope § 464 ; voir aussi Gaston Zink, *Morphologie du français médiéval*, Paris, PUF, Linguistique nouvelle, 1989, p. 239.

J'ai toutefois choisi d'amender ces formes en *mont* et *munt* à cause de la confusion avec le possessif.

65. *Ove*, *ov* est la forme que prend dans le texte la préposition issue d'*apud*, et marquant notamment le moyen (188, 963), l'accompagnement (141, 256, 2341), la proximité (123, 323, 549), l'addition (401) ou la caractérisation d'un personnage par un trait physique (28). Cette préposition, caractéristique de l'anglo-normand (Short § 24.2)[95], apparaît aussi sous la forme renforcée *ovesque(s)/oveske(s)* (196, 353, 1383, 2310).

66. *Emploi des cas.1*. La flexion des noms subsiste, mais ses rapports avec les fonctions syntaxiques sont très irréguliers. La forme régime est très souvent employée en fonction sujet, en particulier pour les NP : *iceo quens Guioun [...] estoit* (13), *son seignur fu veuz homme* (42), *le roi Yvori estoyt* (1382), *le destrer demeyne grant ferité* (1455). L'inverse se rencontre aussi : *de Boefs* (3), *pur veritez* (1767). Cela neutralise aussi par conséquent l'opposition formelle entre singulier et pluriel : *de soun parentez* (9), *saunz ma voluntez* (301), *par ample regnez* (2727), *si les ad aresoné* (3535).

67. *Emploi des cas.2*. On trouve au vers 487 la construction absolue du CN avec un nom d'animal : *le chef le sengler*.

68. *Emploi des pronoms.1*. À différentes reprises, il y a confusion entre *tu* et *vus* : *tu dist avez* (511), *Mult toi doi amer. Venez, si moi basez !* (2425) ; voir aussi les vers 2442, 2531-2534 et 3299.

69. *Emploi des pronoms.2*. Les pronoms *le* et *la* se rencontrent en fonction de CO2 : *le quer le fest [...] crever* (1080), *Boves la dist ke ele lessa aler* (1704), *un cope d'or par moi le bailez* (3370). Et inversement *li* et *lur* en fonction de COD : *Sabot li vist, si le va demaundaunt...* (316), *mort li abati* (2765), *il lur salue* (2975). Cf. *supra*, § 44.

70. *Emploi des pronoms.3*. Le pronom personnel atone peut apparemment être employé en position disjointe : *il vus par mei*

---

[95] Voir aussi Claude Buridant, *Grammaire nouvelle de l'ancien français*, Paris, SEDES, 2000, § 402.

maunde (113), *jeo vus ore mustrai* (283), *si ne le a moi rendez* (339), *par le chaperon li pris a* (2159).

71. *Emploi des pronoms.4.* En revanche, les formes toniques peuvent être employées comme COD ou CO2 non prédicatif : *jeo la tei dorrai* (398), *si le mei tollez* (556), *ore le moi mustrez* (854), *si Deu moi eyde* (1425), *si moi die* (2161), *si vus moi eusez mels asené* (2226), *ceo est Boves de Hampton ke a vus moi enveia* (2232), *Mult toi doi amer. Venez, si moi basez* (2425, cf. 3767), *ke ne moi faudroit* (3057), *le roi moi desherite* (3705) ; cf. 3087, 3277, 3279, 3298, 3417, 3710, 3746.

72. *Emploi des pronoms.5.* Le pronom personnel régime est omis avec une fréquence telle qu'on peut se demander si cela témoigne exclusivement de la négligence des scribes. Il a été restitué chaque fois qu'il a paru indispensable, ainsi : *il ne [le] avoit for sulement beisé* (782), *cil [le] pernent* (2558), *a [li] mult est redrescé* (2864), et v. 723, 1915, 2359 ; de même *il* a été restitué en incise aux v. 1971 et 2564, et en tête de proposition au v. 2157. En revanche, il n'a pas paru indispensable de corriger le vers 1621 : *Tels .II. com vus estes ne pussent endurer*, non plus que les vers 93, 537, 2055, 2059 et 3173 ; même chose pour *en* au vers 1247. Au vers 1153 enfin, *sachez de veyr ke il poynt ne trova*, faut-il restituer le COD *les* devant *trova*, ou supposer qu'il y a eu enclise sur la négation avec effacement de *s*, ce qui conduirait à transcrire *né* pour *nes* plutôt que *ne* ?

73. *Emploi des temps.1.* Trait caractéristique de l'anglo-normand, le texte recourt parfois à l'imparfait quand le français continental emploierait le passé simple, notamment avec une valeur ponctuelle, ainsi aux vers 177, 227 ou 1255 (Short § 34.7).

74. *Emploi des temps.2.* Le conditionnel présent (confondu en P1 avec le futur par suite de la chute de *-e* final) se rencontre deux fois avec valeur d'irréel du passé, aux vers 1524 et 1789.

75. *Propositions hypothétiques.1.* La conjonction ouvrant la subordonnée hypothétique est régulièrement *si*. Elle peut être suivie du subjonctif présent là où le français continental emploierait l'indicatif : *si tu devenges paen* (396), *si jeo ne eie son amour* (455), *si ceo seit un bref* (854), *Si mun frere seit pendu* (1531) ; cf.

1486, 1796, etc. Ce sont là deux traits caractéristiques de l'anglo-normand[96].
76. *Propositions hypothétiques.2*. À plusieurs reprises, la comparative hypothétique est ouverte par la seule particule *com* : *com il fust devé* (1336, cf. 1729), *com ceo fust* (1736, 1757), *com fust* (3422), le subjonctif suffisant à exprimer l'hypothèse, tour qui ne figure que dans D, alors que dans B on lit *com c'il vosist* (441) et *com si Deus feit* (875)[97].

11. Principes d'édition

Jusqu'au vers 1268, je suis le manuscrit B, le seul qui puisse être désormais effectivement consulté. Il n'y aurait d'ailleurs aucun sens à passer à D au vers 912 pour reprendre B entre 1082 et 1189, où D est de nouveau lacunaire. B semble aussi, lorsque la comparaison est possible, le moins fautif. J'ajoute toutefois entre crochets les vers de D absents de B, tout en signalant ainsi au lecteur qu'il s'agit d'ajouts au manuscrit de base ; et j'y ai recours aussi pour corriger les erreurs évidentes de B. L'apparat critique permet de s'y retrouver. Je conserve par conséquent la numérotation de Stimming, sauf lorsque l'ordre des vers a fait l'objet d'un amendement : dans ce cas, la numérotation n'est plus suivie, mais reproduit l'ordre du manuscrit et permet de le reconstituer. Je donne par ailleurs après le texte et la traduction les variantes de D et du fragment G, ainsi que la transcription de L.

L'absence de mesure syllabique constante, et l'évidence de la réduction de nombreux hiatus incite à n'utiliser le tréma qu'avec précautions : je n'en ai fait usage que pour les mots figurant à la rime (sous réserve que la diérèse s'y impose) et pour ceux,

---

[96] Voir Philippe Ménard, *Syntaxe de l'ancien français*, Bordeaux, Bière, 1988 (3e édition), § 264 et 445.

[97] Plus rare que la subordination par *com se/si*, la subordination par *com* seul n'est pas ignorée des grammaires : voir Cl. Buridant, *Grammaire nouvelle*, *op. cit.*, § 538.

essentiellement des formes verbales, pour lesquels ils contribuaient à distinguer un morphème de la base – et seulement pour les suites de voyelles susceptibles de se trouver dans une syllabe unique : ainsi un mot comme *tua* (v. 2234) n'a pas besoin de tréma, le groupe *ua* étant toujours articulé avec hiatus ; de même pour *loer*, le digramme *oe* ne représentant jamais une diphtongue devant *r*. Quant à l'accent aigu, lorsque *ee* représente /e:/ ou /eə/, il n'y a pas lieu de l'utiliser ; si en revanche il représente /əe/, selon les circonstances, je place un tréma sur le premier *e* et/ou un accent sur le second, sauf dans le cas de *veez*, qui peut apparaître aussi sous la graphie *vez* (v. 344). Lorsque *le*, *se* et *de* représentent un pluriel, je les note *lé*, *sé* ou *dé* (cf. *supra*, *Phonétique et graphies*, § 30). Enfin, dans D, où les terminaisons en *-ins* sont souvent notées *-inis*, je ne conserve cette graphie que si elle est récurrente, comme dans le cas de *Sarzinis* (1858, 2671, 2711, *etc.*), mais je corrige *pelerinis* (2776), *Herminis* (3255), *finis* (3283).

J'ai choisi aussi de corriger certaines formes verbales isolées ou pouvant être source de confusion, comme indiqué *supra* (*Morphologie*, § 54, 57 et 58).

Stimming distinguait *u* et *n* dans les manuscrits, et signalait une correction chaque fois qu'un *n* lui paraissait un *u* et *vice-versa* (il lit ainsi *boute* et donne *bonté* pour une correction, v. 2227 ; de même pour *ont* et *out* aux vers 1845 et 3131)[98]. J'ai considéré que la différence entre ces deux lettres était trop aléatoire pour qu'on puisse le suivre sur ce point, et qu'il n'y avait pas lieu de corriger un manuscrit donnant la bonne graphie, mais avec une lettre susceptible d'être confondue avec une autre. De même la lecture *m* pour des groupes tels que *ui*, *ni* ou *in* n'a pas été retenue (cas de *uint* corrigé en *mut*, v. 404, de *mi* corrigé en *nu*, v. 1975, de *menent* corrigé en *vienent*, v. 2339, de *esparment* corrigé en *esparnient*, v. 3644, *etc.*). En interprétant d'ailleurs certaines variantes de D à travers ces différentes confusions, on arrive à retrouver des leçons qui semblent avoir échappé au premier éditeur, comme au vers 3586

[98] Il hésite lui-même entre *pauie* et *panie* au vers 1522.

où, lisant *burnez* plutôt que *buruez*, il y voit un allomorphe de *bruné*, adjectif peu adapté à des chevaux, au lieu de reconnaître *bruvez* (cf. v. 2601 et 3137) ; de même, au vers 3063, il lit *sonens* et corrige *soens* ce qui selon toute apparence était écrit *souens*.

La distinction entre *c* et *t* également est souvent contestable ; c'est elle qui conduisait l'éditeur allemand à transcrire *Saboc* aux vers 224, 229, 237, etc., mais *Sabot* aux vers 232, 243, et 316, graphie qui s'accorde mieux avec la forme de D, *Sabaoth*. L'examen du manuscrit B conduit particulièrement à remettre ses choix en cause : ainsi, au vers 1010, où il lit *Munbraunc*, je lis *t* comme au v. 1007 où il transcrit *Munbraunt* ; au vers 232, je lirais plutôt *Saboc*, mais *braunt* au vers 467 où il transcrit *braunc* sans amendement. La confusion tient en fait à l'écriture du copiste, qui dessine ces deux lettres de façon très voisine, et il y a donc lieu de transcrire conformément à l'usage normal, ou en tenant compte d'autres données émanant du texte lui-même (ainsi *brank*, au vers 170, confirme la graphie *braunc*). Je ne signale dans l'apparat critique que les cas isolés : *cel* 592 ; *toup* 958 ; *dantel(e)* 3015 ; *hanc* 3248 ; *bautant* 3490 ; *les chet* 3510 ; *kanc* 3733 ; *letez* 3765. Mais je ne retiens pas *hance* pour *hante* (v. 2831, *etc.*), *garancie* pour *garantie* (v. 2298 et 2302) ou *la matur* pour *l'amaçur* (v. 3625, 3629 et 3634).

La notation tironienne ꝯ a été transcrite *con* ou *com* en suivant l'*usus* majoritaire du manuscrit édité ; cependant, lorsque D écrit *cheꝯ*, le mot a été transcrit *checun* conformément à la graphie employée aux vers 2317 et 2767 où le mot est écrit en toutes lettres. Enfin, pour la transcription du signe *w*, voir ci-dessus, *Phonétique et graphies*, § 27.

Les négations absentes ont été rétablies, même là où figurent les particules *pas* (283, 816) ou *mie* (988, 1536, 3117), ou l'adjectif *nul* (3412), et où Stimming n'amende pas le texte : c'est seulement si aucune marque de négation n'est présente alors que la phrase l'exige, ou en présence de *unkes* (3564), qu'il rétablit *ne*, et alors il faut évidemment le suivre (1168, 1768, 2840). Les passages où *ne* manque sont trop rares pour qu'on puisse y voir autre chose qu'une omission. Il n'en va pas de même pour la conjonction *ne*, toujours absente devant *tant* dans l'expression *tant ne kant* (v. 345, 1633, 1789 et 1802), et qu'il n'y a donc pas lieu de rajouter. S'agissant en revanche de la fréquente absence des pronoms personnels COD ou COI, ils n'ont été restitués que lorsque le contexte pouvait laisser planer une incertitude sur le sens (voir ci-dessus, *Syntaxe*, § 72). Sauf correction s'imposant d'elle-même ou faisant l'objet d'une note annoncée par un astérisque dans la traduction, et résultant donc d'une conjecture qui me revient en propre, la source d'un amendement est signalée entre parenthèses dans l'apparat critique à la suite de la leçon rejetée, soit par l'une des lettres D, G ou L (emprunt occasionnel aux autres témoins, y compris D, intégralement édité par Stimming avec un apparat critique complet pour les passages où il coïncide avec B), soit par le numéro du ou des vers ayant servi de modèle à la forme corrigée, soit, le plus souvent, par la lettre S, lorsque je reprends la correction proposée par l'éditeur allemand. J'ai eu en outre recours aux crochets droits dans trois circonstances : pour les lettrines prévues de B, pour les mots manquant dans le texte et rétablis de façon plus ou moins conjecturale, et pour les vers 930-934, 1068 et 1206-1207, présents dans D mais absents de B[99].

Il convient enfin de mentionner deux traits particuliers de l'*usus* du copiste de B. D'une part il utilise non seulement le *p* barré comme abréviation pour *par* et *per*, mais aussi pour *por* (toujours pour les formes du verbe *porter* : v. 112, 218, 251, etc.). Et d'autre part, à deux reprises (v. 464 et 789), il donne en tête de vers la forme d'un *m* souligné à la lettre *s*.

En dehors de ces cas particuliers, je me suis efforcé de me conformer aux recommandations des *Conseils pour l'édition des textes médiévaux* déjà mentionnés[100], sans perdre de vue que la présente édition n'est pas réservée aux seuls spécialistes et qu'il convient donc de ne pas gêner la lecture du texte par des signes, italiques notamment, redondants par rapport à l'apparat critique.

---

[99] Cf *supra*, p. 9 et 89.

[100] Cf. *supra*, note 91, p. 78-79.

Mais, à la suite de Stimming lui-même et, pour le fragment G, de J. Weiss, j'ai toutefois conservé les italiques dans l'apparat critique, le relevé des variantes de D et G et la transcription du fragment L pour représenter les abréviations résolues.

12. Principes de traduction

La traduction proposée ici s'est efforcée de respecter les objectifs suivants :
1. Donner un texte directement intelligible, puisque l'original était immédiatement compris à son époque, ce qui implique :
– d'expliciter, ou du moins suggérer, ce qui est implicite : le respect inhérent à l'expression *Sabaoth le barbé* (2405) n'est pas sensible dans le mot à mot *Soibaut le barbu*, d'où le choix de *Soibaut à la barbe fleurie* : l'allusion à Charlemagne rend alors à la barbe toute sa dignité ;
– d'éviter les termes d'époque qui pourraient être mal compris : sauf en collocation avec *mailles*, *haubert*, souvent confondu, comme le montre l'expérience de l'enseignement, avec *heaume* (mais celui-ci généralement bien compris), sera rendu par *cotte de mailles* ;
2. Éviter chaque fois que possible le style moyenâgeux, qui établit entre le lecteur et le texte une distance absente de la réception originelle, d'où le choix de *coursier*, fréquent dans les traductions d'Homère, et connotant par conséquent le style élevé, pour *destrier* ; en revanche *palefroi*, qui n'a pas d'équivalent acceptable, est conservé. Il faut aussi en effet éviter les équivalents qui suggèrent des images inexactes : *heaume* ne peut pas être rendu par *casque*, trop marqué par les guerres modernes. Cela implique un choix de vocabulaire très serré, ni archéologique, ni anachronique. Pour l'adresse au public, on évitera ainsi *Messieurs* et on gardera *Seigneurs*, terme fréquent dans la tragédie classique, qui peut en conséquence être conservé dans la langue moderne, et qui contribue par là même à la nécessaire hauteur du style.
3. Conformément à l'usage, le mélange des temps habituel à la narration en ancien français est évité autant que possible, le recours

aux temps du passé ou au présent de narration étant unifié au moins dans le cadre de la phrase, tout en respectant les dominantes du texte originel.

4. Le texte est composé dans une forme poétique marquée, les laisses assonancées de la chanson de geste, qu'il faut éviter d'aplatir sous prétexte d'exact respect du contenu dans une prose amorphe et du coup trop souvent ennuyeuse :

- La traduction est donnée vers à vers, chaque ligne en français moderne s'efforçant de coïncider avec un vers du texte original ;
- Mais il ne s'agit pas d'aboutir à une traduction en vers français, *a fortiori* rimés, qui dans les traductions sonnent trop souvent comme des vers de mirliton. C'est aussi pourquoi les lignes ne commencent par des majuscules qu'en tête de phrase ou en cas de nom propre. Bien que le rythme des vers soit fréquemment incertain, mieux vaut, pour conserver l'évocation de la forme poétique originelle, une traduction rythmée, inspirée de celle de l'*Odyssée* par Victor Bérard, sans toutefois aller aussi loin que lui. Elle est constituée de modules de 4, 6, 8 syllabes, mais en jouant sur la liberté que donne l'effacement de *e* muet en français moderne, qui est donc tantôt compté, tantôt non si cela s'accorde avec la prononciation courante.
- Tant qu'ils ne choquent pas le lecteur moderne, certains procédés doivent être conservés : inversions expressives (qui peuvent d'ailleurs aider à assurer le rythme) ; ou qualificatifs homériques, quitte, lorsqu'ils consistent en adjectifs substantivés qui détonneraient dans la langue moderne, à les appuyer sur un nom : ainsi *Boves l'espouse, li gentil e li fer* (2389) est-il rendu par *et Beuve l'épousa, le héros noble et fier* (la conjonction initiale fournissant la syllabe manquante pour le rythme).

5. Noms propres. Il a fallu choisir, notamment pour ceux qui apparaissaient différents d'un manuscrit à l'autre. Chaque fois que l'une des formes suscite en français moderne une idée étrangère au texte, elle est éliminée, d'où *Bradmont* (ms. B) plutôt que *Brandon*

(ms. D) ; de même *Soibaut*, forme du nom dans les versions continentales, est préféré à *Sabot* et *Sabaoth*, qui l'un et l'autre chargeraient aujourd'hui le personnage de connotations inexactes ou au moins incertaines. Même recours aux versions continentales pour *Beuve*, forme française de ce nom attestée encore dans d'autres chansons de geste, plutôt que les diverses formes données par les manuscrits, *Boeve*, *Boun*, *Boefs*, etc. ; pour des raisons voisines, la forme *Hamptone* (ms. D, v. 954) est préférable à *Haumtone* (ms. B) parce qu'elle rappelle *Southampton*, tout en soulignant la prononciation du *n*, à la différence de *Hampton* (ms. D, *passim*). Pour les noms dont l'usage s'est conservé, c'est la graphie moderne qui a été choisie : *Guy*, *Thierry*, *Josiane*, *Jocelyn*, et *Babylone* pour *Babyloyne/Babiloine*, bien que ce nom désigne en principe le Vieux Caire et non la ville de Mésopotamie, à cause de la charge poétique du terme et de l'ambiguïté résultant de cette désignation dans les textes médiévaux ; j'ai toutefois gardé *Béatrix*, forme devenue courante à cause de Dante.

Cette nouvelle édition, la traduction et les divers commentaires qui l'accompagnent, et dont je reste intégralement responsable, auraient néanmoins été impossibles sans l'aide particulière et les conseils de Laurence Harf-Lancner, dont je veux ici remercier la patience et les attentives relectures. Toute ma gratitude va aussi aux collègues dont les conseils et les informations m'ont été précieux : Elena Koroleva, Daniel W. Lacroix, Pierre Nobel, Ian Short. J'ai enfin une dette particulière envers Jean-Charles Herbin, qui a procédé à une vérification intégrale du texte médiéval et m'a suggéré nombre de judicieux amendements ; et envers Françoise Pelet-Martin, qui a fait la chasse aux maladresses de l'introduction et de la traduction. Que tous trouvent ici le témoignage de ma reconnaissance.

Bibliographie sélective

Texte

Der anglonormannische Boeve de Haumtone, hrsg. von Albert Stimming, Halle, Niemeyer, 1899.

Weiss, Judith, « The Anglo-Norman *Boeve de Haumtone* : a Fragment of a New Manuscript », *Modern Language Review*, 95 (2000), p. 305-310.

Traduction

Weiss, Judith, « *Boeve de Haumtone* and *Gui de Warewic*. Two Anglo-Norman Romances », Arizona Center for Medieval and Renaissance Studies, Tempe, Arizona, 2008.

Principales autres versions

The Romance of Sir Beues of Hamtoun, ed. Eugen Kölbing, London, The Early English Text Society, 3 vol., 1885, 1886, 1894.

« The Irish lives of Guy of Warwick and Bevis of Hampton », ed. and trans. by F.N. Robinson, *Zeitschrift für celtische Philologie*, 6 (1908), p. 9-180 et 273-338.

Williams, Robert, *Selections from The Hengwrt Mss. preserved in the Peniarth Library*, ed. and tr., II, London, Jones, Griffith Hartwell, 1892, p. 119-188 et 518-565.

Ystorya Bown de Hamtwn, ed. Morgan Watkin, Cardiff, University of Wales Press, 1958.

Selections from "Ystorya Bown o Hamtwn", ed. Erich Poppen and Regine Reck, Cardiff, University of Wales Press, 2009.

Bevers Saga, ed. Christopher Sanders, Reykjavík, Stofnun Árna Magnússonar á Íslandi, 2001.

Der festländische Bueve de Hantone, hrsg. von Albert Stimming, I, Dresden, Gesellschaft für romanische Litératur, 25, 1911.

Der festländische Bueve de Hantone, II, hrsg. von Albert Stimming, Dresden, Gesellschaft für romanische Litératur, 30 et 41, 1912 et 1918.

Der festländische Bueve de Hantone, III, hrsg. von Albert Stimming, Dresden, Gesellschaft für romanische Litératur, 34 et 42, 1914 et 1920.

Beufves de Hantonne, éd. Marie-Madeleine Ival, Aix-en-Provence, Publications du CUER MA, Université de Provence, *Senefiance*, 14 (1984).

La « Geste Francor » di Venezia, edizione integrale del Codice XIII del Fondo francese della Marciana, introduzione, note, glossario, indice dei nomi a cura di Aldo Rossellini, Brescia, Editrice La Scuola, 1986, p. 197-231 et 291-373.

La Geste Francor, Edition of the chanson de geste of Ms. Marc. Fr. XIII (= 256), with glossary, introduction and notes by Leslie Zarker Morgan, Tempe, Arizona, Center for Medieval and Renaissance Studies, 2009, 2 vol., vol. I, p. 305-344 et 411-505.

Buovo d'Antona, cantari in ottava rima (1480) a cura di Daniela Delcorno Branca, Roma, Carocci, 2008.

Études

"Sir Bevis of Hampton" in Literary Tradition, ed. by Jennifer Fellow and Ivana Djordjević, Cambridge, D.S. Brewer, 2008.

Adler, Alfred, « Alter Mann der jungen Frau... », dans id., *Epische Spekulanten. Versuch einer synchronen Geschichte des altfranzösischen Epos*, München, Wilhelm Fink, 1975, p. 149-165.

Ailes, Marianne, « The Anglo-Norman *Boeve de Haumtone* as a chanson de geste », dans *"Sir Bevis of Hampton" in Literary Tradition, op. cit.*, p. 9-24.

Becker, Philip August, « Beuve de Hantone », dans *Berichte über die Verhandlungen der sächs. Akad. der Wiss. zu Leipzig, Phil. hist. Klasse*, t. XCIII (1941), Heft 3.

Boje, Christian, *Die Überlieferung des altfranzösischen Romans von Beuve de Hamtone*, Philosophische Dissertation Kiel, Halle, Karras, 1908.

Boje, Christian, *Über den altfranzösischen Roman von Beuve de Hamtone*, Halle, Niemeyer, *Beihefte zur Z.r.P.*, 19, 1909.

Dean, Ruth J., with the collaboration of Maureen B. M. Boulton, *Anglo-Norman Literature. A Guide to Texts ans Manuscripts*, London, Anglo-Norman Text Society, 1999, p. 89-90.

Djordjević, Ivana, « Versification and Translation in *Sir Beves of Hampton* », *Medium Aevum*, 74 (2005), p. 41-59.

Djordjević, Ivana, « From *Boeve* to *Bevis* : The Translator at Work », dans *"Sir Bevis of Hampton" in Literary Tradition, op. cit.*, p. 67-79.

Djordjević, Ivana, « Original and Translation : Bevis's Mother in Anglo-Norman and Middle English », *Cultural Encounters in the Romance of Medieval England*, éd. & introd. Corinne Saunders, Woodbridge, Brewer, 2005, p. 11-26.

Fellows, Jennifer, « The Middle English and Renaissance *Bevis* : A Textual Survey », dans *"Sir Bevis of Hampton" in Literary Tradition, op. cit.*, p. 80-113.

Furrow, Melissa, « Ascopard's Betrayal : A Narrative Problem », dans *"Sir Bevis of Hampton" in Literary Tradition, op. cit.*, p. 145-160

Galent-Fasseur, Valérie, « Un médiateur de la Providence : le personnage de Sabaoth dans la version anglo-normande et la version en prose de *Beuve de Hantone* », dans *L'Épopée tardive*, études réunies et présentées par François Suard, *Littérales*, 22 (1998), p. 25-38.

Galent-Fasseur, Valérie, « La tentation sarrasine de Beuve de Hantone », dans *La Chrétienté au péril sarrasin*, Actes du colloque de la section française de la Société Rencesvals, Aix-en-Provence, CUER MA Université de Provence, *Senefiance*, 46 (2000), p. 27-39.

Holden, Anthony J., « À propos du vers 220 du *Boeve de Haumtone* », *Romania*, 97 (1976), p. 268-271.

Jordan, Leo, *Über Boeve de Hanstone*, Halle, Niemeyer, *Beihefte zur Z.r.P.*, 14, 1908.

Legge, Maria Domenica, *Anglo-Norman Literature and Its Background*, Oxford, Clarendon Press, 1963, p. 159.

Martin, Jean-Pierre, « *Beuve de Hantone* entre roman et chanson de geste », dans *Le Romanesque dans l'épique*, Dominique Boutet éd., *Littérales*, 31 (2003), p. 97-112.

Martin, Jean-Pierre, *« Orson de Beauvais » et l'écriture épique à la fin du XIIe siècle : traditions et innovations*, Paris, Champion, 2005, p. 38-63.

Martin, Jean-Pierre, « L'enfance, l'exil, le retour : à travers l'Angleterre, l'Arménie et le Mali dans le Moyen Âge des mythes », dans *L'Enfance des héros. L'enfance dans les épopées et les traditions orales en Afrique et en Europe*, études réunies par Jean-Pierre Martin, Marie-Agnès Thirard et Myriam White Le Goff, Arras, Artois Presses Université, 2008, p. 197-209.

Martin, Jean-Pierre, « Sur l'art épique dans *Beuve de Hamptone* », à paraître dans les *Comptes-rendus de l'Académie des Inscriptions et Belles Lettres.*, 2012, II (avril-juin), p. 1075-1090.

Matzke, John E., « The Oldest Form of the Beves Legend », *Modern Philology*, X (1913), p. 1-36.

Sakai, Shigeo, *« Bueve de Hanstone » et l'« Anglo-Norman Dictionary »*, dans *Language and Information Sciences*, Université de Tokyo, 8 (2010), p. 269-280.

Sanders, Christopher, « *Bevers saga* et la chanson anglo-normande *Boeve d'Aumtone* », *RLR*, 102, n° 1 (1998), p. 25-44.

Watkin, Morgan, « Albert Stimming's *Welsche Fassung* in the *Anglonormannische Boeve de Haumtone* : An Examination of a Critique », *Studies in French Language and Medieval Literature presented to Professor Mildred K. Pope*, Manchester, Manchester University Press, 1939, p. 371-379.

Weiss, Judith, « The Date of the Anglo-Norman *Boeve de Haumtone* », *Medium Aevum*, 55 (1986), p. 237-241.

Weiss, Judith, « "The courteous warrior" : epic, romance and comedy in the making of *Boeve de Haumtone* », dans *Boundaries in Medieval Romance*, ed. by Neil Cartlidge, Studies in Medieval Romance, Cambridge, Brewer, 2008, p. 149-160.

Wolf, Romaine, « Nouer l'amour, nouer la mort : la ceinture sarrasine dans *Beuve de Hantone* », dans *« Si a parlé par moult ruiste vertu ». Mélanges de littérature médiévale offerts à Jean*

Subrenat, textes publiés sous la direction de Jean Dufournet, Paris, Champion, 2000, p. 551-571.

Wolf-Bonvin, Romaine, « Escopart, le géant dépérissant de *Beuve de Hantone* », dans *La Chrétienté au péril sarrasin*, Actes du colloque de la section française de la Société internationale Rencesvals, Aix-en-Provence, Publications du CUER MA, *Senefiance*, 46 (2000), p. 249-265.

Wolfzettel, Friedrich, « Zur Stellung und Bedeutung der *enfances* in der altfranzösischen Epik », I, *Z.f.S.L.*, 83 (1973), p. 317-348, et II, *Z.f.S.L.*, 84 (1974), p. 1-32.

BEUVE DE HAMPTONE

VIE DE BOEVIN DE HAMTONE LE CHIVALER

I

[S]eingnurs barons, ore entendez a moi, B 69 r°
Si vus dirrai gestes que jeo diverses sai,
De Boefs de Haumtone, li chevaler curtays,
Ke par coup de espeie conquist tant bons roys.
5 Si vus volez oyer, jeo vus en dirrai :
Unkes ne oïstes meyllur, si com jeo crai.

II

Seingnurs, si de lui oyer desirez,
Jeo vus en dirrai, kar jeo sai asez.
Primes vus en dirrai de soun parentez.
10 A Haumtone fu li quens plein de bontez,
Il out a noun Guioun, chevaler fu prisez :
Meilour de lui ne fust en son tens trovez.

III

Seignurs, iceo quens Guioun dount vus chaunt
Estoit bon chevaler, pruz e combataunt.
15 Mes de une chose lui alout home blamaunt :
K'ainz ne vout femme prendre en tot son vivaunt,
Dunt pus se repenti par le men ascient.

IV

Mes quant il fu veuz home e out long tens vescu,
Donk prist il femme que de haute gent fu,
20 File au roi de Escoce cele dame fu.

BEUVE DE HAMPTONE[1]

1

Écoutez-moi, seigneurs barons ! B 69 r°
Je vais vous raconter les multiples exploits
de Beuve de Hamptone, le courtois chevalier,
qui en frappant de son épée vainquit tant de grands rois.
5 Si vous voulez bien m'écouter, je m'en vais vous les dire :
jamais vous n'en avez, je pense, entendu de meilleurs*.

2

Seigneurs, si vous voulez entendre son histoire,
je vais la dire, car je la sais fort bien.
Je parlerai d'abord de sa famille.
10 À Hamptone, il était un comte d'une grande bonté,
du nom de Guy, un chevalier fameux :
on n'aurait pu en ce temps-là en trouver un meilleur.

3

Seigneurs, ce comte Guy que je vous chante
était bon chevalier et guerrier de valeur.
15 On ne lui faisait qu'un reproche :
jamais de toute sa vie il n'avait voulu prendre femme
– et il dut bien, je crois, s'en repentir ensuite.

4

Mais quand il fut devenu vieux, ayant déjà longtemps vécu,
il prit pour épouse une dame de haut lignage,
20 la fille du roi d'Écosse.

---

[1] Les astérisques (*) renvoient aux notes critiques, p. 389-445.

Guioun la prist a femme, lui chevaler membru.
Puis avint cel jur que mult eniré fu,
Ke il perdi le chef par desus le bu.

V

La dame si estoit bele e afeité.
25 Le emperur de Alemaine la out avant amé
E a son pere le out sovent demaundé,
Mes lui roi de Escoce li avoit deveé,
Si la dona Guioun ov la chere membré :
Pus en perdi le chef – allas, quele destiné ! –
30 Pur la amour de la dame que il out esposé.

VI

[S]eignurs, icele dame dunt jeo vus ai dist
Estoit bele dame saunz nule contredist,
Mes mult fu felunesse, ne out le quer parfist,
Mult ama son seignour Guioun petit,
35 Einz le haï sur tuz e le teneit en despit :
Jhesu la confounde, ke tot le mound fit !

VII

Ele out de son seignur un emfaunt avenaunt,
L'em le apele Boefs, ke mult esteit sachaunt,
Bien out passé .X. aunz, le unzime est entraunt.
40 Un jur se purpense la dame malement
Ke estoit bele femme, jovene e avenaunt,
E son seignur fu veuz homme e alout declinaunt.
Ne le lerra, ceo dist ele, pur nul homme vivaunt
Ke ele ne lui face tüer a dol e a torment.

43, Ne le lerrai c.

Guy, le chevalier vigoureux, la prit pour femme,
mais vint un jour où il le regretta amèrement,
car il en eut la tête tranchée.

5

La dame était belle et gracieuse.
25 L'empereur d'Allemagne l'aimait depuis longtemps,
et souvent à son père il avait demandé de l'épouser ;
le roi d'Écosse toutefois lui avait refusé sa main
pour la donner à Guy, le comte à la figure sage.
Guy par la suite perdit sa tête – hélas ! triste destin ! –
30 pour l'amour de la dame qu'il avait épousée.

6

Cette dame, seigneurs, dont je vous parle
était sans contredit une femme fort belle,
mais très perfide, le cœur sans loyauté.
Guy, son mari, elle ne l'aimait guère,
35 mais le tenait en haine et en mépris plus que personne.
Puisse Jésus la supprimer, lui qui créa le monde !

7

De son mari elle avait eu un bel enfant
appelé Beuve, un garçon très intelligent.
Il avait bien passé dix ans
40 lorsque la dame, un jour, conçut un projet détestable :
elle était belle, jeune et avenante,
et avait pour mari un vieillard déclinant :
à aucun prix, se disait-elle, elle ne renoncerait
à le faire tuer dans d'atroces souffrances.

VIII

45 La dame se purpense par graunt felunie,
Ele apele un messager, ne demora mie : 69 v°
« Messager, jo voil que tu ore me afie
Ke de mon conseil ne me descoveras mie,
Ne le dirras a homme que soit en vie
50 Fors soulement a l'emperur ke Alemaine guie.

IX

« Messager, dist ele, en Alemaine ore tost alez.
En Alemaine ja ne demorrez,
A le riche emperur de la men part dirrez
Ke jeo lui envoie saluz e amistez.
55 E dites lui ke il ne lese pur homme ke seit nez
Ke le primer jur de may ne seit aprestez.

X

« E di lui ke il face ov lui aprester
Quater cent de chevalers, se facent ben armer
E veinient en ceste forest par desuz la mer.
60 Jeo lui envoierai mon seignur ausi com pur chacer
E poi de gent od ly, ne ly estoit doter.
E di lui ke il ne let lui jamés eschaper
Que il ne lui coupe le chef o .I. branc de ascer.

XI

« [O]re ly di ke jeo ly maund pur la moy amur
65 Ke il seit tot prest kaunt il verra mon seignur,
E lui coupe le chef a un braunc aceré.
E kaunt il me avera le chef enveé,
Jeo en frai certes kanke ly vent a greez.
– Dame, dist ly messager, a voz voluntez ! »

65, ke il ne seit t.

8

45 Toute à ses pensées criminelles,
la dame appelle un messager, et il vient sans tarder* : 69 v°
« Messager, jure-moi d'abord
de ne rien révéler de mes projets ;
tu ne devras les dire à nul homme vivant,
50 sinon à l'empereur régnant sur l'Allemagne.

9

« Messager, va-t-en vite, dit-elle, en Allemagne,
et là-bas ne perds pas de temps :
va dire de ma part au puissant empereur*
que je lui envoie mon salut et l'assure de mon amitié ;
55 dis-lui aussi que pour personne au monde il ne devra manquer
de se tenir tout prêt le premier jour de mai.

10

« Dis-lui encore de faire préparer
quatre cents chevaliers, et qu'ils soient bien armés ;
qu'ils viennent près d'ici, dans la forêt qui surplombe la mer.
60 J'y enverrai mon mari à la chasse
avec une escorte réduite : il n'aura rien à craindre.
Et dis-lui de ne pas le laisser échapper,
mais bien qu'il lui tranche la tête de son épée d'acier*.

11

« Dis-lui donc que je lui demande, au nom de mon amour*,
65 d'être bien prêt, sitôt qu'il verra mon époux,
à lui couper la tête de son épée d'acier.
Quand il me l'aura envoyée,
sans mentir, je ferai tout ce qui lui plaira.
– À vos ordres, madame », a dit le messager.

XII

70 Lui messager s'en turne – Deu lui doint mau jur ! –
E la mer tost pase, ne fet point delaiur,
E vint en Alemaine desur un bon chasur.
E il a encountré ileoc un vavasur,
Si lui demaunde ou est le emperur.

XIII

75 Cil dist ke il fust a Retefor asis.
Lui messager s'en turne tot saunz contrediz
E vint a Retefor, demoraunce ne fist.
Kaunt il vint a l'emperur, a genoil se mist :
« Deu vus save, emperur !, ly messager ad dist.
80 La dame de Haumtone a vus me tramist,
Ke vus facez son pleiser fortement vus requist. »

XIV

Le emperur respount : « Beu treduz amis,
Quel chose maunda la dame a le cler vis ?
– Sire, dist ly messager, ben vus serra dis :
85 La dame vus maunde ke ne seiez tardis,
E quater cent chevalers ke seient prus e hardis,
Le primer jur de mai, ke vus serrez garnis,
En nostre foreste seiez estapiz.

XV

« Kaunt vus e vos chevalers ileokes serrez,
90 La dame vus enverra son seignur desarmez,
E si vus sa amur aver desirez, 70 r°
Son seignur tuerez, le chef ly coupez.
Kaunt vus avez coupé, le chef ly envëez,
E kaunt ele avera le chef, son amur gainé averez. »

70, m. se t. (S, 76).
80, v. me premist (S).

12

70 Le messager s'en va – Dieu le maudisse !
Vite il franchit la mer, et sans délai
arrive en Allemagne sur un cheval rapide.
Là, ayant rencontré un vavasseur,
il lui demande où se trouve l'empereur.

13

75 L'autre répond qu'il est à Retefort.
Le messager repart sans contretemps,
et jusqu'à Retefort il ne s'attarde pas.
Parvenu devant l'empereur, il s'agenouille et dit :
« Que Dieu vous garde, sire.
80 C'est la comtesse de Hamptone qui m'a envoyé près de vous,
et vous requiert avec instance d'exécuter ses vœux. »

14

« Très cher ami, lui répond l'empereur,
que me demande la dame au clair visage ?
– Sire, je vais vous le dire fidèlement :
85 elle demande que, sans perdre de temps,
avec quatre cents chevaliers valeureux et hardis*,
vous soyez sous les armes, le premier jour de mai,
et caché dans notre forêt.

15

« Et quand vous serez là avec vos chevaliers,
90 elle vous enverra son mari désarmé,
et si vous désirez obtenir son amour, 70 r°
vous le tuerez, lui couperez la tête,
et puis vous la lui enverrez.
Et quand elle l'aura reçue, vous aurez son amour pour récompense. »

XVI

95 Le emperur oï que dist lui messager :
Il se en joie, ne fet a demaunder !
« Messager, dist il, par le cors seint Richers,
Pus ke ceo noveles vus me aportés,
Jeo te frai doner un bon coraunt destrer,
100 E or e argent dunt tu le poez charger. »

XVII

Le messager gaina pur le message fere :
Le emperur tost fist le destrer avaunt trere,
De or e de argent le chargent bon eire,
E cil le mercie e tost prent son ere,
105 Soun chemin tut dreit envers Engletere.
Pur le message ke il fist surdi pus grant guere.

XVIII

Le messager part de l'emperur donk,
E en mena le destrer dunt il [li] fist le doun,
E vint a Hamtone a coste de espurun.
110 Quant il vit la dame, si l'ad mis a reisun,
Gentilement la salue tot en genulun :

XIX

« Dame, jeo vus porte saluz de l'emperur.
Il vus par mei maunde ke ne eiez pour,
Kar si il ad saunté, a memes le jur
115 Coupera la teste au quens plein de vigour.
E si vus estes lee de la mort tun seignur,
Unkore est il plus joius de la vostre amour. »

107, m. pase d. (S).

16

95 Quand l'empereur entend le messager,
ses paroles le réjouissent, inutile de le demander.
« Messager, lui dit-il, par les reliques de saint Riquier,
puisque tu m'as apporté ces nouvelles,
je te ferai donner un rapide coursier,
100 avec l'or et l'argent dont tu auras pu le charger. »

17

Le messager eut une récompense pour son message :
l'empereur fit bien vite amener le cheval
qu'on chargea aussitôt d'or et d'argent.
L'autre le remercie et s'en retourne
105 tout droit vers l'Angleterre.
Ce message plus tard fut cause d'une grande guerre.

18

Le messager quitta donc l'empereur,
emmenant le cheval qu'il en avait reçu,
et en piquant des deux il revint à Hamptone.
110 Sitôt qu'il vit la dame, il s'adressa à elle,
et à genoux la salua courtoisement.

19

« De l'empereur, madame, je vous apporte le salut.
Je dois vous dire de sa part de n'avoir crainte* :
au jour prévu, à moins d'être malade,
115 il coupera la tête au vaillant comte.
Et si la mort de votre époux vous rend heureuse,
il l'est lui-même plus encore de votre amour. »

XX

La dame le oï, grant joie ad mené
De si ke al jur ke estoit nomé.
120 Ore oiez, ke il fest graunt pecché
Que doune jofne femme a viel homme barbé.
Le primer jour de mai est la dame levé,
E vint a son seignour, si ad ov ly parlé :
« Sire, ceo dist ele, si me eyde la mere Dé,
125 Jeo sui malade, si ne ai point de saunté. »

XXI

« Dame, dist ly quens, pur Deu lui dreiturer,
Si vus rien deserez, fetes le moi a saver.
– Oil, dist la dame, beu douz sire cher,
Kar si jeo use char fresche de sengler,
130 Ben purrai, ceo quid, ma saunté aver.
– Dame, ceo dist ly quens, pur Dieu ly dreiturer,
Savez vus ou jeo purrai un sengler trover ?
– Oil, ceo dist la dame, beu duz sire cher,
En vostre foreste ad un par desuz la mer.
135 – Par Dieu !, ceo dist ly quens, jeo l'y irrai bercer. »
La dame le oï, ci le ala beiser 70 v°
E par grant treison si le ala acoler.

XXII

Lui quens mounta un destrer abrivé,
Un escu a son col, en sa mein un espé.
140 Il ne avoit nul hauberk ne nul heaume gemmé,
Treis compainnons sunt ov lui muntez.
Ore mourra lui quens a doel e a vilté.

118, j. ad amené.
140, n. haubrek ne n.
142, ora mounta l.

20

Dès lors qu'elle l'eut entendu, la dame se montra fort joyeuse
jusqu'au jour dit.
120 Écoutez bien : il commet une lourde faute,
celui qui à un vieux barbon donne une femme jeune*.
Le premier jour de mai, la dame se leva
et vint parler à son mari :
« Seigneur, dit elle, que la mère de Dieu m'en soit témoin,
125 Je suis malade, je ne me sens pas bien. »

21

« Madame, dit le comte, au nom de Dieu le juste,
si vous avez quelque désir, faites m'en part.
– Oui, répond-elle, mon cher et bon seigneur :
si j'avais de la viande fraîche de sanglier,
130 je crois que je pourrais recouvrer la santé*.
– Madame, dit le comte, au nom de Dieu le juste,
savez-vous où je peux trouver un sanglier ?
– Oui, répond-elle, mon cher et bon seigneur :
c'est dans votre forêt qui surplombe la mer.
135 – Par Dieu !, dit-il, j'y vais pour le chasser. »
La comtesse à ces mots lui donna un baiser 70 v°
et par traîtrise lui mit ses bras autour du cou.

22

Le comte alors monta sur un coursier rapide,
un bouclier pendu au cou, à la main un épieu,
140 mais ni cotte de mailles, ni heaume orné de pierreries.
Trois compagnons chevauchaient avec lui.
Il va mourir, le comte, honteusement assassiné*.

XXIII

Quant il vinderent au bois, le sengler vont queraunt.
E lui faus emperur est sailli avaunt,
145 En haut ly escrie : « Venez, veilard, avaunt !
Vus perderez la teste, par Deu ly tut pussaunt,
E Boefs tun fiz serra pendu a vent ! »

XXIV

Le emperur prent vers lui a destoundre.
Mult est fort son escu, si ne le face fendre.
150 En haut lui escrie : « Jeo vus frai descendre,
Pus frai tun cors tut arder en cendre,
Pus vodrai ta mulier a mon us prendre ! »
Lui quens lui dist : « Donk volez vus mesprendre !
Encontre tun cors voil ma femme defendre.

XXV

155 « Tretre, ceo dist ly quens, quei as tu ore dist ?
Me couperas tu la teste saunz nul contredist ?
Si nous fusums [plus] compainons, si me eide Jhesu Crist,
Vostre fere manace preiserei petit.
Mes jeo me afie bien en seint Espirist :
160 Si jeo mur issi, de pecché serrai quit. »

XXVI

[L]ui quens Guion brocha le destrer,
Le emperur va tost un rust coup doner,
La sele de argent en fet il vuder

148, v. l. ad estoundre.

23

Arrivés dans le bois, ils vont à la recherche du sanglier,
mais devant eux surgit l'empereur déloyal.
145 Il crie au comte : « Approche-toi, vieillard !
Ta tête va tomber, par le Dieu Tout-Puissant,
et au bout d'une corde Beuve ton fils balancera au vent ! »

24

L'empereur se jette sur lui,
mais le bouclier est solide, il ne peut le briser.
150 Il crie au comte : « Je vais t'abattre de ton cheval,
ton corps sera brûlé, je le ferai réduire en cendres,
et je prendrai ta femme pour mon plaisir !
– Tu veux commettre un crime, répond le comte*,
mais contre toi je défendrai ma femme.

25

155 « Traître, lui dit le comte, qu'oses-tu dire ?
Comptes-tu me couper la tête impunément ?
Si nous étions en plus grand nombre, que Jésus-Christ m'en soit témoin,
je me moquerais bien de tes menaces de brute.
Mais je fais pleine confiance au Saint-Esprit :
160 si je meurs de la sorte, tous mes péchés seront absous. »

26

Le comte Guy éperonne son cheval
et vigoureusement va frapper l'empereur :
en lui faisant vider sa selle d'argent

164/165 E encontre la tere le emperur fet il aval voler.
Pus lui ad dist : « Beu duz sire cher,
Tot su jeo un veilard e vus un bacheler,
Ma mulier e mon fiz voil jeo chalenger,
Kar vus n'i avez dreit, par le cors seint Richer ! »
170 A le duc se returne, si tret le brank de ascer.

XXVII

Lui quens tret le espeie com chevaler vaillaunt,
Mes .VII. cent chevalers vindrent dunc poinaunt ;
E il se defent par graunt hardement,
Mes .X. plaies lui firent dount vola le cler sanc.
175 A ! Deus ! ke il ne fust armé a son talent !
Bien se fust eschapé, par le men ascient.

XXVIII

[Q]uant lui quens de Haumtone esteit issi naufré
E ces .III. compainons furent a mort jetté,
Donk se mette a genoil, merci lui ad crïé :
180 « Beau sire, fet il, me espeie tenez
Pur les voz chevalers que jeo vus ai tüez, 71 r°
E s'i le vus plest, lour mort me pardonez.

XXIX

« Sire, ceo dist lui quens, ne me occïez mie !
Quant ke ai par mi le mund mettrai en ta bailie,
185 Fors mon fiz Boefs e ma chere amie.
– Par Deu, fet le emperur, ceo ne frai jeo mie !
Jeo ne vus lerrai pas sulement la vie,
La teste vus touderai ov me espeie forbie. »

164/165, E encontre la tere le emperur fet il vuder E encontre la tere le fet il a val voler.
174, le cher s. (S).

164/165 il l'envoie voler jusqu'à terre*.
Puis il lui dit : « Bien cher seigneur,
j'ai beau être un vieillard, toi un jeune homme,
je veux me battre pour mon fils et pour ma femme.
Tu n'y as aucun droit, par les reliques de saint Riquier ! »
170 Il se retourne contre lui et tire son épée d'acier*.

27

Le comte en vaillant chevalier tire l'épée,
mais sept cents attaquants viennent à force d'éperons.
Le comte se défend avec un grand courage,
mais ils le blessent en dix endroits d'où jaillit le sang clair.
175 Mon Dieu ! que n'avait-il l'équipement voulu !
Il aurait bien pu s'échapper, j'en suis certain.

28

Lorsque le comte de Hamptone fut blessé de la sorte
et ses trois compagnons abattus morts,
il se mit à genoux et cria grâce :
180 « Mon cher seigneur, dit-il, je vous rends mon épée
pour prix des chevaliers que je vous ai tués, 71 r°
et s'il vous plaît, pardonnez-moi leur mort*.

29

« Ne me tuez pas, sire, lui dit le comte.
Tout ce que j'ai au monde, je vais vous le donner,
185 sauf mon fils Beuve et ma femme bien-aimée.
– Par Dieu, lui répond l'empereur, il n'en est pas question !
Je ne te laisserai pas même la vie sauve,
car je vais te couper la tête de mon épée fourbie. »

XXX

Lui glut sache le branc dount le point fu deoré,
190 E feert lui quens Guioun, la teste lui ad coupé.
Un messager apele e lui dist ses voluntez :
« Frere, dist il, a la dame de Haumtone tost irez,
De la mei part saluz lui dirrez
E ceste teste ov vus lui porterez. »

XXXI

195 Lui chevaler s'en turne com cil ly comaunda,
La teste a le counte Guioun ovesque lui porta.
Kaunt vint a la dame, issi la salua :
« Dame, fet ly messager, lui emperur a vus m'envoia,
Il vendra a vostre comaundent kaunt a vus plerra,
200 E, dame, si i le vus plest, a mulier vus prendra. »

XXXII

« Chevaler, dist la dame, alez a l'emperur,
Dites lui ke jeo ly maund pur le mei amour
Ke il venge sa a moi saunz acun demeur :
Demein frum les noces si tost com serra jour. »
205 Lui chevaler s'en turne sur un bon chasur,
La respons a la dame conte a son seignour.

XXXIII

[O]re dirrum de le fiz au counte Guioun,
Ceus de Haumtone ly apelent Bovoun.
Pur la mort son pere plure a mout haut soun,
210 Il vint devaunt sa mere, si le ad mis a reisoun :
« Pute orde prové, ceo dist lui enfaunsoun,
Pur quei feistes tüer mon pere Guioun ? »

198, e. a v*us* voia (S).
212, p. giuoun (S).

30

L'infâme tire l'épée au pommeau orné d'or,
190 frappe le comte Guy et lui tranche la tête.
Puis il appelle un messager et lui dicte ses ordres :
« Mon ami, va bien vite chez la comtesse de Hamptone ;
tu la salueras de ma part
et lui apporteras la tête que voici. »

31

195 Le chevalier s'en va, exécutant ses ordres,
et emporte avec lui la tête du comte Guy.
Il vient devant la dame et la salue ainsi :
« Madame, l'empereur m'a envoyé à vous.
Dès que vous le voudrez il viendra à votre demande,
200 et si tel est votre désir, il vous prendra pour femme. »

32

« Chevalier, dit la dame, retournez près de l'empereur,
et dites-lui que, pour l'amour de moi, je lui demande
de me rejoindre ici sans le moindre retard :
les noces auront lieu demain dès le lever du jour. »
205 Le chevalier repart sur un cheval rapide
et rapporte à son maître la réponse de la dame.

33

Mais passons à présent au fils du comte Guy,
que les gens de Hamptone appellent Beuve.
Il pleure à chaudes larmes pour la mort de son père,
210 il vient devant sa mère, et, s'adressant à elle,
« Sale putain fieffée, lui dit l'enfant,
pourquoi avez-vous fait assassiner mon père Guy ? »

XXXIV

[S]i durement plure le enfant, a poi ke il chauncele.
« Hai, mere, fet il, mar fustes si bele !
215 Bien resemblez puteine ke deit tener bordele !
Mes, par ceoly ke nasquit de la virgine pucele,
Si jeo puse taunt vivre ke mounté sei en la sele
E puise porter armes e la targe novele,
Vus comprez mont cher, dame, ceste novele. »

XXXV

220 [L]a dame a tresoï ke cil va disaunt,
Hauce la paume, si le feert eraument
Ke chaier le fist sur le pavement.
Le mestre a le enfant est sailli avaunt.
Il out a noun Sabot, Deu li seit eidaunt !
225 Chevaler fu riches, fort e combataunt.

XXXVI

[E]n ses bras prist le enfaunt tot sanz demorer 71 v°
E a son hostel s'en voleit aler.
La dame li veit, si prent a repeirer.
« Sabot, fet ele, il te covent jurer
230 Que tu fras uncore hui le enfant tüer,
Le quel tu vodras, pendre ou eschorcher. »

XXXVII

« [D]ame, ceo dist Sabot, tut a vostre comaund. »
L'enfaunt prit, si s'en va a son hostel meintenant.
Il fet tüer un porc mult ignelement,
235 Tut le sanc recoile e ne espaundi nent,
Si ensenglenta lé dras a le enfaunt.

219, c. mon cher d.
221, Haunce la p. si le freet e. (S).
236, Si ensengleta l. (S).

34

L'enfant pleure si fort qu'il manque s'évanouir.
« Hélas, ma mère, maudite soit votre beauté !
215 Vous avez tout d'une putain, vous pourriez tenir un bordel !
Mais par Celui qui naquit de la Sainte Vierge,
si je peux vivre assez pour monter à cheval,
porter les armes et le bouclier neuf,
Madame, vous paierez très cher ce que je viens d'apprendre. »

35

220 Ces paroles n'ont pas échappé à la dame*.
Elle lève la main et le frappe aussitôt,
si fort qu'il tombe sur les dalles.
Le maître de l'enfant se précipite*
– il s'appelait Soibaut, que Dieu lui vienne en aide !
225 C'était un chevalier puissant, un vigoureux guerrier.

36

Dans ses bras, sans attendre, il prit l'enfant 71 v°
pour l'emmener chez lui.
Voyant cela, la dame s'approcha :
« Soibaut, dit-elle, tu dois jurer
230 de faire aujourd'hui même mettre à mort cet enfant,
qu'il soit pendu ou écorché, selon ta convenance. »

37

« À vos ordres, Madame », répond Soibaut.
Il prend l'enfant et court vers sa maison.
Bien vite, il fait tuer un porc,
235 sans en perdre une goutte il recueille le sang,
et en recouvre les habits du garçonnet*.

XXXVIII

[Q]uant Sabot out fet les dras ensenglenter,
A une grant mole les fist il lïer
E dedenz une ewe les ad fet jetter.
240 A idonkes comença a le enfaunt a parler :
« Entendez envers moi, beau fiz treduz cher,
Pur le amur toun pere te dei jeo mult amer.

XXXIX

« Entendez, beau fiz, dist Sabot li membré,
Vus garderez mes aigneus si aval en un pré,
245 Poverement vestu e poverement chaucé,
Taunt ke ceo quinze jours seient passé,
Pus vus enveierai en un autre regné
A un gentil counte ke est mon privé.

XL

« Vus demurrez oveske li, beau fiz, dont jeo vus di,
250 Taunt que eiez .XV. aunz ou .XVI. acompli.
Quant porrez porter armes, si vendrés issi
Le emperur quere com pruz e hardi,
E jeo vus eiderai lëaument, si me eide Jhesu Crist.
Jammés ne vus fauderai taunt com serrai vif. »
255 Lui enfaunt li respount : « Mestre, grant merci ! »

XLI

Le enfaunt s'en va ov les aigneus son mestre.
Iceo jour les mena en un pré pur pestre.
Il se garde un petit vers mount au tertre,
Si oï en le paleis ke a son pere soleit estre
260 Graunt joie e grant dedut e noise e grant feste.
Lui enfes se merveile ke ceo poeit estre.

237, d. ensenglet*er* (S).

38

Quand Soibaut eut couvert de sang tous ses habits,
il les fit attacher à une meule de moulin
et jeter dans une rivière.
240 Il s'adresse alors à l'enfant :
« Écoutez-moi, mon cher petit, mon fils chéri :
par amitié pour votre père, je vous dois beaucoup d'affection.

39

« Écoutez-moi, mon cher enfant, dit le sage Soibaut :
vous allez garder mes agneaux dans la prairie, là-bas,
245 pauvrement habillé et pauvrement chaussé,
en attendant que passent quinze jours,
puis je vous enverrai dans un autre pays,
auprès d'un noble comte de mes amis.

40

« Cher fils, vous resterez avec le comte dont je vous parle,
250 jusqu'à vos quinze ou seize ans accomplis.
Quand vous pourrez porter les armes, vous reviendrez ici,
plein de hardiesse et de valeur, affronter l'empereur,
et je vous aiderai loyalement, que Jésus-Christ m'en soit témoin.
Aussi longtemps que je vivrai, jamais je ne vous faillirai.
255 – Grand merci, maître ! » a répondu l'enfant.

41

L'enfant partit avec les agneaux de son maître.
Il les mena pour paître dans un pré ce jour-là.
Mais il tourna les yeux un peu vers la colline*,
et entendit, depuis le palais de son père,
260 le bruit d'une joyeuse fête, grande et pleine d'entrain.
Il s'étonna : de quoi pouvait-il bien s'agir ?

XLII

« [D]eu ! ceo dist lui enfes, pere dreiturer,
Jeo fu fiz de counte e l'en me ad fet bercher !
Mes jeo ne lerrai mie ke ne ose parler
265 E a le emperur ma tere chalanger. »
Il prist sa masue, si comence a aler,
Taunt ke vint au paleis, si parla au porter.

XLIII

« Porter, ceo dist li enfes, si Deu vus beneïe,
Lessez moi entrer, ne me deneiez mie,
270 A l'emperur parlerai devaunt sa baronnie.
Un petit ai a fere, covent ke jeo li die. » 72 r°
Lui porter respondi par grant felonie :
« Füez de ci, ribaud ! Jesu te maudie ! »

XLIV

[L]e porter respondi a le enfaunt ferement :
275 « Füez de ci, fiz a putein, truaunt, vistement !
Mult estes petit e si estes fort truaunt.
– Porter, ceo dist li enfes, si Jhesu me ament,
Fiz a une puteine su jeo verreiment,
Que ma mere est puteine, si com jeo entent.
280 Mes de ceo mentes tu mult apertement
Quant me apellastes ribaud e truaunt.

XLV

« [P]orter, ceo dist li emfe, si Dampnedeu me saut,
Jeo vus ore mustrai ben ke jeo [ne] su pas ribaud. »
Hauce sa massue, a ferer pas ne faut,

273, Fuet de ci r. (275).
275, f. au p. (S).

42

« Mon Dieu ! dit-il, Père garant du droit,
je suis le fils d'un comte et l'on m'a fait berger !
Mais je n'aurai pas peur de prendre la parole
265 pour disputer ma terre à l'empereur. »
Il saisit sa massue et se met en chemin ;
arrivé au palais, il s'adresse au portier :

43

« Portier, lui dit l'enfant, Dieu vous bénisse !
Laissez-moi pénétrer, ne m'en empêchez pas,
270 je veux parler à l'empereur devant tous ses barons.
J'ai un petit travail à faire et je dois le lui dire. » 72 r°
Le portier répondit avec méchanceté :
« Fiche le camp d'ici, vaurien ! que Jésus te maudisse ! »

44

Le portier répondit avec brutalité :
275 « Fiche le camp d'ici, coquin, fils de putain, et vite* !
Tu as beau être bien petit, tu es déjà un grand coquin.
– Portier, répond l'enfant, j'en atteste la grâce divine,
fils de putain, je le suis en effet,
car ma mère est putain, à ce que je constate.
280 Mais tu en as menti grossièrement
quand tu m'as traité de vaurien et de coquin.

45

« Portier, lui dit l'enfant, et j'en atteste mon salut éternel,
je m'en vais te prouver que je ne suis pas un vaurien. »
Il lève sa massue, frappe sans hésiter,

285 La cervele li espaunt, honi seit ke en chaut !
« Reposez vus, fet le emfes, vus avez trop grant chaud. »
Adonkes mounte li emfes en le paleis en haut,
A l'emperur devaunt touz il parla com baud.

XLVI

[L]i emfes vint devaunt le emperur a vis fer,
290 Hardiement comença a parler :
« Entendez vers moi, beau duz sire cher :
Ky vus dona congé cele dame acoler ?
Ele est ma mere, ne vus en quer celer,
E kaunt a moi ne volez congé demaunder,
295 Jeo vus frai sa amur mont cher achater.
Rendez moi ma tere, jeo vus voil loer.

XLVII

« Beau sire emperur, dist Boefs li sené,
Vus acolez ma mere estre mon congé,
Mun pere, ke taunt amai, vus avez tüé :
300 Pur ceo, sire, vus pri ke moi ma tere rendez,
Que vus fausement tenez tut saunz ma voluntez. »
Lui emperur respondi : « Fol, kar vus teisez ! »

XLVIII

Boefs tost oïst ceo ke l'emperur ad dist.
Taunt avoit grant ire que tut le sanc li fremist,
305 Hauce la massue, en le chef le ferist,
Treis cops li dona e .III. plaies li fist,
E jure par Dampnedeu e le seint Espirist,
Si il ne li rent sa tere, a mal hure le vit.

295, a. mon cher a.
299, t. a. q*ue* v*us* a. (S).

285 et lui fait jaillir la cervelle : honte à qui s'en inquiète !
« Repose-toi, dit-il, tu as pris un coup de chaleur. »
Il monte alors dans la grand-salle,
et devant tous à l'empereur s'adresse avec aplomb.

46

L'enfant vint devant l'empereur au visage farouche,
290 et hardiment entreprit de parler :
« Écoutez-moi, mon cher et bon seigneur :
qui donc vous a permis d'enlacer cette dame ?
C'est ma mère, à quoi bon vous le cacher ?
et puisque vous ne voulez pas m'en demander la permission,
295 je vous ferai payer son amour au prix fort.
Rendez-moi donc ma terre, je tiens à vous le conseiller.

47

« Sire, cher empereur, dit le sage enfant Beuve,
dans vos bras vous prenez ma mère sans mon accord,
et vous avez tué mon père que j'aimais tant :
300 seigneur, voilà pourquoi je vous invite à me rendre ma terre
que vous tenez sans droit contre ma volonté. »
L'empereur répondit : « Tais-toi donc, imbécile ! »

48

Beuve a bien entendu les mots de l'empereur,
et tout son sang en frémit de colère.
305 Il lève sa massue, le frappe sur la tête
à trois reprises, lui faisant trois blessures,
et jure par Notre Seigneur et par le Saint-Esprit
que s'il ne lui rend pas sa terre, c'est pour son malheur qu'il l'a vu.

XLIX

[L]y emperur chaï sur la table paumé.
310 La dame se escrie : « Ceo tretur me pernez ! »
Les uns de chevalers urent grant pitez
De Boefs le enfaunt, si sont il levez,
Ausi com pur li prendre s'i sunt pressez,
E li emfes est enter eus queintement eschapez.

L

315 Al hostel son mestre s'en vint il coraunt.
Sabot li vist, si le va demaundaunt : 72 v°
« Dount venez vus, beau fiz, si fortement hastaunt ?
– De tüer mun parastre, ceo dist li enfaunt.
Treis plaies li donai, kar il me apella truaunt :
320 Jammés ne garira, par le men ascient. »

LI

« [B]eau fiz, ceo dist Sabot, vus estes a blamer !
Si vus feissez mun conseil, vus fussez a loer.
Ore vodra ta mere ove mei corucer
E pur le vostre amour me vodra decoler. »
325 Lui emphes le oï, si comença plurer.
Sabot le amena en une chaumbre musser.

LII

A taunt est veus la dame venaunt de son paleis.
Ele fu bien vestue de une paile gregeis,
Les boucles de ses soulers sunt a or freis.
330 Mult fu bele femme, mes quer out pugneis.
Sabot la dame apele, si li dist en engleis :
« Ou est ore Boefs mun fiz, le fin maveis ? »

320, p. le me a. (S).
329, La boucle de ses s. s. o or f.
330, *Le* g *de* pugneis *est rajouté dans l'interligne supérieur* (S).

49

L'empereur sur la table s'effondre, évanoui,
310 et la dame s'écrie : « Attrapez-moi ce traître ! »
Mais quelques chevaliers ont eu pitié
du petit Beuve, et ils se sont levés,
se sont pressés autour de lui, comme pour s'en saisir,
et l'enfant parmi eux a pu s'enfuir adroitement.

50

315 Il s'en retourne en courant chez son maître,
et quand Soibaut le voit, il lui demande : 72 v°
« D'où venez-vous si pressé, mon cher fils ?
– De tuer mon parâtre, répond l'enfant.
Je l'ai blessé en trois endroits pour m'avoir traité de coquin* :
320 jamais, je crois, il n'en pourra guérir. »

51

« Mon cher fils, dit Soibaut, vous êtes à blâmer !
Car c'est en suivant mes conseils que vous auriez mérité des éloges.
Maintenant votre mère sera furieuse contre moi,
pour l'affection que je vous porte, elle voudra me faire couper la tête. »
325 Beuve à ces mots fondit en larmes,
et Soibaut l'emmena dans une chambre pour le cacher.

52

Mais voici que la dame arrive du palais,
élégamment vêtue d'une luxueuse étoffe grecque,
à ses pieds des souliers aux boucles ornées d'or*.
330 C'était une très belle femme, mais à l'âme puante.
Elle s'adresse à Soibaut en anglais* :
« Où est Beuve, mon fils, ce criminel ? »

LIII

« [D]ame, ceo dist Sabot, a moi ne demaundez !
Vus me comaundastes ke jeo li frei tüer,
335 E jeo le tuai, sachez de veritez :
Une grant mole au col li fu lïez,
E dedenz un ewe le cors i fu gettez.
– Par Dieu, dist la dame, vus, Sabot, mentez !
Vus serrez ars ou pendu si ne le a moi rendez ! »

LIV

340 Quant Boefs ceo oï, si le peisa fortement
Pur ceo ke ele ala son mestre manaçaunt.
Il vint devaunt sa mere, ne se musça nent.
« Dame, quei demaundez vus ? dist Boefs li enfaunt.
Si vus me demaundez, vez me ci en present !
345 Ne forfestes mon mestre, dame, taunt ne kaunt ! »

LV

La dame prent son fiz, que mult out feloun quer,
Deus chevalers apele, si lor va demaunder
Que il preissent l'enfaunt, si l'alassent mener
Taunt que il venissent a port de la mer,
350 E si il trovent marchaunz que li volent achater,
Que il le vendent saunz point delaier,
Ou si nul ne trovent, que il le facent nëer.

LVI

Icil s'en vunt dolerous ovesque le enfaunt Bovoun.
Quant il vindrent a la mer, si trovunt un dromoun
355 Que estoit tut plein de Sarazins felouns.
Les paens se regardent e veient le emfaunt :
Mult cher le achaterunt, pur veir vunt disaunt.

53

« Madame, dit Soibaut, ne m'en demandez rien !
Vous m'avez ordonné de le faire mourir,
335 et je l'ai donc tué, sachez-le bien :
on lui a attaché au cou une très grosse pierre
et dans une rivière on a jeté son corps.
– Par Dieu, Soibaut, dit-elle, vous mentez !
Si vous ne me le livrez pas, vous serez brûlé ou pendu ! »

54

340 Beuve fut vivement peiné
d'entendre menacer son maître de la sorte.
À sa mère il se présenta sans se cacher.
« Que cherchez-vous, madame ? lui dit l'enfant.
Si c'est moi qu'il vous faut, me voici devant vous !
345 Ne faites pas le moindre tort à mon maître, madame ! »

55

La dame au cœur cruel se saisit de son fils,
elle appelle deux chevaliers et leur demande
de prendre et d'emmener l'enfant
jusqu'à un port de mer,
350 et s'ils y trouvent des marchands pour l'acheter,
qu'ils le leur vendent sans tarder.
Mais s'ils n'en trouvent pas, qu'ils le fassent noyer.

56

Ils s'en vont tristement avec le petit Beuve.
Arrivés à la mer, ils virent une galère de haut bord
355 pleine de Sarrasins perfides.
Ces mécréants tournent les yeux vers le petit enfant*
et en vérité disent qu'ils le paieront très cher.

LVII

Li marchaunz sarazins le emfaunt achaterent,
Quater fez pur li son pois de or donerent.
360 Quant urent fet lur marchaundies, lur nef adrecerent,
E par la mer les Sarazins taunt de tens siglerent 73 r°
Que en Egipte lur nef ariverent.
Lur veils abeserent, lur ankeres getterent.

LVIII

[L]ui marchaunz ount passé tut la marine.
365 Oveskes eus fu Boefs, ke de plurer ne fine :
Pur la mort son pere out dolour entrine.
En la tere fu un roi ke l'em apele Hermyne,
Mult estoit veuz homme e out chenue crine,
La barbe li blaunchoit de en val la pestrine.

LIX

370 Lui rois estoit veuz homme e de grant age.
Il out une file que bele fu e sage,
Josiane out a noun, mult estoit de juvene age,
Plus fut ele colouré ke rose en umbrage.

LX

[Q]uei vus irrai plus la pucele descrivaunt ?
375 Mes si bele ne fu en secle donk vivaunt.
Ore vindrent a court tuz li marchaunz,
Oveskes amenent Boefs li vaillaunt,
Al roi li presenterent mult corteisement.
Lui roi lur set bon gré de cel enfaunt.

366, s. pere ou d. (11, 18...).
368, o. cheuuz e crine (S).

57

Les marchands sarrasins ont acheté l'enfant,
ils ont donné pour lui quatre fois son poids d'or,
360 et leur marché conclu, ils ont appareillé.
Ils ont sur mer fait voile si longtemps 73 r°
qu'ils ont abordé en Égypte.
Ils ont cargué les voiles et jeté l'ancre.

58

Les marchands sarrasins ont traversé la mer,
365 emmenant Beuve qui ne cesse pas de pleurer,
car la mort de son père le fait cruellement souffrir*.
Il y avait dans ce pays un roi qu'on appelait Hermin,
un vieil homme chenu :
sa barbe blanche lui descendait sur la poitrine.

59

370 Le roi était un vieillard très âgé.
Il avait une fille qui s'appelait Josiane,
belle et sage ; elle était très jeune,
et elle avait le teint plus délicat qu'une rose sous l'ombre.

60

À quoi bon vous décrire la jouvencelle ?
375 Jamais au monde il n'en fut de plus belle.
Les marchands vinrent à la cour,
amenant avec eux Beuve, le valeureux garçon.
Courtoisement, ils en firent présent au roi,
qui leur sut gré de lui offrir l'enfant.

LXI

380 « Emfes, dist li roi, di moi dount tu es.
Par Mahun mon dieu, jeo ne vi unkes mes
Enfaunt de ta beuté de loins ne de pres !
Si crois en Mahun, sache tu ke jammés
Ne departeras de moi pur dist de maveis. »
385 Lui emfes li respound : « Ceo ne dites mes ! »

LXII

Dount dist li emfes : « En Engletere fu nee,
Fiz au counte Guioun de Haumtone la cité.
Ma mere le fist tüer a doel e a vilté,
Un emperur l'ad pris estre ma volunté.
390 Mes si puse taunt vivre, si me eid la mere Dé !
Ke puse porter armes, mult cher serra compré. »
Lui rois le oï, si en prist graunt pité.

LXIII

« Emfes, dist li rois, coment as tu a noun ?
– Sire, ceo dit li emfes, l'em me apele Bovoun.
395 – Emfes, ceo dist Hermine, par mun deu Mahun,
Si tu devenges paen, tu serras pruz hom.
Jeo ne ai eir en ceste secle, si une file noun,
E jeo la tei dorrai oveske ma regioun. »

LXIV

« Rois, ceo dist [li] emfes, vus parlez de folie,
400 Ke pur tut la tere ke est en Paenie,
Ne pur ta file ov tut, ke taunt est colorie,
Ne vodrai reneier Jhesu le fiz Marie.
Mahun ne put taunt fere con la formie,
Ke la formie mut e si ne fet il mie.
405 Honi seit de son cors ki en Mahun se afie ! »

404, f. uint e si ne fist il m. (S).

61

380 « Mon enfant, dit le roi, dis-moi où tu es né.
Par mon dieu Mahomet, je n'ai jamais connu
d'enfant dont la beauté puisse approcher la tienne.
Crois donc en Mahomet, et sache que jamais
aucune calomnie ne pourra t'éloigner de moi. »
385 L'enfant répond : « Plus un mot de cela ! »

62

Il ajoute : « Je suis né en Angleterre,
Je suis le fils du comte Guy de la ville de Hamptone.
Ma mère honteusement l'a fait assassiner ;
un empereur l'a épousée contre ma volonté,
390 mais, la mère de Dieu m'en soit témoin ! si je peux vivre
jusqu'au jour de porter mes armes, il le paiera très cher. »
En l'écoutant, le roi fut pris d'une grande pitié.

63

« Enfant, lui dit le roi, comment t'appelles-tu ?
– Sire, on m'appelle Beuve, répond l'enfant.
395 – Enfant, reprit Hermin, par mon dieu Mahomet,
si tu te fais païen, tu deviendras un homme de valeur.
Je n'ai d'autre héritier au monde qu'une fille :
elle sera à toi, et mon royaume avec. »

64

« Roi, répondit l'enfant, vous dites des folies,
400 car, pour toutes les terres où vivent les païens,
m'offrirais-tu en plus ta fille au teint si délicat,
je ne saurais renier Jésus-Christ, le fils de Marie.
Mahomet n'a pas même le pouvoir d'une fourmi,
car elle bouge, et lui, il en est incapable.
405 Maudit soit qui met sa confiance en Mahomet ! »

LXV

« [E]mfes, ceo dist li rois, mult as estable quer, 73 v°
E pus ke tu ne veus Mahun honurer
Tu me serveras le jour de ma coupe a manger.
Kaunt tu serras de age, jeo te frai chevaler
410 E en bataile mon gomfanoun porter. »

LXVI

Mult ama li rois Boefs le sené.
Les uns de chevalers en sunt mult corucé ;
E pur ceo ke il estoit de le roi si privé,
E pur ceo ke li marchaunt li urent achaté,
415 Le unt tretuz serfs mauveis apellé.

LXVII

[Q]uaunt li emfes out .XV. aunz ou cesse acomplis,
Mult estoit beaus, fort e bien fornis.
En la court ne out chevaler si hardis
Ke a li oseit turner, taunt fut il forcis.
420 Estoit un sengler venu en païs
Ke nul ne esparnie, a granz ne a petiz,
Ke si vint chevalers venissent tuz hardis,
E fussent tretuz bien de lur armis garnis,
Ne les creindereit il plus de un pertriz.

LXVIII

425 [B]oefs oï parler sovent de ceo sengler.
Il mounta un jour un bon coraunt destrer,
Unkes il ne vout hauberk endoser,
A son costé pendi une espeie de ascer,
E en son poin prist une launce de pomer.

415, Les unt t. sefs m.

65

« Enfant, lui dit le roi, tu as le cœur très ferme, 73 v°
et puisque tu refuses d'honorer Mahomet,
tu seras chaque jour mon échanson à table.
Quand tu en auras l'âge, je t'armerai moi-même chevalier,
410 tu porteras mon étendard dans la bataille*. »

66

Le roi aimait beaucoup Beuve, le sage enfant,
mais certains chevaliers en furent très mécontents.
Et parce qu'il était intime avec le roi,
et qu'il avait été vendu à des marchands,
415 ils le traitèrent de méchant serf.

67

Quand il eut atteint quinze ou seize ans accomplis,
c'était un bel enfant, robuste et bien bâti.
Il n'y avait pas à la cour de chevalier assez hardi
pour oser jouter contre lui, tant il était devenu fort.
420 Un sanglier était venu dans le pays*,
qui s'en prenait à tous, les petits et les grands.
Et si vingt chevaliers pleins de hardiesse
et bien armés s'y étaient attaqués,
il ne les aurait craints pas plus qu'une perdrix.

68

425 Beuve entendait souvent parler du sanglier.
Un beau jour, il monta sur un coursier rapide ;
sans même vouloir revêtir une cotte de mailles,
il pendit une épée d'acier à son côté
et empoigna une lance en bois de pommier.

430 E la file le roi le prist a regarder :
Tel amour ad pris envers le bacheler
Ke puis le fist meinte lerme plurer
E a Boefs fist meint mal desturber,
Issi com vus me orrez ja a dreit conter
435 Si vus me volez de vostre argent doner,
Ou si noun jeo lerrai issi ester.
Boefs vint a bois pur quere le sengler,
Mes il le trova mult tost, ne li estoit doter.
Le sengler lui vist, si comença a griffer,
440 E sa grant gule comença a baier
Com c'il vosist tretut Boefs devorer.
Boefs tost le vit, si brocha son destrer
E tint la launce tut red dunt li fer fu enter.
En la goule overte ferist le sengler
445 E la point lui fist ci que a quer tocher,
E lui sengler tost murt saunz nul demurer.
E Boefs tret le espeie, le chef li va couper,
E prent le tronsoun de sun espé ke il out fet debruser,
La teste a sengler fet desuz ficher.
450 Josiane la bele sist en un kernel
E le bacheler prent fortement a garder : 74 r°
Quant que ele li vit fere le vient a pleiser.

LXIX

« [M]ahun, dist la pucele, com Boefs ad chere hardie !
Bonuré fut cele ke poreit estre sa amie !
455 Si jeo ne eie son amour, jeo perdrai la vie. »
Issi dist la pucele, sovent plure e suspire.

446, t. vint s. (S).
448, t. de sa espeie k. (S).
454, f. ele ne ke poeit e.

430 La fille du roi posa sur lui les yeux :
elle en conçut un amour si ardent
que plus tard elle dut en verser bien des pleurs
et que Beuve en subit de pénibles traverses,
ainsi que vous allez me l'entendre conter
435 si vous voulez bien me donner de votre argent,
car sinon je m'arrête ici*.
Beuve alla dans les bois à la recherche du sanglier ;
il le trouva bien vite : il n'avait rien à craindre pour cela.
Dès que le sanglier le vit, il se mit à gratter le sol
440 et à ouvrir sa grande gueule toute béante
comme pour l'avaler tout entier d'un seul coup.
Dès qu'il le voit, Beuve éperonne son cheval,
tenant bien fermement sa lance au fer intact.
Il frappe l'animal dans sa gueule béante
445 et lui enfonce la lame jusqu'au cœur*.
Le sanglier meurt aussitôt.
Beuve tire l'épée et lui coupe la tête.
Comme son épieu s'était brisé, il en a pris la hampe*
et dessus a planté la tête du sanglier.
450 Josiane la belle se tenait au créneau,
admirant le garçon*, 74 r°
toute joyeuse de ce qu'elle lui voyait faire.

69

« Par Mahomet, se disait-elle, que Beuve a fière allure !
Et quel bonheur pour celle qui serait son amie !
455 Si son amour n'est pas pour moi, je périrai ! »
Ainsi parle la jouvencelle, pleurant et soupirant sans cesse.

De kaunt ke ele pense ne set Boefs mie :
Si Dampnedeu ne en pense, ele fet grant folie.
Ore li ad li deu de amurs en sa laterie.

LXX

460 De kaun ke ele pense ne set rien Bovoun.
Il vint de bois a coste de esporun.
A taunt esteunt .X. foresteres – ke ja ne eient pardoun !
Sa mort unt juré tuz par graunt traisoun.

LXXI

Ses enemiz venent envers li poignaunt
465 E haut li escrient : « Vus ne irrez avaunt !
Vus perderez la teste, par Mahun li pussaunt ! »
Boefs le oï e quida trere le braunc,
Mes il le eust oblïé, ceo fu damage graunt,
La ou il tua le fort sengler : ore li seit Deu garaunt !

LXXII

470 Boefs quida trere le braunc de ascer,
Mes il le oblia la ou il tua le sengler.
Les foresters venent checun sur son destrer,
Quater le ferent – Deu lor dount encombrer !

LXXIII

[B]oefs prist en sa mein le trounsoun de sa launce,
475 Deus en abati mort saunz nule demuraunce,
E puis abati deus autres, ki ke en eit peisaunce,

457, ne fet b. (S).
460, ne fet r. (S).
475, d. en abata m. (476).

Mais Beuve ne sait rien de ce qu'elle a en tête,
et si Notre Seigneur n'intervient pas, c'est là une folie.
La voilà prise dans les filets du dieu d'Amour* !

70

460 Beuve, qui ne sait rien de ce qu'elle a en tête,
revient du bois à force d'éperons.
Soudain dix forestiers surgissent – que jamais ils n'en soient absous* !
Ils ont juré sa mort en grande trahison.

71

Ses ennemis piquent des deux vers lui,
465 criant bien fort : « Vous n'irez pas plus loin !
Votre tête va tomber, par Mahomet le tout-puissant ! »
Quand Beuve entend ces mots, il veut tirer l'épée,
mais par malheur il l'a laissée
là où il a tué le sanglier : Dieu veuille le protéger !

72

470 Beuve a voulu tirer l'épée d'acier,
mais il l'a oubliée là où il a tué le sanglier.
Les forestiers s'approchent à cheval,
quatre d'entre eux le frappent : que Dieu les mette à mal !

73

Beuve saisit le tronçon de sa lance,
475 et sans délai il en abat deux, morts*,
puis encore deux autres, sans souci de qui s'en afflige,

E pus le quinte e pus le sime saunz plus de repentaunce.
Hardiement as autres Boefs se launce.

LXXIV

Les quater veiunt ke les sis sunt occis
480 E ke Boefs ne esteit ne nafré ne maumis :
Guenchent lur chivaus, si se sunt fuïs.
La pucele le vist ke avoit cler le vis.
« A ! Mahun ! dist ele, cum Boefs est hardis !
Ore me covent morer si il ne seit mes amis. »

LXXV

485 [A] taunt est veus Boefs venir tut puignaunt.
A son seignour le rois est venu meintenaunt,
De le chef le sengler li ad fet presaunt.
« Boefs, dist Heremine, mult estes vaillaunt.
Mahun te sauve e te seit garaunt ! »
490 Quant ceo out dist li reis, si lesa a taunt.
Li rois mounta en sa tur fort e combataunt
E a une fenestre ad mis son chef avaunt.
Il vist un roi paen vener e tote sa gent,
Bien furent .C. mil fort e combataunt.

LXXVI

495 Li rois Heremine fu en sa tur amount,
Il regarda aval, si ad veu Brademound 74 v°
– Roi fu de Damascle, ke Dampnedeu confound ! –
E .C. mil paens ke oveske lui sunt,
Ke le roi Hermine fortement manasé unt,

482, a. le cler vis (S).
494, B. vrent .c. (S).
499, f. manasent (S).

et un cinquième, et un sixième, sans plus se repentir,
puis fonce hardiment vers ceux qui restent.

74

Les quatre derniers voient les six autres tués
480 sans que Beuve ne soit blessé ni mal en point :
ils font faire demi-tour à leurs chevaux et fuient.
Elle a tout vu, la jouvencelle au clair visage.
« Ah, Mahomet !, dit-elle, comme Beuve est hardi !
Il me faudra mourir si je ne l'ai pas pour ami ! »

75

485 Voici que Beuve revient à force d'éperons.
Il s'en vient sans tarder devant le roi son maître
et lui offre la tête du sanglier.
« Beuve, lui dit Hermin, ta vaillance est très grande.
Que Mahomet te sauve et te protège ! »
490 Lorsqu'il eut dit ces mots, le roi s'en fut.
Il monta sur sa tour aux puissantes défenses
et par une fenêtre passa la tête :
il aperçut alors un roi païen approchant avec son armée,
bien cent mille hommes aguerris et robustes.

76

495 Le roi Hermin était tout en haut de sa tour.
Il regarda en bas et aperçut Bradmont, 74 v°
roi de Damas – que Notre Seigneur l'extermine ! –
avec cent mille mécréants
qui contre lui profèrent de terribles menaces,

500 E jurunt par Mahun ke sa file averunt
E cil le esposera, [le] for roi Bredemound.
Hermine le oï, a poi de ire ne fount.

LXXVII

« [H]ermine, dist Brademound, vostre file me donez,
E, par Mahumet, si vus la devëez,
505 Jeo ne vus lerrai chasteuş ne citez
Ne de vostre tere ne mie demi pez.
Josiane girra delez le moun costé,
E puis serra doné a doel e a vilté
A le plus mauveis ke seit en ma tere trové !
510 – Par Mahun, dist Heremine, glotoun, vus mentez !
Il ne serra mie ausi com tu dist avez. »
Adonkes s'en est de la tur envalez,
Ses chevalers tretuz ad a sei apellez,
De le fort roi Bradmound les ad il tut countez.
515 Conseil lur demaund : « Seignurs, que me löez ? »
Josiane emparla e dist : « Sire, escotez.
Par Mahumet, si Boefs adubbez,
Bon socours vus freit, sachez de veritez,
Car jeo vi de mes oilz, quant fu desarmez
520 E dis foresters li urent defïez :
Il ne avoit point de branc, car i l'out oblïez
La ou il tua le fort sengler devez,
Il ne avoit ke un tronsoun de une launce quarrez,
Si en tua sis, les autres ad afolez,
525 Mes il en fuirent, taunt furent espuntez.
– Par Mahun, dist li roi, il serra adubbez. »
A taunt fu Boefs avaunt apellez.
« Boefs, dist li roi, a moi entendez :
Jeo vus frai chevaler, e pus si porterez

512, A. sen en e.

500 jurant par Mahomet qu'ils lui prendront sa fille
et que le roi Bradmont l'épousera.
De rage, en entendant cela, Hermin manque s'évanouir.

77

« Hermin, lui dit Bradmont, donnez-moi votre fille,
car si, par Mahomet, vous me la refusez,
505 je ne vous laisserai ni château ni cité,
ni même un demi-pied de votre terre.
Je coucherai avec Josiane,
puis elle sera honteusement livrée
au plus vil personnage qu'on trouvera dans mon pays.
510 – Par Mahomet, répond Hermin, tu mens, crapule !
Cela ne se passera pas comme tu le prétends ! »
Il est alors descendu de la tour
et a auprès de lui appelé tous ses chevaliers,
à qui il a tout raconté.
515 Il demande conseil : « Seigneurs, que me proposez-vous ? »
Josiane prend la parole et lui dit : « Sire, écoutez-moi !
Par Mahomet !, si par vous Beuve est armé chevalier,
il vous sera d'un grand secours, sachez-le bien,
car je l'ai vu, sans armes, de mes yeux,
520 provoqué par dix forestiers,
sans son épée, qu'il avait oubliée
où il avait tué le sanglier fort et furieux,
avec un gros tronçon de lance pour seule arme,
en tuer six et se débarrasser des autres
525 qui s'enfuirent épouvantés.
– Par Mahomet, répond le roi, nous allons l'adouber*. »
On appelle Beuve aussitôt :
« Beuve, lui dit le roi, écoutez-moi :
je vais vous armer chevalier, et vous ferai porter

530 Ma banere en bataile devaunt mon baronnez.
– Sire, ceo dist Boefs, si seit com vus comaundez. »
Une chauses lassa ke mult furent sarrez,
Aprés ad un hauberk en son dos endosez
Ke ne peise mie .X. deners demoné,
535 Mes nequident mult esteit serré,
Par arme trenchaunt ne poeit estre empiré.
Roi Hermine chause les esporouns deorrez,
Seinte la espeie par le senestre costez :
Unkes meilour braunc ne fu de ascer forgé,
540 Un braz out de long, de large out un pé ;
L'en le apele Murgleie, conquis out meint regné. 75 r°
La pucele li doune un destrer prisé,
Unkes meillour cheval de li ne fu trové,
Unkes Deu ne fist beste, sachez de verité,
545 Ke li ateindereit de un arpent mesuré.
Boefs mounte sus, ki estru ne sout gré,
Un escu a son col, en sa mein un espé.
Il ad fet un lece, puis est returné.
Josiane la bele ove li ad parlé :
550 « Sire, dist ele, si vus eide Dé,
Gardez ke lui destrer seit bien aplaé.
– Damosole, dist Boefs, ne vus amaiez,
Mes, s'il vus plest, en cele tur mountez.
Kaunt jeo serrai en l'estor, si me regardez,
555 E si le destrer ne seit en mei bien esplëez,
Quant jeo revendrai, si le mei tollez,
E les esporouns seient dé pez coupez.
– Par Mahun, dist ele, vus me dites assez. »
Boefs corne un corn par moult grant fertez.
560 Adunt se armerent tuz ceus de la cité.

535, M. ne quide nent m. (1193).
546, e. ne s. gee (S, 1231).
547, m. un espeie (S).

530 ma bannière au combat devant tous mes barons.
– Sire, a répondu Beuve, qu'il en soit comme vous voudrez ! »
Il a lacé une paire de chausses très ajustées,
puis a endossé un haubert
qui pesait moins que dix pièces d'un denier
535 mais dont les mailles sont pourtant si serrées
que ne peut l'entamer aucune arme tranchante.
Le roi Hermin lui a chaussé les éperons en or
et ceint l'épée au côté gauche* :
jamais on ne forgea meilleure lame d'acier,
540 elle était longue d'un bras, large d'un pied ;
son nom était Murgleie, et elle avait conquis des provinces sans nombre*. 75 r°
La demoiselle lui donne un coursier de grand prix* :
jamais on ne trouva meilleur cheval,
et jamais Dieu, sachez-le bien, ne fit un animal
545 qu'il ne rattraperait sur la distance d'un arpent*.
Beuve l'enfourche sans le secours de l'étrier.
Il a un bouclier pendu au cou, un épieu à la main*.
Il fait un bref galop et puis revient.
Josiane la belle s'adresse à lui :
550 « Seigneur, dit-elle, et que Dieu veuille vous aider !
prenez garde que ce coursier soit employé à bon escient.
– Princesse, répond Beuve, ne craignez rien*,
et, s'il vous plaît, montez plutôt au haut de cette tour ;
observez-moi quand je serai dans la mêlée :
555 si je n'en fais pas bon usage,
lorsque je reviendrai, reprenez-le,
et qu'à mes pieds les éperons soient coupés net.
– Par Mahomet, dit-elle, ces paroles suffisent. »
Beuve sonne du cor avec grande assurance,
560 et tous les hommes de la cité prennent les armes.

LXXVIII

A taunt vint Hermine o le flori gernoun,
Ses chevalers comaunda trestuz a Bovoun,
E Boefs s'en va ov tut le gonfanoun.
En son escu out depeint un lioun,
565 Ceo demustra le ferté de baroun ;
E quaraunte mil out de compainoun.
Encountre li vint le roi Bradmound,
Ove lui .C. mil de Sarazins felouns :
Deus taunt out plus hommes ke ne out Bovoun.
570 Sa banere porta un paen, Rudefoun :
Unkes ne ama Dieu, einz ama Mahun,
Plus estoit velu ke nul porc o tusun ;
La launce porta dreit o un long gonfainoun,
O quater clous de argent fu fermé li penoun.
575 Boefs le vist ke ad quer de baroun,
Arundel broche de trenchaunt esporoun
E ad fet un juste a Rudefoun le feloun ;
Ferement le feri par desuz le blasoun,
Que le escu de son col ne li vaut un penoun,
580 Ne le hauberk duble ne li vaut un botoun.
En le cors li mette sa launce o tot le gonfainoun,
Ke mort le ad abatu en mi le sabeloun.
Pus li ad dist : « Fiz a putein, glotoun,
Meuz vus vaudreit estre remis a meisoun. »
585 Pus dist Boefs a soens : « Ferez, compaignouns !
Le primer coup est nostre, mult bien les veindrom. » 75v°
Ses compaignouns le oierent, si i vunt a baundoun,

562, t. a bouou (S).
570, p. un mult r. (S).
574, f. li pomoun (S, 579).
578, d. le blaioun (S).
581 c. li mett*er* sa l. (S).

78

Arrive alors Hermin à la barbe fleurie*.
Il confie le commandement de tous ses chevaliers à Beuve,
et celui-ci s'en va, l'étendard à la main.
Il y avait un lion peint sur son bouclier*
565 qui du guerrier annonçait la vaillance ;
quarante mille combattants le suivaient.
Le roi Bradmont vint contre lui
avec cent mille Sarrasins malfaisants,
deux fois plus d'hommes que n'avait Beuve.
570 Un païen, Rudefon, portait son étendard :
jamais il n'aima Dieu, préférant Mahomet ;
il était plus velu qu'un sanglier couvert de soies,
et portait droit sa lance à la longue bannière
fixée par quatre clous d'argent.
575 Beuve au cœur de guerrier l'a repéré,
et, piquant Arondel de l'éperon tranchant*,
il va jouter contre l'infâme Rudefon.
Avec vigueur il frappe, au-dessus des emblèmes qui le décorent,
le bouclier suspendu à son cou, qui résiste moins qu'une plume,
580 et son haubert à mailles doubles qui résiste moins qu'un bouton :
Beuve lui plante dans le corps sa lance avec le gonfanon
et l'abat sur le sable, mort.
Puis il lui dit : « Fils de putain, crapule,
tu aurais bien mieux fait d'être resté chez toi ! »
585 Et il ajoute pour les siens : « Frappez, mes compagnons !
Le premier coup nous appartient, nous les vaincrons sans peine ! » 75 v°
Quand ils l'entendent, ses compagnons chargent à toutes forces,

E quatre cent abatent de le gent Bradmound,
Ke puis ne virent unkes ne femmes ne meisoun.
590 Boefs tret Murgleie ke li pent a geroun,
Coupe testes e poins, jambes e mentouns.
Ses enemis li voient, si en ount tel frisouns :
Ensement [com] le alous va devaunt le faucouns
Gwenchent entur li ses enemis felouns ;
595 E pur ceo ke cil fu mort ke porta lur gonfanoun,
Lui plus hardi de tuz vodreit estre a mesoun.

LXXIX

[Q]uant Boefs out Radefoun occis
Ke porta le baner a Bradmund a fer vis,
Les chevalers Bradmund tuz sunt enbaïs,
600 Que quant il veient Boefs o le branc forbis,
Ensement li fuount com fet li mauviz
Kaunt ele veit le faucoun en son voliz.
Les compaignouns Boefs en furent si hardis
Ke plus ne les doterent ke homme ne fet berbiz.
605 Bradmound Boefs voit, si crie a haut cris :
« Ke fetes vus ? fet il. Ferez, mes amis !
Si les gens Hermine ne seient pendu ou occis,
Jammés ne averez de moi le vailaunt d'un parsis. »
Boefs si jetta un mult grant ris :
610 « Dites moi, fet il, Bradmound le cheitifs,
Quei veniste vus quere en iceo païs ?
Quidez vus aver Josiane a cler vis ?

592, si en vount cel f.
594, Gwenche e. (S).
600, b. forblis (S).
603, c. bofs en f. (S).
604, p. ne li d.
608, le v. .I. p. (S, 1797, 2441, *etc.*).
609, B. si iutta un m. g. criz (S).

abattant quatre cents des hommes de Bradmont
qui jamais ne revirent ni femme ni maison.
590 Beuve tire Murgleie qui pend à son côté,
coupe têtes et poings, et jambes, et mentons*.
Voyant cela, ses adversaires frissonnent ;
tout comme l'alouette fuit devant le faucon*,
ses ennemis sans foi ni loi s'écartent devant lui.
595 Et parce qu'était mort leur porte-enseigne,
le plus hardi d'entre eux aurait voulu être resté chez lui.

79

Quand Beuve eut tué Rudefon,
le porte-enseigne de Bradmont au visage farouche,
les chevaliers de celui-ci furent dans un désarroi tel
600 que, voyant le garçon et son épée fourbie,
ils prirent la fuite, ainsi que fait la grive
apercevant le faucon en plein vol.
Les compagnons de Beuve s'en trouvèrent si enhardis
qu'ils ne les redoutèrent pas plus qu'une brebis.
605 Bradmont, quand il voit Beuve, s'écrie à pleine voix :
« Que faites-vous ? Frappez donc, mes amis !
Si les hommes d'Hermin ne sont pas ou pendus ou massacrés,
vous ne recevrez jamais plus de moi la valeur d'un denier. »
Beuve alors éclata de rire :
610 « Dites-moi donc, dit-il, Bradmont le pitoyable,
que venez-vous chercher dans ce pays ?
croyez-vous conquérir Josiane au clair visage ?

Vus averez le gibbet, pur veir le vus dis,
Kar vos hommes sunt tuz le plus occis,
615 E ceus ke sunt en vie serrunt ja tost honis. »
Dunk fert entur li Boefs li hardis,
Testes, poins, pez, jambes il fet voler en laris.
Que vus en dirrai plus ? Mes einz ke fu middiz
Furent tote la gent roi Bradmund occis,
620 E Bradmound s'en est par un val fuïs.

LXXX

[Q]uant Bradmund veit que ne poeit plus durer,
Par une valeie prist a returner.
Deus de la gent Hermine avoit fet lïer,
Oveskes li les vout en son païs mener
625 E jure par Mahun il les fra escorcher.
Mes Boefs de Haumtone les li fra lesser
E de autre materie le fra il chaunter.
Boefs vist Bradmound que il s'en vout aler ;
Arundel broche des esporouns de ascer,
630 Plus tost li fet coure ke ne vole esperver.
Bradmund tost atint saunz nul delaier, 76 r°
Murgleie en poin tint, un coup li va doner,
Que de ci ke a tere le fet tut plein voler.
Pus de le cheval descendit, si le vout decoler.

LXXXI

635 Quant Bradmund veit Boefs le baroun,
Leve sus de la tere, si se mette a geniloun :
« Merci ! fet Bradmund, beau duz sire Bovoun !
Pur le coup ke me feris metrai a tun baundoun
Quater cent cités, par mun deu Mahun,
640 E plus de treis mil chasteus e donjouns,
Car de vus tendrai tut mes regiouns. »

617, v. en leirs (S).

C'est le gibet que vous aurez, je vous le garantis,
car la plupart de vos hommes sont morts,
615 et tous les survivants seront bientôt anéantis. »
Beuve, le hardi chevalier, frappe alors tout autour de lui,
et sur le sol il fait voler poings, pieds, têtes et jambes*.
Que vous dire de plus ? Avant midi
tous les gens de Bradmont étaient occis,
620 et il s'était lui-même enfui à travers un vallon.

80

Quand Bradmont se vit incapable de résister,
il fit demi-tour et s'enfuit dans une vallée.
Il avait fait lier de cordes deux des guerriers d'Hermin
qu'il voulait ramener dans son pays,
625 et il jurait par Mahomet qu'il les ferait écorcher vifs.
Mais Beuve de Hamptone va les lui faire relâcher
et lui faire chanter un tout autre refrain*.
Quand il voit que Bradmont veut s'en aller,
Beuve pique Arondel des éperons d'acier,
630 et le fait galoper plus vite qu'un épervier ne vole.
Il rejoint Bradmont aussitôt, 76 r°
Murgleie au poing, il lui donne un tel coup
qu'il le fait voler jusqu'à terre.
Puis il descend de son cheval pour lui couper la tête.

81

635 Lorsque Bradmont voit Beuve le guerrier,
Il se redresse et s'agenouille :
« Pitié, Beuve !, dit-il, mon cher et bon seigneur !
Pour le coup que tu m'as donné, je te rendrai à discrétion
quatre cents villes, par Mahomet mon dieu,
640 et des châteaux et des donjons, plus de trois mille,
car pour toutes mes possessions je serai ton vassal. »

LXXXII

« [B]radmund, dist Boefs, ceo ne voil jeo pas granter,
Mes tu devendras le homme Hermine le fer,
De li tendras ta tere trestot saunz fauser ;
645 E tu fras pur moi kaun ke jeo voil comaunder,
Ne ja ne serras si hardi a moi contreester.
– Par Mahun, dist Bradmund, ceo frai jeo volunter. »
Ore le lessa Boefs en son païs aler.
A ! Dieus ! quel damage que il ne l'ut fet tüer !
650 Ke pus le fist Bradmund meint long jour juner ;
En sa presoun fust .VII. aunz tut plener,
Issi com vus me orrez ja en dreit counter.
Boefs ala les deus chevalers delïer
Ke roi Bradmund vout oveske li mener,
655 Pus vint au roi Hermine que taunt le deit amer :
« Ore, sire, fet il, par Dieu que fist tere e mer,
Homage vus ad fet Bradmund a vis fer,
De vus tendra sa tere tote saunz fauser.
– Boefs, dist Hermine, bien vus dei tener cher.
660 Bele file, dist li rois, alez le desarmer
E en sa chaumbre le servez a manger.
– A bon oure ! dist ele, beau duz sire cher. »
Ignelement Josiane desarme le chevaler.
Quant il fust desarmé, ele li va mener
665 En une bele chaumbre desuz un soler.
Viaunde li aporte dount il out mester,
Ele meimes comença la viaunde a trencher.
Quant il out mangé ele comença a parler,
Ore li descovere tot lui sen penser :
670 « Beau sire Boefs, ne vus en quer celer,
Vostre amour me ad fet meint lerme plurer
E meint nuit me ad fet sovent trop veiller.
E pur ceo, beau sire, jeo vus voil prïer
Que vus ne voillez mie ma amour refuser.
675 Si vus la refusez, ne purrai plus durrer,

82

« Bradmont, dit Beuve, je ne veux pas consentir à cela ;
c'est du fier roi Hermin que tu seras vassal,
de lui que tu tiendras fidèlement toutes tes terres ;
645 et pour moi tu feras tout ce que je t'ordonnerai
sans jamais avoir la hardiesse de t'opposer à moi.
– Par Mahomet, répond Bradmont, j'accepte volontiers. »
Beuve alors le laissa rentrer dans son pays.
Ah ! mon Dieu ! quel dommage qu'il ne l'ait pas tué !
650 car par la suite Bradmont le fit jeûner de très longs jours :
sept ans entiers, il fut son prisonnier,
ainsi que vous allez me l'entendre conter*.
Beuve alla détacher les chevaliers
que voulait emmener le roi Bradmont,
655 puis rejoignit le roi Hermin, lequel avait tout lieu de le chérir :
« À présent, dit-il, sire, par Dieu qui créa terre et mer,
hommage vous a fait Bradmont au visage farouche,
c'est de vous qu'il tiendra fidèlement toutes ses terres.
– Beuve, lui dit Hermin, j'ai vraiment lieu de vous chérir.
660 Ma chère fille, ajouta-t-il, allez le défaire de ses armes
et servez-lui à manger dans sa chambre.
– Avec plaisir, répondit-elle, mon cher et bon seigneur. »
Josiane désarma vite le chevalier.
Quand il fut désarmé, elle le conduisit
665 dans une belle chambre, au sommet d'une tour.
Elle lui apporta les mets qu'il lui fallait,
et se mit elle-même à trancher ses morceaux*.
Lorsqu'il fut rassasié, elle entreprit de lui parler,
lui découvrant alors ce qu'elle avait en tête :
670 « Cher seigneur Beuve, pourquoi vous le cacher ?
l'amour que j'ai pour vous m'a fait répandre bien des larmes
et bien des nuits m'a tenue éveillée.
C'est pourquoi, cher seigneur, je vous en prie :
ne refusez pas mon amour.
675 Si vous le refusez, je n'y survivrai pas,

De doel me covent morer e afiner. 76 v°
– Ma bele damoisele, dist Boefs a vis fer,
Iceste fol amour, pur Dieu, lessez ester,
Kar li roi me freit honir e vergunder.

LXXXIII

680 « [M]a bele damoisele, ceo li dist Bovoun,
Pur Dieu, lessez ester ceste grant folesoun.
Ja vus ad demaundé le roi Brademound :
Il n'i ad roi, ceo crei, en tretut le mound,
Ne prince ne admiré ne counte ne baroun,
685 Que il ne vus desirrunt, si il veient vostre fasoun.
Jeo sui un povere chevaler de un autre regioun,
Jeo n'i vi unkes uncore mon fou ne ma meisoun. »
Josiane lui dist : « Beau sire Bovoun,
Meus vous eim en vostre cote, par mun dieu Mahun,
690 Ke jeo ne frei un roi ovekes dis regiouns.
Donez moi vostre amour, fiz a gentil baroun.
– Noun frai, ceo dist Boefs, par le cors seint Symoun ! »
La pucele l'entent, si taint cum carboun,
De doel ke ele out si chaï en paumisoun.

LXXXIV

695 Kaunt ele leve, fortement ad pluré :
« Par Dieu, sire Boefs, vus dites verité :
El secle n'i ad roi ne prince ne admiré
Ke ne me preist volunters si me venist a gré.
Vus me avez refusé cum velein reprové.
700 Meuz vus avenist redrescer ceo fossés
E torcher a un torchoun ceo chevaus selés
E coure cum coursseler vileinement a pé

693, si tait c. (S).

la douleur causera ma fin et me fera mourir. 76 v°
– Ma chère demoiselle, répondit Beuve au visage farouche,
cet amour insensé, au nom de Dieu, renoncez-y,
car le roi me ferait subir une peine infâmante.

83

680 « Ma chère demoiselle, lui répond Beuve,
au nom de Dieu, renoncez à cette folie.
Le roi Bradmont déjà vous a demandée en mariage :
il n'y a pas de roi au monde, j'en suis certain,
de prince ni d'émir, de baron ni de comte,
685 qui ne désirerait obtenir votre main à voir votre beauté.
Moi, je ne suis qu'un pauvre chevalier, né en terre étrangère,
où je ne me connais toujours ni foyer ni maison.
– Cher seigneur Beuve, lui dit Josiane,
par mon dieu Mahomet, je vous aime bien plus dans votre modeste tunique
690 qu'un roi régnant sur dix royaumes.
Donnez-moi votre amour, fils de noble baron.
– Certainement pas, répond Beuve, par les reliques de saint Simon ! »
La jouvencelle, à entendre ces mots, devint pâle comme cendre*
et de douleur tomba évanouie.

84

695 Quand elle se relève, Josiane fond en larmes :
« Seigneur Beuve, par Dieu, vous dites vrai :
il n'y a pas au monde de roi, de prince ni d'émir
qui volontiers ne me prendrait pour femme si je le désirais.
Vous m'avez repoussée comme un indigne rustre.
700 Votre état serait mieux de relever des fossés effondrés,
ou d'un bouchon de paille bouchonner un cheval de selle
ou de courir à pied comme un vulgaire garçon de courses,

Ke estre chevaler ou en court honuré !
Alez en vostre païs, truaunt vil prové !
705 Mahun vus confoundue ke tuz nus ad formé !
– Bele, ceo dist Boefs, par Deu, vus mentez !
Velein ne fu unkes ne truaunt, ceo sachez,
E vus ore me avez medist e ledengez.
Un destrer me donastes, alez, si le pernez !
710 Jeo ne vodrai mie ke daunger me feissez.
En moun païs m'en vois, sachez de veritez,
Jour de vostre vie jammés ne me verrez.
Le espeie ne averez mie, sachez de veritez,
Ke jeo le ai en bataile asez cher achatez
715 Quant a vostre pere ai conquis une regné. »
La pucele le oï, a poi son quer est crevé,
Paumé jus chaï, ceo fu graunt pité.
E Boefs s'en est de la chaumbre tost turné,
E vint au chef un burgeis en mi lu la cité,
720 E dedenz un lit s'en est il tost coché.
Pur le dist Josiane estoit forment iré. 77 r°
Josiane se est en son quer purpensé
Que ele out mesfet dunt ele [le] out ledengé.
Un messager apele ke estoit soun privé :
725 « Beau frere, dist ele, vus frés ma volunté.

LXXXV

« [M]essager, dist ele, il te covent aler
Dire a sire Boefs ke il venge a moi parler.
Si jeo li ai mesdist, jeo le vodrai amender.
– Jeo irrai volunters », ceo dist li messager.
730 Tost vint a le hostel ou fu Boefs li ber,
E devaunt Boefs comence agenoiler :
« Beau sire Boefs, ne vus en quer celer,
Josiane vus prie e requert de bon quer
Que vus veignez a li un petitet parler.
735 – Frere, ceo dist Boefs, vus li pöez counter

que d'être chevalier ou honoré dans une cour !
Retournez donc chez vous, vil coquin confirmé !
705 Mahomet vous confonde, qui nous a tous créés* !
– Belle dame, dit Beuve, par Dieu, vous en avez menti !
Jamais je ne fus rustre ni coquin, sachez-le !
et vous m'avez laidement offensé.
Vous m'avez donné un cheval, eh bien, reprenez-le !
710 je ne veux pas que vous me fassiez tort.
Je retourne dans mon pays, sachez-le bien,
et jamais jour de votre vie vous ne me reverrez.
Mais l'épée, vous ne l'aurez pas, sachez-le bien,
car je l'ai payée assez cher dans la bataille
715 en conquérant un royaume pour votre père. »
La jouvencelle, à entendre ces mots, fut près de rendre l'âme,
elle tomba évanouie, cela fit peine à voir.
Beuve a vite quitté la chambre,
il s'est rendu en ville, chez un bourgeois*,
720 et aussitôt s'est couché dans un lit.
Les propos de Josiane l'avaient vivement affecté. 77 r°
Et celle-ci s'est dit dans son for intérieur
qu'elle avait mal agi en l'injuriant.
Elle appela un messager qu'elle connaissait bien :
725 et lui dit : « Mon ami, tu vas exécuter mes ordres.

85

« Messager, lui dit elle, il convient que tu ailles
dire à messire Beuve de venir me parler.
Si je l'ai offensé, je veux lui faire réparation.
– J'irai très volontiers », répond le messager.
730 Il se rendit bien vite où logeait Beuve le guerrier,
et s'agenouilla devant lui :
« Cher seigneur Beuve, je ne dois pas vous le cacher,
Josiane vous requiert instamment de bon cœur
de venir lui dire quelques mots.
735 – Mon ami, lui dit Beuve, vous pouvez lui répondre

Ke vus ne pöez en nule rien espleiter.
Mes pur ceo ke vus venistes le message porter
Jeo vus durrai mon bliaut de saie de utre mer. »
Lui messager li mercie, si prent a returner.

LXXXVI

740 [L]ui messager s'en est arere returné,
E a Josiane ad il toust counté
Ceo ke Boefs li dist, li vassal alosé.
Josiane tost ad le messager regardé :
« Dites moi, dist ele, si vus eide Dé,
745 Ky vus ad doné ceste bliaut entailé.
– Par Mahun, dame, Boefs le prisé.
– Mahun ! dist la pucele, mult est bien enseigné,
E large e corteis com un amiré.
Unkes ne fu velein, jeo sai de verité.

LXXXVII

750 « Pus ke il ne veut vener a moi parler,
Jeo irrai a li, ki ke en deit peiser. »
Tote defublé comence a aler.
Boefs le vist vener, si comença a ruffler,
Semblaunt fet de dormer, ne vout a li parler.
755 Josiane si vint devaunt son lit ester :
« Enveilez vus, fest ele, beau duz amy cher.
Un petitet vodrai a vus ore parler.
– Damoisele, dist Boefs, lessez moi reposer.
Fortment ai hui combatu od le espeie de ascer,
760 E vus avez malement rendu moun louer
Quant vus me apellez ribaud e pautouner. »
La pucele le entent, si comence a plorer,

738, m. bliaunt de s.
745, c. bliaunt e.

qu'en rien vous n'avez pu obtenir gain de cause.
Mais puisque j'ai reçu ce message par vous,
je m'en vais vous donner ma tunique en soie d'outre-mer*. »
Le messager le remercie et s'en retourne.

86

740 Le messager est retourné,
et à Josiane a vite rapporté
les paroles de Beuve, le guerrier réputé.
La demoiselle lui a jeté un rapide coup d'œil :
« Dis-moi, demande-t-elle, que Dieu te vienne en aide !,
745 qui t'a donné cette tunique ornée de broderies.
– Par Mahomet, madame, c'est Beuve, le guerrier de prix.
– Par Mahomet !, répond la demoiselle, il a de fort bonnes manières,
il est généreux et courtois comme un émir,
et jamais ce ne fut un rustre, je le sais bien.

87

750 « Puisqu'il refuse de venir me parler,
c'est moi qui m'y rendrai, sans souci de qui s'en afflige. »
Sans même passer un manteau, elle s'en va.
Beuve la voit venir, il se met à ronfler,
en feignant de dormir pour ne pas lui parler.
755 Devant son lit Josiane est venue se planter :
« Réveillez-vous, dit-elle, doux ami bien-aimé.
Je voudrais vous dire quelques mots.
– Demoiselle, dit Beuve, laissez-moi donc me reposer ;
j'ai aujourd'hui fortement combattu avec l'épée d'acier,
760 et vous, vous m'en avez fort mal récompensé
en me traitant de vaurien et de gueux. »
La jouvencelle à ces mots fond en pleurs,

De cler lerm ke plurt fet sa face enviler.
Boefs la regard, pité en prent a quer.

LXXXVIII

765 « Beau sire Boefs, eiez de moi pité !
Ceo que ai trepassé serra bien amendé, 77 v°
Car Mahun degerperai, sachez de verité,
E crerai en Deu ke fust en croiz pené,
Pur la vostre amour prendrai cristienté.
770 – Damoisele, dist Boefs, volunters e de gré. »
Ore est la pes feste, Dieu seit aoré !
Par mult grant amour se sunt entrebeisé.
Mes mar le besa Boefs le sené,
Ke il se repenti enceis ke l'an fu passé.
775 Mes ceo deus chevalers ke il out delivré
De le mein Bradmund kaunt il furent lïé
Vindrent a roi Hermine, si le unt encusé :
« Sire roi, funt il, bien devez estre iré
Quant Boefs de Haumtone, ceo mauvés serf prové,
780 Purjuwe ad vostre file, ci ad grant vilté. »
Mes de ceo mentirent li glotouns afolé,
Car il ne [le] avoit for sulement beisé.
Jhesu les confundue ke de mere fu né !
Li rois les oï, le chef a enbrounché :
785 « Quidez, ceo dist il, ke ceo seit verité ?
– Oil, ceo dist li un, par Mahumet mon dé !
– Seignurs, ceo dist li rois, ore ke me löez ?
Pus ke il vint a moi l'ai jeo taunt amé,
Si jeo le feisse tüer jeo averai tel pité
790 Ke jeo murrai tost, sachez de verité.
– Sire, ceo dist li uns, bon conseil averez :
Fetez fere un bref mult bien enselez,

774, r. en ceo k.

et ses larmes limpides altèrent son visage*.
Le cœur de Beuve à ce spectacle est ému de pitié.

88

765 « Cher seigneur Beuve, ayez pitié de moi !
Les fautes que j'ai commises seront bien réparées, 77 v°
car je renierai Mahomet, sachez-le bien,
et je croirai en Dieu qui mourut sur la Croix,
et pour l'amour de vous je me ferai chrétienne.
770 – Demoiselle, dit Beuve, j'accepte avec plaisir. »
La paix est faite entre eux désormais, Dieu soit loué !
Très amoureusement, ils ont échangé un baiser.
Mais c'est pour son malheur que l'embrassa Beuve le sage,
et il s'en repentit avant qu'un an ne fût passé ;
775 car les deux chevaliers qu'il avait délivrés*
de la main de Bradmont quand ils étaient liés de cordes
allèrent l'accuser auprès du roi Hermin :
« Sire, ont-ils dit, vous avez lieu d'être fort en colère,
car Beuve de Hamptone, ce fieffé méchant serf,
780 couche avec votre fille : c'est un honteux scandale ! »
Mais ils mentaient, ces voyous insensés,
car il l'avait seulement embrassée.
Que Jésus qui naquit d'une mère les détruise !
Quand il entend cela, le roi baisse la tête :
785 « En êtes-vous bien sûrs ?, leur a-t-il demandé.
– Oui, répondit l'un d'eux, par mon dieu Mahomet !
– Alors, seigneurs, reprit le roi, que me conseillez-vous ?
Depuis qu'il est auprès de moi, je l'ai pris en telle amitié
que, si je le faisais tuer, j'en serais chagriné
790 au point de bientôt en mourir, sachez-le bien.
– Sire, répond l'un deux, voici un bon conseil :
faites faire une lettre qui sera bien scellée,

E Boefs meimes le bref porter frez
De ci ke au roi Bradmound le prisez.

LXXXIX

795 « Le bref frez porter, beau duz sire cher,
Ke Bradmound le face en tel prisoun poser
Ke vus de li ne oiez ja un mot soner,
E li sur sa lei trebien le frez jurer
Que il ne fra le bref a nul homme mustrer,
800 For sulement au roi Bradmound le gwerer.
– Par Mahoun, dist li roi, ceo fra ge volunters. »
A taunt fet il Boefs avaunt apeller :
« Boefs, dit li rois, i te covent aler
A roi de Damascle iceo bref porter,
805 A Bradmound, ton homme ke tu conquis l'autrer.
E a moi sur ta lei te covent jurer
Ke tu ne fras le bref a nul homme mustrer
For sulement a roi Bradmund le gwerer. »

XC

« [S]ire, ceo dist Boefs, tut a vostre comaund !
810 Baillez moi le bref e mun destrer coraunt
E Murglei, ma espeie ke bon est e trenchaunt. 78 r°
– Sire, ceo dist Hermine, de folie alez parlaunt.
Le destrer est pur vus trop aprement coraunt,
Vus averez un palefrei swef e ben amblaunt.
815 E Murgleie vostre espeie si est trop pesaunt,
Un autre averez ke [ne] vus anoiera pas taunt.
– Sire, ceo dist Boefs, tut a vostre comaund ! »
Le bref prist e s'en va toust e ignelement :
Ore li coundue Deus e li seit garaunt !
820 Passa il les mounz e les vaus ensement,
Treis jours chevacha, ne vist homme vivaunt.

et par Beuve en personne vous la ferez porter
à Bradmont, le roi si fameux.

89

795 « Et cette lettre que vous ferez porter, mon cher et bon seigneur,
enjoindra à Bradmont de l'enfermer dans une prison telle
que jamais plus de lui vous n'entendiez parler.
Et vous lui aurez fait prêter sur sa foi le serment
de ne montrer cette lettre à personne,
800 sinon au seul Bradmont, le roi guerrier.
– Par Mahomet, répond le roi, cela, je peux le faire volontiers. »
Il fait alors appeler Beuve :
« Beuve, lui dit le roi, il faut que vous alliez porter
cette lettre au roi de Damas,
805 Bradmont, votre vassal, que vous avez vaincu tout récemment.
Et vous devez sur votre religion me prêter le serment
de ne montrer cette lettre à personne,
sinon au seul Bradmont, le roi guerrier. »

90

« Sire, à vos ordres ! répondit Beuve.
810 Donnez-moi cette lettre, mon rapide cheval
et mon épée Murgleie qui est bonne et tranchante. 78 r°
– Seigneur, lui dit Hermin, vous dites des folies !
Le galop de votre cheval est trop brutal pour vous :
vous monterez un palefroi allant doucement l'amble*.
815 Et votre épée Murgleie pèse trop lourd :
vous en aurez une autre qui vous gênera moins.
– Sire, à vos ordres ! », répondit Beuve.
Il prit la lettre et s'en alla tout aussitôt :
Dieu le conduise et le protège* !
820 Il franchit des montagnes et des vallées,
et chevaucha trois jours sans voir âme qui vive.

Le quart jour a matin, com il va chevachaunt,
Trova un paumer suz un arbre sëaunt.
Au diner fut asis tot dreit en present ;
825 Quatre pains graunz avoit devaunt li de furment
E plein deus barils de mult bon piment.
Le paumer de pres veit le chevaler venaunt :
« Descendez, beau sire, pur Deu le tut pussaunt !
Venez diner ov mei, si Deu te seit eidaunt.
830 – Paumer, ceo dist Boefs, Deu vus seit garaunt !
Unkes ne fustes vilein, jeo sai certeinement. »
Il descent de le cheval toust e ignelement.
Feim aveit mult grant, si mangüe forment,
E le paumer le dona a li mult lëement.
835 Boefs le regarda e dist en riaunt :
« Amis, dount este vus ? ne me alez gabaunt.
– Sire, ceo dist li paumer, ne vus gaberai nent :
Jeo fu certes né en Engletere le graunt,
En Hamtone, la forte cité vailaunt.
840 Mon pere out a noun Sabot le combataunt.
Fortment me requereit, quant fu departaunt,
Que jeo li queisse en cest païs un emfaunt
Que a paens fu vendu, ceo fu damage grant ;
Il out [a noun] Boefs, Deu li seit eidaunt !
845 Jeo ne li trove mie, dount me peise fortment.
– Paumer, ceo dist Boefs, de nent vus oi parler,
Car le emfaunt est pendu dount jeo vus oi tocher. »

XCI

[L]e paumer le oï, si ad un plur comencé :
De doel ke il out en chaï paumé.
850 Quant il releve, si est en haut crïé :
« Que frai ore, fet il, a ! Deus de majesté !
Quant mon duz compaignoun est a tort tüé ?

844, Il out b. (S, 840).
851, A deus ore fet il que frai de m. (S).

Mais le matin du quatrième, il poursuivait sa chevauchée
quand il découvrit sous un arbre
un pèlerin assis à déjeuner ;
825 il avait devant lui quatre grosses miches de froment
et deux tonnelets pleins d'un bon vin aromatisé.
Le pèlerin vit le chevalier s'approchant :
« Mettez pied à terre, cher seigneur, au nom de Dieu le Tout-Puissant !
Venez déjeuner avec moi, et que Dieu veuille vous aider !
830 – Pèlerin, lui dit Beuve, Dieu vous protège !
Jamais, j'en suis certain, vous n'avez commis de bassesse. »
Il met aussitôt pied à terre.
Comme il avait grand faim, il mange abondamment,
et le pèlerin le servait avec très grand plaisir.
835 Beuve l'observe et lui dit en riant :
« Camarade, d'où êtes-vous ? ne me racontez pas d'histoires.
– Seigneur, répond le pèlerin, je ne vous en conterai pas :
Je suis natif, en vérité, de la grande Angleterre,
de Hamptone, la riche et puissante cité.
840 Mon père a nom Soibaut le bon guerrier.
Il m'a très vivement prié, à mon départ,
de rechercher dans cette contrée un enfant
qui fut vendu aux mécréants, ce qui fut un grave méfait.
Le nom qu'il portait était Beuve, Dieu le protège !
845 Je ne l'ai pas trouvé, et j'en suis très fâché.
– Pèlerin, répond Beuve, ce que vous dites n'a plus d'objet :
on l'a pendu, l'enfant dont vous parlez*. »

91

Le pèlerin à ces mots fond en larmes,
et de douleur il tombe évanoui.
850 Puis, reprenant connaissance, il s'écrie :
« Que deviendrai-je, hélas ! ah ! Dieu de majesté !,
dès lors que mon cher compagnon a été tué indûment ?

Chevaler, dist li paumer, que est ceo ke vus portez ?
Si ceo seit un bref, ore le moi mustrez.
855 – Oustés, ceo dist Boefs, de ceo mes ne parlez
Car jeo ne [le] mustrai a homme ke seit nez, 78 v°
For sulement a Bradmund, li fort roi corounez.
– Par fei, dist li paumer, vus ne estes pas senez :
Vostre mort put estre, mes que vus ne le sachez.
860 – Oustés, ce dist Boefs, de ceo ne vus dotez :
Moun seignur ne le freit pur treis cent citez. »
Adount s'en departent, si se sunt beisez.

XCII

[B]oefs si en mounte le palefrei corser,
De le paumer departe ke il dut taunt amer.
865 Tretot en chauntaunt comence a chivacher,
Taunt ke vint a Damascle ne vout demorer.
Ceo fu la plus riche cité ke soit desuz ciel,
Car il n'i out en la vile ne tour ne kernel
Ke ne fust covert de argent ou de or mer.
870 Desur le mestre tour, tot saunz mensounger,
Out li roi Bradmunt fet un egle de or founder
Que entre sé pates tint un charbocle cler
Ke doune si grant clarté, ne vus quer celer,
Ke ja ne serra si oscur ke l'em ne puse aler
875 Com si Deus feit le solail luser cler.
Boefs entra en la cité, od le corage fer,
E dedens un temple oit il chaunter
Kar paens furent cel jour Mahun a honurer.
Prestres de lur lei i out plus de un miller.
880 Boefs entra en le temple ke taunt fet a priser,

853, q. e ceo k.
872, e. se patres t. (S).
879, lur li i o. (S, 882).

Chevalier, dit le pèlerin, que portez-vous donc là* ?
S'il s'agit d'une lettre, alors montrez-la-moi*.
855 – Laissez cela, dit Beuve, et ne m'en parlez plus,
car à âme qui vive je ne la montrerai, 78 v°
si ce n'est à Bradmont, le puissant roi portant couronne.
– Ma foi, vous n'êtes pas raisonnable :
votre mort peut y être écrite sans que vous le sachiez.
860 – Laissez cela, dit Beuve, et ne vous en inquiétez pas :
Mon seigneur pour trois cents cités n'agirait pas ainsi. »
Ils se quittent alors après s'être embrassés.

92

Beuve remonte sur son rapide palefroi ;
il laisse là le pèlerin qui méritait de lui tant d'affection,
865 et il reprend son voyage en chantant* :
il ne veut plus tarder avant Damas.
C'était la plus riche cité qui fût au monde,
car il ne s'y trouvait ni une tour ni un créneau
qui d'argent ou d'or pur ne fût couvert*.
870 Sur la maîtresse tour, je ne mens pas,
le roi Bradmont avait fait ériger un aigle d'or
qui entre ses serres tenait une escarboucle étincelante
d'où émanait une clarté si grande, pourquoi vous le cacher ?
qu'il ne fera jamais si sombre qu'on ne puisse se déplacer
875 comme si Dieu faisait briller un soleil éclatant.
Beuve entra dans la ville, le cœur plein de vaillance,
et dans un temple il entendit des chants,
car ce jour-là les mécréants honoraient Mahomet.
Plus de mille prêtres de leur foi se trouvaient là.
880 Beuve pénètre dans le temple admirable,

Mahumet prist par le toup, si le comence a rüer
A un prestre de lur lei ke il vist ileoc ester ;
Tost le col li rumpe, si le fet trebocher.
Les autres le virent, ne osent demorrer,
885 E a lur roi Bradmund tut alerent counter
Que il i out venu un fort chevaler
Ke aveit fet lur Mahun tretut debruser.
« Par Mahun, dist Bradmund, lessez li ester !
Ceo est Boefs, mun seignur, jeo ne ose a li parler.
890 Lessez li fere trestout soun voler. »
Ceo jour out Bradmund fet son grant court asembler,
En une chaere de yvori sist entre ses chevalers.
E a taunt est veu Boefs od le corage fer.
Roi Bradmund li veit, si comence a lever
895 E toust li ad dist : « Beau duz sire cher,
Bien sëez vus venuz, venez reposer.
Quele chose vus fist a moi travailer ?
– Par mun chef, dist Boefs, jeo vus frai bien saver :
Lisez moi ceo bref toust saunz demorrer
900 Ou jeo vus couperai la teste o mun espeie de ascer. »
Kaunt Bradmund le oï, si comence a trembler ; 79 r°
Pour out de Boefs, si prist a redrescer.

XCIII

[B]radmund out pour de Boefs le pussaunt,
Le bref prent en poin toust e ignelement.
905 Quant il out veu le bref, mult out le quer joiaunt.
Par le destre poin prist Boefs meintenaunt
Car il out pour ke il dust trere le braunc,
E dist a ses chevalers : « Levez vus en estaunt

890, L. li dire t. (S).
892, u. chaumbre de y. (S).

saisit l'idole par le toupet et la projette
sur un des prêtres, qu'il a vu là debout :
il roule à terre, le cou rompu*.
Voyant cela, les autres n'osent pas rester là,
885 et s'en vont raconter au roi Bradmont
qu'il est venu un chevalier robuste
qui a réduit leur Mahomet en miettes.
« Par Mahomet, dit Bradmont, laissez-le !
C'est Beuve, mon seigneur : je n'ose rien lui dire.
890 Laissez-le faire tout ce qu'il veut. »
Bradmont avait ce jour-là réuni sa cour plénière,
et il siégeait parmi ses chevaliers sur une cathèdre d'ivoire*.
Voilà qu'arrive Beuve au cœur farouche.
Quand il le voit, le roi Bradmont se lève,
895 s'empressant de lui dire : « Mon cher et bon seigneur,
soyez le bienvenu, venez vous reposer.
Pourquoi avez-vous pris la peine de vous déplacer jusqu'à moi ?
– Sur ma tête, répond Beuve, en voici la raison :
Lisez-moi cette lettre sans nul retard
900 ou je vous couperai la tête de mon épée d'acier. »
Quand il entend ces mots, Bradmont est pris de tremblements 79 r°
par peur de Beuve, et se redresse.

93

Bradmont craignait Beuve aux membres puissants.
Il saisit la missive tout aussitôt,
905 mais après l'avoir vue son cœur s'emplit de joie.
Il prit à l'instant Beuve par la main droite
de peur qu'il ne tirât l'épée,
et à ses chevaliers dit : « Debout, levez-vous

E lïez moi Boefs mult estreitement !
910 Hermine me maund ke jeo en haut le pend
Car il ad purgüe Josiane a cors gent. »
Ceo chevalers le pernent toust e ignelement
E les pez li lïent de chaines mult fortment,
E al col li ferment un pesaunt carcaunt
915 Que bien peise quinze quarters de forment.
« Boefs, ceo dist Bradmund, par mun dieu Tervagaunt,
Si vus ne me ussez conquis o le espeie trenchaunt
Vus fussez pendu ore endreit en present.
Mes jeo vus frai assez peine nekedent :
920 Vus serrez en ma prisoun de ci en avaunt
A trente teises de parfound, ceo sachez vereiment.
Vus ne averez la point de vostre talent,
For serpentes e coluvres, pikes de ascer trenchaunt
E un quarter de un pain chescun jour sulement,
925 De bren e de orge, pestri mult malement.
– Sire, ceo dist Boefs, ore seit tot tun comaund !
Tut ceo me estoit soffrer ke vus vent a talent. »

XCIV

« [B]oefs, dist Bradmund, meintenaunt vus sëez,
A manger averez [assez] saunz plus une fiez,
930 [E pus en ma preson serrez gettez,
Trent teises de parfund, ben le sachez.
Vus ne averez ren de vos voluntez.
– Sire, ceo dist Boves, ore seit a ta volunté !

912, *Premier vers de D.*
913, *Vers absent de D.*
915, *Vers absent de D.*
927, m. estoit fere cu*m* v*us* v., *corr. D.*
929, assez *manque dans B, corr. D.*
930-934, *Vers absents de B, texte de D.*
931, T. tens de p. (S, 921).

et attachez-moi Beuve étroitement !
910 Hermin m'a demandé de le pendre haut et court
parce qu'il a couché avec Josiane au corps gracieux. »
Les chevaliers se saisissent de lui tout aussitôt*,
lui attachent les pieds de chaînes très serrées
et lui fixent au cou un lourd carcan,
915 plus pesant que cinq cents boisseaux de blé*.
« Beuve, lui dit Bradmont, par mon dieu Tervagant*,
si vous ne m'aviez pas vaincu au tranchant de l'épée,
on vous aurait pendu à l'instant même.
Mais vous subirez néanmoins une peine très dure :
920 vous allez désormais loger dans ma prison,
à cent quatre-vingts pieds sous terre, sachez-le bien*.
Vous n'aurez là rien qui puisse vous plaire,
seulement des serpents et des couleuvres, des pieux d'acier tranchants
et par jour juste un quart de pain
925 de son et d'orge très mal pétri.
– Seigneur, lui répond Beuve, qu'il en soit comme tu l'ordonnes !
Il me faut endurer tout ce que tu désires*. »

94

« Beuve, reprit Bradmont, asseyez-vous donc à présent :
vous aurez à manger tout votre saoul, mais une seule fois, pas plus*,
930 [après quoi vous serez jeté dans ma prison,
à cent quatre-vingts pieds sous terre, sachez-le bien.
Vous n'aurez là rien qui vous satisfasse.
– Seigneur, lui répond Beuve, qu'il en soit à ta volonté !

Tut m'estut fere ke vus vynt a gré. »]
935 A manger li aportent kaunt il out lavé :
Bradmund meimes li ad les morseus trenché.
E kaunt il out mangé, Bradmund est escrïez :
« Que fete vus, chevalers ? Pur quei ne li pernez ? »
E toust il le pernent, si le unt menez
940 De ci ke a la chartre, si le ount dedens rüé.
Si Dampnedé pur veir ne le out iloc eidé,
Einz que vensist aval il eut le col brisé,
Mes Dieu li eida par la sue pité.
Par le col e par lé pez fu mult estreit lïez.
945 En cele prisoun out vermine a plentez,
Serpens e coluvers e granz verms cüez :
A Boefs tost vindrent e li voleint aver venimés.
Boefs tasta entur li, un bastun ad trové,
Trestuz les serpens e colures ad il tüé.
950 E fu en la prisoun mult meseisé :
Mes un jour ne out de pain son saulé ; 79 v°
Si il veut de le ewe, si prenge a son pé.
Deus chevalers le unt ileoc mal gardé.

XCV

« [O]re, Deus, eidés ! dist Boefs de Haumtone.
955 Totes lé meschaunces venent a poveres homme,
Mes si jeo puse eschaper, par seint Pere de Rome,
Au fer roi Hermine toudrai la coroune.
Honi sei icel jour, si tel coup ne li doune
Ke jammés aprés ne parlera od homme.

935, A mãrger li a., *corr. D* (S).
936, l. musseus t., *corr. D*.
947, v. si le unt envenimé, *corr. D*.
950, m. en misese, *corr. D* (S).
952, *Vers absent de D*.
954, [O]ce deus e., *corr. D*.
958, t. toup ne li d., *corr. D* (S).

Il me faut faire tout ce qui te convient. »]
935 Il se lave les mains et on lui apporte à manger :
C'est Bradmont en personne qui découpe ses parts.
Et quand il a fini, Bradmont s'écrie :
« À quoi pensez-vous, chevaliers ? Pourquoi ne l'attrapez-vous pas ? »
Ils le saisissent aussitôt et le conduisent
940 à la prison où ils le précipitent.
En vérité, sans secours de Notre Seigneur,
il aurait eu le cou brisé avant de parvenir en bas.
Mais Dieu dans sa miséricorde lui est venu en aide.
Il avait au cou et aux pieds des liens serrés très fort.
945 Il y avait dans la prison quantité de vermines*,
des serpents, des couleuvres et de grands vers à longue queue
qui sont vers lui tout aussitôt venus pour l'infecter de leur venin*.
Beuve tâtonne autour de lui et découvre un bâton :
il a tué tous les serpents et les couleuvres.
950 Dans la prison il lui fallut beaucoup souffrir :
il n'eut pas un seul jour à manger de pain à sa faim, 79 v°
quand il voulait de l'eau, il devait la prendre à ses pieds.
Et là deux chevaliers le gardaient avec malveillance.

95

« Mon Dieu, à l'aide ! dit Beuve de Hamptone.
955 Tous les malheurs accablent les pauvres gens,
mais si je peux m'enfuir, par saint Pierre de Rome,
j'ôterai sa couronne au cruel roi Hermin.
Honte sur moi si, ce jour-là, je ne lui porte pas un coup
qui à jamais l'empêchera de parler à quiconque !

XCVI

960 « Jeo sui ci traï mult felunement,
Jeo ne le ai pas deservi, si cum jeo entent,
Que il me dust traïr si tres ledement :
Une rëaume li conquis ov le espeie trenchaunt. »
Issi diseit Boefs, e plurist mult fortment,
965 Mes pus out il mult bon vengement.
Une nuit avint, cum il fu en dormaunt,
Ke une colure vint a li fort launzaunt,
Em mi frount devaunt li mordi malement.
Boefs s'enveile tost e la colure prent,
970 Del bastun ke il tint la get mort senglaunt.
Ore vus lerrum de Boefs a taunt,
De Hermine dirrum e de Josiane a cors gent.
Josiane ne sout de cel treisoun nent,
Ele vint a sun pere, si li va demaundaunt :
975 « Ou est ore Boefs, ke par amastes taunt ? »

XCVII

« Bele file, dist li rois, ne vus quer celer,
Boefs est ja passé la graunt mer,
En Engletere est alé son parastre tüer
E la mort son pere cruelement venger.
980 Jammés ne revendra, ceo me conta il l'autrer.
– Ha ! Deus ! dist la pucele, coment pus endurer ?
Ha, sire Boefs, taunt vus soleie amer !
Ja vostre amour me fra tut [de] duel finer !
Quant jeo vus ai perdu vivre plus ne quer.
985 Ha ! sire Boefs, mult estes de faus quer

962, *Vers absent de D.*
966, Mes une n., *corr. D* (S).
981, c. en pus durer, *corr. D* (S).
983, f. afiner, *corr. D*, f. tut duel f.

96

960 « Je suis ici victime d'une lâche trahison,
et, autant que je sache, je ne méritais pas
d'être trahi par lui de façon si infâme,
moi qui au tranchant de l'épée lui ai conquis tout un royaume. »
Beuve parlait ainsi, tout en pleurant à chaudes larmes,
965 mais par la suite il fut très bien vengé.
Une nuit, alors qu'il dormait,
une couleuvre fondit sur lui
et en plein front le mordit gravement.
Il s'éveille aussitôt, attrape la couleuvre
970 et du bâton qu'il tient la jette morte, couverte de son sang.
Mais nous allons à présent laisser Beuve
pour vous parler d'Hermin et de Josiane au corps gracieux.
Josiane ignorait tout de cette trahison.
Elle vint à son père et demanda :
975 « Où donc est Beuve, que vous aimiez si fort ? »

97

« Ma chère fille, dit le roi, pourquoi vous le cacher ?
Beuve a déjà passé la mer immense,
il est allé en Angleterre pour tuer son parâtre
et venger sans pitié le meurtre de son père.
980 Jamais il n'en retournera, c'est ce qu'il m'a dit l'autre jour.
– Hélas, mon Dieu !, a dit la jeune fille, comment le supporter ?
Ah, seigneur Beuve ! moi qui vous aimais tant !
L'amour que j'ai pour vous va me faire mourir de chagrin* !
Dès lors que je vous ai perdu, je n'ai plus le désir de vivre.
985 Ah, seigneur Beuve ! votre cœur est bien déloyal

Quant a vostre departie ne voillez a moi parler !
Mes si vus estes corteis e gentil chevaler,
Vus [ne] devez mie vos amours oblïer. »

XCVIII

[I]ssi dist la pucele, mult out le quer dolent.
990 Por l'amur de Bovoun se garda chastement,
Le destrer e le espeie garda ensement.
A taunt i vint un roi fort e combataunt,
L'en le apele Yvori de Munbraunt :
Quinze rois out suz li, tuz coroune portaunt.
995 Il vint al roi Hermine sa file demaundaunt,
Hermine li graunta mult deboneirement. 80 r°
Josiane le entent, od le cors avenaunt,
Unkes ne fu si dolent jour de son vivaunt.
Ele out apris aukes de enchauntement :
1000 Une ceinture fist de seie demeintenaunt,
La ceinture fu fete par tele devisement
Ke, si une femme le ust ceinte desuz son vestement,
Il n'i avereit homme en secle vivaunt
Ki de cocher ove li avereit accun talent
1005 Ne aprucher au lit la ou ele fu gisaunt.
La pucele se ceint mult estreitement,
Ke il ne la dust tocher Yvori de Munbraunt.
Un jour mounta Yvori e sa gent,
Josiane o eus mult fortment pluraunt,
1010 E le chemin tindrent tut dreit a Munbraunt.

988, ne *manque, corr. D.*
990, l'a. de am*ur* se g., *corr. D* (S).
993, fort roi *après* yuori, *corr. D* (S).
1000. s. bien tenaunt, *corr. D.*
1002, E une f., *corr. D.*
1003, *Premier vers de G.*
1008-1010, *Vers absents de D.*

puisque, à votre départ, vous n'avez rien voulu me dire !
Mais si vous êtes un chevalier courtois et noble,
vous n'avez pas le droit d'oublier votre amour. »

98

Ainsi parla la jouvencelle, le cœur plein de douleur.
990 Mais par amour pour Beuve, elle se garda chaste,
et elle conserva aussi son cheval comme son épée.
Il arriva alors un puissant roi guerrier,
qu'on appelait Yvori de Monbrant :
et qui régnait sur quinze rois portant couronne.
995 Il venait demander sa fille au roi Hermin,
qui la lui accorda en toute bienveillance. 80 r°
Elle entendit cela, Josiane au corps gracieux :
jamais jour de sa vie elle n'avait été si malheureuse.
Ayant appris quelque peu de magie,
1000 elle confectionna une ceinture de soie tout aussitôt,
en la dotant du pouvoir que voici :
si une femme sous son vêtement la ceignait*,
il n'y aurait aucun homme en ce monde
pour avoir le désir de coucher avec elle
1005 ni même d'approcher du lit où elle prendrait son repos*.
La jeune fille la serra très fort à sa taille
pour qu'Yvori soit hors d'état de la toucher.
Vint un jour où, avec sa suite, il monta à cheval,
et, en compagnie de Josiane pleurant à chaudes larmes,
1010 il fit route tout droit jusqu'à Monbrant.

XCIX

[O]re vus dirrai un petit de le destrer.
Josiane le out fest oveke li mener.
Dekes il out perdu le vaillaunt chevaler,
Il n'i out homme en secle ke le osast tocher,
1015 Ester la pucele, ke li osast endrescer.
Josiane le va en une estable lïer,
A deus cheines de fer ferement atacher :
Si accun li vosist provendre doner,
De un soler en haut li covent avaler.
1020 Li rois Yvori si prent a purpenser :
Son grant hardement veut un jour prover,
Que il vout a force le destrer chevacher.
Il vint en le estable, si le vult mounter :
Le destrer li veit, si prent a regibber,
1025 De le pé derere si fert saunz demorer
E en mi le piz fest le coup asener,
Si ke il le fist a tere trebocher.
E ausi cum il chaïst, sa teste fist fraper
A un mur derere, si ke il le fest briser,
1030 E si ses chevalers ne l'usent venu eider
Le destrer le ust tüé saunz nul recoverer.
Ses chevalers li pernent, si le vunt porter
E en sa chaumbre si le fount cocher.
Maunderent mires, si li fount saner.
1035 Ore vus lerrum de eus issi ester,
A Boefs de Haumtone vodrom returner
Ke fust en la prisoun Bradmund a vis feer.
Ja i out esté set aunz tut plener.
Un jour il comence issi a parler :
1040 « Beau sire Dieus ke me deignastes a fourmer
E en la beneite croiz de tun sanc achater, 80 v°

1034-1035, *vers absents de G.*

99

Je m'en vais à présent vous dire quelques mots du coursier.
Josiane l'avait fait emmener avec elle,
mais depuis qu'il avait perdu son vaillant cavalier,
il n'y avait personne au monde qui osât le toucher
1015 à part la demoiselle, qui n'avait pas eu peur de le dresser.
Elle le mit dans une écurie à l'attache,
solidement, avec deux chaînes.
Et quand quelqu'un voulait lui donner à manger,
d'un étage élevé il devait faire descendre sa nourriture.
1020 Mais le roi Yvori conçut un jour l'idée,
afin de faire valoir son grand courage,
de monter le coursier de force.
Il vint à l'écurie et essaya de l'enfourcher :
voyant cela, le cheval se met à ruer ;
1025 sans attendre, il le frappe du sabot de derrière :
le coup atteint le roi en plein dans la poitrine
et le culbute à terre.
En tombant, sa tête frappa
derrière contre un mur, si bien qu'elle s'ouvrit,
1030 et, si ses chevaliers n'étaient venus le secourir,
sans recours le cheval l'aurait tué tout aussitôt.
Ils le prirent et l'emportèrent
dans sa chambre où ils le couchèrent.
Ils convoquèrent des médecins et le firent soigner.
1035 Mais maintenant, nous allons les quitter
pour retourner à Beuve de Hamptone,
que tenait en prison Bradmont au visage farouche.
Il y était déjà resté sept ans entiers.
Un beau jour il se prit à parler en ces termes :
1040 « Cher seigneur Dieu, qui avez daigné me créer,
et sur la sainte Croix me racheter de votre sang, 80 v°

Jeo te pri, beau duz sire, de fin quer e enter
Que tu ne me lessez ci longement demurer,
Ke jeo ne sei fet pendre ou vif escorcher,
1045 Ou tu me facez de ci toust eschaper. »

C

[L]es deus chartrers le oierent, si comencent a parler :
« Par nostre deu Mahun, ensi pendu serrez ! »
Le un dé chartrers est a li avalez
E a une corde descendi, ceo sachez.
1050 E Boefs le veit, countre li est levez,
Le chevaler ad le poing fortment enhaucez,
Desuz le oi li ad tel coup doné
Ke il abati Boefs plat a son pé.
E hastivement se est Boefs redrescé,
1055 Ore veit il bien que mult fu afamé.
« Ha ! Dieus ! dist il, mult sui enfeblé !
Kar kaunt jeo fu primes en cel prisoun geté,
Si jeo tenisse en ma mein mon branc asceré
E cent Sarazins me usent defïé,
1060 N'en durrai jeo mie vailaunt un oef pilé.
E pur un petit coup ke cesti me ad doné
Me ad il abatu, mes, si me eide Dé,
Si jeo ne seie de li ore endreit vengé,
Jeo ne me preise mie un dener moné. »
1065 Un tel cop li doune del bastun quarré
Ke tretut freit mort le ad geté a sun pé,
E regarde a sun lé, si prist un braunc asceré
[Ke memes cel chevaler aveit aporté.]

1051, f. enhauncez (S).
1065, *Dernier vers de G.*
1068, *Manque, corr. D.*

d'un cœur pur et fidèle, cher et bon Seigneur, je vous prie
de ne pas plus longtemps m'abandonner ici
pour m'éviter d'être pendu ou tout vif écorché,
1045 mais de me faire échapper au plus tôt. »

100

Quand ils l'entendent, les deux geôliers s'exclament* :
« Par Mahomet, notre dieu, tu seras pendu ! »
L'un des geôliers est descendu vers lui
au moyen d'une corde, sachez-le bien.
1050 Quand il le voit, Beuve s'est dressé devant lui,
mais le chevalier sarrasin lève le poing, et avec force
il lui assène un tel coup sur l'oreille
qu'à ses pieds il l'étend de tout son long.
Beuve s'est redressé en hâte,
1055 voyant bien alors à quel point on l'avait affamé.
« Ah, mon Dieu ! a-t-il dit, que je suis affaibli !
quand dans cette prison on m'a jeté,
si dans ma main j'avais eu mon épée d'acier,
cent Sarrasins auraient pu me défier,
1060 ils n'auraient pas valu plus cher contre moi qu'un œuf écalé,
et un seul petit coup donné par celui-ci
m'a terrassé ! mais, Dieu m'en soit témoin,
si à l'instant je ne me venge pas de lui,
je ne vaux plus même un denier. »
1065 Il lui rend un tel coup de son bâton massif
qu'il le jette tout froid, mort, à ses pieds.
Puis il regarde à son côté et empoigne l'épée d'acier
[qu'avait apportée là le chevalier lui-même.]

CI

[L]i autre chevaler si comence a crïer :
1070 « Conpaignoun, hastez vus, ne fetes taunt demurer,
Aportez ça Boefs, si le frum afiner. »
Boefs le oï, si prent a degaber,
Si li ad dist : « Beau duz sire cher,
Jeo sui si pesaunt que il ne me poet porter.
1075 Mes, sire, si vus plest, car li venez eider. »
Li autre li respount : « Mult tres volunters ! »
Par meimes cele corde comence avaler.
Boefs tost le vist, la corde va couper
E cil chaï jus desur un pik de ascer,
1080 Issi ke le quer le fest par unt crever.
Ore sunt mort les deus chevalers,
Mes mar les tua Boefs a vis fer,
Kar ore ne ad il homme ke li doune a manger :
Treis jours enters juna, pur veirs pus counter.
1085 Adonk genula Boefs o le corage fier,
Dampnedieu comença fortment a prïer
Ke il ly donast grace de iloks eschaper. 81 r°

CII

[Q]uant Boefs out Deu une pose ahoré,
Par la vertu Deu ke roi est de pité
1090 Si sunt ly liens tretuz depescé ;
E Boefs le veyt, unkes ne fu si lé :
De joie saili en haut .XV. pez mesurez.
En une voute saili, ne se est de rien dotez.
Ceo fu un chemyn mult grant e mult lee
1095 Par desuz la tere, tut pur verité.
Boefs icel chemyn tretut est passé
E vynt hors de la tere dreit en my la cité.

1073, Boefs li ad d., *corr. D.*
1076, m. trs v. (S).
1082, Mes mal l. (S) ; *les vers 1082-1189 manquent dans D.*

101

Mais l'autre chevalier s'écrie alors :
1070 « Compagnon, hâtez-vous, ne soyez pas si long,
apportez Beuve ici, nous allons l'achever. »
Quand il l'entend, Beuve, par moquerie,
lui dit : « Mon cher et bon seigneur*,
je suis si lourd qu'il ne peut pas me soulever.
1075 Seigneur, venez plutôt, s'il vous plaît, à son aide. »
L'autre répond : « Bien volontiers ! »
et par la même corde entreprend de descendre.
Beuve, dès qu'il le voit, coupe la corde*,
et le geôlier s'affale sur un pieu en acier,
1080 si bien que son cœur lâche*.
Et voilà donc les deux chevaliers morts.
Mais Beuve au visage farouche les a tués pour son malheur,
car il n'y a plus désormais personne pour le nourrir :
il a jeûné trois jours entiers, je vous le garantis.
1085 À la fin, il s'agenouilla, Beuve au cœur fier,
et se mit à prier Notre Seigneur très instamment
de lui donner la grâce de pouvoir s'évader. 81 r°

102

Quand Beuve L'eut un moment adoré,
un miracle de Dieu, roi miséricordieux,
1090 fit tomber tous ses liens en pièces*.
Beuve, voyant cela, fut plus heureux que jamais jusqu'alors :
de joie il fit un saut à quinze pieds de haut,
et sans la moindre crainte bondit sous une voûte,
dans un chemin sous terre très grand et large
1095 – c'est la vérité pure.
Beuve suivit ce chemin jusqu'au bout
et ressortit de terre en plein milieu de la cité.

E Boefs se est par tut regardé,
Dunt fu oscure nuyt e la gent fu coché.

CIII

1100 Ore si est Boefs eschapé de prisoun.
Mult fu devenu megre, pur veyr le savom,
E les chevuz en chartre furunt crus si longs
Que il trainerent de ci ke a taloun.
Les braz out megres, il n'y out si os noun.

CIV

1105 [B]oefs comence par tut regarder.
En une chambre vyt cerges arder :
Boefs iloks s'en va, ne se vout targer,
En la chambre entra e vyt iloc ester
Armes a grant plenté e espeies de ascer
1110 E dras de seye e robes dount il out mester,
Mes il ne trova iloc nule rien a manger.
Tut par li meymes se comence a armer
Car il ne out autre garçon ne esquier.
Kaunt il fust armé tretut a son voler,
1115 Trove un palefrei e mounte cum chevaler,
E hors de la cité s'en vout il donk aler.
Les gaytes de la vile ly vodrerent contreester,
Si ly demaundent : « Dunt es tu, bacheler ? »
Boefs les oÿ, si prent a degaber :
1120 « Sires, fet Boefs, lessez moy aler,
Jeo suy le chevaler Bradmund a vis feer.

CV

« Jeo voys aprés Boefs ke est eschapez,
Jeo ly retroverai, sachez de veritez. »
Les gaytes ly dïent : « Ore tost en alez !
1125 Mahun te condye a ki estes doné ! »
E Boefs s'en yst tost hors de la cité.

Il regarda de tous côtés :
La nuit était obscure et tout le monde était couché.

103

1100 Voilà donc Beuve évadé de prison.
Il était devenu très maigre, nous le savons de source sûre ;
ses cheveux, dans la basse-fosse, avaient poussé si longs
qu'ils lui tombaient jusqu'aux talons,
et ses bras n'avaient plus que la peau sur les os.

104

1105 Beuve d'abord de tous côtés regarde.
Voyant dans une chambre des cierges allumés,
il s'y rend sans tarder ;
il entre, et voit partout
des armes en grand nombre, des épées en acier,
1110 des étoffes de soie et les habits dont il avait besoin,
mais il ne trouve là rien à manger.
Il entreprend de s'équiper tout seul,
n'ayant aucun autre valet ni écuyer*.
Et une fois armé à son entière convenance,
1115 il trouve un palefroi, y monte en chevalier,
et cherche alors à sortir hors de la cité.
Les sentinelles veulent se mettre en travers*
et lui demandent : « D'où viens-tu, mon garçon ? »
Beuve à ces mots répond par moquerie :
1120 « Seigneurs, laissez-moi donc passer,
je suis chevalier de Bradmont au visage farouche.

105

« Je poursuis Beuve qui vient de s'évader,
je vais le retrouver, sachez-le bien.
– Va donc vite, répondent les sentinelles,
1125 que Mahomet te guide, à qui tu t'es voué ! »
Et Beuve sort bien vite de la cité.

CVI

Quant y fust jour, ly vynt grant desturber :
Vynt a un carfu ke ly fist forveier.
Taunt out esté en prison, ne vus en quer celer,
1130 Ke il ne sout mie quel part dust turner.
En la dreyte voye il quida bien aler,
Mes returna dunt il vynt, sachez saunz fauser. 81 v°
Entur haute middy si prent a regarder
E vyt Damascle ke taunt fet a priser.
1135 Taunt tost comença en sun quer a penser :
« Ha ! Deus ! dyt Boefs, ou purray jeo aler ?
Sy l'em me dust ore endreyt en fu enbraser,
Iscy me covent dormer e reposer. »
Adonk descendi de le palefrey corser
1140 E si couche son chef sur sun escu enter.
Quant il s'enveile, le palefrei va mounter,
Mes mult il fust las, ceo sachez, de juner :
Les treis jours ne out mangé, pur veirs le pus counter.
Jolyvement chauntaunt comence a chevacher,
1145 Taun ke il vyt le carfu, si prent le dreit senter.
Ore returnerum a Bradmund le gwerer.

CVII

[M]eymes icel jour Bradmund se leva,
Son neveu Graunder a sei apella :
« Graunder, fet Bradmund, a la prison tost va,
1150 Dy a mes chartrers ke il veignent a mei sa. »
Graunder tost y va cum il ly comaunda,
E vynt a la prison, les chartrers apella,
Mes sachez de veyr ke il poynt ne trova.
Quant ceo vyst Graunder, une lampe aluma

1148, S. neueur g. (S).

106

Le jour venu, il connut de graves ennuis.
Il parvint à un carrefour qui l'engagea sur un mauvais chemin.
Son séjour en prison avait été si long, à quoi bon le cacher ?,
1130 qu'il ignorait quelle direction prendre.
Croyant choisir le bon chemin,
il retourna d'où il venait, sachez-le sans erreur. 81 v°
Et vers midi, sous ses yeux attentifs,
il aperçut Damas, l'admirable cité.
1135 Alors il songea à part soi :
« Ah, mon Dieu ! où pourrai-je aller ?
Dût-on sur l'heure me faire brûler vif,
je dois dormir et prendre du repos. »
Et descendant du palefroi rapide
1140 il se coucha, son bouclier intact en guise d'oreiller.
À son réveil, il remonta sur le cheval ;
mais, sachez-le, il était épuisé d'avoir jeûné :
il n'avait de trois jours rien pu manger, je vous le garantis.
Chantant gaiement, il repartit,
1145 et quand il retrouva le carrefour, il prit le bon chemin.
Revenons à présent à Bradmont le guerrier.

107

Ce même jour, quand Bradmont se leva,
il s'adressa à Grandier, son neveu :
« Grandier, dit-il, va vite à la prison,
1150 et dis à mes geôliers de venir près de moi. »
Grandier y alla vite, comme il en avait reçu l'ordre,
et, arrivé à la prison, appela les geôliers,
mais il ne les y trouva pas, sachez-le bien.
Voyant cela, il allume une lampe

1155 E dedenz la prisoun parfound la avala.
Les chartrers vyst mors kar Boefs les tua.
A Bradmund vynt tost, si ly tretut counta :
« Sire, par Mahun, jeo fu alé la.

CVIII

« Les chartrers en prisoun sunt morz e confunduz,
1160 E Boefs est eschapez, ses liens ad rumpuz. »
Bradmund le oÿ, si est mult irascuz,
Plus neyr pur veirs devynt que carboun en fu.
Il prist un bastun ke esteyt pleyn de nuz,
Soun dieu Mahumet ad il taunt batu
1165 Pur poy ke il ne le ad tretut derumpu.
« Mahoun, dyt Bradmund, maveys deu recru,
Si Boefs ne seyt unkore huy confoundu
E pus [ne] seyt en haut a furches pendu,
Jammés ne averez de mey vailaunt un festu. »

CIX

1170 Quant Bradmund out batu sun deu, en haut cria :
« Armez vus, chevalers, mult tost, e venez ça !
Aprés Boefs irrum, si ly prendrum ja.
Ceo me peyse mult ke il ne fu pendu pez'a. »
Les chevalers se arment, entur .III. mil i a,
1175 Ke checun de eus Boefs manaça.
E ly roi Bradmund trebien se arma :
Un bon destrer mounte, devaunt les autres s'en va ; 82 r°
E soun neveu Graunder un autre destrer mounta :
Unkes meillour cheval chevaler ne porta,
1180 Quatre fiez sun poys de or pur ly dona.
Aprés sun uncle Bradmund Graunder esporuna.

1155 qu'il fait descendre au fond de la prison.
Il y découvre les cadavres des geôliers qu'avait tués Beuve,
et vite revenu près de Bradmont, il lui rapporte tout :
« Sire, par Mahomet, j'y suis allé.

108

« Les geôliers ont été tués dans la prison,
1160 quant à Beuve, il s'est évadé, il a rompu ses liens. »
Quand il entend ces mots, Bradmont entre en fureur,
et il devient en vérité plus blême que la cendre.
Puis, saisissant un bâton plein de nœuds,
sur son dieu Mahomet il en frappe si fort
1165 que c'est tout juste s'il ne l'a pas mis en morceaux*.
« Mahomet, dit Bradmont, mauvais dieu lâche,
si dès aujourd'hui Beuve ne peut être repris
et pendu haut et court,
jamais plus vous n'aurez de ma part en offrande la valeur d'une paille ! »

109

1170 Quand de frapper son dieu Bradmont en eut fini, il s'écria :
« Aux armes, chevaliers, bien vite, venez ici !
Nous allons pourchasser Beuve et le rattraper.
Je regrette beaucoup qu'on ne l'ait pas pendu depuis longtemps ! »
Et les chevaliers s'arment, ils sont près de trois mille,
1175 dont chacun contre Beuve profère des menaces.
Le roi Bradmont s'arme fort bien,
enfourche un bon coursier et part devant les autres, 82 r°
et son neveu Grandier en monte un autre,
le meilleur des chevaux qui aient jamais porté un chevalier :
1180 il lui avait coûté en or pur quatre fois son poids.
Après son oncle, Grandier pique des deux.

CX

Bradmund fu alé devaunt, sun neveu va derere,
Treis mil chevalers vunt aprés eus grant eyre.
Bradmund fu alé devaunt sur un bon destrer,
1185 E Boefs tost ateynt a une tertre mounter.
Quant Bradmund le vyt, si comence a escrïer :
« Returnez arere, tretre pautener !
Mes deus chartrers tuastes en prisoun avaunt her,
Pendu haut serrez avaunt hure de soper.
1190 – Sire, fet Boefs, jeo ne os returner.
Jeo [sui] trestut las de veyler e de juner,
E vus estes saul, bien me porez mater.
Mes nequident jeo voil ensayer
Si jeo vus pusse un petit coup doner. »

CXI

1195 [B]radmund le oÿ ke fust mult cruel homme,
Mult ferement le destrer envers ly esporune
E vynt tost a Boefs e tel coup ly doune
Issy ke le escu fendi e resoune.
Mult en fust corucé Boefs de Hamtone.
1200 Il treit sun espeie e tel coup ly doune
Ke il ly coupe tretut la coroune.

CXII

Quant Bradmund out feru Boefs le sené
E fendu sun escu ke fust a or bendé,
Boefs de Hamtone fu mult corucé.
1205 De sa espeie bone li ad tel coup doné

1182, n. a derere (S).
1190, *Reprise de D.*
1191, sui *manque, corr. D* (S).

110

Bradmont s'en va devant et son neveu le suit ;
trois mille chevaliers vont derrière eux à vive allure.
Bradmont s'en va devant sur un coursier rapide,
1185 et bientôt rejoint Beuve qui gravissait une colline.
Quand il le voit, il se met à crier :
« Demi-tour ! traître, gueux !
Tu as tué mes deux geôliers l'autre jour en prison,
Tu seras pendu haut et court avant l'heure de souper !
1190 – Seigneur, dit Beuve, je n'ose guère faire demi-tour.
Les veilles et le jeûne m'ont épuisé,
et vous, vous êtes bien nourri, vous pourrez aisément me dominer.
Mais pourtant je veux voir
si j'ai la force de vous donner un petit coup. »

111

1195 Bradmont était un homme très cruel : quand il entend ces mots
il éperonne son cheval dans sa direction avec force,
rejoint Beuve et le frappe si violemment
qu'il fend son bouclier avec fracas.
Et Beuve de Hamptone, vivement irrité,
1200 tire l'épée et lui en assène un tel coup
qu'il lui coupe tout le haut du crâne.

112

Quand Bradmont eut frappé Beuve le sage,
fendant son bouclier aux bandes d'or,
le guerrier de Hamptone en fut très irrité.
1205 De son épée il le frappa si fort

[Ke un quarter li abatit de helme gemmé ;
Le haterel derere li ad il tot coupé,]
La cervele ly espaunt, si est mort versé.
E Boefs de Hamtone ly ad raunponé :
1210 « Par Deu, dyt a Bradmund, bien vus est encountré
Quant de si bon evesque estes ordiné !
Bien vus resemblez un chapeleyn lettré. »
Adonk vynt Graunder tretut enleessé,
Trenchaunt quarel en poyn, sur sun destrer prisé.
1215 En haut se escrie : « Boefs, entendez !
Einz ke jeo mangüe en haut pendu serrez.
– Vassal, ceo dyt Boefs, jeo lo ke vus returnez
E pernez vostre uncle, a meysoun le portez,
Car il est prestre [de] novel ordiné.
1220 E si vus venez plus pres, si me eide la mere Dé,
Jeo vus fray son dekene ov moun braunc asceré. »
Boefs se est en sun quer purpensé
Ke, si il pout gayner le bon destrer prisé,
Ne dotereit il homme ke seit de mere nee. 82 v°
1225 Il prent la launce Bradmund ke il out tüé,
Le fort escu Graunder ad fendu e esquassé,
Le hauberk ne ly vaut un dener moné,
Le vermail gonfanoun ly est en cors bayné.
Boefs estort son coup, si le abat mort en le pré,
1230 Pus prent le destrer par le freyn deorré
E tost mounte sus, le estru ne sout gré,
Devaunt les autres s'en va tretut enlessé.
Tut surement chevacha, ne se est de rien doté,
E les autres ly ount fortment chacé.
1235 En poy de tens se est Boefs regardé,

1206-1207, *Manquent, corr. D.*
1214, p. sur bon d., *corr. D* (S).
1219, de *manque, corr. D.*

[qu'il abattit un grand morceau du heaume orné de pierreries
et lui ouvrit tout l'arrière du crâne ;]
la cervelle se répand, il tombe mort.
Et Beuve de Hamptone lui jette une raillerie :
1210 « Par Dieu, vous avez de la chance
d'être ordonné par un si bon évêque* !
vous avez vraiment l'air d'un savant chapelain. »
Arrive alors Grandier à toute allure,
un javelot tranchant au poing, sur son cheval de prix.
1215 Il crie à pleine voix : « Beuve, écoutez !
Je vous aurai fait pendre avant de déjeuner.
– L'ami, dit Beuve, je vous conseille de faire demi-tour !
Prenez votre oncle, emportez-le chez vous,
car il vient d'être ordonné prêtre.
1220 Mais si vous vous approchez plus, que la mère de Dieu m'en soit témoin,
je vais vous ordonner son diacre de mon épée d'acier. »
Beuve songe à part soi
que s'il peut s'emparer du bon cheval de prix
il n'aura plus à craindre le fils d'aucune mère. 82 v°
1225 Prenant la lance de Bradmont qu'il venait de tuer,
il fend et brise le solide bouclier de Grandier,
et la cotte de mailles du mécréant est pour lui sans valeur :
Beuve lui plonge dans le corps son gonfanon vermeil ;
d'un tour de bras il retire son arme, et l'abat mort sur l'herbe.
1230 Ensuite il saisit le cheval par la bride ornée d'or,
monte dessus sans le secours de l'étrier,
et à bride abattue s'en va devant les autres.
Il chevauche sans crainte, en toute sûreté,
cependant que les autres le poursuivent avec vigueur.
1235 Mais bientôt Beuve, regardant devant lui,

Venu est a un ewe, dunt il est irré :
Demy lue out le ewe de lee.
Boefs prent sa launce, si ad dedenz tasté
Si ele fut parfounde e de graunt ferté.
1240 E le ewe fu si redde, sachez de verité,
Ke hors de sun poyn porta sun espé.

CXIII

Quant Boefs le veyt, mult fut esbaÿz.
« A ! Deus ! fet il, beau rey de paraÿs
Ky de la virgine en Bedleem nasquis
1245 E en la beneyte croiz mort pur nus suffris
E en le sepulcre fustes ensevelis
E enfern brisas e outas tes amys
E a la Madeleyne pardonas ses fous deliz
E ore sÿés al destre tun pere le poestifs
1250 E vendras au dreyn jour jugger morz e vifs
E solum sa decerte rendras chescun ses meryz,
Jeo te requer, ay merci, Jesu Crist :
Meuz eyme estre neyé e en ewe mausmys
Ke jeo ne seye isci de ceo paens pris. »

CXIV

1255 [Q]uant Boefs aveyt Dampnedeu prïez,
Poynt le bon destrer par amedeus les costés,
Fert sey en le ewe trente pez mesurez.
E ly bon destrer se est fortment pené :
Le ewe fu redde, contreval l'ad porté,

1237, l. est le e., *corr. D* (S).
1239, *Manque dans D.*
1255, d. piez, *corr. D* (S).
1257, *Vers absent de D.*

découvre une rivière, et s'en trouve très contrarié.
L'eau était large bien d'une demi-lieue.
Beuve prend sa lance et la sonde :
elle est profonde et périlleuse,
1240 et le courant est si violent, sachez-le bien,
que de la main il lui arrache son épieu.

113

Beuve, voyant cela, fut frappé de stupeur.
« Ah ! Dieu ! dit-il, cher Roi du paradis,
qui de la Vierge es né à Bethléem,
1245 qui sur la Sainte Croix pour nous souffris la mort,
qui fus enseveli au Saint Sépulcre,
qui des Enfers forças la porte et en délivras Tes amis,
qui à Marie la Madeleine pardonnas ses folies,
qui sièges à présent à droite de Ton Père le Tout-Puissant,
1250 et qui au dernier jour viendras juger les vivants et les morts
pour donner à chacun ce qu'il a mérité,
Seigneur Jésus, je t'en prie, prends pitié :
j'aime mieux me noyer et périr dans les eaux
que de tomber aux mains de ces païens*. »

114

1255 Ayant prié Notre Seigneur,
Beuve éperonne son bon cheval sur les deux flancs,
et se jette dans l'eau d'un bond de trente pieds.
Le cheval fait de grands efforts ;
le courant est violent et vers l'aval l'entraîne,

1260 E ly bon destrer est contremount noé,
De la fere goule est fortment escomé.
E Boefs li ad le freyn abaundoné,
E par dreyte force sunt utre passez.
Quant il en furent outre, mult fu Boefs lee,
1265 E si forment se escost ly bon destrer prisé
Ke il abaty Boefs de ly quatre pez.
Boefs saut sus, si est remounté :
Ore veyt il bien ke mult fu afamé.
Lé Sarzins virent ke il est oltre passez, D
1270 Tut dolent sont arere tornez.
Par se memes dist Boves li preysé
Ke il dorreit volunters e de gré
Tuz les armes dunt il fu armé
E le destrer auci ke il fu monté
1275 Por la meyté de un pain de forment bulté.
Tant ad chevaché par un chemin vené
Ke il vint a un chastel de marbre entailé.
Boves se regarde envers la tur quarré.
A un kerner vist apüé
1280 Une bele dame com l'ad agardé :
Mult esteit bele e ben coluré.
Boves la vent, si ad en haut crïé :
« Dame, ceo dist il, o tu, cher honuré,
Pur l'amur cel deu a ky estes doné,
1285 Donez a moi le manger sanz plus une fez. »

1260, c. vee (S) ; *vers absent de D.*
1265, f. se estort ly b. (S).
1268, *Dernier vers de B.*
1275, Par la m. (S).
1278, r. en ue la t. (S).

1260 mais le brave coursier nage en le remontant ;
sa forte bouche écume énormément.
Beuve lui a lâché la bride
et ils ont traversé de vive force.
Une fois de l'autre côté, Beuve fut très heureux,
1265 et le cheval de prix s'ébroua avec tant de force
qu'il l'envoya à quatre pas de lui.
Beuve s'est relevé et il remonte en selle,
mais il sent bien alors qu'il est très affamé.
Les Sarrasins, voyant qu'il avait traversé, D
1270 sont repartis tout tristes en arrière.
Beuve, le chevalier de prix, se disait à part soi
qu'il donnerait très volontiers
toutes les armes qui l'équipaient
et jusqu'au cheval qu'il montait
1275 pour la moitié d'un pain fait de froment bluté.
Il a tant chevauché sur un mauvais chemin
qu'il est venu à un château aux blocs de marbre bien taillés.
Il examine la tour carrée*
et voit, appuyée au créneau,
1280 une belle dame qu'il regarde avec attention :
sa beauté était grande et son teint délicat.
Beuve s'approche et crie à pleine voix :
« Dame très honorée*,
donnez-moi, pour l'amour du dieu que vous servez,
1285 juste à manger, pour cette seule fois. »

CXV

« Chevaler, dist la dame, de neint vus oi parler.
Vus estes cristien e demandez a manger !
Par Mahun mun deu, vus purrez trop parler :
Mum seynur est un geant mult fort e fer,
1290 E jeo li yray ore endreit prïer
Ke il vus done a deyner o son grant lever !
– Dame, ceo dist Boves, par Deu le dreiturel,
Ou jeo murrai ou jeo averai a manger ! »
La dame ala a son seynur counter
1295 Ke dehors fu venu un chevaler
Ke par grant force voit aver le dener.
« Dame, ceo dist il, jeo li irrai justiser. »
Il ad pris un dart dont il voit lancer
E un fausart dont il voit breser
1300 E son lever en sa main, si fet un salt plener,
E pus vint a Boun, si li ad dist : « Chevaler,
Ou avez vus emblé cel bon destrer ?
Il m'est a vis tot a mun quider
Ke Brandon mun frere sout un tel aver.
1305 – Vus ditez vers, dist Boves, si Deu me voil eyder !
Jeo fis Brandon prestre o mun espé d'ascer,
Par desa Damacle li tua ge her :
Jammés ne quide purra messe chanter. »
Le geant li oï, si ly ala fraper,
1310 De sa masue li quida ben sener,
Mes il faili de ly, si atent le destrer
Si ke il li fet a terre trebucher.

1296, ke p*ar*t g. (S)
1306, J. fist b. (S).

115

« Chevalier, dit la dame, c'est en vain que vous me parlez.
Vous qui êtes chrétien, vous me demandez à manger !
Par mon dieu Mahomet, vous pourriez avoir trop parlé,
car mon mari est un géant très fort et très cruel,
1290 et je m'en vais le prier à l'instant
de vous donner à déjeuner avec son grand gourdin* !
– Madame, lui dit Beuve, par Dieu le juste,
ou je mourrai ou j'aurai à manger ! »
La dame alla conter à son mari
1295 qu'un chevalier se trouvait là dehors
et réclamait à toute force à déjeuner.
« Madame, lui dit-il, je m'en vais lui régler son compte. »
Il prit un javelot qu'il voulait lui lancer,
une large faux avec laquelle il voulait le frapper,
1300 et à la main son grand gourdin ; faisant un bond immense,
il s'approcha de Beuve et lui dit : « Chevalier,
où avez-vous volé ce bon coursier ?
J'ai la nette impression
que mon frère Bradmont en avait un semblable.
1305 – Vous dites vrai, lui répond Beuve, que Dieu m'en soit témoin !
De mon épée d'acier je l'ai ordonné prêtre :
je l'ai tué hier du côté de Damas ;
jamais, je crois, il ne pourra chanter la messe. »
Le géant à ces mots vint le frapper,
1310 il comptait bien l'atteindre de sa massue,
mais il manqua son but et toucha le cheval
qu'il abattit à terre.

CXVI

Boves saut a pé e tret le branc asceré,
Le geant refert, ne li ad esparnié,
1315 E pur ceo ke il out le manger deveyé
Sur la teste ly fert com hom irré,
Ke le quier ad tretut outé !
Boves li ust tut fendu jekes a baudré
[Kant] le geant ad un dart a li lancé.
1320 Par mi le quise ly est le dart passé,
Mult malement est Boves naffré.
Uncore ad le geant sun fausart haucé,
Ferer quida Boun li sené,
Mes il faili, si est jus versé,
1325 E Boves saut suz, tot y out pé,
Le brace destre li ad il coupé,
E le senestre e les deus pez,
E pus la teste : l'anme va a malfez.
« Vassal, dist Boves, en le chastel ne entrez.
1330 Dame, dist Boves, a manger me donez.
– Sire, ceo dist ele, vus averés assez.
– Dame, dist Boves, mau gré en eyez. »
La dame li porte a manger a plentez,
Payn besquid ke mult estoit amé,
1335 E grus e jantes e bon vin clarré,
E Boves mange com il fust devé.
Ore est Boves saulé, Deu seit ahuré !
Boves revint en son estat e tut ben forcé,
Sa force e sa hardiessse ad il ben coveré,
1340 Mes ne mi tut, sachez de verité.

1328, v. a maluis (S, 2536).
1332, g. en euns (S).
1334, P. esquid ke m. (S).
1335, g. *e* janes *e* b. (S).

116

Beuve s'est relevé d'un bond, il tire son épée d'acier
et au géant il rend son coup sans l'épargner.
1315 Parce qu'il lui avait refusé à manger,
sur la tête il le frappe avec colère,
lui arrachant toute la peau du crâne,
et jusqu'à la ceinture il l'aurait tout à fait fendu,
quand le géant lui a lancé un trait*
1320 qui lui a traversé la cuisse
et le blesse profondément.
Là-dessus le géant lève sa faux,
pensant frapper Beuve le sage,
mais il rate son coup et tombe à terre.
1325 Beuve bondit sur lui, vite il lui met le pied dessus*,
lui coupe le bras droit,
le gauche, les deux pieds
et pour finir la tête : son âme part au diable.
« L'ami, dit Beuve, vous ne rentrerez plus dans ce château* !
1330 Madame, ajoute-t-il, donnez-moi à manger.
– Seigneur, lui répond-elle, vous en aurez à satiété.
– Madame, je n'ai pas à vous en remercier. »
La dame lui apporte à manger avec abondance,
du pain recuit, très apprécié*,
1335 des grues, des oies sauvages, et un bon vin aux aromates*.
Beuve dévore comme un furieux :
le voilà repu, Dieu soit loué !
Il s'est bien rétabli et a repris des forces,
a retrouvé et vigueur et hardiesse,
1340 mais pas entièrement, sachez-le bien.

Kant il out mangé, mult fu irré
Pur son bon destrer ke il out tüé.
« Dame, ceo dist Boves, un chival me donez.
– Sire, ceo dist ele, volunters e de grez. »
1345 Un veyrun li doune e il est montez.
Enver Jerusalem ad son chemin torné.
A la patriarc se ad il confessé,
Tretuz sé pechez li ad contez,
E coment son pere fu tüé,
1350 E com il servi Hermine, le fort [roi] coronez,
E com il pris Brandon, le roi mult provez,
E com il fu a Damacle enveyez,
E com il [fu] en la preson gettez,
E com il fu de iluc eschapez,
1355 E com il conquis le geant menbré.
E le patriarc si en prent pité
E li dona un mulete afeyté
E .XXXIV. besans de fin or esmeré,
E li bonement a Deu comandé.
1360 Boves se est dunc purpensé
Ke il ne irreyt mie a Hampton la cité.

CXVII

Boves se prent donc a purpenser
Ke il ne irreit uncore oltre mer,
Eyns voldra o Josian parler.
1365 Envers Egipte comence returner,
Mes ne la poÿt pas iluc trover,
Eyns li estut a Monbrant aler.

1346, s. cheminin troue (S).
1350, roi *manque* (857, 1411).
1358, f. or *e* mirre (S).
1362, d. a purpense (S).

Après s'être nourri, il était encore fâché
parce que le géant avait tué son bon coursier.
« Madame, reprit Beuve, donnez-moi un cheval.
– Seigneur, lui répond-elle, très volontiers. »
1345 Elle lui a donné un cheval pie, et il s'est mis en selle.
Il prit alors la route de Jérusalem*
où il se confessa au patriarche,
lui énumérant bien tous ses péchés,
et lui contant comment son père avait été tué,
1350 et comment il avait servi Hermin, le puissant roi portant couronne*,
et comment il avait fait prisonnier Bradmont, le roi très criminel,
et comment on l'avait envoyé à Damas,
et comment on l'avait jeté dans la prison,
et comment il avait pu s'évader,
1355 et comment il avait vaincu le robuste géant.
Le patriarche fut pris de compassion.
Il lui donna un mulet bien dressé
et trente-quatre pièces d'or très fin de Byzance*,
et le recommanda à Dieu.
1360 Beuve alors a songé
qu'il n'irait pas à la ville de Hamptone.

117

Beuve alors se prit à songer
qu'il ne passerait pas tout de suite la mer,
mais qu'il voudrait d'abord parler avec Josiane.
1365 Il se dirigea vers l'Égypte,
mais ce n'était pas là qu'il pouvait la trouver :
il lui fallait plutôt s'en aller à Monbrant.

Boves encontra un jur un chevaler,
Il li out avant conu, si li va beyser.
1370 « Amy, dist Boves, fetes moi a saver
Coment fet Josian o le vis cler.
– Par foi, dist l'altre, jeo te fray ben saver :
Yvori l'ad esposé ke mult fet a doter,
Yvori de Monbrant se fet il nomer.
1375 E si vus volez o Josian parler,
Dreit a Monbrant vus covent aler,
E a Cartage aucy, e a cité de Famer,
Dunc vendrés a Monbrant sanz demorer. »
E Boves li merci, si prent a retorner
1380 Avers [Monbrant] tint le chimin tot plener
Kant il vint a Monbrant, si oï parler
Ke le roi Yvori estoyt a chacer
E oveske lui tuz ses chevalers ;
Nul ne fu remis for Josian e un esquier.
1385 Boves le oï, grant joie out a qer
E avers la paleis vint, si vout entrer,
Mes un poie atent, ne voit trop haster.
E oyt Josian hautement plurer
E Boun de Hampton forment regrater :
1390 « Hai ! dist ele, sire Boves, tant vus solai amer !
Ja me fra vostre amur afoler !
Kant je vus ai perdu, vivere mes ne qer. »
Boves le oï, pité li prent a qer,
En paleis entre en guise de palmer
1395 E pus a Josian demande pur Deu le deiner.
« Palmer, dist Josian, ben veynez.

1380, Avers t. le chiminin t. (S).
1394, e. en gui de p. (S).
1395, *E pus* al j. (S).
1396, b. ueyez (S).

Un jour il rencontra un chevalier
qu'il avait autrefois connu ; il alla l'embrasser
1370 et lui dit : « Cher ami, apprenez-moi
comment se porte Josiane au clair visage.
– Ma foi, dit l'autre, je vous le dirai bien :
Yvori, le roi redoutable, l'a épousée ;
il se fait appeler Yvori de Monbrant.
1375 Et si vous désirez parler avec Josiane,
c'est tout droit à Monbrant qu'il vous faudra aller,
et aussi à Carthage et à la cité de Famer :
vous parviendrez ainsi à Monbrant sans tarder. »
Beuve le remercie ; il s'en retourne
1380 et vers Monbrant il prend la grande route.
Arrivé là, il entendit conter
que le roi Yvori était allé chasser
en compagnie de tous ses chevaliers.
Il n'était resté là que Josiane et un écuyer.
1385 Quand Beuve apprit cela, son cœur fut plein de joie ;
il s'en alla vers le palais afin d'y pénétrer,
mais attendit un peu, ne voulant pas trop se hâter.
Il entendit Josiane pleurer très fort
et avec amertume regretter Beuve de Hamptone.
1390 « Hélas, disait-elle, seigneur Beuve, je vous aimais si fort
que mon amour pour vous me rendra folle* !
Dès lors que je vous ai perdu, je n'ai plus le désir de vivre. »
Quand Beuve entend ces mots, son cœur est saisi de pitié ;
il pénètre dans le palais sous l'apparence d'un pèlerin
1395 puis demande à Josiane à déjeuner au nom de Dieu.
« Pèlerin, répond-elle, soyez le bienvenu.

Le diner mult volunters averés. »
E ele memes li ala server a diner.
Kant il out mangé, ele comence a parler,
1400 Tut en plurant si dist : « Sire cher,
Ou fustes vus né, pur Deu le dreiturel ? »

CXVIII

« Dame, dist Boves, en Engletere fu né. »
Kant se oyt Josian, en qer fu eyté.
« Palmer, dist ele, si vus aÿ Dé,
1405 Conusez ren un chevaler ke Boves est nomé ?
– Oyl, ceo dist Boves, tut pur verité,
Son pere me fust parente, com me fu conté.
Il n'est pas uncore un an passé
Ke je vy de mes oylis ke il out tüé
1410 De sa espé forbie un geant menbré
E Brandon, le fort roi coroné.
Dame, dist Boves, s'e verité prové :
Boves s'est alé en son contré
Ke ad a nun Hampton, la bele cité.
1415 Son parastre ad tüé o l'espé asseré
E la mort son pere ad il ben vengé.
Une femme ad pris bele e coluré,
Unkes plus bele de ly [ne] fu trové.
– Femme ! » dist Josian. A tere est palmé.
1420 A peyne est ele a vie redrescé,
E haut cria : « Mar fu jeo unkes né !
Kant ai Boun perdu, a ! las ! quele destiné ! »

CXIX

Josian out mult dolent le qer.
E pus commence Boun regarder
1425 E dist : « Si Deu moi eyde, sire palmer,
Si sel esclaveyne ne vus veys aver,
Jo dirrai ke vus fussez Boves le fer.

Je vais très volontiers vous procurer à déjeuner. »
Et elle vint le servir elle-même.
Quand il en eut fini, elle prit la parole
1400 et lui dit en pleurant : « Bien cher seigneur,
où donc êtes-vous né, au nom de Dieu le juste ? »

118

« Madame, je suis né, lui répond Beuve, en Angleterre. »
Quand Josiane entendit ces mots, son cœur s'emplit de joie.
« Pèlerin, lui dit-elle, que Dieu vous vienne en aide !
1405 Connaissez-vous un chevalier du nom de Beuve ?
– Certes, répondit-il, sans aucun doute.
Son père était de mes parents, à ce qu'on m'a conté.
Il n'y a pas encore un an
que de mes propres yeux j'ai pu voir qu'il avait tué
1410 de son épée fourbie un robuste géant
et de même Bradmont le puissant roi portant couronne.
Madame, ajoute-t-il, la pure vérité,
c'est qu'il s'en est allé dans son pays
qui a pour nom la belle cité de Hamptone.
1415 En tuant son parâtre de son épée d'acier,
il a vengé le meurtre de son père.
Et il a épousé une femme au teint délicat :
jamais on n'en a vu une plus belle.
– Une femme ! », s'écrie Josiane. Elle est tombée évanouie.
1420 Et à peine était-elle revenue à la vie,
qu'elle a crié à pleine voix : « Quelle heure funeste que celle de ma naissance,
puisque j'ai perdu Beuve ! Hélas ! triste destin ! »

119

Josiane ressentit au cœur une douleur violente.
Elle se mit alors à examiner Beuve
1425 et dit : « Seigneur, que Dieu m'en soit témoin,
si sous ce capuchon de pèlerin je ne vous voyais pas*,
je dirais que vous êtes Beuve le fier.

– Nanal certis ! dist il, de nent comencez parler.
Mes jeo ai oÿ sovent parler de un destrer :
1430 Le avez vus seyns ? Jeo lui voil ver.
Volunters verrai si il fust si fyr.
– Sire, ceo dist ele, tut ceo lessez ester,
Ke pus ke il perdi Boun le vailant chevaler
Il ne out home seyens ke li osa tocher. »
1435 A tant vint avant Bonefey l'esquier :
« Bonefey, dit Josian, veez ceo palmer :
Ke vus est a vis ke ce est ? Venez veer !
– Dame, ceo dit Bonefei, si Deu me pus eyder,
Boves de Hampton ce est a mun quider. »
1440 Le destrer, ke fu fet a deuz cheynis lïer,
Si hoÿ Boun de Hampton nomer :
Solum son sen grant joie en ad al qer.
Par mi la curt currit e henist munt cler,
Kanke il atent fit jus cravanter.
1445 La pucele dist : « Ore oyez, sire palmer,
Com grant fereté demeyne le destrer
Pur ceo ke il oyt Boun une fez nomer !
– Par mun chef, jeo voile ore asayer
Si jeo pusse un fez monter. »
1450 Josian en peysa mes ne li put deveyer.
Arundel vist son seynur aprocher.
Tant fu orgulus ne se deyne müer,
Tot coye estut, ne voit de iluc aler.

CXX

Boves de Hampton s'est tantost monté,
1455 E le destrer demeyne grant ferité,

1430, l. uoi v. (S, 1474).
1443, h. mu*n* c. (S).
1450, J. len p. (S).

– Certes non, répond-il, voilà qui est absurde !
Quant à moi, d'un certain coursier j'ai souvent entendu parler :
1430 Se trouve-t-il ici ? J'aimerais bien le voir,
et vérifier s'il est tellement indomptable.
– Seigneur, renoncez-y,
car depuis qu'il a perdu Beuve, le vaillant chevalier,
il n'y a eu personne ici pour oser le toucher. »
1435 Survient alors Bonnefoy, l'écuyer.
« Bonnefoy, dit Josiane, voyez ce pèlerin :
qui est-ce, selon vous ? Regardez-le.
– Madame, répond-il, que Dieu m'en soit témoin,
à mon avis, c'est Beuve de Hamptone. »
1440 Quand le cheval, qu'on avait attaché avec deux chaînes,
entendit prononcer le nom de Beuve de Hamptone,
intelligent comme il l'était, il en eut aussitôt le cœur rempli de joie.
Il se mit dans la cour à galoper et à hennir très fort,
en renversant tout ce qu'il rencontrait.
1445 La demoiselle dit : « Voyez donc, seigneur pèlerin,
comme ce cheval s'agite violemment
pour avoir une seule fois entendu nommer Beuve !
– Sur ma tête, je veux essayer tout de suite
de voir si je pourrais le monter au moins une fois. »
1450 Josiane en fut fâchée, mais elle ne put l'en détourner.
Arondel voit son maître qui s'approche.
Très digne, il ne s'abaisse pas à faire le moindre mouvement ;
il se tient coi, sans nul désir de s'échapper.

120

Beuve de Hamptone aussitôt monte sur le cheval,
1455 qui se montre très fier,

Henit e gratit la tere de son pé :
Ben conut son seynur, sachez de verité ;
Plus orgulos devint ke home ke fu né,
Tretut galopant comence aler.
1460 Donc dist Josian o le cors honuré :
« Par Deu, palmer, ore sai de verité
Ke vus estes celi ke jeo ai desiré !
Boves, pur Deu, descendez !
Vus avez vostre destrer, vostre espé averez.
1465 – Dame, dist Boves, mun branc me bailez,
Ke en Engletere m'en iray, ceo sachez.
– Par Deu, dist la pucele, nun freyz !
Vus me amenerés o vus kant vus en alez. »

CXXI

« Dame, dist Boves, tut ceo lessez ester.
1470 Vus estes riche reyne e jeo un bacheler,
E, par Jhesu Crist ke ben dey hourer,
Par reson vus dey haÿr e ne my amer :
Vostre pere me ad fet meynt jur enprisoner.
E une altre chose vus voil conter :
1475 Jeo me confessay al patriarc l'altrer,
E il me comanda ke je ne preise mulier
Si ele ne fuse pucele sanz fauser,
E si vus fussez pucele, se serroit a merveiler :
Vus avez esté o Yvori .VII. ans plener.
1480 – Boves, dist Josian, tut ceo lessez ester,
Ke, par cele Deu ke dei hourer,
Jeo vus pus mustrer e ben assurer
Ke unkes Yvori [ne pout] mun cors tocher.
Alum en Engletere : jeo vus voile prïer,
1485 Kant jeo me averai fet baptizer,

1472, d. hay *e* ne m. (S).

hennissant et grattant la terre de son pied.
Il a bien reconnu son maître, sachez-le bien,
et, plus fier qu'aucun homme au monde,
il se lance au galop.
1460 Josiane dit alors, elle dont la beauté est admirable :
« Par Dieu, je sais bien à présent,
pèlerin, que vous êtes celui que j'attendais !
Beuve, au nom de Dieu, descendez !
Vous avez retrouvé votre cheval, vous allez avoir votre épée.
1465 – Madame, lui dit Beuve, donnez-la-moi,
car, sachez-le, je vais partir pour l'Angleterre.
– Par Dieu, lui répond-elle, il n'en est pas question !
ou, si vous y allez, vous m'emmènerez avec vous. »

121

« Madame, répond Beuve, renoncez-y.
1470 Vous êtes une grande reine et moi un chevalier sans terre,
et, au nom de Jésus à qui j'adresse mes prières,
j'ai en bon droit tout lieu de vous haïr, et non de vous aimer :
votre père m'a fait garder de longs jours en prison.
Mais j'ai aussi autre chose à vous dire :
1475 je me suis confessé au patriarche récemment,
et il m'a défendu d'épouser une femme
qui ne serait pas vierge assurément ;
or, si vous étiez vierge, ce serait un prodige
puisque depuis sept ans Yvori vous possède.
1480 – Beuve, répond Josiane, ne vous inquiétez pas,
car, par le Dieu à qui j'adresse mes prières,
je peux fort bien vous assurer et vous prouver
que jamais Yvori n'a réussi à me toucher.
Allons en Angleterre, car voici ce dont je vous prie :
1485 si, quand je serai baptisée,

Si jeo ne sey pucele kant vent al prover,
Ke vus me facez arere enveyer
Nue en ma cote, sanz maile ou dener.
– Volunters », dist Boves, si ly va coler.
1490 Grant joie demenent, ceo poom ben saver.
A tant este vus le roi Yvori de chacer,
E .XV. barons o li ke li devent honurer,
Lepars e lions e altres bestes fers
E plus de urces ke un charer put porter.

CXXII

1495 Kant Josian le veit, mult ot le qer dolent.
Son esquier apele, Bonefey le vailant :
« Le roi Yvori est ja en venant,
Nos ne porrom eschaper, si com jeo entent.
– Dame, dist Bonefey, ne plurez tant !
1500 Bon conseil vus durrai, si com jeo entent :
Yvori ad un frere al chastel de Abilent
Ke est apelé le fort [roi] Baligant.
Kant Yvori vendra, Boves irra avant
E li dira tut certeynement
1505 Ke son frere est assegé, entre li e sa gent,
Par dedens un chastel a la cité [d]'Abilent.
Kant averra ce dist Boves, il serra mult dolent,
Il e ses chevalers se armerunt vitement,
Avers Abilent irrunt ignelement,

1488, Neu en m. (S).
1490, c. pom b. (S).
1492, k. il d. coroner (S, 1827).
1495, j. le veiit m.
1502, roi *manque* (S, 1411).
1507, K. il a.
1508, Li e s.

vous trouvez, le moment venu, que je ne suis pas vierge,
vous me renverrez d'où je viens,
vêtue de ma seule tunique et sans le moindre sou.
– Volontiers », répond Beuve, et il la serre entre ses bras.
1490 Ils exultent de joie, nous pouvons bien le croire.
Mais voilà Yvori qui revient de la chasse
avec quinze barons qui lui doivent honneur,
des léopards, des lions, d'autres bêtes féroces
et plus d'ours qu'un chariot n'en pourrait transporter.

122

1495 Josiane, quand elle vit cela, eut le cœur saisi d'inquiétude.
Elle appela son écuyer, Bonnefoy le vaillant :
« Voilà déjà le roi Yvori de retour !
Impossible de nous enfuir, me semble-t-il.
– Madame, ne pleurez pas tant, dit Bonnefoy.
1500 Je m'en vais vous donner un bon conseil, je pense.
Au château d'Abilant, Yvori a un frère
appelé Baligant, le roi puissant.
Quand il arrivera, Beuve ira au devant de lui
et lui dira comme chose certaine*
1505 que son frère et les siens sont assiégés
dans un château de la ville d'Abilant.
Et quand Beuve aura dit cela, il en sera très affecté.
Ses chevaliers et lui s'armeront vite
et partiront bientôt pour Abilant.

1510 E nus remeyndrum o poi de gent :
Isci porrom eschaper, si com je entent.
– Par mun chef, dist Boves, si ad conseil gent !
Damedeu vus salve ke fist le firmament ! »

CXXIII

Kant Yvori vint od sa meyné
1515 – .XV. baners out desuz li, pur verité –
La pray ke il ot pris mustre a s'amie,
Pus regarde Boun, hautement se crie :
« Di moi dont tu es : je voile que tu le die.
– Sire, ceo dist Boves, jeo ai esté a Nubie
1520 E en Cartagie e en Clavie
E a l'Arbre Sek, en Barbarie
E a Macedoyne, par tut en Panie,
Mes a chastel de Abilent, la ne fu ge mie.
Jeo ne purrai entrer pur tut [l'or de] Pavie,
1525 Ke le roi est assagé [par] Ydrac de Valarie.
Jeo vus di verement, s'il n'eit aïe,
Il serra pris e pendu sanz garantie. »
Yvori l'entent, tut le sanc li mue,
E quida ke Boves di vers e ne menti mie.
1530 « Mahon ! ce dist il, com si ad dure vie !
Si mun frere seit pendu, jeo perdurai la vie ! »
Donc fet il armer sa chevalerie,
Vers Abilent ad sa veye colie.
Un roi lessa a messon pur garder s'amie,
1535 Il fust vels e chanuz, e out a nun Garcie,
O li .LX. chevalers ke [ne] li fauderunt mie.

1510, n. remeydru*m* o p. (S).
1519, ai *est noté dans l'interligne supérieur ;* j. ai este ambie (S).
1524, p. tut en paine (S).
1526, v. sil nest a. (S).
1528, li *est noté dans l'interligne supérieur, au-dessus de* sa *exponctué* (S).
1532, il *est noté dans l'interligne supérieur* (S).

1510 Pour nous, nous resterons avec très peu de gens
et nous pourrons ainsi nous échapper, je pense.
– Sur ma tête, dit Beuve, voilà un très bon plan !
Que Dieu Notre Seigneur vous sauve, lui qui créa le firmament ! »

123

Quand Yvori fut arrivé avec ses gens*
1515 (il avait sous ses ordres, en vérité, quinze barons et leurs guerriers)*,
il montra son tableau de chasse a son épouse ;
puis il regarda Beuve et lui cria très fort :
« D'où viens-tu ? Dis-le-moi, je veux que tu répondes.
– Sire, lui répondit Beuve, j'ai été en Nubie,
1520 à Carthage, en Esclavonie,
à l'Arbre Sec, en Barbarie,
en Macédoine et dans tout le monde païen,
mais dans le château d'Abilant je n'ai pas pu aller.
Je n'aurais pas pu y entrer pour tout l'or de Pavie*,
1525 car par Ydrac de Valarie le roi est assiégé.
Je vous le dis en vérité, s'il ne reçoit pas d'aide,
il sera pris et pendu sans recours. »
Quand Yvori entend ces mots, son sang ne fait qu'un tour* ;
il croit bien que Beuve dit vrai et ne ment pas.
1530 « Mahomet !, s'écrie-t-il, quelle vie douloureuse !
Si mon frère est pendu, je ne survivrai pas ! »
Il fait alors armer ses chevaliers
et prend le chemin d'Abilant,
laissant chez lui, pour veiller sur sa femme,
1535 un roi vieux et chenu qui s'appelait Garcie,
avec soixante chevaliers qui ne lui feront pas défaut.

CXXIV

Quant ceo out [fet] e icy bailé,
Josian, la pucele o le cors honuré,
Vist k'ele dust estre si agardé :
1540 Mult en fu dolent e desheyté.
Bonefey son esquier l'ad conforté.

CXXV

« Dame, ceo dit Bonfey, lessez de plurer.
Jeo vus frai uncore ben eschaper :
Ci aval a prés voile aler,
1545 Un herbe conu ke mult fet a doter,
Dont frai mun runcin ben a charger.
Le herbe frai batre e le jus oster,
Pus porterai le jus aval en celer,
En lé tonels de vin le frai medler.
1550 Kant il serra nuit e il seient a soper,
Al roi largement frai doner,
E le jus les fra cy enyverir
Ke il ne saverunt quele part torner :
Com pors les verrés dormer e runfler.
1555 Entre Boun e moi nus irrom armer,
E vus irrez vus prester ;
En Engletere irrom sanz demorer.
Eyns ke Garcie se put veiler
Serrom ben lons a mun quider. »

CXXVI

1560 Ausi fet Bonefey cum il aconta.
De memes cele herbes colier si se turna,
En un morter les bati, le jus osta

1537, c. out *e* icy besse.
1560, c. il ad conta (S).

124

Quand ces dispositions eurent été prises*,
Josiane, la jouvencelle dont la beauté est admirable,
se voyant ainsi mise sous surveillance,
1540 en fut accablée de tristesse,
mais Bonnefoy son écuyer lui redonna courage.

125

« Madame, lui dit-il, ne pleurez pas,
je vais sans tarder faire en sorte que vous vous évadiez.
Je vais descendre dans les prés
1545 où je connais une herbe très puissante
dont je chargerai mon cheval.
En la pressant, j'en extrairai le jus
qu'ensuite je descendrai dans le cellier ;
dans les tonneaux je le mélangerai au vin.
1550 Le soir venu, quand ils seront à table pour souper,
j'en ferai apporter au roi en quantité*,
et de ce jus tous seront enivrés
si bien qu'ils ne sauront plus vers où se tourner.
Vous les verrez dormir, ronflant comme des porcs.
1555 Beuve et moi irons nous armer ;
vous, vous irez vous préparer*,
et sans tarder nous partirons pour l'Angleterre.
Avant que Garcie puisse se réveiller,
je crois que nous serons très loin. »

126

1560 Bonnefoy fait comme il a dit.
Il va cueillir les herbes,
les écrase dans un mortier et en extrait le jus,

E en les tonels de vin tut le jus mis a.
Al roi e a les suns assez dona.
1565 Quant Garsi out beu, tut son sen perdu a
E trestoz les chevalers en ki s'afia.

CXXVII

Boves e Bonefey se funt dunkes armer
E Josian la bele se va dunke aparailer.
Boun apele ke il vint oveskes li parler :
1570 « Sire, ce dist ele, nus frum charger
.X. bons chivals de fin or e de cler,
E ceo volum od nus amener.
– Oustez ! dist Boves, ne place a sen Pere !
Ke, si jeo fusse en Engletere sur mer
1575 E jeo pus mun parastre tüer,
Jeo averai richez tut a voler.
– Sire, ceo crei jo ben, dist Bonefey l'esquier.
Vus en averez assez, bel duz sire cher.
Mes ceo n'e pas uncore, ben pöez saver,
1580 Eyns vus covent grans coups doner.
Si vus en pernez d'or, il vus avera mester,
Ke vus en pöez chevalers alouer
Ke ben eydrunt vostre parastre tüer,
Ke meynte fez en mun age ai oÿ conter
1585 Ke meuz valt un ke ay ke deus ke aver dey.
– Jeo te otrai, dist Boves, si Deu me pus eider. »
E dunkes chargunt de or .X. somers
E si en vunt tantost lur chimin plener.
E l'emdeman aveile Garsie le fer,
1590 Celi que dust Josian garder.

1572, c. velu*m* od n. (S).
1574, Ke ceo j.
1585, k. deus k*er* a. (S)

qu'il verse entièrement dans les tonneaux de vin,
puis il en donne en quantité au roi et à ses gens.
1565 Quand il a bu, Garcie perd connaissance
ainsi que tous les chevaliers sur lesquels il comptait.

127

Beuve et Bonnefoy vont s'armer sans plus attendre
et Josiane la belle va donc se préparer.
Elle demande à Beuve de venir lui parler :
1570 « Seigneur, dit-elle, faisons charger
dix bons chevaux d'or fin
que nous conduirons avec nous.
– Laissez cela !, dit Beuve, qu'il ne plaise à saint Pierre !
Car, si j'étais en Angleterre, le pays sur la mer,
1575 et que j'aie réussi à tuer mon parâtre,
j'aurais tous les trésors que je voudrais.
– Seigneur, j'en suis certain, intervient Bonnefoy,
vous en aurez beaucoup, mon cher et bon seigneur.
Mais ce n'est pas encore le cas, vous pouvez bien le voir,
1580 et vous devez d'abord assener de grands coups.
Si vous prenez de l'or, il vous sera utile
car vous pourrez payer des chevaliers
qui vous aideront à tuer votre parâtre.
Dans ma vie j'ai souvent entendu dire
1585 qu'un bon *tiens* vaut mieux que deux *tu l'auras*.
– Tu as raison, lui répond Beuve, que Dieu m'en soit témoin ! »
Ils chargent donc d'or dix chevaux de somme
et prennent aussitôt la route.
Le lendemain s'éveille Garcie, le roi farouche
1590 qui devait surveiller Josiane.

Kant il enveila comence a merveiler
Pur quoi il fust fet si forement enyverer.
En son anele out un charbucle cler
Ke sil que sout ben conjurer
1595 Il put saver kanke voleit demander.
Garcie le conjura ke ben sout le mester
E vist dedens la pere apertement e cler
Ke Josian estoit alé o le palmer.
Kant il vist se, comence a merveiler,
1600 Trestoz ses chevalers comanda armer :
« Seynurs, fet il, alez vus prester !
Le palmer ke nus donamus a soper
Ad amené Josian o le vis cler.
Si Yvori le set, il nus fra enbracer. »
1605 Les chevalers li oyerent, si se comencent armer.
Aprés Boun poynnent od hardi qer,
Ke tretuz li manassent la teste couper.
Boves les vist vener e Bonefey l'esquier :
« Par mun chef, dist Boves, jeo voil retorner,
1610 Al roi Garcie irrai un coup doner.
E, par cele Deu que dey hourer,
Itel me manasse la teste couper
Ke dunc ne me avera ja talent de procher,
Ke ses homes frai confondre [e] trebucher ;
1615 Ke si de Morgelei pus entre els medler
Tant de testes me verrez couper
Ke tuz lé cheinis del païs averunt a manger.
– Sire, ceo dist Bonefey, oustez cel penser !
Quidez vus suil tuz ses damager ?
1620 Ne pernez pas en qer, bel duz sire cher !
Tels .II. com vus estes ne pussent endurer,

1614, f. co*n*pondre t. (S).
1620, p. pas en cors b. (1385).

Il se demande alors avec étonnement
comment il a bien pu s'enivrer à ce point.
À son anneau était une escarboucle étincelante :
si l'on savait user de ses pouvoirs,
1595 on pouvait en apprendre tout ce qu'on désirait*.
Garcie connaissait ses secrets et il en fit usage :
dans l'éclat de la pierre il vit distinctement
que Josiane avait fui avec le pèlerin.
Voyant cela, il est pris de stupeur
1600 et il ordonne de s'armer à tous ses chevaliers :
« Seigneurs, dit-il, allez vous préparer !
Le pèlerin à qui nous avons donné à souper
a enlevé Josiane au clair visage.
Yvori, s'il l'apprend, nous fera brûler vifs. »
1605 Quand ils l'entendent, les chevaliers entreprennent de s'armer.
Poursuivant Beuve au cœur hardi à force d'éperons,
tous le menacent de lui couper la tête.
Beuve et l'écuyer Bonnefoy voient qu'ils approchent :
« Sur ma tête, dit Beuve, je veux faire demi-tour,
1610 je vais frapper le roi Garcie ;
car, par le Dieu à qui j'adresse mes prières,
tel me menace de me couper la tête
qui n'aura certes pas l'audace de m'approcher ;
je m'en vais bousculer ses gens et les anéantir !
1615 Si je peux m'enfoncer au milieu d'eux avec Murgleie,
vous me verrez couper là tant de têtes
que tous les chiens dans le pays en auront à manger !
– Seigneur, dit Bonnefoy, renoncez à votre projet !
Comptez-vous à vous seul les mettre tous à mal ?
1620 Ne prenez pas cela à cœur, mon cher et bon seigneur* :
deux comme vous ne pourraient pas leur résister.

Mes jeo vus vodrai melz conseiler :
Jeo say cy devant un grant rocher
Par desuz la tere ou porrom aler :
1625 Kant vus estes dedens, nent vus estut doter.
Il n'i [ad] home de eus ke vus savera trover. »

CXXVIII

Bonefey, dist Boves, ci est conseil gent.
Alom en la cave, de par le Roi pussant ! »
Bonefey les mena a la kave vistement,
1630 E sels i entrent, Deu lur soit garant !
Le rei Garcie les va par tot querant,
Mes il [ne] troverent home vivant
Ke lor soit dire tant ne kant,
E retornerent arere meseisé e dolent.
1635 E Boves e Bonefei e Josian o le cors gent
Furent en la cave tot salvement.
Mes vitayle lur fayle, dunt il furent dolent.
Josian en parla a Boun tut en plurant :
« Sire, dist ele, si Damedeu me ament,
1640 Jeo ai si grant feym ke a men escient
Ja ne purai durer gueres longement.
– Damisele, dist Boves, si Damedeu me ament,
Il me peyse mult cher, sachez verement,
Mes jeo irrai garder ore en present
1645 Si jeo pus trover un cerf corant,
E Bonefei vus gardera tant ke sei revenant.
– Sire, dist ele, merci vus rent.
Pur la moi amur ne soyez demorant !

1631, Le rei de g. (S).
1632, Mes I troverent h.
1634, a. memse *e* d. ?
1641, d. gures l. (S, L) *; premier vers de L.*

J'ai un meilleur conseil à vous donner :
je sais un peu plus loin une grande caverne
où nous pourrons aller,
1625 et une fois dedans, il n'y aura plus rien à craindre ;
aucun d'entre eux ne saura vous y retrouver. »

128

« Bonnefoy, répond Beuve, voilà un bon conseil.
Allons dans cette grotte, par le Roi Tout-Puissant ! »
Bonnefoy les y mena vite,
1630 et ils y pénétrèrent, Dieu veuille les protéger !
Le roi Garcie cherche partout,
mais ni lui ni ses gens ne rencontrent âme qui vive
pour leur donner la moindre information.
Ils firent demi-tour, inquiets et tristes*.
1635 Or Beuve et Bonnefoy avec Josiane au corps gracieux
se trouvaient sains et saufs dans la caverne,
mais le manque de vivres les tourmentait.
Josiane en larmes le dit à Beuve :
« Cher seigneur, que Dieu me pardonne,
1640 j'ai si grand faim que, j'en suis sûre,
je ne pourrai plus guère tenir longtemps.
– Demoiselle, que Dieu me pardonne,
cela m'affecte fort, sachez-le bien,
mais je m'en vais tout de suite aller voir
1645 si je pourrais trouver un cerf courant.
Et jusqu'à mon retour Bonnefoy veillera sur vous.
– Seigneur, dit-elle, je vous en remercie.
Mais, pour l'amour de moi, ne vous attardez pas !

– Nun fray, dist Boves, par Deu le pussant. »
1650 Boves s'en va espèron brochant,
E Bonefey remist la pucele gardant.

CXXIX

A tan este vus .II. lyons fers
Vindrent o lor grant cors mult a doters.
Corant vindrent a Bonefey l'esquier
1655 E a la pucele, ke Deu garde de encombrer !
Bonefey les vist, si s'en ala armer
E monta son destrer com vailant esquier.
Ly un fert de sa lance ke fu de pomer,
Mes tant fu li quier dure ke ne puit perser.
1660 Lé .II. lions comencent a ramper,
Li un prist Bonefey, l'altre le destrer,
Tretut li desachent, nent lessent ester.
La pucele le vist, si comence a trembler,
Pur pur de lé bestes comence a crïer.
1665 Les lions li oyerent, si firent salt leger,
La pucele si pernent, ne volent esparnier.
Mangee le usen sanz plus demorer,
Mes enfant de rei ne pussant manger.
Mes ne lessent, mult l'unt fet blescer
1670 E funt solom sa char le sanc raier,
Pus le comencent entre els treyner,
Tant ke il vindrent sus un rocher.
La pucele se set od dolent quer,
Boun de Hampton comence regrater :

1660, Le .II. li c. (S).
1661, Liun vn p. (S)
1666, p. li p. ne uoleit e. (S) ; 1666-1671, *vers absents de L.*
1667, Manjue le u. (1341, 3027, *etc.*).
1670, *E* funt semblant sa c. funt le s. (1689).

– Certes non, répond Beuve, par Dieu le Tout-Puissant. »
1650 Beuve s'en va, piquant des deux,
et Bonnefoy demeure pour veiller sur la demoiselle.

129

Voilà qu'alors survinrent deux lions féroces
et d'une grandeur effrayante.
Ils accoururent vers Bonnefoy
1655 et la jeune fille : Dieu lui épargne tout dommage !
Quand Bonnefoy les vit, il prit ses armes
et monta à cheval en écuyer vaillant.
Il en frappe un de sa lance de pommier,
mais il ne peut percer la peau, tant elle est dure.
1660 Les lions se dressent sur leurs pattes de derrière,
l'un saisit Bonnefoy et l'autre le coursier.
Ils les dépècent tout entiers, sans que rien n'en échappe.
Voyant cela, la jeune fille est prise de tremblements,
et par peur de ces bêtes elle se met à crier.
1665 Les lions l'entendent et, bondissant avec souplesse,
ils la saisissent, bien décidés à ne pas l'épargner.
Ils l'auraient dévorée sans plus tarder*,
mais ils ne peuvent pas manger l'enfant d'un roi*.
Ils ne la lâchent pourtant pas, et la blessent sévèrement,
1670 faisant couler son sang sur tout son corps.
Puis l'un et l'autre ils entreprennent de la traîner
jusque sur un rocher.
L'angoisse au cœur, elle s'assied
et commence à se lamenter sur Beuve de Hamptone :

1675 « Hai ! sire Boves, trop fetes demorer !
Ore me vodrent ceo bestes estrangler,
Jamés ne me veras sen ne enter. »
A tant se vint Boves de chacer,
Un deyme out bercé de sa lance de mecler.
1680 Il se regarda e vist illuc gesir
La brace Bonefey son esquier ;
De l'altre part vist le pé tut enter,
E de altre part le quise de le destrer.
Adonk comensa Boves a crïer :
1685 « Josian, ou estes vus ? venez o moi parler ! »
Kant ne la oÿ, pas ne put plus demorer,
De le destrer chet palmé en graver,
E donc le vist Arundel [le] destrer :
Henit e gratit solom son saver ;
1690 De grant peté li put remenbrer.
Boves se redresce e prit hardi quer,
Arundel munte e comence esporoner.
E Boves regarda sor un rocher
E vist .II. lyons la pucele garder
1695 Ci ke home de munde ne le osa tocher.
Josian veyt Boun, si comensa a crïer :
« Venez venger la mort Bonefey l'esquier !
– Si frai, dist Boves, ben pöez saver.
Par mé deus mains les covendra passer ! »
1700 Les .II. lions li oyerunt, si comencent lever.
Josian tint li un ke ne put aler,
Par le pel li prist entur le coler,
Ausi ferme le tint com out le pouer.
Boves la dist ke ele lessa aler.

1685, J. out est v. (S).
1688, le *manque* (S, L).
1692, c. espo*r*iner (S).
1696, *Dernier vers de L.*

1675 « Hélas ! Beuve, seigneur, vous tardez trop !
ces bêtes à l'instant ont cherché à me dévorer*,
vous ne me reverrez jamais plus saine et sauve. »
À ce moment, Beuve revenait de la chasse,
ayant tué un daim avec sa lance de néflier.
1680 Il observa les lieux et vit par terre
le bras de Bonnefoy son écuyer,
plus loin son pied entier,
et d'un autre côté la cuisse du coursier.
Il se mit alors à crier :
1685 « Josiane, où êtes-vous ? Venez, dites-moi quelque chose ! »
Sans réponse, il n'eut pas la force de se retenir
et du cheval tomba sans connaissance sur le sable.
Voyant cela, le coursier Arondel
hennit et de son pied gratte le sol avec intelligence ;
1690 il était pris d'une grande pitié*.
Beuve reprend courage et se redresse,
il remonte sur Arondel et l'éperonne.
Son regard se posant alors sur un rocher,
il voit deux lions gardant la demoiselle
1695 pour que personne au monde n'ait l'audace de la toucher.
Quand elle voit Beuve, Josiane se met à crier :
« Venez venger la mort de Bonnefoy, votre écuyer !
– Je vais le faire, répond-il, vous pouvez bien me croire !
Ils devront affronter la force de mes mains ! »
1700 Quand ils entendirent ces mots, les deux lions se levèrent.
Josiane en tenait un, l'empêchant d'avancer ;
elle l'avait saisi par la crinière
et de toutes ses forces le retenait.
Beuve lui demanda de le lâcher.

CXXX

1705 Boves descent de chival, si est a pee,
Ke il ne voit pas ke il fu damagé.
Le forte escu enbrace e prist le branc asseré :
« Lessez vener l'altre lion aragé !
– Nun frai, dist ele, si me eÿ Dé,
1710 Jekes a tant ke vus eyez l'altre tüé !
– Par Deu, dist Boves, ceo [sereit] fauseté !
Ke si jeo fuse en Engletere, mun regné,
E jeo me avantas devant mon baroné
Ke jeo avai .II. lions tüé,
1715 Vus vendrés avan e jurez par Dé
Ke vus tenistis l'un pur verité
Tant ke jeo use l'altre tüé,
Mes ceo ne vodray pur tut cristienté.
Ore ly lessez aler, ou, si ne le volez,
1720 Jeo m'en iray e vus remeyndrez.
– Sire, dist ele, eyns le teniz !
Jhesu Crist vus garde ke de mere fu né ! »
Li lions venent ver Boun mult irez.
Ly un de els hauce lé .II. pez,
1725 Le fort escu Boun ad il quassez.
Boves tret Morgeley ke li ad assenez,
Desur cel lion un fer coup ad doné,
Mes tant fu vels e dure ke ne l'ad grevé.
E cil overe la buche com il fu devé,
1730 Estrangler ben quida Boun li sené.
Boves li ad le branc dedens la boche boté,
Cy ke al qer li ad avalé,
E pus tret hors le branc, le lion est mort versé.
Pus vint l'altre ke mult fu iré,
1735 Le hauberc Boun ad il desiré

1715, a. *e* uirez p. (S).

130

1705 Beuve met pied à terre
afin que son cheval ne subisse aucun mal.
Au bras il passe son bouclier solide, et il prend son épée d'acier :
« Laissez aller l'autre lion enragé !
– Certes non, répond-elle, que Dieu m'en soit témoin !
1710 pas tant que vous n'aurez pas tué le premier !
– Par Dieu, ce serait mal agir !
Si dans mon pays, l'Angleterre,
je me vantais devant tous mes barons
d'avoir tué deux lions,
1715 vous pourriez venir là jurer au nom de Dieu
qu'en fait vous en reteniez un
jusqu'à ce que j'aie tué l'autre :
cela, je ne le voudrais pas pour toute la chrétienté.
Lâchez-le donc, et si vous refusez
1720 je m'en irai en vous abandonnant ici.
– Non, seigneur, prenez-le plutôt !
Que Jésus qui naquit d'une mère vous protège ! »
Les lions s'avancent pleins de rage vers Beuve,
le premier lève ses deux pattes
1725 et met en pièces son solide bouclier.
Beuve tire Murgleie et il l'en frappe ;
c'est un coup très violent qu'il a donné au lion.
Mais celui-ci était si vieux et résistant qu'il n'a eu aucun mal,
et il ouvre la gueule comme pris de fureur
1730 comptant bien dévorer Beuve le sage.
Mais Beuve dans la gueule lui a plongé l'épée,
il la lui a enfoncée jusqu'au cœur,
et quand il la retire, le lion s'effondre mort.
L'autre arrive alors, plein de rage,
1735 et déchire sa cotte de mailles

Com ceo fust un pelichun tut husé.
Uncore ad lé .II. pez haucé,
E Boves de le branc les ad coupé,
A tere chet, ne s'est remüé,
1740 Mes neporoc forement ad rechinis.

CXXXI

Kant Boves out tüé les lyons rampans,
Arundel monte, le [destrer] corant.
Il se regarde un petit avant,
Par desuz un tertre vist un veleyn gesant
1745 Ke ben out .IX. pez de grant.
En sa main tint un mace pesant
Que .X. homes a peine ne portassent,
A son geron un bon branc trenchant.
Entre sé .II. oyls un pé out de grant,
1750 Le front out large com croupe de olifant,
Plu neyr out la char ke n'est arrement,
Le nez out mesasis e cornus par devant,
Lé jambes out longes e gros ensement,
Les pez longes e plaz : mult fu lede sergant.
1755 Plu tost corust ke oysel volant.
Kant il parla, il baia si vilement
Com ceo fust un vilen mastin baiant.

1740, Mes ne p*ar*lez que f. nad rechmis.
1751, n. ou la c. ke n'est arnement.
1752, m. *e* corus p. (S).
1754, l. *e* plays m. (S).
1757, C. ceo fist un v. (S).

comme si elle n'était qu'une pelisse usée.
Il a levé lui aussi les deux pattes,
mais avec son épée Beuve les a coupées.
Le lion tombe à terre, immobile,
1740 mais il a néanmoins montré les dents très fort*.

131

Lorsque Beuve eut tué les lions ainsi dressés,
il remonta sur Arondel, son rapide coursier.
Regardant un peu devant lui,
étendu sur un tertre il vit un rustre
1745 qui était bien haut de neuf pieds.
Il tenait à la main une lourde massue
que dix hommes auraient à peine pu porter,
et avait à la taille une bonne épée tranchante*.
Un espace d'un pied séparait ses deux yeux,
1750 il avait le front large comme la croupe d'un éléphant,
la peau plus noire que de l'encre,
le nez tout de travers et cornu par devant* ;
ses jambes étaient longues et à proportion grosses,
et ses pieds longs et plats : c'était un horrible garçon*,
1755 mais qui courait plus vite que ne vole un oiseau.
Il émit pour parler de grossiers aboiements,
pareils à ceux d'un vulgaire mâtin.

CXXXII

Le veleyn estoit mult grant e mult fers,
Lé chivels out longes com come de destrer
1760 E les oyls granz com .II. saucers
E les dens longes com un sengler,
La boche grant : mult fu lede bacheler.

CXXXIII

E le vilen estoit grant e metailez,
Le brace out longes e enforcez,
1765 Les ungles si longes, ben le sachez,
Ke il n'ad mure en cristientez,
Ke, [si] il fust entur un jur, pur veritez,
Ke le mur [ne] ust tost acravantez,
Ke plus tost averoit un pere arascez
1770 Ke home averoit .XII. deners contez.
Kant il veit Boun en haut ad crïez :
« Traitur, fet il, arere returnez,
Rendez ma dame que a vus amenez. »
E Boves li regarda grant e metaylez,
1775 Mult se merveile, si ad [un] riz getez.

CXXXIV

« Di moi, [vilen], dist Boves le vailant,
Pur icel deu en quey estes creant,
Ou fustes vus né e de quele gent ?
E com as non ? Ne me celez nent.
1780 – Jeo sui, dist il, un fere Publicant,
E ay a non Escopart, fort e combatant.
– Paien, dist Boves, mult avez lede semblant !

1759, l. co*m* comz de destres (S).
1760, c. .II. sauceris (S).
1771, K. il vent b. (S).
1776, vilen *manque* (S, 1763).

132

Le rustre était colossal et sauvage.
Ses cheveux étaient longs comme la crinière d'un cheval,
1760 ses yeux avaient la taille de deux saucières,
ses dents paraissaient des défenses de sanglier,
et il avait une bouche très grande : c'était un horrible garçon.

133

Le rustre était colossal et difforme*.
Il avait deux longs bras puissants
1765 et des ongles si longs, sachez-le bien*,
qu'il n'y a pas un mur dans le monde chrétien
qu'en vérité, pourvu qu'il eût passé un seul jour à côté,
il n'aurait pu complètement détruire.
Il aurait pu arracher une pierre
1770 avant qu'on n'ait trouvé le temps de compter douze deniers.
Quand il vit Beuve, il lui cria d'une voix forte :
« Traître, retournez en arrière !
et rendez ma maîtresse que vous emmenez avec vous ! »
Beuve le vit colossal et difforme,
1775 saisi d'étonnement, il éclata de rire.

134

« Dis-moi donc, rustre, dit Beuve le vaillant*,
au nom du dieu en qui tu crois,
où es-tu né ? Quel est ton peuple ?
Comment te nommes-tu ? Ne cache rien !
1780 – Je suis, dit-il, un Publicant farouche*,
je m'appelle Escopart, le fort guerrier.
– Mécréant, répond Beuve, tu es bien laid à voir !

Est checun en ton païs si hidus e si grant ?
– Oyl, ceo dist l'Escopart, par Tervagant.
1785 Kant fu en mun païs l'em me alerent gabant
E neym me apelerent petiz e granz,
E distrent ke ne purai estre cressanz.
Jeo avey si grant hunte ke il me alerent gabant
Ke ne purray endurer tant ne kant,
1790 [Si] en cele païs ne venisse ignelement ;
Tut dis pus servi Yvori de Monbrant.
E vus amenez sa femme o le cors gent,
Mes par Mahun qui est deu pussant...
....
– Paien, dist Boves, trop alez avantant,
1795 Mes al departer serra aparant :
Si jeo ne vus face mort e recreant,
Jeo ne me preyse le vailant de un gant. »
Adonc point Arundel le ruant
E pus fert l'Escopart en mi le piz devant.
1800 La lance li brise e passe tot avant.
L'Escopart se tint tot sus en estant,
Ke il ne wakere tant ne kant.

CXXXV

Kant Boves out fet la lance bricer,
En mi le piz li done l'Escopart le fer,
1805 E l'Escopart comence par gas rechiner :
Un mult hardi home freit de pour trembler.
Il prent sa mace, si comence a rüer,
E Boves se guencha ke ben se sout garder.
Le mace passa outre, ne put arester,

1783, E. cheru*n* en t. (S).
1790, En cel p. me venisse i.
1793, *La fin de la phrase manque. Voir la note.*
1796, m. *e* creant (S).
1801, Lesop*ar*t se t. (S).

Chacun est-il, dans ton pays, aussi hideux et aussi grand ?
– Oui, répond l'Escopart, par Tervagant.
1785 Dans mon pays, on se moquait de moi*,
tous me traitaient de nain, petits et grands,
ils prétendaient que je ne pourrais pas grandir.
Leurs moqueries me faisaient une telle honte
que je n'aurais pas pu les souffrir plus longtemps,
1790 si je n'étais venu vite dans ce pays,
où depuis j'ai toujours servi Yvori de Monbrant.
Mais vous, vous enlevez sa femme au corps gracieux :
par Mahomet, qui est un dieu puissant,
[*je m'en vais vous tuer à l'instant si je peux**.]
– Mécréant, répond Beuve, tu te vantes beaucoup,
1795 mais on y verra clair avant que nous ne nous quittions !
Si par moi tu n'es pas vaincu et mis à mort,
je ne m'estime pas au prix d'un gant. »
Il éperonne alors Arondel le fringant,
et frappe l'Escopart en plein sur la poitrine.
1800 Mais sa lance se brise et il passe outre ;
l'Escopart reste parfaitement debout
sans vaciller le moins du monde.

135

Quand la lance de Beuve se fut rompue,
le farouche Escopart le frappa en pleine poitrine
1805 et lui montra les dents par moquerie :
il aurait fait trembler de peur l'homme le plus vaillant.
La massue à la main, il commence à frapper avec violence.
Beuve évite le coup : il sait bien se garder,
et la massue le manque, mais, impossible à retenir,

1810 Un arbre ateynt ke jus le fist cravanter.
Pus prent le branc, Boun voit damager.
Kant se vist Arundel, le bon destrer,
Ke il voit son seynur isci damager,
Les .II. pez hauce, si li fert contre le qer
1815 Ke l'Escopart ne put sur ses pez ester.
A tere chaÿ e quida relever,
Mes le destrer ne le voit soffrer,
Sur sa ventre estut, ne voit de iluc aler,
E fert e refert, a poi ne li fet crever.
1820 E Boves descendi, si le voyt decoler.
Josian le veyt, si comença a parler :
« Escopart, jeo te vodray loyer
Ke tu devins le home Boun le fer,
E li e moi vus from cristiener.
1825 – Oustez, dist Boves, lessez ceo ester !
Il ne fra ren de ceo, par mun quider,
Mes par cele Deu ke dey honurer
E ke ceo lessa en croiz morer,
Jeo couperai la teste od mun espé de ascer
1830 Si il ne voit a votre dist concenter. »
L'Escopart comença donc a crïer
Ke tretut le boys fet a resoner :
« Boves, ne me tüez mye, jeo me voile cristiener ! »

CXXXVI

« Escopart, dist Boves, vus pusse jeo creyre ?
1835 – Oyl, ceo dist Josian, par sen Pere.
Eyns se suffrit od chivals detrere
Ke avers vus començat mefere.
Jeo vus serrai sun garant, bel sire cher.

1834, j. creyer (S).
1836, c. detrerer (S).

1810 atteint un arbre et le renverse à terre.
L'Escopart tire alors l'épée pour mettre Beuve à mal.
Quand Arondel, le bon coursier,
voit qu'il veut maltraiter son maître,
il lève ses deux pieds et le frappe à hauteur du cœur.
1815 L'Escopart ne peut pas rester debout,
il tombe à terre, cherche à se relever,
mais le cheval ne le laisse pas faire,
lui monte sur le ventre sans vouloir en partir,
frappe et refrappe, et peu s'en faut qu'il ne le lui fasse éclater.
1820 Beuve met pied à terre pour lui couper la tête.
Voyant cela, Josiane prend la parole :
« Escopart, je voudrais te donner un conseil :
mets-toi donc au service de Beuve le farouche ;
nous te ferons, lui et moi, baptiser.
1825 – Laissez cela, dit Beuve, n'y comptez pas !
Selon moi, il n'en fera rien.
Pourtant, au nom du Dieu que je dois honorer,
le Dieu qui se laissa mettre à mort sur la Croix*,
je m'en vais lui couper la tête de mon épée d'acier
1830 s'il ne veut pas suivre votre conseil. »
L'Escopart alors crie si fort
qu'il fait retentir tout le bois :
« Ne me tuez pas, Beuve ! je veux me faire chrétien ! »

136

« Escopart, répond Beuve, puis-je te faire confiance ?
1835 – Oui, par saint Pierre, intercède Josiane,
car il se laisserait écarteler
plutôt que de vous faire le moindre tort.
De lui je me porte garante, mon cher seigneur.

– Par [Deu], dist Boves, ceo me deyt plere. »
1840 L'Escopart se leve, homage va fere.

CXXXVII

Ore monte Boves le honuré,
E Josian s'amie est ausi monté ;
E pus ad l'Escopart sa mace trové
Ke il out avant a Boun rüé.
1845 Tant ont erré par lur jurné
Ke il sont venu a la mer de grez.
Kant il vindrent un nef unt trovez
Ke estoit pleyn de payens renëez,
Envere cristienté sont aprestez.
1850 Kant lé paiens unt pris l'Escopart a garder,
Dist li un a l'altre : « Ben nus est contré :
Jeo vey l'Escopart venant abruvé.
Ben nus eydra tot a santé,
Ke unkes mariner meylur de li [ne] fu trové. »
1855 L'Escopart si lur ad demandé :
« Dunt este vus ? fet il, ou fustes vus né ?
– Sire, funt il, mult ben le savez,
Ja sumus Sarzinis, mult ben nus conuysez.
Nos alum quere Boun ke Josian ad menez. »
1860 Dist l'Escopart : « Le nef ore tost envoydez,
Ou par Jhesu Crist vus le comparez ! »
Il les ad isci de sa mace esquassé
Ke tretuz les ad acervelés,
For cels que sont de pour neyez.
1865 E l'Escopart salt dedens joyn pez,
Son seynur e sa dame ad eyns portez,
Pus prist Arundel, le bon destrer preysez.

1843, *E* pus ad l'e. sa m. ad t.
1847, un nef un t.
1850, p. unt ueu l'e. a g*r*ader.

– Par Dieu, dit Beuve, voilà qui doit me convenir. »
1840 L'Escopart se relève et vient lui faire hommage.

137

Il s'est remis en selle, Beuve, le héros admirable,
Josiane, sa bien-aimée, aussi,
et l'Escopart a récupéré sa massue
qu'il avait peu auparavant jetée sur Beuve.
1845 Ils ont parcouru tant d'étapes
que, très heureux, ils ont atteint le bord de mer.
En arrivant, ils ont trouvé là une nef
pleine de païens mécréants
prêts à attaquer les chrétiens.
1850 Mais dès qu'ils ont aperçu l'Escopart*,
les païens se sont dit entre eux : « Nous avons de la chance :
voilà l'Escopart qui arrive à toute allure,
il pourra nous aider de toute sa vigueur,
car il n'y eut jamais meilleur marin que lui. »
1855 L'Escopart leur a demandé :
« D'où venez-vous ? et où êtes-vous nés ?
– Seigneur, répondent-ils, vous le savez assurément :
nous sommes Sarrasins, vous nous connaissez bien.
Nous partons chercher Beuve qui emmène Josiane.
1860 – Videz à l'instant cette nef, réplique-t-il,
ou bien, par Jésus-Christ, vous allez le payer. »
De sa massue il les a si bien écrasés
qu'à tous il a fait sauter la cervelle,
à part ceux qui de peur se sont noyés.
1865 L'Escopart saute à pieds joints dans la nef,
il y porte d'abord son seigneur et sa dame,
puis il prend Arondel, le bon coursier de prix.

CXXXVIII

L'Escopart prist Arundel ke tant valu a,
Entre sé braces en le nef li porta,
1870 E le mulete sa dame ne point oblia,
E tut le or e le argent kanke il a.
Ore dirray de Yvori. Ne say ke li conta
Ke Boves de Hampton Josian amena
E coment l'Escopart conquis a.
1875 Amustrai son uncle de ceo li mustra.
Le rey Amustray .IX. galies a,
E Boun de Hampton forment manassa
E jure par Mahun ke sa teste avera.
En mi la mer, iluc li encontra.

CXXXIX

1880 Le roi Amustrai crie o haut son :
« Es tu l'Escopart ? di, tost respon !
– Oyl, dist l'Escopart, par le cors sen Symon. »
Amustrai li dit : « Par mon deu Mahon,
Vus comparez mult cher iceo treson. »
1885 Li Escopart l'oï, si tint le chef enbrun,
Il ad pris en sa main del mast un trunchun,
Si li ad dist : « Retrëez vus, gloton !
Ke jeo ne vus preyse la value d'un boton ! »
Le [roi] Amustray l'oï, si out tele frisoun
1890 Ke ne li attendist pur un regiun.
E cil syglint avant o grant son.
Mult out Boves gayné bon garson.

1876, r. mustray .IX. galeis a (S).
1879, i. li econtra (S).
1883, p. son d. (S).
1884, V. compa*r*et m.
1889, t. roun (S, 592).

138

L'Escopart saisit Arondel, dont la valeur était si grande,
et dans ses bras le porta jusque dans la nef,
1870 sans oublier le mulet de sa dame
ni tout son chargement d'or et d'argent.
Mais revenons à Yvori : je ne sais qui lui rapporta
que Beuve de Hamptone partait avec Josiane
ni comment il avait pris l'Escopart.
1875 Il en fit part à son oncle Amustrai*,
un roi possédant neuf galères.
Celui-ci proféra de violentes menaces à l'intention de Beuve de Hamptone,
et fit serment par Mahomet de lui couper la tête.
Et la rencontre eut lieu en pleine mer.

139

1880 Le roi Amustrai crie d'une voix forte :
« Es-ce toi, l'Escopart ? Dis, réponds vite !
– Oui, répond l'Escopart, par les reliques de saint Simon ! »
Mais Amustrai réplique : « Par mon dieu Mahomet,
tu vas payer très cher ta trahison. »
1885 À ces mots l'Escopart se renfrogne, baissant la tête ;
il saisit un tronçon du mât
et lui répond : « Allez-vous en, crapule !
je ne donnerais pas de vous la valeur d'un bouton ! »
À ces mots Amustrai est pris d'un tel frisson*
1890 qu'il ne l'attendrait pas pour un empire.
Et quant à eux, ils font voile à grand bruit :
Beuve avait trouvé là un très bon serviteur.

CXL

Kant Boves de Hampton fu outre rivé,
Il ariva en la cristienté,
1895 Ceo fu a Colonie la cité.
Li eveske de la vile cele jur fust alé
Sus la rive de la mer, si ad encontré
Boun de Hampton, le chevaler menbré.
L'eveske fu son unkle, sachez de verité,
1900 Mes il ne soit ke il fu de son parenté.
Boves li vist, si li ad salüé.
L'eveske li vist, si li ad demandé :
« Dont estes vus, sire ? mult estes ensyné.
– Sire, ceo dist Boves, en Engletere fu né,
1905 Fiz a conte Guyun que a tort fu tüé. »
L'eveske li oï, si li ad beysé.
« Bele neveu, dist l'eveske, bien seys trové !
Ke est cele pucele ke vus amenez ?
– Sire, ceo dist Boves, ele me ad amez,
1910 E jeo lui ausi, sachez de veritez,
Ke [pur] s'amur fu jeo .VII. [ans] enpresonez,
E pur ceo voit ele ore estre baptisez,
Ke Mahun ad ele renëez.
– Neveu, dist l'eveske, Deu seit ahouré !
1915 Tantost [la] from baptiser si jeo ey santé. »
A tant esti vus l'Escopart venant abruvé,
Les chivals ad devant li chacé
Ke furent d'or e de argent chargez.
L'eveske ly vyt, si se est amerveilez
1920 E de pour ke il out si se est trey fez seynez.
« Hai ! neveu, dist il, ke est ceo malfé ?
– Sire, ceo dist Boves, ne vus ert celé :
Se est mon garson, mult est preysé.

1896, La e. de la v. (S).

140

Quand Beuve de Hamptone eut traversé la mer,
il parvint en terre chrétienne,
1895 dans la ville de Cologne.
L'évêque de la ville ce même jour était venu
sur le rivage, où il fit la rencontre
de Beuve de Hamptone, le sage chevalier.
L'évêque était son oncle, sachez-le bien,
1900 mais il ne savait rien de cette parenté.
Quand il le vit, Beuve le salua,
et l'évêque, voyant cela, lui demanda* :
« D'où venez-vous, seigneur, qui êtes si poli ?
– Seigneur, dit Beuve, j'ai vu le jour en Angleterre,
1905 et je suis fils du comte Guy, qu'on a assassiné. »
À ces mots, l'évêque l'embrasse :
« Mon cher neveu, dit-il, soyez le bienvenu.
Mais cette jeune fille, avec vous, qui est-elle ?
– Elle m'aime, seigneur, répondit Beuve,
1910 et moi, je l'aime aussi, sachez-le bien :
pour son amour j'ai passé sept ans en prison.
Elle veut maintenant recevoir le baptême,
car elle a renoncé à Mahomet.
– Mon neveu, dit l'évêque, grâces en soient rendues à Dieu !
1915 Nous la ferons baptiser d'ici peu, si Dieu me prête vie. »
Voici qu'arrive alors l'Escopart en courant,
poussant devant lui les chevaux
chargés d'or et d'argent.
Quand il le voit, l'évêque est frappé de stupeur,
1920 d'épouvante il se signe à trois reprises :
« Hé ! mon neveu, quel est ce diable ?
– Seigneur, pourquoi vous le cacher ?
il est mon serviteur, je l'apprécie beaucoup.

– Garson ? dist l'eveske, ne place a Damedé
1925 Ke il entre ma meson jur de mon ayé.
– Si fra, dist Boves, si vus vint a gré :
Il covent ke il seit hui baptisé.
– Coment, dist l'eveske, avera il cristienté ?
Ke pur tuz les homes de cete cité
1930 Ne seroit il dedenz lé fonce haucé. »
Kant l'Escopart ad l'eveske gardé,
Pur ceo ke il li vist rez e toucé,
Quida ke il fu bercher tut [pur] verité.
Donc dist l'eveske a Boun li menbré :
1935 « Bele neveu, mult bien sëez trové,
Ore sai ben ke vus estes chevaler menbré
Quant tele garson avez gayné.
Vostre parastre des ore mes grevez.
Sabaoth vostre mestre est mult corocez,
1940 Ke son fiz l'aveit conté
Ke vus fustes pendu a duil e a vilté.
Sur un rocher de la mer est il herbergé
En un for chastel ke il ad fundé.
Jammés par force ne ert gayné.
1945 Pur la vostre amur fu il enchacé
De sa terre demene a duel e a vilté.
Solom mun conseil a li irrez
E dunc vostre parastre forement guerez,
E jeo vus durrai .C. chevalers menbrez ;
1950 Ben pöez saver il vus eydrunt assez.
– Sire, ceo dist Boves, merci en eyez. »
A le paleis l'eveske sunt il pus alez.
L'eveske adunc fu mult lez,
A muster sunt alé de Sent Trinitez,
1955 Josian la bele est pus baptisez.
Adunc fu l'Escopart si longe e si lee

1932, r. *e* taucé (S).

– Serviteur ?, dit l'évêque. À Dieu ne plaise
1925 qu'il pénètre jamais chez moi ma vie durant !
– Il le fera pourtant, si vous le voulez bien :
il faut le baptiser aujourd'hui même.
– Mais comment pourrait-on le faire chrétien ?
Tous les hommes ensemble de cette ville
1930 ne sauraient le porter sur les fonts baptismaux. »
L'Escopart observe l'évêque,
et le voyant rasé et tonsuré,
il le prend tout de bon pour un berger.
L'évêque dit alors à Beuve l'avisé :
1935 « Mon cher neveu, soyez très bienvenu,
je sais bien que vous êtes un sage chevalier
pour vous être attaché un serviteur pareil.
Il faut dorénavant vous en prendre à votre parâtre.
Votre maître Soibaut est dans un grand chagrin
1940 car son fils lui a raconté
qu'on vous avait honteusement pendu.
En bord de mer, sur un rocher est sa demeure,
dans un puissant château qu'il y a fait bâtir,
et que jamais on ne pourra forcer.
1945 Parce qu'il vous aimait il a été chassé
honteusement de ses domaines*.
Je vous conseille d'aller auprès de lui,
et vous pourrez alors bien guerroyer votre parâtre.
Moi, je vous donnerai cent chevaliers robustes* :
1950 croyez-le bien, ils vous seront d'un grand secours.
– Seigneur, lui répond Beuve, soyez-en remercié. »
Ils se sont ensuite rendus au palais de l'évêque.
Le prélat éprouvait une très grande joie.
Puis ils sont allés à l'église de sainte Trinité
1955 où Josiane la belle a été baptisée.
Mais l'Escopart était si grand et si trapu*

CXLI

Ke dedens lé fons ne put entrer.
Un grant couve funt aparailer
Tut plein de ewe pur li baptiser.
1960 .XX. homes il furent pur li sus lever,
Mes entre els ne li point remüer.

CXLII

« Seynurs, dist l'Escopart, pur nent traveilez.
Lessez moi entrer, vus me en sakerez. »
Dïunt les altres : « Vus dite veritez. »
1965 L'Escopart salt dedens joyns pez
Si ke a le funde est avalez,
Si fu en la funte Guy nomez.
E l'ewe fu freyde, si li ad refreydez.

CXLIII

L'Escopart comence a crïer
1970 E l'eveske forement a lledenger :
« Ke est ceo ? fet [il], malveis velen berger,
Mey volez vus en cest ewe neyer ?
Trop su jeo crestien, lessez moi aler. »
Saili est ha present hors, ne voit demorer.
1975 Ke dunc le voit nu lé grant saut aler,
Il li sereyt a vis, ne vus quer celer,
Ke il fust un deble ke vousist manger.
Ly Escopart s'en va vester e atorner.
A paleis l'eveske vunt il a manger.
1980 Aprés manger se va Boves aprester
Kar en Engletere se voit il aler.
L'eveske li doune .V.C. chevalers.

1970, f. allendenger (S).
1974, Li est ha p. (S).
1975, v. mi le grarant s.

141

qu'il ne put pas entrer dans les fonts baptismaux.
On apporta une cuve très grande
pleine d'eau pour le baptiser.
1960 Ils s'y prirent à vingt pour le porter,
mais même tous ensemble ils ne purent le soulever.

142

« Seigneurs, dit l'Escopart, vous vous donnez une peine inutile.
Laissez-moi tout seul y entrer, et vous, vous m'en ferez sortir. »
Et les autres répondent : « Vous avez bien raison. »
1965 L'Escopart y saute à pieds joints
et il retombe tout au fond.
Dans cette cuve, il a reçu le nom de Guy,
mais l'eau était très fraîche, il s'est senti glacé.

143

L'Escopart se met à crier
1970 en injuriant l'évêque avec violence :
« Qu'est-ce que c'est que ça ? méchant gueux de berger* !
Vous voulez donc me noyer dans cette eau !
Me voilà bien assez chrétien, laissez-moi donc sortir ! »
Il ne veut plus rester dedans et aussitôt bondit à l'extérieur :
1975 qui l'aurait vu alors aller tout nu en faisant de grands sauts
aurait pensé, à quoi bon le cacher ?,
que c'était là un diable en quête de nourriture.
L'Escopart va se vêtir avec soin,
et tous se rendent pour manger au palais de l'évêque.
1980 Beuve après le repas alla se préparer
car il voulait partir pour l'Angleterre.
Alors l'évêque lui donne cinq cents chevaliers.

Josian li voit, si comence a plurer,
Ele vint a Boun : « Mult estes a blamer
1985 Kant vus me volez ci aprés vus lesser.
Ore vendrunt sé princes e ses chevalers,
Par force me prendrunt, ne purrai veÿr. »

CXLIV

« Dame, dist Boves, ne vus amayez.
L'Escopart ṣerra oveskes vus lessez
1990 Ke ben vus eydra kant mester averez.
– Sire, dit ele, si com vus comandez.
Jeo pri a Deu ke tuz nus ad formez
Ke je me pus garder tant ke vus revygnez. »
Adonc le baissa, e pus est montez,
1995 E les chevalers ke l'eveske li out donez.
Avers Engletere sunt achiminez.
Boves les apele, si ad els parlez :
« Seygnors, dit il, si vus löez,
Nos ne irom pas uncore a Sabaoth li senez
2000 Tant ke jeo ai o mun parastre parlez.
Jeo lui deseverai tro ben, ceo sachez.
– Sire, funt il, si com vus volez.
Nos sumus prestes de fere vus voluntez. »

CXLV

Ore se va Boves a cop d'esporon
2005 E ses chevalers od li, al Deu benison.
Passent la mere sanz aretison
E vindrent a Hampton sanz demorison.
L'amperur lé vist ke out a non Doun,
Encontre els vint, ja n'eit il pardon !
2010 Il regarda Boun, si l'ad mis a reson :

2009, v. ja nei*n*t il p. (S).

Voyant cela, Josiane fond en larmes
et vient auprès de Beuve : « Vous méritez bien des reproches
1985 de vouloir me laisser ici derrière vous.
Bientôt viendront des princes et des chevaliers,
ils me prendront de force, et je n'aurai pas le pouvoir de les en empêcher*. »

144

« Madame, lui dit Beuve, ne vous inquiétez pas.
L'Escopart restera auprès de vous,
1990 et vous aidera bien lorsque vous en aurez besoin.
– Seigneur, lui répond-elle, comme vous le voudrez.
Je prie Dieu qui nous a créés
de faire en sorte que je puisse me protéger jusqu'à votre retour. »
Elle l'embrasse alors, et il monte à cheval
1995 avec les chevaliers que lui donne l'évêque.
Ils se sont mis en route vers l'Angleterre.
Beuve s'adresse à eux et leur tient ce discours :
« Seigneurs, si vous le voulez bien,
nous n'irons pas chez le sage Soibaut
2000 avant que j'aie parlé à mon parâtre,
à qui je vais jouer un bon tour, sachez-le.
– Seigneur, répondent-ils, tout comme vous voudrez.
Nous sommes prêts à vous obéir. »

145

Beuve part à bride abattue
2005 avec ses chevaliers, à la grâce de Dieu.
Sans s'arrêter, ils ont passé la mer
et sans perdre de temps arrivent à Hamptone.
Doon – c'était le nom de l'empereur – les aperçut
et vint à eux – qu'il soit damné à tout jamais !
2010 Il porta son regard sur Beuve et s'adressa à lui :

« Dunt es tu, chevaler ? » Boves ly respon :
« Sire, de France, de le chastel de Dygon. »
L'amperur li dist : « Coment as tu a non ?
– Sire, jeo ai a non Gyraut », Boves li respon.

CXLVI

2015 « Gerraud, dist l'amperur, este vus souder ?
– Oyl, ce dist Boves, celer ne vus qer,
Mester averai de grant ben gayner.
– Gerraud, dist l'amperur, foi ke doi sen Richer,
Jeo vus voil mult volunters alouer :
2020 Encontre un vylen me covent guerrer,
Il ad a non Sabaoth, si est en cele mer
En un fort chastel, ke je ne li pus grever.
– Sire, fet Boves, pur Deu le dreyturer,
Vus fet il point anoy ou point encombrer ?
2025 – Oyl, dist l'amperur, Gerraud, ami cher.
Il voit de nuyt mi chastel debriser,
Ma tere destruit de beyvere e de manger,
A home ne a femme ne voit esparnier,
Boves e motuns fet o li mener.
2030 – Sire, ço dit Boves, ceo ne devez pas lesser !
Si vus me volez de le vostre doner,
Jo vus irrai Sabaoth prendre e lïer
E tut seyn en se chastel porter.
– Si voil, dist l'amperur, si ke vus volez demander. »
2035 Boves dit ke « petit chose requer :
Chargez moi cete nef de beyvere e de manger,
E pus donez armes a tuz mes chevalers.
– Volunters, dist il, si Deu me pus eyder. »

2032, Jio v. (S).
2036, c. nuyt de b.
2037, *E* mes d. a. (S).

« D'où viens-tu, chevalier ? », et Beuve lui répond :
« De France, sire, du château de Dijon. »
Et l'empereur reprend : « Comment t'appelles-tu ?
– Mon nom, sire, est Giraud », lui répond Beuve.

146

2015 « Giraud, demande l'empereur, es-tu un mercenaire ?
– Oui, répond Beuve, pourquoi vous le cacher ?
J'ai besoin de gagner quantité de richesses.
– Sur la foi que je dois à saint Riquier, Giraud,
je vais très volontiers acheter tes services :
2020 je dois faire la guerre à un faquin
qui s'appelle Soibaut et demeure près de cette mer,
dans un puissant château où je ne parviens pas à l'affaiblir.
– Sire, dit Beuve, au nom de Dieu le juste,
est-il pour vous cause d'ennui ou de dommage ?
2025 – Oui, Giraud, cher ami, lui répond l'empereur :
la nuit il cherche à abattre les murs de mon château,
sur ma terre il dévaste tout ce qui peut produire boissons et nourritures,
sans épargner homme ni femme,
et fait razzier les bœufs et les moutons.
2030 – Sire, vous ne devez pas le tolérer !
Si vous voulez bien me payer,
j'irai vous capturer et ficeler Soibaut
et je l'amènerai tout vif dans ce château.
– Et je t'accorde donc tout ce que tu demandes ! »
2035 Beuve répond qu'il ne désire pas grand-chose :
« Faites-moi remplir ce bateau de boissons et de nourritures,
et fournissez des armes à tous mes chevaliers.
– Très volontiers, que Dieu m'en soit témoin ! »

Armes li fet meyntenant liverer,
2040 E cil s'en vunt, si passent la grant mer.
De ci ke a le chastel Sabaoth ne voit demorer.

CXLVII

Sabaoth vist Boun venant abruvé.
Encontre li vint, si li ad demandé :
« Este vus chevaler ?...
2045 – Si sui, ceo dist Boves, ja ne vus ert celé.
– Ditez moi, dist Sabaoth, ou fustes vus né ?
– Mestre, ceo dist Boves, a Hampton la cité. »
Sabaoth le oÿ, unke ne fu si lé,
Joyns pez saut a li, .XXX. fez l'ad baissé.
2050 A grant joie li reseyt, a manger sont alé.
Ore dirrum de Josian la löé,
K'e a Coloine od l'Escopart lessez.
Un quens de le païs l'ad un jur regardé,
De se ke la vit si bele e coluré
2055 Dedens son qer ad il mult amis.
Sovent a lui veint, si l'ad demandé,
E ele li contredit car mult fu sené.
Kant ceo oÿ li quens, sa teste en ad juré
Ke il prendera o force, ja ne seit si ben gardé.

CXLVIII

2060 « Miles, dist Josian, lessez moi ester.
Ja ne me festes reyn, je vus vodrai loer,
Kar l'Escopart me vendra ben venger. »
Kant ceo oÿ Miles, le felon adverser,
Ke ele s'afie en Aschopart le fer,

2039, f. meytenant l. (S, 2336).
2044. Dunt este v*us* ch*evale*r e ou fust vus né.
2059, f. ja ne sei si b.

Et aussitôt il lui fait remettre des armes.
2040 Alors Beuve et les siens repartent en prenant par la mer*
car ils veulent atteindre sans s'attarder le château de Soibaut.

147

Soibaut vit Beuve qui arrivait à toute allure.
Venant à lui, il lui demande :
« Êtes-vous chevalier...* ?
2045 – Oui, répond Beuve, je ne vous le cacherai pas.
– Et dites-moi : où donc êtes-vous né ?
– Maître, répondit Beuve, dans la ville de Hamptone. »
Soibaut, quand il l'entend, se sent plus heureux que jamais,
il bondit vers lui et l'embrasse trente fois d'affilée.
2050 Il l'accueille avec joie, et ils s'en vont tous deux manger.
Mais parlons de Josiane qui suscite l'admiration.
Elle était restée à Cologne en compagnie de l'Escopart.
Un jour, un comte du pays la remarqua :
en la voyant si belle, d'un teint si délicat,
2055 pour elle il conçut dans son cœur une grande attirance.
Souvent il venait auprès d'elle, lui demandant de l'épouser ;
mais elle refusa, car elle était très sage.
Et devant ce refus, le comte jura sur sa tête
qu'il la prendrait de force, si bien gardée fût-elle*.

148

2060 « Miles, lui dit Josiane, laissez-moi donc en paix,
et ne me touchez pas, je tiens à vous le conseiller,
car l'Escopart viendra bien me venger. »
Quand ce traître infernal de Miles entend
qu'elle met sa confiance en l'Escopart farouche,

2065 Un treson prent purpenser.
Pus vint a l'Escoupart, si comence a parler :
« Escoupart frere, si Deu te pus eyder,
Boves te mande ke tu vynes o ly parler,
Il est [en] cele tur ke tu veis en la mer. »
2070 L'Escoupart li crust, si li dist : « Sire cher,
Jeo vus pri ke vus me volez la mener.
– Volunters, dist il, tost sanz demorer. »
En une nef mittent sei e siglint par la mer.
Kant il vindrent a la tur, li Escopart va entrer,
2075 E Miles fit les hus dehors barrer.
Ly Escopart par tut la tur [prist] a garder,
Mes il ne put mie son seynur trover.
Il vist Miles arere turner ;
L'Escopart li veint, si comence a crïer :
2080 « O va tu, Miles, pur Deu le dreyturel ?
– Escopart, dist il, ben le pöez saver :
Josian le bele si voy jeo esposer. »
L'Escopart l'oÿ, si prent a corucer,
O ses dure ungles va sus le mur grater,
2085 De tut l'acravante par dedeins la mer
E saut dedenz l'ewe, si comence a noyer.
Marchans vist en un nef passer :
« Seignors, dist l'Escopart, lessés moi o vus entrer. »
Kant houïrent le deble si hautement escrïer,
2090 Pur verité quident ke se seit Lucifer.
De grant pour sailent tuz en la mer.
Li Escopart entra, si comence a nager.
Meme cele jur si vint un messager
A Boun de Hampton cele aventure conter :
2095 « Bele sire Boves, ne vus qer celer,

2073 n. mittent sus *e* s.

2089, K. hu virent le d. (cf. 3046 ; *voir la note*).

2065 il calcule une trahison,
puis va parler à l'Escopart :
« Escopart, mon ami, que Dieu te vienne en aide !
Beuve m'envoie te dire de venir lui parler,
il est dans cette tour que tu vois sur la mer. »
2070 L'Escopart le croit et lui dit : « Mon cher seigneur,
je vous en prie, veuillez bien m'y conduire.
– Volontiers, sans perdre un instant. »
Ils montent à bord d'un bateau et sur la mer font voile.
Quand ils abordent à la tour, l'Escopart y pénètre
2075 et Miles fait bloquer les portes de l'extérieur avec des barres.
L'Escopart entreprend de visiter toute la tour,
mais sans pouvoir y trouver son seigneur.
Voyant que Miles fait demi-tour,
il vient de son côté et se met à crier :
2080 « Où vas-tu, Miles, au nom de Dieu le juste ?
– Escopart, répond l'autre, je peux bien te le dire :
je m'en vais épouser la belle Josiane. »
L'Escopart à ces mots entre en fureur.
Avec ses ongles durs il se met à griffer le mur
2085 et tout entier il l'abat dans la mer.
Puis il saute dans l'eau et s'en va à la nage.
Et voyant des marchands passer dans une nef :
« Seigneurs, laissez-moi, leur dit-il, monter à votre bord. »
Quand ils entendent ce démon crier si fort*,
2090 ils croient en vérité avoir affaire à Lucifer,
et de terreur tous sautent à la mer.
L'Escopart monte à bord et se met à la barre.
Or ce jour même un messager s'en vint
rapporter cette affaire à Beuve de Hamptone :
2095 « Cher seigneur Beuve, je ne dois pas vous le cacher,

Josian est esposé, ky k'y deut peyser. »
Boves se arme e monte le destrer,
E va envers Coloynie tot le chimin plener.
Ore vus dirrai de Miles l'adverser
2100 Ke fist Josian mal gré le sun esposer.
Mal gré le sun la mena a muster,
Mal gré le sun la fist la nuit cocher.
Devant le list se sist, se prent a deschaucer,
Forement se hast de Josian vergunder.
2105 Josian le veist, si comence a suspirer.
Ele prent sa senyture de sey de oltre mer,
Une lacete en fist solum son saver,
Outre [le] col Miles si prent a giter.

CXLIX

Seygnurs, ore entendés ke vus ai ci dist !
2110 Avant que Miles poit vener en son lit,
Josian la bele sa senyture prist,
Outre le col Miles le gita tot de fist.
Le lit fu haut ou il gist
E li quens Miles de une part se sist,
2115 E la pucele de altre part sailist,
A sey le tret e le col rumpist.

CL

E l'endemain, kant aparust le jur
E de la clere aube apert la luur,
Les chevalers se levent tuz en tur,
2120 A la chambre venent ou estoit lur seynur.
Hautement le apelent chevaler e contur :
Pur nent le funt car mort est sanz retur.

2099, v. de miles dirrai ladadv*er*ser (S).
2108, le *manque* (S, 2112).
2122, P*ur* ne le f. (S, 2124).

on a marié Josiane, sans souci de qui s'en afflige. »
Beuve s'arme, monte à cheval
et prend la grand-route vers Cologne.
Mais revenons à Miles, ce démon
2100 qui épousait Josiane contre son gré.
Contre son gré, il la conduisit à l'église,
contre son gré, le soir, il la mit dans le lit,
puis, pour se déchausser, il s'assit devant elle,
pressé de la déshonorer.
2105 Voyant cela, Josiane se met à soupirer,
et, saisissant sa ceinture en soie d'outre-mer,
habilement elle en fait un lacet
qu'elle passe autour du cou de Miles.

149

Seigneurs, écoutez mon récit !
2110 Avant que Miles ait pu venir au lit,
Josiane la belle prit sa ceinture
et, assurément, la passa autour du cou de Miles.
Elle se trouvait sur un lit assez haut,
le comte Miles s'était assis sur un côté ;
2115 la jouvencelle sauta de l'autre
et, le tirant à elle, elle lui rompit le cou.

150

Le lendemain, quand le jour se leva*,
et que de l'aube apparut la clarté,
les chevaliers se levèrent tous alentour
2120 et vinrent à la chambre où était leur seigneur.
Chevaliers et barons l'appellent à voix haute,
mais c'est en vain : il est mort sans remède.

CLI

Les chevalers se crïen : « Sire, sus levez ! »
Pur nent le funt car il est estranglez.
2125 La pucele lur [dist] : « Pur nent traveylez,
Miles ai jo anuit estranglés. »
Les chevalers li oyerent, le hus unt debrisé,
La pucele pernent, les braces unt lïé.
Dehors la vile unt un fu aluminé,
2130 La pucele hi menerent, n'unt point de pité.
La pucele se crie : « Hei ! Deus de magesté,
Sucurés l'alme car le cors est alé ! »

CLII

La gentil pucele sovent plure e crie :
« Hai ! sire Boves, perdu as t'amie.
2135 Bele sire Deus, le fiz sent Marie,
Com cele pucele feytes fere folie
De eymer chevaler ke ele ne conut mie !
A vus, sire Boves, donai ma drurie :
Ore me avez oblïé e jeo serai perie ! »

CLIII

2140 Kant la pucele out ici pluré,
Unkes Deu ne fist home ke ne prist pité.
Une prestre demande, e l'em li ad liveré.
Longement le tint, sachez de verité.
A tant este vus Boun sur Arundel [le] preisé,
2145 Un berger encontre, si li ad demandé :
« Frere, ke est ceo fu ke jeo vey aluminé ?
– Sire, fet il, ceo [est] grant pité :

2130, p. hii m. (S).
2135, d. le fez s. (S).
2137, De eyme c. (S).

151

Les chevaliers s'écrient : « Debout, seigneur ! »
Mais c'est en vain, car il a été étranglé.
2125 Et la jouvencelle leur dit : « Vous vous donnez une peine inutile :
je l'ai étranglé cette nuit. »
Les chevaliers ont à ces mots brisé la porte,
ils la saisissent et lui attachent les deux bras.
Hors de la ville, ils ont allumé un bûcher
2130 où sans pitié ils conduisent la jeune fille.
Elle s'écrie : « Ah ! Dieu de majesté !
Sauvez mon âme, car mon corps est perdu ! »

152

La noble demoiselle pleure et gémit abondamment :
« Hélas ! Beuve, seigneur, tu as perdu ta bien-aimée.
2135 Cher seigneur Dieu, fils de sainte Marie,
quelle folie vous avez fait commettre à la jouvencelle que je suis,
d'aimer un chevalier qu'elle ne connaissait pas !
À vous, Beuve, seigneur, j'ai donné mon amour,
et maintenant vous m'avez oubliée, et moi, je vais mourir ! »

153

2140 Lorsque la demoiselle eut répandu ces pleurs,
aucune créature de Dieu ne put manquer d'avoir pitié.
Elle demande un prêtre, et on lui en fait venir un,
qu'elle retient longtemps, sachez-le bien.
Mais voici Beuve monté sur Arondel, le bon coursier de prix,
2145 qui rencontre un berger et lui demande :
« Ami, qu'est-ce que ce bûcher que je vois allumé ?
– Seigneur, c'est grand-pitié :

Un pucele est ke ad estranglé
Une conte ke par force le out esposé :
2150 Ore endreit serra ars, si Deu n'eit pité.
– Nun serra, dist Boves, jur de mun ayé ! »
Avers le fu ad forement esporoné.

CLIV

A tant este vus l'Escopart venant par dela,
En mi le champ le berger encontra.
2155 Ly Escopart envers li cria :
« Frere, que est ceo fu que l'en alume la ? »
Kant [il] le veit, füer se torna :
'Benedicite' en haut se cria,
E li Escopart par le chaperon li pris a :
2160 « Tint toi, fet il, escoute a moi sa,
Si moi die qui ceo fu alumina.
– Merci, fet il, pur Celi que vos forma !
Une pucele ars serra
Que par force un conte her seyr esposa.
2165 – Par mun chef, tu mens ! nun serra,
Que si [ma] mace dure, bon succurs avera. »
Aprés Boun l'Escopart s'en va,
En poi de tens Boun concy a.

CLV

Kant il furent a fu, ne urent demorer.
2170 Boves tret Morgeley, si fet testes voler,
E li Escopart frape de son lever,
Par .X. e par .X. les fet trebucher.
Boves li dist : « Ore pensez de fraper !
– Si fray, dist l'Escopart, si Deu me pus eyder :
2175 Nul n'eschapera de ci si il ne set trecheter. »

2166, Q. si mace d. b. succurus a. (S).

c'est une jeune fille qui a tordu le cou
d'un comte qu'on l'avait contrainte à épouser :
2150 on va bientôt la brûler vive si Dieu n'a pitié d'elle.
– Moi vivant, répond Beuve, cela ne sera pas ! »
Et il pique des deux vers le bûcher.

154

Et voici l'Escopart qui arrivait derrière,
et dans le champ rencontrant le berger,
2155 il lui cria :
« Ami, qu'est-ce que ce bûcher qu'on a allumé là ? »
Quand il le vit, le berger prit la fuite
en criant '*Benedicite*',
mais l'Escopart l'a saisi par le capuchon :
2160 « Reste là, lui dit-il, écoute-moi* !
Dis-moi qui a allumé ce bûcher.
– Pitié, dit le berger, au nom du Créateur !
On va y brûler vive une jeune fille*
qu'un comte hier au soir a épousée de force.
2165 – Sur ma tête, c'est faux ! ça ne se fera pas !
Si ma massue tient bon, elle sera bien secourue. »
L'Escopart s'en va après Beuve
et bientôt le rejoint.

155

Arrivés au bûcher, ils n'ont pas attendu :
2170 Beuve tire Murgleie et fait voler les têtes,
et l'Escopart frappe de son gourdin
et les renverse dix par dix.
Beuve lui dit : « Applique-toi à bien frapper !
– Je m'y applique, dist l'Escopart, que Dieu m'en soit témoin !
2175 Aucun n'échappera à moins d'être sorcier. »

Kant il urent fet lur enemis afiner,
Boves ala Josian delïer,
Pus se comencent ad enbracer.
Boves ad dist ke il pense de le aler
2180 A l'eveske un palefrei demander.
Li eveske fet meyntenant leverer,
E cil se comence a retorner.
Kant l'Escopart vint, Josian funt munter,
De ci ke a le chastel ne vont demorer.
2185 Sabaoth vist la pucele, si li ala beiser.
Iluc sujurnent tut a voler.
Mes Sabaoth le flori ne se voit oblïer
Dementres [fist] ses chastels enforcer,
Ses murs haucer, ses foscés drescer,
2190 Ke l'em ne pusse en le chastel vener
Sanz le commandement Sabaoth le guerrer.
Kant ceo out fet, si lessa ester.

CLVI

Un jur par matin se leva Boves sus,
Un mesager apele e il est venus.
2195 Ceo ne fu pas garson mes chevaler menbru,
Ceo dit la geste il out a non Karfu.
« Frere, dist Boves, si Deu t'enveit salu,
Va a Hampton, ja n'ert arestu.
A l'amperur di, kant tu averas veu,
2200 Ke le chevaler ke l'altrer la fu
Ad a non Boves, si li ad desu.
Dy li ke jeo li mande ke il serra pendu,

2178, P. se comence ad e. (S).
2182, s. comencent a r.
2183, K. B*oves* v. (S).
2197, d. te ueit s. (S).

Et quand ils eurent exterminé leurs ennemis,
Beuve alla détacher Josiane,
et ils tombèrent dans les bras l'un de l'autre.
Puis Beuve dit à l'Escopart d'aller*
2180 demander à l'évêque un palefroi.
Le prélat aussitôt lui en fait donner un,
et l'Escopart fait demi-tour.
À son retour, ils font monter Josiane en selle,
et sans tarder ils repartent vers le château.
2185 Quand il eut aperçu la jeune fille, Soibaut vint l'embrasser.
Ils séjournèrent là tout à loisir.
Soibaut aux cheveux blancs pourtant ne se laisse pas distraire
et fait pendant ce temps fortifier son château,
rehausser ses murailles, refaire l'escarpement de ses fossés,
2190 afin qu'on ne puisse y entrer
sans un ordre de lui, Soibaut le bon guerrier.
Et ces travaux menés à bien, il s'en tint là.

156

Beuve un jour se leva dès le petit matin.
Il appela un messager, qui vint tout aussitôt,
2195 non un simple valet, mais un robuste chevalier ;
l'histoire dit qu'il s'appelait Karfu.
« Ami, dit Beuve, que Dieu t'accorde ton salut !,
va à Hamptone sans t'arrêter.
À l'empereur, lorsque tu le verras,
2200 dis que le chevalier qui l'autre jour était chez lui
s'appelle Beuve et lui a joué un bon tour ;
et dis-lui de ma part qu'il finira pendu,

Kar jeo su aforcé de haubers e d'escuz,
E bons chevalers ke sont fors e menbrus,
2205 E si ai un geant ke ad munt grant vertu.
Mes dites hardyment, si vus eyde Jhesu.
– Volunters, dit il, ja n'ert arestu. »
Le destrer monte kant il armé fu,
A l'amperur vent a Hampton ou fu.
2210 Quant vist l'amperur, ne se tint pas mu :
« Traitur, ceo dist Karfu, tu seis confundu !
Le chevaler ke l'altrer cy fu
Ne [ad] pas a non Gyrald com vus conté fu,
Eyns ad a non Boves, Deu li done vertu !
2215 Le gentil quens Guiun son pere fu :
Tu le tuastis a tort, dunt serras irascu.
Par moi te mande ke tu serras pendu.
Traitur, fel laron, ou est ore ta vertu ? »
L'amperur li oyt, si prist un cotel molu,
2220 Le mesager quide ferir par mi le bu,
Mes il faili, si fert son frere dru
Q'a ses pez li ad mort estendu.
E Karefu monte sor le chival kernu.

CLVII

A l'amperur dit : « Fol estes redoscez
2225 Kant vostre meylur ami pur moi avez tüez.
Uncore si vus moi eusez mels asené,
Dirrai ke vus fusez aukes de bonté !
Mes un chose, jeo creai, vus ad desturbé,
Ke la bas vostre femme avez caubé.

2203, s. aforce des h. (S).
2205, g. ke ad mu*n* g. (S).
2222, p. li ad li mort e. (S).
2226, m. euset m.

car mes forces se sont accrues : cottes de mailles, boucliers,
bons chevaliers solides et robustes ;
2205 et j'ai aussi un géant très puissant.
Parle-lui hardiment, et que Jésus te vienne en aide !
– Volontiers, répond-il, personne ne m'arrêtera. »
Il s'arme et monte sur son coursier,
et se rend à Hamptone où était l'empereur.
2210 Quand il le voit, il ne reste pas muet :
« Traître, dit-il, puisses-tu être anéanti !
Le chevalier qui l'autre jour était ici
ne s'appelle pas Giraud comme on te l'avait dit,
mais bien Beuve, que Dieu l'assiste !
2215 Son père était le noble comte Guy :
tu l'as tué injustement, tu vas t'en repentir.
Beuve m'envoie te dire que tu seras pendu.
Traître, infâme brigand, où est ta force désormais ? »
Quand il entend ces mots, l'empereur se saisit d'un couteau
bien tranchant,
2220 voulant frapper le messager en plein dans la poitrine,
mais il manque son coup, touche son frère qu'il aimait tant,
et il l'étend mort à ses pieds.
Et Karfu monte sur son cheval à la longue crinière.

157

Il dit à l'empereur : « Épais crétin !
2225 Tu viens de tuer à ma place ton plus proche parent !
Si tout au moins tu m'avais mieux visé,
je pourrais dire que tu as quelque qualité !
Mais il y a, je pense, quelque chose qui t'affaiblit :
c'est de t'être accouplé avec ta femme*.

CLVIII

2230 « Fol, ceo dist Karefu, a moi entendez sa !
Honi seit ta main ke sy assena !
Ceo est Boves de Hampton ke a vus moi enveia.
Kant il fu petit .III. coupes vus dona,
Ja seit il ke de tot ne vus tua.
2235 – Deu, dist l'amperur, jeo enragera ja !
– Par mun chef, dist Karefu, l'em vus legera,
Ceo est la meylur medicine ke ay apris pess'a. »

CLIX

Adunc se turne le chevaler vailant,
E l'amperur remist tot dolent.
2240 Ly mesager vint a Boun le vailant,
Tut li conte com il trova devant.
Adunc rystrent li petis e li grant
E Sabaoth le vels e Boves ensement,
Ke a peyne se purrunt tener esteant.
2245 Ore vos dirrum de l'amperur des ore [en] avant.
Pur lé novels estoit mult dolent.
Il manda ses homes en Almayne le grant
Ke il venent a li kar ore ad mester grant.
E a le roi d'Eschos manda ensement,
2250 Ke estoit le pere sa femme o le cors gent,
Ke il li veyne succurer entre li e sa gent
Kar ore ad il bosoyne, unkes n'out si grant.
O chevalers y venent e serjans ensement,
E archers plusurs e autre menue gent.

2231, k. sy enseyna (1726).
2234, Da seit il k. (S).
2236, v. l*er*gera (S).
2243, *E* li sabaoth le v. (S).
2251, e. li en sa g. (S).
2254, a. mene g. (S).

158

2230 « Imbécile, dit Karfu, écoute-moi !
Maudite soit ta main qui a si mal visé !
C'est Beuve de Hamptone qui m'a envoyé près de toi.
Étant enfant, il t'a frappé trois fois,
mais n'a pas réussi à te tuer.
2235 – Par Dieu, dit l'empereur, c'est à devenir fou !
– Sur ma tête, répond Karfu, on va donc te saigner :
c'est le meilleur remède que je sache depuis longtemps. »

159

Cela dit, le vaillant chevalier s'en retourne
et l'empereur reste tout affligé.
2240 Le messager revient auprès de Beuve le vaillant,
et lui raconte tout ce qu'il vient de voir.
De rire éclatent petits et grands,
le vieux Soibaut et aussi Beuve :
ils en avaient du mal à se tenir debout.
2245 Mais nous allons à présent vous parler de l'empereur.
Cette nouvelle l'avait vivement affligé.
Il ordonna à ses vassaux de la grande Allemagne
de venir le rejoindre, car il avait grand besoin d'eux*.
Et il fit demander aussi au roi d'Écosse,
2250 le père de sa femme au corps gracieux,
de venir lui porter secours avec ses troupes,
parce qu'il en avait plus que jamais besoin.
Ils viennent tous, avec des chevaliers, des valets d'armes,
des archers en grand nombre et d'autres gens de pied.

CLX

2255 A Hampton venent princes e chevalers
Par [le] commandement l'adverser.
Donc fet il [les] princes asembler :
« Seynurs, [dist il], fetes noise abeiser.
Vus savez ben, ja ne m'estut conter,
2260 Ke Sabaoth mey ad fet mult grant encombrer.
Ore li est venu succur de un chevaler,
Boun de Hampton, k'e mult e fort e fer.
A paiens li vendi ke vindrent de oltre mer,
Ore est il returné, forment me voit guerer.
2265 Ovesques li mene un geant mult fer,
Ne resemble pas home mes le deble d'enfer,
Li felon Escopart li oÿ jeo nomer.
Seynurs, me volez encontre li eyder ?
– Oyl, [ceo] responent, mult volunters.
2270 De ren vus ne dotez, li irom enseger.
Tut seit l'Escopart si fort e si fer,
Tanz serrom entur li ne vus purra grever :
Nos li from tot vif en cete chastel mener,
Entre li e Boun freyz decoler
2275 E Sabaoth le flori ardre e enbracer. »
Doun les oÿ, grant joie en out al qer.
Adonc s'en vunt les chevalers armer,
Loges e tentes il funt aparailer,
En deus escheles lor oste deviser :
2280 Le rei d'Eschos guie la primer
– Il fu l'ael Boun o le vis fer –,
La secunde Doun dunt vus orés conter.
Grantment eurent de gent, le oste estoit plener :
Encontre un del chastel avoit un miler.

2269, Oyl responent m. volunteres (S).
2283, G*rara*ntment e. (S).

160

2255 Arrivent à Hamptone princes et chevaliers
à la demande de ce suppôt du diable.
Il réunit alors les princes :
« Seigneurs, dit-il, faites silence !
Vous savez bien, je n'ai pas à le rappeler,
2260 que Soibaut m'a causé de très graves ennuis.
Et maintenant il a reçu l'appui
de Beuve de Hamptone, un chevalier aussi fort que farouche.
Je l'avais autrefois vendu à des mécréants d'outre-mer,
mais voilà qu'il est revenu et veut à toute force me faire la guerre.
2265 Il amène avec lui un géant très féroce
qui a moins l'air d'un homme que d'un diable d'Enfer.
Je l'ai entendu appeler Escopart le cruel.
Seigneurs, acceptez-vous de m'aider contre lui ?
– Oui, ont-ils répondu, très volontiers.
2270 N'ayez aucune crainte, nous irons l'assiéger*.
Si fort et si farouche que soit cet Escopart,
nous serons si nombreux autour de lui qu'il ne pourra vous nuire ;
nous le ramènerons vivant dans ce château.
Vous lui ferez couper la tête ainsi qu'à Beuve,
2275 et brûler vif Soibaut aux cheveux blancs. »
Doon eut à ces mots le cœur rempli de joie.
Les chevaliers vont alors s'équiper
et préparer leurs tentes et leurs baraques.
Ils répartirent leur armée en deux corps de bataille :
2280 le roi d'Écosse commandait le premier
– c'était le grand-père de Beuve au visage farouche –,
et Doon le second – dont vous nous entendrez parler.
Ils avaient beaucoup d'hommes, l'armée était puissante :
ils étaient mille contre un seul du château.

2285 Sabaoth e Boves firent mult a loer :
En .III. escheles funt lur oste deviser :
La primer Sabaoth mene, le guerer,
La secunde Boves li vailant chevaler,
E la terce l'Escoupart ke tant fu fort e fer.

CLXI

2290 Sabaoth condust sa grant ost e guie.
La porte fet overer, si s'en va od sa meynnie :
.X. mil chevalers out en sa compaynie.
Doun le veit, hautement lé escrie :
« Alez encontre, gardez ke il ne vus chape mie. »
2295 Le roi d'Eschose monte le destrer de Orfanie,
Encontre Sabaoth vint o sa hoste banie.
Sabaoth le veit, o la barbe florie,
L'escu li perse, le cors n'ad garantie,
Mort l'abati e en haut se crie :
2300 « Hey ! felon gloton, Jhesu te maldie
Kant a primer coup faylis a tele compaynie ! »
Pus ad tret l'espé furbie,
Encontre son coup n'ad arme garantie.
La primer eschele mettent a hachie.
2305 L'amperur le veit, n'ad talent ke rie.

CLXII

Doun monte e sa gent hauci,
Encontre Sabaoth point e sa gent o li.
Boves le veit, de chastel s'en ici
Sur Arundel le bon destrer preysi,

2285, b. furent m. (S).
2290, s. g*re*nt o. (S).
2306, g. haucie (S).

2285 Soibaut et Beuve agirent de façon admirable.
Ils répartirent leur armée en trois corps de bataille :
Soibaut le bon guerrier conduisait le premier,
Beuve, le chevalier vaillant, commandait le deuxième,
et le troisième, l'Escopart si fort et si farouche.

161

2290 Soibaut conduit sa grande armée.
Il fait ouvrir la porte et sort avec ses hommes :
dix mille chevaliers l'accompagnent.
En le voyant, Doon s'écrie d'une voix forte :
« Attaquez-le, et prenez garde qu'il ne s'échappe pas ! »
2295 Le roi d'Écosse chevauche un coursier d'Orfanie,
il s'avance contre Soibaut avec tous ses vassaux*.
Soibaut à la barbe fleurie l'a aperçu,
il transperce son bouclier, rien ne peut plus le protéger,
et l'abat mort, criant d'une voix forte :
2300 « Hé ! infâme crapule, que Jésus te maudisse,
toi qui, au premier coup, abandonnes tes compagnons ! »
Ensuite il a tiré l'épée fourbie :
il n'est pas d'arme qui résiste à ses coups.
Le premier corps est massacré.
2305 Et quand il voit cela, l'empereur n'a aucune envie de rire.

162

Doon monte à cheval avec ses hommes,
et vers Soibaut éperonne avec eux.
Voyant cela, Beuve sort du château
sur Arondel, le bon coursier de prix,

2310 Chevalers fors armés oveske li,
E pensunt de ferir, ne sont mie tardis.
E Boves point Arundel, l'escu ad avant mis,
A la primer coup occist Yvori le gris,
Oube de Mundie getta mort ausi.

CLXIII

2315 Kant Boves out tüé Oube de Modeye,
Ses compaynuns i ferent, Deu lur dont joie !
Checun tue le sun, nul ne se amoye.
Boves vist l'amperur, de mautalent rojoie :
« Par Deu, fet il, traitur, si jeo vus tenoie,
2320 Ja Damedeu doynt ke jeo face voie
Si vostre gros test ne sereyt tost a moi ! »

CLXIV

L'amperur li dist : « Fel gloton recreant,
Ke alez si ferement manassant ?
Si vus volez combatre, venez hors en champ ! »
2325 Boves l'oÿ, unkes ne fu si joiant.
De l'estor se departent ben a deus arpens.
Boves prent sa lance e mette l'escu avant,
L'amperur fert si ke a terre l'estent,
E ausi com il chaï son escu par mi fend
2330 E sa bon espé brisa ensement.
L'amperur saut sus, si out pour grant.
Une pere trove a sez pez gesant,

2310, C. hors a. (S).
2312, l'e. ad va*n*t mis. (S).
2316, s. compayuns i f. (S).
2318, m. rejoie (S).

2310 et des chevaliers vigoureux et bien armés le suivent,
qui sans perdre de temps s'appliquent à frapper.
Derrière son bouclier, Beuve éperonne son cheval.
Du premier coup il dépêche Yvori le gris*
et jette mort Oube de Mondoie après lui.

163

2315 Dès lors que Beuve a tué Oube de Mondoie,
ses compagnons se mettent à frapper : que Dieu leur donne de se réjouir !
Ils tuent chacun le sien, pas un ne flanche* ;
Beuve voit l'empereur et rougit de colère :
« Par Dieu, dit-il, traître, si je vous tiens,
2320 veuille Notre Seigneur m'imposer un pèlerinage
si je ne coupe pas aussitôt votre grosse tête* ! »

164

L'empereur lui répond : « Lâche, infâme crapule,
à quoi bon ces menaces pleines d'orgueil ?
Si vous voulez vous battre, sortez à découvert ! »
2325 Beuve à ces mots se sent plus heureux que jamais.
De deux arpents ils s'écartent de la mêlée.
Beuve saisit sa lance, met son bouclier devant lui
et frappe si fort l'empereur qu'il l'étend sur le sol.
Le bouclier de Doon dans sa chute se fend en deux,
2330 sa bonne épée aussi se brise.
D'un bond il se relève, tout effrayé.
Il trouve une pierre à ses pieds :

Il fu aukes fort, en haut le va levant,
A Boun la rue mult irement
2335 Si ke son escu brise malement.
Boves tret Morgelei, si li fert meyntenant,
Mes les [Alemans] venent donc poynant,
Lur seynur montent tost e ignelement.

CLXV

A l'estor vienent, si pensunt de fraper.
2340 A tant este vus l'Escopar, en sa main un lever,
La terce eschele ov li de .L. chevalers.
Par .X. e par .X. les [va] cravanter.
Boves li dist : « Escopart, ami cher,
Veez l'amperur sur le blanc destrer :
2345 Ben pöez fere si vus li volez lïer.
– Sire, ceo dist l'Escopart, tut a vostre voler !
Ore me lessez fere chemin o mon lever. »
Li Escopart fert, ne voit nul esparnier,
E vint a l'amperur, si li prist tot enter,
2350 Al chastel li porte, si li fet lïer.
A l'oste s'en turne pur son seynur eyder.
Les Alemans veyent ke il ne poyent durer
E lur seyngur fu pris en grant encombrer :
Homage funt a Boun pur lur vie aver.
2355 Lors pernent tuz en chastel entrer.
Doun vist Boun avers li torner :
« Sire Boves, dist il, ne vus qer celer,
De crïer [merci] ne me avera mester.

2333, Il fu fort aukes en h. (S).
2334, b. se rue m. (S).
2337, Alemans *manque* (S, 2352).
2339, v. si pesunt de f. (S).
2349, v. a lampur si li p. (S).

il était fort, il la soulève,
avec colère il la jette sur Beuve,
2335 dont il brise fâcheusement le bouclier.
Beuve tire Murgleie et le frappe aussitôt,
mais les Allemands viennent à force d'éperons,
et ils remettent leur seigneur en selle tout aussitôt.

165

Ils reviennent dans la mêlée, assidus à frapper.
2340 Alors arrive l'Escopart, une massue au poing,
avec cinquante chevaliers qui forment le troisième corps,
et dix par dix il écrase les ennemis.
Beuve lui dit : « Escopart, cher ami,
voyez l'empereur qui chevauche ce coursier blanc :
2345 ce serait bien si vous vouliez le ficeler.
– Seigneur, dit l'Escopart, tout comme il vous plaira !
Mais laissez-moi ouvrir ma route avec cette massue. »
L'Escopart frappe, il n'épargne personne ;
atteignant l'empereur, il le capture indemne,
2350 le conduit au château et l'y fait enchaîner.
Puis il revient se battre pour porter aide à son seigneur.
Quand les Allemands voient qu'ils ne peuvent plus résister
et que par grand malheur leur seigneur s'est fait prendre,
ils font hommage à Beuve pour avoir la vie sauve*.
2355 Tous retournent alors dans le château.
Doon voit Beuve se diriger vers lui :
« Seigneur Beuve, dit-il, à quoi bon le cacher ?
rien ne me servira de vous demander grâce.

Ma mort [vus] vodrai volunters pardoner
2360 Si ke a une cop me facez tüer.
– Nun fray, dist Boves, si Deu me pusse eyder ! »
Boves ad fet de plum aporter,
Une fosce fet il en tur aparailer,
De plum boylant le fet tot empler,
2365 Pus ad fet Doun par dedens getter.
« Ore se poet, dist Boves, sire Doun bainer !
Si il eyd freyd, ore se purra chaufer. »
A la dame vint corant un messager
Ke la conte noveles de Doun li fer ;
2370 E ele l'oÿ, si prent un cotel de asser,
Le messager fert dreit par mi le qer.
A sa haut tur va la dame monter,
De son gré chet jus que le col fet debriser.
Boves l'oï dire, unkes ne voit plurer.
2375 A sa curt chivacha, ne voit demorer.
Son heritage tint com hardi e fer,
De la terre Doun fu il justiser.
Seynurs, tuz icels ke li vindrent eyder
Rendi lur servise com lels e gentis ber.
2380 En la cité est Boves entré.
Tuz les burgeis li vunt merci crïer,
Grant masses de tresur li unt mustré.
De tuz ses enemis est il ben vengé.
Boves quert s'amie que est a la rocher,
2385 Josian mande pur li esposer,
E li eveske de Colonie est iluc mandé,
E il est venu volunters e de gré.
Pus amenent la dame al muster,
Boves l'espouse, li gentil e li fer.

2381, b. li unt m.
2383, il *est rajouté dans l'interligne supérieur* (S).

Je vous pardonne volontiers de me faire mettre à mort
2360 pourvu que d'un seul coup vous me fassiez tuer.
– Certes non, répond Beuve, que Dieu m'en soit témoin ! »
Et il fait apporter du plomb,
creuser près de là une fosse
qu'il fait emplir de plomb bouillant,
2365 et il y fait jeter Doon.
« Messire Doon, dit-il, peut maintenant avoir un bain,
et s'il a froid, il va pouvoir se réchauffer ! »
Un messager se rend chez la dame au plus vite
et lui conte le sort de Doon le farouche.
2370 Elle l'écoute, puis prend un couteau acéré,
et le frappe en plein cœur.
Puis elle monte sur sa plus haute tour,
d'où elle se précipite en bas et se brise le cou.
Quand Beuve apprit cela, il n'eut pas envie de pleurer.
2375 Jusqu'à son palais sans retard il chevaucha,
et en seigneur hardi et fier il recouvra son héritage.
Il gouverna aussi la terre de Doon.
Seigneurs, tous ceux qui étaient venus à son aide,
il les récompensa en prince aussi loyal que noble.
2380 Quand Beuve entra dans la cité,
tous les habitants vinrent lui crier grâce,
lui offrant des trésors en grandes quantités.
Le voilà bien vengé de tous ses ennemis.
Il va chercher sa bien-aimée, restée dans le château sur le rocher,
2385 il fait venir Josiane afin de l'épouser.
L'évêque de Cologne est appelé,
il vient avec plaisir.
Alors la dame fut conduite à l'église,
et Beuve l'épousa, le héros noble et fier.

2390 Kant ceo unt fet, il vunt a manger.
Quant hurent assez beu e mangé,
Le vin demandent, si se sont coché.
Hure fu bon, si ont engendré,
.II. fiz engendra, sy fu adestiné :
2395 Li un fu Miles, si com fu apelé,
E li altre Guiun, li pruz e li sené.
Mes grant peyne unt pus enduré :
Avant orrez com lur fu encontré.

CLXVI

Boves fu a Hampton un demi an.
2400 Boves apela ses chevalers vailans :
« Seynurs, vus aprestez si ke vus comand.
A le rei irrom parler meyntenant. »
E monte li quens e va esporonant

CLXVII

Jeskes a Lundres, ben sont herbergés.
2405 Il se returne e Sabaoth le barbé,
Jeskes a paleis ne sont aresté.
Le roi trovent a marbrin degré.
Il li saluent com oyer purrés :
« Deu vus salve, sire roi, e vostre baronez,
2410 Ke pur pecheurs fu de la Pucele nez,
En la Terre Seynte .XXX. ans penez,
.XL. jurs juna pur son poeple salver,
Pus li traï Judas pur sule .XXX. deners,
A Juys fu bailé pur son cors tormenter,
2415 En la crois pur nus deignoit morer

2401, v. comandre (S).
2402, p. meytenant (S).

2390 Cela fait, on passa à table ;
et quand ils eurent bien bu et bien mangé,
ils demandèrent le vin et se couchèrent.
L'heure était faste et fut pour eux féconde* :
Beuve engendra deux fils, tel était son destin.
2395 L'un des deux fut appelé Miles
et l'autre Guy, le vaillant et le sage*.
Mais par la suite ils durent subir de grands malheurs,
je vous dirai plus tard comment cela eut lieu.

166

Six mois durant Beuve demeura à Hamptone.
2400 Il appela ensuite ses vaillants chevaliers :
« Seigneurs, préparez-vous, je vous l'ordonne.
Nous allons à présent parler au roi. »
Et le comte monte à cheval et part à force d'éperons*

167

tout droit vers Londres où ils ont un bon gîte.
2405 Beuve ressort avec Soibaut à la barbe fleurie*,
et ils vont au palais sans s'arrêter.
Ils y trouvent le roi sur le perron de marbre
et le saluent comme vous allez l'entendre :
« Que Dieu vous sauve, sire, avec tous vos barons,
2410 Lui qui de la Vierge naquit pour la rédemption des pécheurs,
qui souffrit trente ans en Terre Sainte,
et pour sauver Son peuple jeûna quarante jours.
Mais Judas Le trahit ensuite pour seulement trente deniers ;
Il fut livré aux Juifs pour être supplicié,
2415 et consentit pour nous à mourir sur la Croix

E pus son cors en sepulcre poser ;
Dedens les .III. jors fu resuscité.
A jur de juge nus vendra tuz juger :
Cil salt le roi e tuz le baronez.
2420 – Amis, dist li rois, dont este vus né ?
– Par foi, sire, ja vus ert conté :
Jeo ai nun Boves de Hampton la cité,
Fiz al conte Guiun ke tant solés amer.
– Ami, dist li roi, Deu seit ahuré !
2425 Mult toi doi amer. Venez, si moi basez ! »
Le roi li rent tuz ses heritez,
E Boves li rent .V.C. mercis e grez.
Sabaoth son mestre est en pez levez,
Boun apele e dist : « Sire, sa venez.
2430 Ignelement le releve li donez.
– Mestre, dist Boves, dathat dunke mun chef
Kant en ma vie li durrai relefz !
Sire, ceo fu merveiluse pité :
Kant Doun occit mun pere o l'espé,
2435 Pus li dona ma mere o mes heritez
E pus suffrit ke jeo fu enchacez.
Ceo tort ke me ad fet deyt estre adressé. »
Dist li rois : « Ta mere li fit tüer,
Ke Jhesu Crist doynt encombrer !
2440 Ele fist tun pere occier e entrencher.
Ne requer de le ton le vailant [de] un dener :
Tenez ta rente, té fez e té citez.
– Sire, ceo dist Boves, ore merci en eyez.

2419, t. le boronez (S, 1713, 2409).
2421, sire *est rajouté dans l'interligne supérieur* (S).
2426, roi *est rajouté dans l'interligne supérieur* (S).
2433, c. fu m*er*u*er*isse p. (S).
2439, c. doynnt e. (S).
2441, de *manque* (S, 1797, 2806).

et à laisser mettre Son corps dans le Sépulcre
pour le troisième jour ressusciter.
Au jour du Jugement, Il reviendra tous nous juger :
qu'Il sauve le roi avec tous ses barons !
2420 – Ami, lui dit le roi, d'où êtes-vous natif ?
– Sur ma foi, sire, je m'en vais vous le dire :
mon nom est Beuve, de la ville de Hamptone,
je suis le fils du comte Guy, que vous aimiez si fort*.
– Ami, répond le roi, que Dieu soit loué !
2425 J'ai bien lieu de t'aimer. Viens, et embrasse-moi ! »
Le roi lui restitue ses biens héréditaires,
et Beuve lui en rend mille remerciements.
Mais Soibaut, son maître, se lève,
il appelle Beuve et lui dit : « Seigneur, approchez-vous.
2430 Vous devez vite lui payer votre droit de relief*.
– Maître, rétorque Beuve, je veux être maudit
si de toute ma vie je lui paye un relief !
Seigneur, ce fut une injustice extrême* :
quand Doon eut tué mon père de son épée,
2435 le roi lui accorda ma mère avec mon héritage
et consentit à ce que l'on me chasse.
Le tort qu'il m'a causé doit être réparé. »
Le roi lui dit : « C'est ta mère qui l'a fait tuer :
que Jésus l'envoie au supplice !
2440 C'est elle qui a fait tuer et dépecer ton père.
Mais je ne requiers pas de toi un seul denier vaillant :
garde tes rentes, tes fiefs et tes cités.
– Sire, lui répond Beuve, soyez-en remercié.

– Boves, dist li roi, mult vus ai amé,
2445 E jeo vus ai rendu vus riche heritez,
Burgeus e chastels, donguns e fermetez.
Gui amai mult ke me nurrit suef,
Mal guerdon ai a son fiz donez.
– Sire, ceo dist Boves, kant vus repentez,
2450 Jeo le vus pardoune ici e devant Deus. »
E dist li roi : « Ore avez ben parlez. »
Son chambrer leyens ad li roi apelez :
« Frere, dist li rois, le baston me portez
Ky fu a Guy de Hampton sur mer,
2455 E a Boun son fiz le baston donez.
Le verge est de fin or tot neielez. »
Ceo dist li rois : « Boves, sa venez :
Jeo vus rengke de Engletere le chef.
– Sire, dist Boves, ore me seysez :
2460 Vostre merci, vus me avez feffé. »
L'endemain fu Pentecoste en esté.
Le roi se leve, si ad Boun demandé,
Ore s'en vunt, a muster sunt alé.
La messe lor chante le erseveske Giré.
2465 Devant la messe le roi unt coroné,
Boves li ad la corone fermé.
A l'auter s'en va, si s'et agenulé,
La offerant fet o bon volunté.
O li offerent ses princes alosé.
2470 La messe oyerent, si sont retorné.
Les chevalers unt entre eus parlé :
« Seynurs, hui est Pentecoste en esté.

2446, c. digu*ns e* f. (S).
2456, t. analez (S).
2459, o. me seyse (S).
2464, l. chaste le e. (S).

– Beuve, reprend le roi, j'ai beaucoup d'affection pour vous,
2445 et je vous ai rendu votre riche héritage,
bourgs et châteaux, donjons et places fortes.
J'ai beaucoup aimé Guy, qui m'éleva avec tendresse,
et je n'ai guère montré ma reconnaissance à son fils.
– Sire, dit Beuve, puisque vous vous en repentez,
2450 je vous pardonne ici et devant Dieu.
– Vous avez sagement parlé », lui répondit le roi.
Il fit venir son chambellan :
« Ami, dit-il, apportez le bâton de maréchal*
de Guy de Hamptone sur mer,
2455 et donnez-le à son fils Beuve.
La tige en est d'or fin entièrement niellé. »
Il ajouta : « Beuve, venez ici :
je vous rends le commandement des armées d'Angleterre.
– Sire, lui répond Beuve, me voici investi :
2460 je vous rends grâce, vous m'avez restitué mes fiefs. »
Le lendemain était le jour de la Pentecôte, en été.
Le roi se lève et fait appeler Beuve :
tous deux alors se rendent à l'église.
L'archevêque Giré leur y chante la messe.
2465 Avant la messe, le roi s'est fait remettre sa couronne,
et c'est à Beuve qu'est revenu de la lui poser sur la tête*.
Il se rend à l'autel, s'y agenouille*
et de bon cœur dépose son offrande.
Avec lui font la leur les princes de renom.
2470 Ils entendent la messe et s'en retournent.
Les chevaliers parlaient entre eux :
« Seigneurs, c'est aujourd'hui le jour de la Pentecôte, en été.

2473 Prendre devum nus chivals surjornez. »
2477 Le curs fu fet, le aver fu portez :
2478 A le chef de curs unt .XL. mars getez.
2484 Li chevalers sont emsemblez,
2479 En la place sunt les chevals amenez.
2474 .II. chevalers, que tost confunde Deus !
2475 .II. chivals averent corant e brevez,
2476 Ly un estoit bausent, l'altre pomelez.
2480 Boves out Arundel, le destrer abruvez,
2481 Il monte en la sele par son estru doré.
2482 O le rei parlout, avant sunt passé ;
2483 Les chevalers unt le curs avant emblé.
2485 « Amis, dist le roi, iceo estre lessez,
Pur les menbres couper ne les attendrez.
– Sire, dist Boves, de folie enparlez :
De ment angusse me ad le chival getez. »
Tant ad li enfans o son seynur parlé
2490 Que sels li furent .IIII. arpens passé.
Boves let coure Arundel le preysé,
Par maltalent le point a costé :
Tot le chimin freteler a comencé.
La poudre leve, le vent est medlé.
2495 « Veez, dist li roi, ceo [est] un malfé,
En un poi de oure les ad trespassé. »
.II. chevalers ke de Wastrande furent nee
.II. chivaus urent ferant e pomelé.
Ben .III. luïs lui süent a costé

2478, c. un .XL. m.
2479, l. ch*eval*ers a. (*note 2484 de S*).
2474, .II. c. .I. q*ue* t. (S).
2476, e. bausten l'altre p. (S).
2482, r. p*ar*out a. sun p. (2489).
2486, l. attendez.
2488, a. ad le c. me g. (S).

2473 Nos chevaux sont bien reposés, il nous faut les monter*. »
2477 La course est préparée, on apporte le prix* :
2478 à la fin du parcours sont déposés quarante marcs.
2484 Les chevaliers se réunissent,
2479 et leurs chevaux sont menés au départ.
2474 Il y en avait deux – Dieu les détruise sans attendre ! –
2475 qui avaient deux chevaux au galop très rapide*,
2476 l'un était pie et l'autre pommelé.
2480 Beuve avait Arondel, le rapide coursier.
2481 Il monte en selle par son étrier d'or.
2482 Mais alors qu'il parlait avec le roi, les deux lui sont passés devant
2483 et ils sont partis avant lui.
2485 « Ami, dit le roi, renoncez,
quoi que vous puissiez faire, vous ne saurez les rattraper*.
– Sire, lui répond Beuve, ce serait une folie :
ce cheval m'a tiré de multiples dangers. »
Pendant que le jeune homme parlait avec le roi,
2490 les deux autres avaient déjà parcouru quatre arpents.
Beuve lâche la bride à Arondel, son bon coursier de prix,
et de colère lui éperonne les flancs :
il s'est mis au galop tout au long du chemin.
La poussière qu'il soulève vole dans le vent.
2495 « Regardez, dit le roi, on croirait un démon* :
en un instant il les a dépassés. »
Il y avait deux chevaliers nés à Wastrande
qui avaient deux chevaux, l'un gris fer, l'autre pommelé.
Pendant trois bonnes lieues ils sont restés à sa hauteur

2500 Ke li un l'altre n'est passé.
« Chival, dist Boves, coment avez erré ?
Malement avez ore alé
Kant si pres vus süent sé runcis defïez !
Jadis vus vi tant .III. ores aver passé
2505 Kant jo occis Tenebrés l'admiré
E Josian me out primes adobé. »
Kant oÿ a sun seynur Arundel le preysé,
Melz entent que cerf esprové :
Le chimin prent, si est avant alé.
2510 Unkes ne fu oysel ke seit a li ajusté
Ke a li se tent un arpent mesuré.
Un val aval, si est [en] haut montez.
Boves s'en va, les chevalers sont remyz,
De ci ke a la curs n'est ren demorez.
2515 L'aver prent c'il ad trové,
Vint a malades, si lur ad doné.
Boves regarde la terre ou il ad le curs gainé :
« Haa ! Deus ! dist Boves, pere dreiturel !
Cele terre soleit jadis mun pere garder.
2520 Jeo frai ici un chastel afermer ;
Pur mun chival, le bon destrer,
Si le frai Arundel apeler. »
Il se repeyre, ne fist plus demorer.
Jeskes a Lundres ne voit arester.
2525 Il descendi a marbrin degré.
....
« Sire, dist a Sabaoth, lessez moi ester.
Plus ai hui conquis o mun corant destrer
Ke tuz mes parens a Hampton sur mer ! »
Le fiz le roi le destrer prent a coveiter.
2530 « Sire, vostre chival, si vus plet, me donez.

2505, t. ladadmire (S).

2500 sans que l'un passe devant l'autre.
« Cheval, dit Beuve, que faites-vous ?
Vous galopez bien mal en ce moment
puisque ces misérables rosses vous suivent de si près !
Je vous ai vu jadis en dépasser trois de la sorte,
2505 quand j'ai tué le roi mécréant Ténébré,
et que Josiane m'avait donné mes premières armes*. »
Quand Arondel, le bon coursier de prix, entend son maître,
il lui obéit mieux qu'un serviteur zélé :
sur le chemin, il se porte en avant.
2510 Il n'y a pas d'oiseau qui, s'il se mesurait à lui,
parviendrait à le suivre sur la distance d'un arpent.
Il descend un vallon et remonte l'autre versant.
Beuve s'en va, laissant tous les autres sur place,
et sans perdre de temps il atteint l'arrivée.
2515 Il trouve le prix, s'en saisit,
et va le donner aux lépreux.
Puis, regardant l'endroit où il a remporté la course :
« Ah ! mon Dieu, s'écrie-t-il, Père garant du droit !
c'est mon père jadis qui avait cette terre en garde.
2520 Je vais faire bâtir ici un château-fort,
et en l'honneur de mon cheval, le bon coursier,
je l'appellerai Arondel. »
Sans plus attendre il s'en retourne
et va d'un seul trait jusqu'à Londres.
2525 Arrivé au perron de marbre il descend de cheval.
[*Arrive Soibaut : « Seigneur, vous avez perdu votre temps. »*]
« Seigneur, dit-il à Soibaut, laissez-moi* !
Je viens de gagner plus avec mon rapide coursier
que toute ma famille à Hamptone sur mer ! »
Le fils du roi fut pris de convoitise pour le coursier :
2530 « Seigneur, donnez-moi, s'il vous plaît, votre cheval.

– Amy, dist Boves, de folie enparlez !
Ke si Engletere fu le ton e vus roi coronez
E le honor me usez tot quite clamez,
Ne te dorai mie mun destrer preysez. »
2535 L'enfant oÿ, mult est irez.
Un conseylur ad, ke Deu met a malfez !
« Sire, isci sumus .XL. chevalers adubbez.
Boves servera vostre seynur a manger,
A son ostel irom, si prendrum le destrer. »
2540 Ore est Boves a son ostel torné,
O trey grant cheinis ad son chival fermé,
Prent son baston, si [est] a curt alé.
Le roi li veit, si li ad apelé :
« Beu sire Boves, coment avez espleyté ?
2545 – Bel sire, ben, la merci Damedé !
Jeo ai le curs vencu e conquesté.
Dreit a un tertre a chef de mun herité,
Ilukes frai un bon chastel estre fermé
E Arundel le frai apeler en verité. »
2550 E dist le roi : « Jeo l'otrai de gré. »
Este vus le fiz le roi o .XL. ben armé.
A l'ostel Boun meintenant est alé,
Tuz lé cheynis unt mors e detrenché.
Le fiz le roi est cele part alé,
2555 Le chival ad lé .II. pez haucé,
Si fert l'enfant : si li ad assené
Les oyls de la teste sont hors alé.
E cil [le] pernent, freyd mort li unt trové,
E funt un bere, si l'ont dedens posé.
2560 En criant venent al paleis principé :
« Bel sire roi, mals vus est encontré !

2533, me uset t.
2553, c. un mors *e* d.

– Cher ami, répond Beuve, ce serait une folie !
Même si l'Angleterre t'appartenait, que tu en sois couronné roi,
et qu'en pleine propriété tu m'en fasses le don,
je ne te donnerais pas mon bon coursier de prix. »
2535 Le garçon à ces mots conçut une forte colère.
Il avait là un conseiller – que Dieu l'envoie au diable !
« Seigneur, ici nous sommes quarante chevaliers en armes.
Quand Beuve à table servira votre père,
nous nous rendrons chez lui et prendrons le coursier. »
2540 Beuve pendant ce temps retourne à son logis,
et de trois grosses chaînes attache son cheval.
Puis il prend son bâton et se rend à la cour.
En le voyant, le roi l'appelle :
« Beuve, mon cher seigneur, comment vous êtes-vous sorti de cette course ?
2545 – Bien, cher seigneur, car, grâce à Dieu !,
je l'ai gagnée, j'ai remporté le prix.
Sur une butte, à la limite de mon domaine héréditaire,
je ferai édifier un puissant château-fort,
et, sans mentir, je l'appellerai Arondel. »
2550 Le roi répond : « Je vous le permets volontiers. »
Mais voici que le fils du roi, avec quarante hommes en armes,
s'est dans le même temps rendu chez Beuve.
Avec des pinces ils ont coupé toutes les chaînes.
Le fils du roi s'est approché.
2555 Le cheval lève ses deux pieds,
il frappe le garçon si fort
que ses yeux sortent de sa tête.
Les autres, en le prenant, le trouvent mort tout froid ;
ils font une civière et le couchent dessus,
2560 puis en poussant des cris vont au palais royal :
« Sire, bon roi, un malheur vous est arrivé !

Le chival Boun ad vostre fiz tüé. »
Le roi les oyt, si est pres forsané.
« Seignurs, fet [il], le duc me pernez !
2565 Pendre le frai car mult me ad irez.
– Sire, dist Boves, si vus plet, nun freyz :
Jeo vus servi a vostre manger a grez !
Alez, bele mestre, dist Boves li syné,
E sachez pur vers cum il out erré. »
2570 Jeskes a l'ostel n'est Sabaoth demoré,
L'enfant trove mort, a Boun est retorné :
« Par ma foi, dist Sabaoth le barbé,
Le fiz al roi a vostre chival tüé.
– Sire, dist Boves, mal nus est encontré
2575 Kant nus avum oÿ tele destiné.
Melz vousisse estre desherité.
– Boves, ceo dit li roi, lessez moi pes aver.
Jeo vey mun fiz devant moi levé en ber. »
E dist a ses homes : « Tost le me pernez !
2580 Par Deu, il pendra, ja n'eret plegez ! »
E il sailerent pres de sa costez
E li sayserunt par le hermin engulez.
Quant Boun le pruz si urent saisé,
Brise de Bretoue se leva parler,
2585 Glos de Gloucestre, il out grant desirer,
Claris de Leycestre ne voit escaper.
Dïunt al roi : « Vus nos volez escharnier !
Nos li veyum devant vus servir,
O vostre coupe aler e revener :
2590 Ceo n'est pas dreit ke tu le facis occir.

2571, Lur homes trove mors a b. (S, 2556).
2583, p. li u. saiser.

Votre fils a été tué par le cheval de Beuve. »
Quand il entend ces mots, le roi manque devenir fou.
« Seigneurs, dit-il, saisissez-vous du duc !
2565 Je vais le faire pendre pour la terrible peine qu'il m'a causée !
– Sire, dit Beuve, vous n'en ferez rien, s'il vous plaît :
j'ai fait votre service à table comme il faut !
Mon cher maître, allez-y, a ajouté Beuve le sage,
et sachez pour de bon ce qui est arrivé. »
2570 Soibaut sans s'attarder va jusqu'à sa demeure,
il trouve l'enfant mort et revient près de Beuve* :
« Sur ma foi, dit Soibaut à la barbe fleurie,
votre cheval a bien tué le fils du roi.
– Seigneur, lui répond Beuve, c'est un malheur qui nous arrive
2575 d'apprendre un pareil coup du sort.
J'aimerais mieux perdre mon héritage.
– La paix, Beuve !, lui dit le roi.
Je vois porter mon fils devant moi sur une civière. »
Et il dit à ses gens : « Vite, saisissez-le !
2580 Par Dieu, il va être pendu ; pour lui, pas de caution ! »
Ils bondirent auprès de lui
et le saisirent par sa pelisse au col orné d'hermine.
Mais quand ils eurent arrêté Beuve le valeureux,
Brice de Bristol se leva pour prendre la parole,
2585 et Glos de Gloucester en fut très impatient,
comme Claris de Leicester, qui n'aurait su se dérober.
Au roi ils disent : « Tenez-vous à nous offenser ?
Nous le voyons devant vous faire son service,
et aller et venir en portant votre coupe :
2590 vous n'avez pas le droit de le faire tuer.

CLXVIII

« C'il refuse le bon chival de pris,
Nus i veüm qu'il deyt estre garis. »
E Boves respont : « Que est ceo ke tu dis ?
En meynte terre me ad le chival servi,
2595 E ki ad bon serf ne le deit guerper. »

CLXIX

Dÿent [les contes] : « Certes, il dist veyr. »
A tant unt lé contes le rei prïé
Ke Boves ad la tere forjuré
E la sue terre a Sabaoth a doné,
2600 E le roi bonement l'ad otreyé.
L'em li amene Arundel le bruvé,
Boves monte par son estru doré.
« Chival, dist Boves, mult vus ai ben amé
Kant pur vus perde mes riche heritez.
2605 Dathat ke chaut ! Assez ai conquesté,
E assez conquerai si puse aver santé ! »
Cil prent l'escu e l'espé bruné,
Pris son congé devant sa baroné.
Tuz li regardent li veil e li sené.
2610 Boves repaire, si est al roi alé :
« Sire, dist il, ore m'estut aler
Kant ici ne pus plus endurer.
Pur Deu vus pri ne metez en oblïer
De mi sire Sabaoth ke me est tant cher.
2615 Mes par Damedeu li sire dreiturel,

2595, s. ne le dient g. (S).
2599, s. t*er*re al s. (S).
2608, s. coge d. (S).
2610, B. resp*ar*ire si e. (S).
2612, i. ne plus pus e.
2614, k. me en tant c. (S).

168

« S'il abandonne son bon cheval de prix*,
il n'a pas selon nous à être condamné. »
Mais Beuve réagit : « Que dis-tu là ?
Dans de nombreux pays ce cheval m'a servi,
2595 et qui a un bon serviteur ne doit pas le chasser. »

169

Les comtes disent : « Certes, il a raison. »
Et ils ont tant prié le roi
que Beuve par serment a renoncé à ses domaines
et les a donnés à Soibaut.
2600 Le roi de bonne grâce a accepté.
Arondel le rapide est amené à Beuve,
qui monte en selle par son étrier d'or.
« Cheval, dit-il, que d'affection je vous ai témoigné
en renonçant pour vous à mon riche héritage !
2605 Mais maudit soit qui s'en affecte ! J'avais beaucoup gagné,
je gagnerai encore beaucoup si j'en ai la santé ! »
Il prend son bouclier et son épieu fourbi,
et prend congé devant tous les barons.
Tous les anciens, les sages le regardent.
2610 Beuve fait demi-tour et s'approche du roi :
« Sire, dit-il, il me faut à présent partir
puisqu'il m'est impossible de demeurer ici.
Au nom de Dieu, je vous conjure de ne pas oublier
messire Soibaut qui m'est si cher.
2615 Mais par Notre Seigneur, le Justicier suprême,

Si isci seit ke tu le vois enchacer
De cel honor ke fu a mun pere,
Mes ke jeo fusse dela .IIII. mer,
Jeo li vendrai succurrer e eyder.
2620 Mes ja pur moi ne serrez defïez
De ci ke a cele jur ke defui l'averez. »

CLXX

Le chival broche, a tant se est torné.
« Sante Marie, dist Edegar le franc,
Kant ici perdeu ai mun enfant,
2625 Ja en ma vie ne serai joiant. »
Boves s'en torne, le chevaler vailant,
Jeskes a Hampton est venu errant.

CLXXI

Kant Boves vynt a Hampton la cité
E vist Josian o le cors honuré,
2630 Tuz ses chevalers ad [a] li apelé :
« A Sabaoth mun mestre fetes feuté. »
E cil respondent : « Ja mar en parlez. »
E respont Boves : « Certes, si freez,
Ke le roi li ad de tut le men feffez
2635 E jeo de le [terre] tot sui exilez.
– Sire, dist Josian, coment avez erré ? »
E respont Boves : « [Ben], la merci Damedé,
Mes le fiz le roi ad mun chival tüé. »
Ke lors veïst plurer les chevalers !
2640 Dist li un a l'altre : « Mar sumes ore nez
Kant nus perdrum nostre meilur amis

2623, e. le f*ranc* corone (S).
2632, m. ne p. (S).
2639, l. uent p. (S).

s'il arrivait que vous cherchiez à le chasser
des fiefs qui furent ceux de mon père*,
quand bien même je serais par delà quatre mers,
je viendrais lui porter aide et secours.
2620 Mais je ne vous défierai pas
avant le jour où vous lui manqueriez*. »

170

Il éperonne son cheval et s'en va.
« Sainte Marie !, a dit le noble Edgar*,
dès lors que j'ai ainsi perdu mon fils,
2625 aucun jour de ma vie je ne connaîtrai plus de joie. »
Beuve s'en va, le chevalier vaillant,
il se rend tout droit à Hamptone.

171

En arrivant à la ville de Hamptone,
Beuve aperçut Josiane, dont la beauté est admirable.
2630 Il fit venir auprès de lui ses chevaliers :
« Prêtez hommage à mon maître Soibaut ! »
Ils répondirent : « Ne parlez jamais de cela ! »
Et Beuve répliqua : « Pourtant vous le ferez,
car de tous mes domaines le roi l'a investi,
2635 et moi, je suis totalement banni de ce pays.
– Seigneur, lui dit Josiane, comment vous êtes-vous conduit ? »
Et Beuve répondit : « Bien, grâce à Dieu*,
mais mon cheval vient de tuer le fils du roi. »
Il aurait fallu voir alors pleurer les chevaliers !
2640 Ils se disaient entre eux : « Triste sort que le nôtre,
puisque nous allons perdre le meilleur des amis

Ke ore seist en cristientez. »
Josian comence Boun apeler :
« Sire, ceo dist ele, ke volum nus amener ?
2645 – Sire, dist Sabaoth, Terri mun hereter. »
A tant este vus l'Escopart le fer
Ke Boves fist baptiser e lever
E a Coloyne Gui fu nomé :
« Sire, dist Guy, que avez enpensé ?
2650 Menerez moi o vus ou ci me lerrez ?
– Amy, dist Boves, o Sabaoth remeyndrez.
Large vus durrai o .II.C. chevalers. »
E cil respont : « Merci en eyez. »
Puis s'en torne dolent e irez.
2655 Passe la jur, la nuit est serrez,
E li pautoner est [en] chimin entrez.
Vint a la mer, si est tost passez,
Jeskes a Monbrant est mult hastez.
Le roi li veit, si li ad apelé :
2660 « Amis, dist li roi, ou as tu tant demoré ?
– Sire, dist il, ne vus ert celé,
Quis ai ta femme, un an est passé,
Ke ele s'en ala o le vailant palmer
Ke vus herberjastes en ceo paleis plener. »

CLXXII

2665 « Mahom !, dist li rois sire de Monbrant,
Ou [le] trovera tu, Puplican li vailant ?
– En Engletere, sire, ou il out terre grant.
Pur un meffet est enchacé verement :
Le fiz al roi occist son ferant.
2670 Ben sai lé veys e lé chimins grans :
Ore me baylez sé Sarzinis par cens. »

2656, en *manque* (3018, 3420, 3446).

qui de nos jours soit dans la chrétienté. »
Josiane alors s'adresse à Beuve :
« Seigneur, qui prendrons-nous pour nous accompagner ?
2645 – Seigneur, répond Soibaut, Thierry, mon héritier. »
Mais survient le fier Escopart
que Beuve avait fait baptiser
et qui avait reçu à Cologne le nom de Guy :
« Seigneur, dit Guy, quelles sont vos intentions ?
2650 Allez-vous me prendre avec vous ou me laisser ici ?
– Mon ami, lui dit Beuve, vous resterez avec Soibaut.
Je vous donnerai Large et deux cents chevaliers*.
– Je vous remercie », répond-il,
puis il s'en va triste et fâché.
2655 Passe le jour et vient la nuit :
le misérable s'est mis en route,
il a atteint la mer, bientôt l'a traversée
et en toute hâte est allé jusqu'à Monbrant*.
Dès qu'il l'a vu, le roi l'a appelé :
2660 « Mon ami, lui dit-il, où as-tu passé tout ce temps ?
– Sire, lui répond-il, je ne vous le cacherai pas :
j'étais à la recherche de votre femme depuis un an
qu'elle est partie avec le vaillant pèlerin
que vous avez reçu dans ce vaste palais. »

172

2665 « Par Mahomet, dit le roi de Monbrant,
et où iras-tu la chercher, valeureux Publicant* ?
– En Angleterre, sire, où il avait d'amples domaines.
Mais il en a en fait été chassé suite à une mauvaise action :
son cheval a tué le fils du roi.
2670 Je connais bien les routes comme les grands chemins :
donnez-moi donc cent de vos Sarrasins ! »

E il si fet mult errant
Ore se turnent : ke Deu lur acravant !

CLXXIII

Les pautoners acoylent lur chimin.
2675 Boves li sire se est levé par matin.
Congé demande Sabaoth le paleÿn,
E cil li dona de part seyn Martin.
Il e Terri funt trusser argent e or fin,
En mere entrent par mal destrin.

CLXXIV

2680 Desuz la tere le dol e fort e grant.
Sabaoth se palme e tus lé chevalers vailans.
Tant les agardent ke ne purrunt avant,
Pus remuntent el paleis grant.

CLXXV

O grant force nege Boves le paleÿn.
2685 A tant unt la mere passez,
Puis muntent chivals de pris,
Jeskes a un foreste ne sont arestés.
Boves chivache, just li Terriz,
Entre eus Josian o le cler vis.
2690 Ore est la dame de mal de ventre pris.
Boves l'entent, n'out nul riz :
« Quey from nus ? » dist Boves a Terriz.
De la mulete unt la dame avalis,
Font un loge o lur brancs acerez,
2695 Leyns unt mis la dame de pris.
Le mal lui prent, si getta un grant cris.
« Dame, dist Boves, franc femme e gentiz,
Serra jeo o vus pur vostre cors server ?

2672, *E* il se f. (S).
2684, f. negent b.

Le roi tout aussitôt les lui confie,
et ils s'en vont : Dieu les anéantisse !

173

Les misérables se mettent en chemin.
2675 Et sire Beuve de bon matin se lève,
il demande congé au comte palatin Soibaut,
et celui-ci, au nom de saint Martin, le lui accorde*.
Thierry et lui font charger des chevaux et d'argent et d'or fin,
et un fâcheux destin leur fait prendre la mer.

174

2680 À terre règne une grande tristesse.
Soibaut s'évanouit, et avec lui tous les valeureux chevaliers.
Ils les regardent aussi longtemps qu'ils sont visibles,
puis ils remontent dans le vaste palais.

175

Beuve le comte palatin navigue avec vigueur*.
2685 Avec ses compagnons il a bientôt franchi la mer.
Thierry et lui montent sur leurs chevaux de prix,
et sans s'être arrêtés ils vont jusqu'à une forêt.
Beuve chevauche, Thierry est près de lui,
entre eux se trouve Josiane au clair visage.
2690 C'est alors que la dame se sent prise du mal d'enfant.
Beuve l'entend, mais sans se réjouir ;
il s'adresse à Thierry : « Qu'allons-nous faire ? »
Ils font descendre la dame de sa mule,
de leurs épées d'acier ils coupent des branchages pour en faire une hutte
2695 où ils installent la dame de haut rang.
Les douleurs la reprennent, et elle pousse de grands cris.
« Madame, lui dit Beuve, très noble dame,
Resterai-je près de vous pour vous servir ?

Vostre enfant purray mult bien ver
2700 Pur vos aider quant vus vent a pleiser.
Ja en ma vie ne vus averai le plus vil.
– Sire, dist ele, may foi, nanyl :
N'e dreit ne lei, ne nus ne avum oï
K'enfant de femme dust home ver ci.
2705 Alez vus de ci, celez vus de ci,
Si lessez Damedeu convener :
Sente Marie serra a le departer. »
Il se turnent dolent e sanz riz,
Josian est en loge remis :
2710 Oure fu bon, si enfanta .II. fiz.
A cele parole este vus les Sarzinis.
La dame trovent deliveré de .II. fiz,
Tost le pernent, si lessent les fiz.
Ele estoit si malades ne poit getter un cris,
2715 Si passent lé muns e [lé] large larrés.
Ore a la loge repeyre Boves e Terriz,
E oyerent les enfans getter un cris.
« Par foi, dist Boves, trop ai targiés. »
Ignelement est en la loge sailiz,
2720 Desuz la foile trova gesant .II. fiz.
« Ha ! Josian, ou devenir purreis ?
Plus vus ai amé ke ren que feït Deus ! »
Trenchent lé panis de hermin enguliz,
Leins lïerent les .II. petis nez,
2725 Puis montent lur corant destrés
– Li un a porté Boves, l'autre Terris –
Que quergent la dame par ample regnez.

2704, f. dist h. (S).
2714, p. getre un c. (2365).
2715, p. le puns *e* large l.
2717, e. gettre un c.

Je pourrai fort bien assister à votre accouchement
2700 pour vous aider si vous le désirez*,
sans jamais de ma vie vous en estimer moins.
– Non, seigneur, sur ma foi, lui répond-elle* :
il n'est ni juste ni permis, et jamais nous n'avons entendu dire
qu'un homme puisse voir accoucher ainsi une femme*.
2705 Sortez d'ici, disparaissez d'ici*,
laissez Notre Seigneur faire à sa volonté,
car c'est sainte Marie qui veillera à mon accouchement. »
Ils s'écartent, inquiets, loin de se réjouir.
Josiane est restée dans la hutte :
2710 le moment était faste : elle mit au monde deux fils.
Alors surviennent les Sarrasins.
Ils découvrent la dame délivrée de deux fils,
aussitôt ils l'enlèvent en abandonnant les enfants
– elle était si souffrante qu'elle ne put pousser le moindre cri –
2715 puis ils franchissent de vastes landes et des montagnes*.
C'est alors que Beuve et Thierry reviennent à la hutte
et entendent les cris des deux enfants.
« Mon Dieu, dit Beuve, j'ai trop tardé ! »
Il bondit vite dans la hutte
2720 et trouve ses deux fils couchés sur le feuillage :
« Hélas ! Josiane ! où pouvez-vous être partie* ?
Je vous aime bien plus qu'aucune créature de Dieu ! »
Ils découpent les pans de leurs pelisses garnies d'hermine,
et ils y emmaillottent les nouveau-nés.
2725 Puis ils enfourchent leurs rapides coursiers
(Beuve emporte l'un des enfants et Thierry l'autre*)
pour rechercher la dame à travers de vastes contrées.

Quant ne la troverent, engrés sont retornez.
Ore lerrom de Boun le marcheis
2730 E dirrom de Sabaoth le floriz.
Il se dort en un chambre voutiz.
Sonja un songe dont mult estoit marris,
Ke .C. lions urent Boun asailez,
Si li tolerent sun chival de pris.
2735 E pus sonja Sabaoth le floriz
Ke il irreit a sen Gile pur qerre mercis.
Il s'enveile, a dame Eneborc sa songe dist :
« Sanz doute jeo sunjay tut issint.
– Sire, dist ele, antendiz un petit :
2740 Alez vus en, ne le metez en respit !
Il ad perdeu Josian o le cler vis,
Pur vers le vus di, remis li sont .II. fiz. »
Sabaoth s'en torne a ley de pelerin.
Coment ke il poit a un dromun vint
....
2745 A Deu comand son mariner gentis.
Passe la terre par ample païs,
Jeskes a sen Gile nul ne prist finz.
En muster enter le chevaler gentiz,
Requert sen Gile de li aver merciz,
2750 Sa offrant fet, puis s'en est issis.
Ov li issent .XX. de son païs.
Ja encontrerent Josian o le cler vis,
Sabaoth la veit, si est mult joiez :
« Dame, ou est Boves e Terri mun fiz ?
2755 – Sire, dist ele, entendez mé diz :
En une boys m'en avai .II. fiz.
Quant fu deliveré, par la Deu merciz,

2731, c. uentiz (S).
2739, e. atendiz un p.

Mais ils ne la retrouvent pas et reviennent abattus*.
Mais nous allons quitter le marquis Beuve
2730 pour parler de Soibaut aux cheveux blancs,
qui dans une chambre voûtée dormait profondément.
Il eut un songe qui l'affligea beaucoup :
cent lions avaient attaqué Beuve
et lui prenaient son bon cheval de prix.
2735 Soibaut aux cheveux blancs songea ensuite
qu'il devait aller à Saint-Gilles demander le pardon de ses péchés.
Il s'éveilla et raconta son rêve à sa femme Eneborc :
« En vérité, tel fut exactement mon songe.
– Seigneur, répondit-elle, écoutez-moi un peu :
2740 allez-vous en, n'attendez pas !
Il a perdu Josiane au clair visage,
et, soyez-en certain, deux fils lui sont restés*. »
Soibaut partit, vêtu en pèlerin,
tant bien que mal trouva une galère de haut bord*
[*et franchit la mer.*]
2745 Il recommande à Dieu son valeureux pilote,
traverse de vastes contrées,
et ne s'arrête pas avant Saint-Gilles.
Il entre dans l'église, le noble chevalier,
implore saint Gilles de le prendre en pitié,
2750 dépose son offrande et puis ressort.
Avec lui sortent vingt compagnons de son pays*.
C'est alors qu'ils rencontrent Josiane au clair visage ;
Soibaut, quand il la voit, éprouve une joie sans égale :
« Où sont, Madame, Beuve et mon fils Thierry ?
2755 – Seigneur, dit-elle, écoutez mon histoire :
j'ai accouché de deux fils dans un bois.
Au moment de ma délivrance, par la grâce de Dieu,

A loins alerent mi sires e Terriz.
Lors vindrent tuz ses Sarzinis,
2760 Ore me amenent al fort roi Yvoriz.
– Di moi, dame, dist Sabaoth, sont il Sarzinis ?
– Oyl, bel sire, veez le pautoner
Ke Boves fist baptiser e lever. »
Sabaoth prent le burdon, le traitor feri
2765 Just le oy, mort li abati.
A haute voice crie : « Ferés, mi pelerins ! »
E checun de eus autre feri.
Les burgeis de la vile vindrent pur la cri,
Tuz les unt mors, trenchi e occi.
2770 E Sabaoth ad tost la dame seisy.
« Sire, dist ele, pur Deu ke unkes ne menti,
Coment me pöez mener par le païs ?
– Dame, dist Sabaoth, ne vus enmaez !
A la lei de home vus frai jeo vester. »
2775 E dist la dame : « Nus a grant mester. »
Sabaoth remeint, s'en vunt li pelerins,
E Sabaoth fist la dame aparailer,
E dreit a la marché comencent aler.
Un herbe achata, unkes meylur ne vist,
2780 Tut en tent son cors e son vis.
Des ore vunt quere Boun e Terris.

CLXXVI

Jeskes a Abreford ne volent arester.
Dunc se prist Sabaoth forement a malader.
Un jur se comence Josian purpenser
2785 E de Boun comenceat a chanter,

2771, *Le* s *de* unkes *est rajouté dans l'interligne supérieur* (S).
2776, v. li pelerinis (S).

mon époux et Thierry se sont bien éloignés.
Alors survinrent tous les Sarrasins que voici,
2760 et qui m'emmènent à présent chez le puissant roi Yvori.
– Madame, dites-moi, sont-ils bien sarrasins ?
– Oui, cher seigneur : voyez le misérable
que Beuve avait fait baptiser. »
Saisissant son bourdon, Soibaut frappe le traître
2765 près de l'oreille et l'abat mort,
et crie à pleine voix : « Frappez, mes pèlerins ! »
Et chacun d'eux frappe un païen.
Alors, attirés par les cris, arrivent les gens de la ville,
qui les mirent en pièces et les tuèrent tous.
2770 Soibaut a aussitôt saisi la dame.
« Seigneur, dit-elle, par Dieu qui jamais ne mentit,
comment pourrez-vous me conduire à travers le pays ?
– Madame, répond Soibaut, ne vous inquiétez pas !
Je vais vous faire prendre des habits d'homme.
2775 – Cela nous sera bien utile », observe-t-elle.
Les pèlerins repartent, et Soibaut reste.
Ayant fait travestir la dame,
il va tout droit avec elle au marché
pour acheter une herbe, la meilleure qu'on ait jamais trouvée,
2780 et elle en teint entièrement son corps et son visage.
Puis ils partent à la recherche de Beuve et de Thierry.

176

Ils veulent d'un seul trait se rendre à Abreford,
mais Soibaut tombe très gravement malade*.
Josiane, un jour, eut tout à coup l'idée
2785 de se mettre à chanter les aventures de Beuve*.

E venent li barons par ample contrez,
Chivals e robes [donent] assez pur achater.
Mult garda bien Sabaoth li guerrer
Jeskes a .VII. ans e .III. mois pleners.
2790 Hui mes devum a Boun repeyrer,
Li pruz e li sené, li curteis guerer.
Il e Terri unt tant espleité
Ke hors de boys sunt il passé.
Ilukes encontra un curteis forester.
2795 Boves li vist, si li comence aresoner :
« Quele home este vus, bel sire cher ?
– Par foi, sire, jeo sui un forester.
E vus ke estes, sire bacheler ?
Mult resemblez traveilez e penez.
2800 – Si sumes, dist Boves, sachez de veritez.
Jeo avai une femme, plus bele ne verrez,
De ses .II. fiz est ele deliverez :
Ore l'ai perdu, si suy mult irez.
– Bailez les moi, ceo dist li forester,
2805 E jeo lur frai baptiser e lever.
Ne voile de le vostre le vailant de un dener
Jeskes a cele oure que sa revendrez. »
E Boves li rent .V.C. mercis e grez,
L'un de les enfans li ad ore bailez.
2810 « Com avera cil a non ? ceo dist li forester.
– Guy, dist Boves de Hampton sur mer.
Ignelement l'aporte al beneit muster. »
A Deu li comande, si sont enchiminez.
A un pessoner ad l'autre bailez,
2815 E .V. mars pur li fere enhaucer,
E si li funt baptiser e lever.
Pus muntent, a Deu l'ont comandé.

2786, *E* vent li b. p. a. contrer (S).

Arrivent alors des barons qui viennent de lointains pays,
et leur donnent assez d'argent pour acheter chevaux et vêtements.
Josiane veilla bien sur Soibaut le guerrier,
jusqu'à sept ans et trois mois tout entiers.
2790 Il nous faut à présent en revenir à Beuve,
le preux, le sage, le guerrier accompli.
Thierry et lui ont fait tant et si bien
qu'ils sont finalement sortis du bois,
et là ont rencontré un forestier aux manières civiles.
2795 Beuve, dès qu'il le voit, s'adresse à lui :
« Quel genre d'homme êtes-vous, cher seigneur ?
– Messire, sur ma foi, je suis un forestier.
Et vous, qui êtes-vous, jeune seigneur ?
Vous avez l'air très fatigué et éprouvé.
2800 – Et nous le sommes, lui répond Beuve, sachez-le bien.
J'avais la plus belle des femmes que vous verrez jamais.
Elle vient de mettre au monde deux garçons,
et à présent je l'ai perdue, et j'en suis en pleine détresse.
– Confiez-les-moi, lui dit le forestier,
2805 je les ferai porter sur les fonts baptismaux.
Je ne veux pas de vous un seul denier vaillant
avant votre retour ici. »
Beuve le remercie mille fois avec gratitude,
et lui confie alors l'un des enfants*.
2810 « Quel nom portera-t-il ? a demandé le forestier.
– Guy, répond Beuve de Hamptone sur mer.
Porte-le bien vite à l'église. »
Et il le recommande à Dieu, puis tous deux reprennent la route*.
Le second des enfants est confié à un poissonnier,
2815 avec cinq marcs pour l'élever,
et ils le font aussi porter sur les fonts baptismaux.
Puis ils montent en selle en le recommandant à Dieu.

Jeskes a Civile ne sont aresté,
Chef Gerner sont il herbergé
2820 Ke bien lur ad pur gagis conreyé.
Kant assez urent beu e mangé
E lur chivals bien atiré,
Lé liz sont fez, si se sont cochez,
Dreit a demain quant le jur fu claré.
2825 Eins en aprés il est un estor comencé
Ou il sont bien .XL. mil armés
De chevalers e de barons mult preysez.
Boves l'enfes s'en issit primer
Sur Arundel ke n'e pas laner,
2830 E fert li primer, ke portout lur baner,
Tant com hante dure li fet mort trebucher ;
Terri un altre ke fu vailant [guerer].
Par lé reynes saiserent le bon destrer
E dounent a lur hostes pur lur herberger.
2835 Ja fust la vile ars e robé
....
Kant veu ad tut isci abandoné,
Si lur escrie o haute vois e claré :
« Defendez vus, pute gent egarré !
Vus sont lé robes ke sunt en la cité,
2840 Jeo [n]'en averai le vailant de un dener moné. »
Este vus Boun o Armiger justé :
Avant els tuz a sablon est turné.
E .III. presons ad Boves conquesté
Ke il ne set dunt il sunt nee.
2845 A la pucele les ad il presenté.

2832, guerer *manque* (S, 2287, 2791).
2836, K. v*us* ad t. (S).
2838, p. gent *e* garre.
2843, Ceo .III. p. (S).

Ils sont allés sans s'arrêter jusqu'à Civile,
et ils s'y logent chez Gernier*,
2820 qui, en échange de leurs gages, s'est bien occupé d'eux.
Et quand ils eurent bien bu et bien mangé,
que leurs chevaux eurent bien été soignés,
on fit leurs lits ; ils s'y couchèrent,
et ils dormirent jusqu'au lever du jour, le lendemain.
2825 Mais voilà que bientôt s'est engagée une bataille ;
il y avait bien là quarante mille hommes en armes,
des chevaliers et des barons de très grande valeur.
Le jeune Beuve est sorti le premier
sur Arondel, son cheval qui ne traîne pas.
2830 Il frappe le premier des assaillants, celui qui portait leur bannière,
et de la longueur de sa lance le jette mort à terre.
Thierry en frappe un autre, un guerrier valeureux ;
par les rênes ils saisissent le bon coursier
et le donnent à leur logeur pour prix de leur hébergement.
2835 Déjà la ville aurait été la proie du pillage et des flammes*
[*si Beuve ne s'était trouvé là pour la défendre.*]
Quand il voit tout laissé dans un tel abandon,
il leur crie à voix haute et claire :
« Défendez-vous, sale bande de lâches !
C'est à vous qu'appartiennent les richesses de cette ville !
2840 Moi, je n'ai pas à y gagner un seul denier vaillant. »
Voici que Beuve est aux prises avec Armiger,
devant les yeux de tous il le renverse sur le sable.
Et il a capturé trois prisonniers
dont il ignore l'origine :
2845 il les donne à la demoiselle qui gouverne la ville*,

A la travers est Boves errez,
Fert .I. quens, la teste ad coupez.
La pucele fu en la tur montez,
E vist li gros coupes Boun li sené :
2850 Tut s'amur ad a li turné.
A cele parole est l'estur finé,
E Boves e Terri sont a l'ostel alé,
Le manger ad lur hoste adpresté,
E cil mangerent e buyrent a plenté.
2855 Este vus les altres en la paleis entré,
E la pucele les ad mult mercïé,
Mes le meilur ad mult plus desiré
Ke les .III. prisons li ad presenté.
La dame apele son provolt Reiner :
2860 « Va tost, dist ele, me menez le chevaler. »
Il s'en va, mes ne poet espleiter.
Kant la dame oï, aukes est iré,
Prent son chimin, vers els est alé.
Quant Boves la veit, a [li] mult est redrescé.
2865 Ore li salue com oyer purrez :

CLXXVII

« Jeo vus mandaie par un meschin :
Vener ne deygnastes par seyr ne par matin.
– Dame, dist Boves, ne l'ai en pensin,
Ke, si jeo puis, m'en yrai a matin :
2870 Ma mulier quer ge o le qer fin,
En un bois la perdi l'altre jor par matin.

2846, b. urez.
2850, a *est rajouté dans l'interligne supérieur* (S).
2855, l. altrs en la p. (S).
2857, M. les meilurus ad m. (S).
2858, l. .III. prisans l. (S).
2870, q. sine (S).

puis il revient et attaque de flanc*.
Il frappe un comte et lui coupe la tête.
La demoiselle est montée sur la tour,
elle voit les grands coups assenés par Beuve le sage,
2850 et son amour lui est entièrement acquis.
À ce moment, la bataille s'achève,
Beuve et Thierry sont retournés à leur logis :
l'hôte leur prépare un repas
et ils mangent et boivent à satiété.
2855 Or voici que les autres sont allés au palais :
la demoiselle les a vivement remerciés,
mais son plus cher désir est de voir le meilleur,
celui qui en présent lui a donné trois prisonniers.
Elle appelle Régnier, son intendant :
2860 « Va vite !, lui dit-elle. Ramène-moi ce chevalier ! »
Il y va bien, mais sans succès.
La demoiselle en éprouve quelque dépit,
elle se met en route et se rend auprès d'eux.
Quand il la voit, Beuve se lève
2865 et elle lui adresse le salut que voici* :

177

« Je vous ai envoyé chercher par un garçon* :
vous n'avez pas daigné venir le soir ni le matin.
– Madame, répond Beuve, je n'en ai aucune intention,
car, si je peux, je m'en irai demain matin.
2870 Je suis à la recherche de mon épouse au cœur loyal ;
je l'ai perdue l'autre jour dans un bois,

La merci Deu me remiterent .II. fiz. »
Dist la pucele : « S'e merveilus devis.
Sire, me prengez a femme », dist la meschine.

CLXXVIII

2875 « Bele soure, dist Boves, ceo estre lessez !
Jeo ne le frai pur kanke vus avez. »
Key vus dirai plus pur estre losoengé ?
Mes tant ont entre els parlé e tensé
Ke li un a l'autre i est mult iré,
2880 E la dame li manasse pur le chef coper.
« Dame, dist Boves, lessez moi parler !
Par ceo covenant te prenderai a mulier
Ke, si Josian ne repeyre o le vis cler
En sé .VII. ans, ne voile plus alouyner,
2885 Jeo vus prenderai a femme par vostre congé. »
E dunc dist la dame : « Mult bien avez parlé,
2887 E .IIII. [meis] plus otreai a vus de gré.
2889 Mes, ci vus plet, Terri me donez
2890 Kant vostre mulier trové avrez. »
2891 E respont Boves : « Ceo me vint a grez. »
2888 A cele parole la parole est finé.
2892 Icele nuit li servent a plenté.
A matins li contes sunt levez,
Outre le pont a muster sunt alez.
2895 Ore ad Boves la dame esposé.
La messe lur chant l'eveske sené.
Kant la messe fu dist, a paleis sunt entré,

2877, p. p*ur* de fere l. (S).
2880, p. le chef cop (S).
2885, v. pr*e*ndrerai a f. (S).
2887, .IIII. p. o. a v. od de g.

mais, grâce à Dieu, deux fils m'en sont restés.
– Voilà, lui dit la jouvencelle, un projet étonnant !
C'est moi, seigneur, qu'il vous faut épouser », continue-t-elle.

178

2875 « Ma chère sœur, dit Beuve, renoncez-y.
Je ne le ferais pas pour tout ce que vous possédez. »
Que vous dire de plus pour mériter vos félicitations* ?
Toujours est-il qu'ils en ont si longtemps parlé et débattu*
que chacun d'eux est très irrité contre l'autre,
2880 et que la dame menace Beuve de lui faire couper la tête.
« Madame, lui dit-il, écoutez-moi !
Je vous épouserai, mais à la condition
que si Josiane au clair visage ne revient pas
d'ici sept ans, je ne repousserai plus le moment
2885 de consommer le mariage avec votre consentement. »
La dame dit alors : « Voilà qui est bien dit,
2887 et même je vous accorde volontiers quatre mois de plus*.
2889 Mais alors, s'il vous plaît, accordez-moi Thierry
2890 au cas où vous auriez retrouvé votre femme.
2891 – Cela me convient », répond Beuve,
2888 et là-dessus, leur querelle prend fin*.
2892 On le servit ce soir-là avec abondance.
Le lendemain matin, les comtes se levèrent
et franchirent le pont pour se rendre à l'église.
2895 Beuve alors épousa la dame,
la messe fut chantée par le savant évêque*.
Quand la messe fut dite, ils retournèrent au palais,

L'ewe demandent, si sunt lavé.
Ben lur servent li chevaler sené.
2900 Boves ad les contes demandé
Qu'il out eins pris a l'estur feuté :
« Jeo vus cleyme quites de par Dé ! »
E sels li firent homage e feuté.
Este vus le duc [e] Terri ad ovré.
2905 Le jor est alé, le nuit est serré,
Dormer s'en vunt al paleis principé
Jeskes a demain que le jor est clarré.
Le duc Vastal ad sons mandé
E le duc Doctrix est encontre alé :
2910 La dame de Civile ert guerré.
En lur hoste ert .XL. mil armé,
Poynent ensemble com desvé,
Jeskes a Civile ne sont aresté.
La terre gastent, ne lur prist pité.
2915 Boves de Hampton par matin est levé,
Oÿt la noise, aprés est alé.
Lors comanda ke il fuissent armé :
Il vestent haubers e helmes gemmé,
Ceynent espees al senestre costé
2920 E montent lor chivals abruvé.
Boves est primes sur Arundel monté,
Terri li suit, le chevaler preysé,
Oveske li venent .XV. mil armé.
Boves let coure Arundel l'abruvé,
2925 Devant les altres va ferir Ysoré,
L'escu li perse, le hauberc ad fausé,
Plein sa hante l'ad mort getté.
Terri fert Lancelin par ferté,

2898, L'ewe demande si s. (S).
2927, p. sa haut l'ad m. (S).

demandèrent de l'eau, se lavèrent les mains.
Avec habileté, les chevaliers les servirent à table.
2900 Beuve fit appeler les comtes
qu'il avait faits prisonniers sur parole au cours de la bataille :
« Au nom de Dieu, je vous déclare libres ! »
Alors ils lui prêtèrent serment d'hommage et de fidélité.
Voilà ce qui fut accompli par le duc et Thierry.
2905 Passe le jour et vient la nuit :
ils vont dormir dans le palais princier
jusqu'au lever du jour, le lendemain.
Le duc Vastal a fait convoquer ses vassaux,
le duc Doctrix est allé le rejoindre :
2910 ils vont faire la guerre à la dame de Civile
avec dans leur armée quarante mille hommes en armes.
Ils éperonnent tous ensemble avec fureur
sans s'arrêter avant Civile,
et ils ravagent le pays sans la moindre pitié.
2915 Dès le petit matin s'est levé Beuve de Hamptone.
Il entend le vacarme, va voir ce qui se passe,
et il ordonne alors que tout le monde s'arme*:
chacun revêt cotte de mailles et heaume orné de pierreries,
ceint son épée au côté gauche
2920 et monte en selle sur son cheval rapide.
Beuve enfourche Arondel tout le premier,
Thierry le suit, le chevalier de prix ;
avec lui viennent quinze mille hommes d'armes.
Beuve lâche la bride d'Arondel le rapide,
2925 devant les autres va frapper Ysoré,
perce son bouclier, défonce sa cotte de mailles
et de la longueur de sa lance le jette mort à terre.
Thierry avec violence va frapper Lancelin,

Tant com hante dure l'abat grevé.
2930 Boves escrie : « Fereys, mi chevalers alosez ! »
E cil si firent d'espee furbé,
Checun abat [le] suyn, si sunt oltre passé.

CLXXIX

Grant est la bataile e l'estur pesant.
Cels de Civile ont vencu le champ,
2935 Les altres s'en füerent par un val pendant.
Devant les altres Boves va chivachant
E Terri n'est gueres targant :
Ke qu'el consuit ne ad de mort garrant.
Le duc Vastal Boves va chaçant.
2940 Kant le chef torne de son afferant,
Gros cops doununt as escuz devant.
La lance al duc brise meyntenant,
E Boves li hardi li abat en champ.
Pus ad tret Morgeley le trenchant,
2945 E il escrie a Boun : « Sire, jeo me renc ! »
Son espee li baile e Boves le prent.
Le fort duc Doctrix Boves va chaçant,
Grant cope li done en hauberc jacerant,
Plein sa hante l'abat mort en champ.

CLXXX

2950 Mult fu bel l'eschec que Boves ad conquis.
La bataille est fet e finiz.
Ore vunt a manger a paleis de pris.
Mult eyme Boun la pucele gentiz.

2930, fereys *est écrit dans la marge* (S).
2939, Le duc de vastal b.
2942, b. meytenant (S).
2948, h. lac*er*ant (S).
2950, b. le chef q. (S).
2951, e. fort *e* f. (S).

et de la longueur de sa lance l'abat très mal en point.
2930 Beuve s'écrie : « Frappez, mes chevaliers si réputés ! »
Et ils vont jouer de leurs épieux fourbis,
Chacun abat le sien et continue sa course.

179

Terrible est la bataille, douloureux le combat.
Les guerriers de Civile ont le dessus,
2935 et les autres s'enfuient vers le bas d'un vallon.
Beuve chevauche à la tête des siens
et Thierry n'est pas loin derrière :
ceux qu'il atteint sont sans recours contre la mort.
Beuve poursuit le duc Vastal.
2940 Quand celui-ci fait faire un demi-tour à son cheval,
ils frappent violemment leurs boucliers.
Le duc brise aussitôt sa lance,
et Beuve le hardi le jette sur le sol,
puis il tire Murgleie, qui tranche bien.
2945 L'autre lui crie : « Seigneur, je rends les armes. »
Il lui tend son épée, Beuve la prend.
Puis il se lance à la poursuite du puissant duc Doctrix,
il lui donne un grand coup sur sa cotte de mailles*
et de la longueur de sa lance le jette mort à terre.

180

2950 Riche était le butin que Beuve a rapporté.
La bataille est bel et bien terminée.
Tous vont alors manger dans le magnifique palais.
La noble jouvencelle est très fort éprise de Beuve.

CLXXXI

.VII. ans sont ensemble conversis,
2955 Que unkes ov lui n'e charnel amistez.
Un jur ad la dame Boun apelez :
« Ore tost de vus averai ma voluntez !
– Bien purra estre », dist Boves li senez.
Ore lerrom de Boun li senez,
2960 A Sabaoth devum turner, [l]'alosez ;
Gari est de sa maladie, merci Deus.
E Sabaoth ad Josian apelez :
« Irrom nus quere mun seynur avouez ? »
Ele respont : « Sire, vus dites veritez. »
2965 Muntent chivals, si sont enchiminez.
Un jur, avent dreit avesprés,
Querant lur seynur par ample regnez,
Venu sont a Civile la citez.
Chef un prodome sunt il herbergez.
2970 Envers le paleis est Sabaoth torné.
Par devant la porte [de] le paleis principé,
Desur un banc set Boves li sené,
Dejuste li son ami privé.
Sabaoth les vist, vers els est alé
2975 E il lur salue com oyer purrez :
« Deu vus salve e kanke vus avez !
– E vus auci ! Dunt este vus nez ?
– Sire, jeo su pelerin de altre regnez.
Un poi de meyné ai en la citez,
2980 Le conerai vus demandent par charitez.
– Amiz, dist Boves, vus en averez assez. »
Terri apele, si li dist : « Veez !
Com il resemble Sabaoth le barbez ! »
E dunc dit Terri li alosez :
2985 « Pur ceo ke mun pere tant resemblez
Jeo vus durrai viande assez.
– Sire, dist Sabaoth, le merci Deu en eyez !

181

Sept ans durant ils ont vécu ensemble
2955 sans jamais se connaître charnellement*.
Un jour la dame appela Beuve :
« J'aurai bientôt de vous ce que j'ai désiré !
– Cela se peut », lui répondit Beuve le sage.
Mais nous allons quitter Beuve le sage*
2960 et revenir à l'excellent Soibaut.
Il est guéri de son mal, grâce à Dieu !
et il a appelé Josiane :
« Partirons-nous chercher mon seigneur lige ? »
Elle répond : « Seigneur, voilà qui est bien dit*. »
2965 Ils montent à cheval et se mettent en route.
Un beau jour, juste avant le coucher du soleil,
alors qu'ils cherchaient Beuve à travers de vastes contrées,
ils ont franchi les remparts de Civile,
où ils se sont logés chez un homme de bien.
2970 Soibaut a pris le chemin du palais.
Devant la porte du palais seigneurial
Beuve le sage se trouvait assis sur un banc,
près de son ami le plus cher.
En les voyant, Soibaut s'est dirigé vers eux
2975 et les a salués comme vous allez l'entendre :
« Que Dieu vous sauve, vous et tout ce qui est à vous* !
– Et vous de même ! D'où êtes-vous originaire ?
– Seigneur, je suis un pèlerin d'un pays étranger.
J'ai quelque compagnie dans cette ville,
2980 qui par charité vous demande de lui donner des provisions*.
– Mon ami, répond Beuve, vous en aurez en abondance. »
Il appelle Thierry et lui dit : « Regardez !
On jurerait Soibaut à la barbe fleurie ! »
Et Thierry dit alors, le guerrier réputé :
2985 « Puisque vous ressemblez tellement à mon père,
je m'en vais vous donner des vivres en quantité.
– Seigneur, répond Soibaut, que Dieu vous remercie !

L'em soleit dire que mi fiz estëez. »
E Terri se teint, merci l'ad crïez.
2990 Ignelement est a Boun retornez :
« Veez si Sabaoth, mun pere dreyturez. »
Ore comence la joie entre els forcez.
Ignelement se sont entrebeysez.
De Josian unt novels demandez,
2995 E il lur dist, kar il sest ascez.
Chef un prodome ou est herbergez
A tant dementres est alé defroter
De memes cele herbe ke il out achaté.
A tant este vus Boves e Terri li senez
3000 Pristrent la dame, amont le unt menez.
La ducheyse la vist bele e colurez,
E dist a Boun : « Est cest ta mulier preysez ?
– Oyl, ma dame, ne vus ert celez.
– Prenge ta dame, Terri me donez !
3005 – Par foi, dist Boves, ceo me vint a grez. »
Les dames funt grant joie demener.
A tant fist Boves pur ces fiz demander :
Le forester vent ke out Guy a garder
E le pessoner ne se vout targer,
3010 Ke li messagers lur unt contés
Ke lur pere fu duc de Civile la citez.
Tant unt erré par la vey e par le center
Ke a Civile venent par matin cler.
Entre en le paleis li curteis forester,
3015 Par le poine tint Gui le dancel,

2989, *E* a *ter*re se t. (S).
2995, *Le* e *de* ascez *est rajouté dans l'interligne supérieur* (S).
3006, La dames f. (S).
3009, se *est rajouté dans l'interligne supérieur* (S).
3010, m. li unt c.
3015, g. le dantele (S).

D'habitude on disait que vous étiez mon fils. »
Celui-ci change de couleur, lui demande pardon
2990 et se tourne à l'instant vers Beuve :
« C'est Soibaut, c'est mon propre père ! »
Ils éclatent alors d'une joie sans égale,
et aussitôt s'embrassent tous les trois.
Beuve et Thierry ont demandé des nouvelles de Josiane,
2995 et Soibaut leur en donne, car il sait bien ce qu'il en est.
Chez l'homme de bien où elle loge*,
elle est pendant ce temps allée se frictionner
pour se laver de l'herbe qu'il avait achetée.
Alors Beuve et Thierry le sage
3000 vont la chercher et la font monter au palais.
La duchesse voit sa beauté et son teint éclatant,
elle demande à Beuve : « Est-ce là ta si chère épouse ?
– Oui, Madame, à quoi bon vous le cacher ?
– Reprends donc ton épouse et donne-moi Thierry !
3005 – Sur ma foi, répond Beuve, voilà qui me convient fort bien. »
Et les deux dames manifestent beaucoup de joie.
Beuve alors envoya chercher ses fils :
Le forestier qui avait Guy en garde se mit en route,
le poissonnier ne voulut pas non plus perdre de temps
3010 puisque les messagers leur avaient expliqué
que le père des enfants était duc de la cité de Civile.
Ils ont tant cheminé par routes et sentiers
que par un matin clair ils y sont arrivés.
Le forestier bien éduqué entre dans le palais
3015 en tenant par le poing Guy, le jeune seigneur,

Le pessoner l'altre, Miles li ignel.
Boves les vist, si les apele bel.
Les fiz Boun sont en paleis entrez.
Kant les vist Boves, a merveile est lez,
3020 Plus de .C. fiez les ad il baisez
E lur mestres mult mercïez.
La feste fu hauste ja comencez,
E la ducheise ad Terri esposez.
A manger vunt li junes e li vels.
3025 Boves e ses fiz li servent de grez,
E Josian est o els avant alez.
Kant vent ke urent mangez
Chanteient les jugulurs assemez,
Josian sa vile ad arotez,
3030 Pur l'amur Terri ad .III. vers sonez.
Cele jor servent mult assemez
Les fiz Boun ke furent enseignez.
Aprés manger juster sont alez :
Si la medlé fu grant, ne la quidez.

CLXXXII

3035 Kant le duc Boves les ad departez,
Aprés unt les eschés seysez,
E jüent entre eus kar bien sont apris.
Boves demande armes de grant pris,
Lur mestres adobbe a chevalers gentiz,
3040 A checun doune .IIII. destrés de pris,

3017, l. apele viele (S).
3018, Les fez b. (S).
3026, j. est e els avant a. (S).
3028, Chantement les j. (S).
3032, Les fiez b. (S).
3033, m. juer s.
3036, u. lesches s.

et l'autre, Miles le rapide, est conduit par le poissonnier.
Beuve les aperçoit et les appelle comme il se doit ;
ses fils pénètrent dans la salle,
et de les voir Beuve éprouve une joie extrême.
3020 Il les embrasse plus de cent fois
et remercie beaucoup leurs pères nourriciers.
Une grande fête commence.
La duchesse épouse Thierry.
Jeunes et vieux passent à table,
3025 Beuve et ses fils font le service avec plaisir,
et Josiane avec eux s'est avancée.
Quand le repas fut achevé,
et que chantaient les jongleurs fort habiles,
elle accorda sa vielle
3030 et par amitié pour Thierry elle chanta trois chansons.
Ce jour-là ont servi avec grande élégance
les fils de Beuve, qu'on avait fort bien éduqués.
Et après le repas, ils sont allés se livrer à la joute* :
vous pouvez être sûrs que la mêlée fut énergique !

182

3035 Puis, le duc Beuve les ayant séparés,
ils se sont saisis des échecs
et ont joué l'un contre l'autre : ils s'y connaissaient bien.
Beuve demande alors des armes de grand prix,
il anoblit et arme chevaliers leurs pères nourriciers ;
3040 à chacun d'eux il donne quatre coursiers de prix

Assés lur doune d'or esmerez.
Congé demandent, si sont departiz.
A Teri funt homage grans e petiz
E tuz lé barons que sont en païs,
3045 E ducs e contes, com dist li escris.
Hui mes horrez chanson gentiz
De le roi Yvori e de le roi Heremins.
Yvori le gueré seyer e matins,
Ceo dist un palmer ke de orient est venus.
3050 Boves l'entent, si apele Terris :
« Mesagers manderum par ample païs ! »
Ensemblent .XV. mil chevalers hardis.

CLXXXIII

« Sire Boves, dist Terri, od vus voile aler.
– Par foi, dist Boves, sire, nun freis ;
3055 Si jeo vus mande, succurer me vengez.
Od moi menerai Sabaoth le barbez
Ke ne moi faudroit pur estre trenchez. »
E tant a Civile est Boves demorez
Ke Terri ad un fiz, vus di pur veritez,
3060 E Boves une file bele e colurez.
Cil apelent Boun ke fu fiz a Terriz,
E la file Boun out a non Beatrix.
Boves a fet ke les souens sunt montez,
Josian [e] sa file k'el a mult amez,
3065 Oveske eus unt .XV. mil armez.
Jeskes a Abreford ne sont demorez,

3041, d. dor *e* mirez (S).
3044, s. en paleis (S).
3047, roi yuore, *avec* i *au-dessus de* e (S).
3048, s. *e* matinis (S).
3055, m. succur me v. (2251, 2619).
3058, A tant a c. (S).

et de l'or pur en quantité*.
Ils demandent congé et ils s'en vont.
À Thierry ont prêté hommage grands et petits,
tous les barons qui sont dans le pays,
3045 les ducs comme les comtes, selon la relation écrite.
Vous allez maintenant entendre une chanson de très haute valeur
où il s'agit du roi Hermin et du roi Yvori.
Yvori guerroyait Hermin soir et matin,
a dit un pèlerin qui revenait d'orient*.
3050 Beuve, quand il l'apprend, a appelé Thierry :
« Nous allons envoyer des messagers à travers de vastes pays ! »
Quinze mille hardis chevaliers sont ainsi rassemblés.

183

« Seigneur Beuve, lui dit Thierry, je désire aller avec vous.
– Sur ma foi, vous n'en ferez rien, seigneur, lui répond Beuve ;
3055 mais si je vous envoie chercher, venez à mon secours.
Je prendrai avec moi Soibaut à la barbe fleurie,
qui ne me ferait pas défaut, dût-il se faire mettre en pièces. »
Mais Beuve était demeuré à Civile
jusqu'à ce qu'à Thierry naquît un fils, je vous le dis en vérité.
3060 Quant à Beuve, il eut une fille belle et de teint très délicat.
On donna au fils de Thierry le nom de Beuve,
et la fille de Beuve avait reçu celui de Béatrix.
Beuve a donc fait monter ses gens en selle,
Josiane aussi, et sa fille qu'elle aimait beaucoup ;
3065 quinze mille guerriers les accompagnent.
Ils sont allés jusqu'à Abreford sans retard.

Un messager unt al roi envëez.
Le roi Hermin fu en sa tur montez,
E veit venir Boun od .XV.M. armez.
3070 Il apele ses princes e ces casés :
« Seynurs, ici hors vey un mortel assemblez. »
A tant est le messager en le paleis entré.
Quant Hermin le veit, si li ad apelez.
« Sire, dist li mesager, ne sëez enfraiez !
3075 Ci vint Boves, li pruz e li alosez.
Ne sëez en pouerus n'egarez,
Ke il amene .XV. mil armez. »
E dist li roi : « Deu soit graciez ! »
Kant veit Boun descendre al pez,
3080 Le roi c'est tost agenulez,
E Boves curt, si li ad redressez.
« Merci ! dist le roi, pur l'amur Deus !
Si vus ai meffet, ben ert amendez.
– Sire, dist Boves, merci en eyez.
3085 Mes jeo ne serray jamés acordez
Avant ke sey de cels vengez
Ke moi jugerent a tort e a pechez.
– Par Deu, dist li roi, e vos les averez ! »
Il fet vener Gocelyn e Furez,
3090 E Boves les prent, si les ad detrenchez.
En le paleis entrent acordez.
A tant vint Josian, si est encontre alez,
Le roi la prent entre ses bras suef.
« Ore, dist Josian, est vus e Boves acordez ?
3095 – Oyl, bele file, la merci Damedez ! »

3070, p. *e* ces caseles (S).
3087, m. iu*n*gerent a t. (S).
3092, t. vist j.
3093, e. ses b*rans* s. (S).

Un messager a été envoyé au roi Hermin.
Celui-ci se trouvait tout en haut de sa tour :
voyant arriver Beuve avec quinze mille guerriers,
3070 il avait appelé ses princes et ses grands vassaux :
« Seigneurs, je vois dehors une funeste multitude. »
À ce moment, le messager a pénétré dans le palais.
Quand Hermin l'aperçoit, il l'interpelle*.
« Sire, ne craignez rien, répond le messager !
3075 C'est Beuve qui arrive, le héros brave et réputé.
N'ayez ni peur ni inquiétude,
il vous amène quinze mille guerriers. »
Et le roi dit : « Dieu en soit loué* ! »
Quand il voit Beuve descendre de cheval,
3080 le roi se met aussitôt à genoux ;
mais Beuve accourt et le relève*.
« Pitié ! seigneur, dit le roi, pour l'amour de Dieu !
Si je vous ai causé du tort, je vous le réparerai bien.
– Sire, dit Beuve, soyez en remercié.
3085 Mais nous ne serons pas réconciliés
avant que je ne sois vengé de ceux
qui sur moi ont porté des accusations fausses et criminelles.
– Par Dieu, répond le roi, ils vous seront livrés ! »
Il fait venir Jocelyn et Furez ;
3090 Beuve se saisit d'eux et leur coupe la tête,
et ils entrent dans le palais réconciliés.
Arrive alors Josiane, qui les rejoint ;
le roi la prend tendrement dans ses bras.
« Êtes-vous à présent, demande-t-elle, tous deux réconciliés ?
3095 – Oui, chère fille, grâce à Dieu !

Dist Josian : « Mult avez ben errez,
N'i ad meilur home en cristientez. »
Ore s'en entrent en paleis principez,
En sa chambre demene est Josian entrez,
3100 Une rote prent, plus bele ne verrez,
E fet .III. lais, pus est reposez.
Pus assisterent a soper baronez.
E sont li enfans de l'ostel repeirez :
Le roi les voit, si les ad apelez,
3105 E sels vindrent volunters e de grez,
Si lur baise, puis lur ad demandez :
« Le quel de vus est eynez ?
– Par fai, dist Miles, Gui, ceo sachez.
Plus grant est, corsu e quarrez. »
3110 Oustent les manteles, a vin sont alez.
Le roi les veit, si les ad apelez :
« Miles frai duc e toi roi coronez,
A vos [serra] mun realme bailez.
– Sire, dist Gui, si vus plet, nun freiz !
3115 Si vus plet, a mun pere le donez :
Bien ert par li tenu e gardez.
Jeo [ne] sui mie chevaler adobbez. »
Mult fu la curt cele jor haitez,
Le vin demandent, si sont cochez.
3120 Ore lerrom de Hermin ester,
Si dirrom de Yvori li adverser.
A la curt Hermin out un espie esté,
Assez oyt dire de Boun li sené,
De Sabaoth e de Miles e de Gui le prové,
3125 E de Josian ke Boves ad esposé.

3103, s. lenfans d.
3108, b. *exponctué entre* dist *et* Miles (S).
3113, serra *manque* (S, 1507, 2163, 2707).

– Vous avez fort bien fait :
il n'y a pas de meilleur homme dans le monde chrétien. »
Ils entrent tous alors dans le palais royal,
et Josiane est allée jusqu'à sa chambre personnelle,
3100 elle y prend la plus belle rote que vous verrez jamais
et compose trois lais avant de prendre du repos*.
Les grands seigneurs ensuite s'asseoient pour le souper.
Les enfants étaient revenus de leur demeure :
le roi les voit, il les appelle
3105 et ils viennent à lui très volontiers.
Il les embrasse, puis leur demande :
« Lequel d'entre vous est l'aîné ?
– Ma foi, dit Miles, c'est Guy, sachez-le bien.
Il est plus grand, plus robuste et trapu. »
3110 Ils ôtent leur manteau et vont chercher le vin.
Le roi les voit, il les appelle* :
« Je ferai Miles duc, et toi roi couronné,
mon royaume te reviendra*.
– Sire, lui dit Guy, s'il vous plaît, ne faites pas cela !
3115 Mais donnez-le plutôt, s'il vous plaît, à mon père :
il le gouvernera et le défendra bien.
Je ne suis pas, moi, armé chevalier. »
La cour était, ce jour-là, pleine d'allégresse.
On demande le vin, puis tous vont se coucher.
3120 Mais nous allons quitter Hermin
pour parler d'Yvori, ce suppôt de Satan.
Il y avait à la cour d'Hermin un espion*
qui en avait beaucoup appris à propos de Beuve le sage,
et de Soibaut, de Miles et de Guy aux vertus éprouvées,
3125 ainsi que de Josiane, qu'avait épousée Beuve.

Jeskes a Monbrant s'en est torné,
Yvori trove, si li ad conté.
E il mande sa gent par tote le contré,
E vunt a Abreford od .XL. mil armé,
3130 E coilent un pré dehors la cité.
Grant est la noise ke il ont comencé.
E Boves se adobbe en la paleis principé,
Vest le hauberc e le helme gemmé,
Ceynt Morgeley al senestre costé,
3135 Sur Arundel monte par l'estru doré.
Oveske li sont .XXX.M. armé.
E Boves let coure Arundel le bruvé,
Devant les autres fert un admiré,
Tant com hante dure l'ad mort geté,
3140 E Sabaoth un altre a mort rüé.
Boves escrie : « Mi chevalers, ferrez ! »
E il si firent volunters e de grez.
La veÿsés fort estor comencer,
Tanz hantes freyndre e escuz percer,
3145 Les uns de Sarzinis sur altre verser.
Yvori de Monbrant est mal encontré :
Cele jor ad perdu .XV.M. armé.
Ore s'en turnent vers Monbrant la cité.
E Boves s'en turne e Sabaoth le barbé.
3150 Grant est l'eschec ke Boves od conquesté.
Le roi Hermin est contre alé
E dist a Boun : « Mult estes alosé. »
A paleis venent tut desarmé.
Yvori de Monbrant – que tost confunde Dez ! –

3134, m. ad s. (S).
3140, a. la mort r.
3144, h. freydre *e* e. (S).
3150, e. le chef ke b. (S).

Il s'en est retourné jusqu'à Monbrant,
et, trouvant Yvori, lui a tout rapporté.
Celui-ci convoque ses gens à travers le pays
et sur Abreford marche accompagné de quarante mille guerriers
3130 qui dans un pré s'installent à l'extérieur de la cité.
Énorme est le vacarme qu'ils se mettent à faire.
Beuve s'équipe dans le palais royal,
il revêt sa cotte de mailles, coiffe son heaume orné de pierreries,
ceint Murgleie à son côté gauche
3135 et par l'étrier d'or monte sur Arondel.
Avec lui sont trente mille guerriers.
Beuve lâche la bride d'Arondel le rapide
et devant tous les autres frappe un émir
que de la longueur de sa lance il abat mort ;
3140 Soibaut en frappe un autre et le renverse mort.
Beuve s'écrie : « Frappez, mes chevaliers ! »
Et ils le font très volontiers.
Vous auriez pu voir là s'engager un violent combat,
tant de lances briser et de boucliers transpercer,
3145 et les uns sur les autres jeter les Sarrasins.
Yvori de Monbrant est mal tombé,
car il a perdu ce jour-là quinze mille guerriers,
et les autres font demi-tour vers la ville de Monbrant.
Beuve revient avec Soibaut à la barbe fleurie.
3150 Très gros est le butin dont il s'est emparé.
À sa rencontre va le roi Hermin,
qui lui a dit : « Vous vous couvrez de gloire. »
Ils se désarment et viennent au palais.
Yvori de Monbrant – que Dieu vite l'anéantisse ! –

3155 Reparié e, si ad son senescal demandé :
« Vassal, dist il, ke me conseylez ?
Perdu ai ma gent dont ai le qer irez.
Le roi Hermin ad [un] François mandez,
Dru li est Josian, je sai de veritez.
3160 – Sire, dist li senescal, bon conseil averez :
De ci ke a Babiloyne messagers mandrez,
E mandez l'amirail sanz demorer. »
E respont Yvori : « Ore as tu ben parlé. »
Brefs e charters sont tost enselé,
3165 Les mesagers sont enchiminé,
Jeskes a Babiloine ne sont aresté.
A l'amirail unt tost nuncié,
E il amene .XV. rois coroné,
E checun roi .XV. mil armé.
3170 Venu sont a Monbrant en esté.
Quant les veist Yvori, grant joie en ad demené,
Il les va encontre, si les ad salüé,
En le paleis amene, si lur ad conté
Cum le roi Hermin li ad demené...
3175 E lur ad conté ke son tresor ad emblé
E sa mulier Josian o le cors honoré.
Dunc dist l'amirail : « Sire, pus tu prover ?
– Oyl, ce dist Yvori, as cors ensembler.
– Par foi, dist l'amirail, bien ses tu parler. »

CLXXXIV

3180 Boves out un espie a Monbrant,
E kant il vist le barnage si grant,
A Abreford turne son chimin errant,

3155, Rep*ar*ire si a.
3177, t. aprocher (S).
3178, y. al cors e. (S).

3155 rentre chez lui et demande à son sénéchal :
« Compagnon, quel conseil pouvez-vous me donner ?
J'ai perdu mes soldats, mon cœur en est plein de tristesse.
Le roi Hermin a appelé en renfort un Français*
dont Josiane est l'amante, je le sais bien.
3160 – Sire, répond le sénéchal, voici un bon conseil :
vous allez envoyer des messagers à Babylone,
pour appeler à l'aide sans retard l'empereur des païens. »
Yvori lui répond : « Tu as parlé avec sagesse. »
Lettres et documents ont vite été scellés ;
3165 les messagers prennent la route
et avant Babylone ils ne s'arrêtent pas.
Bien vite, ils ont tout raconté à l'empereur païen ;
celui-ci fait venir quinze rois couronnés,
et chaque roi quinze mille guerriers.
3170 Ils sont arrivés à Monbrant pendant l'été.
Quand il les voit, Yvori exulte de joie,
il va à leur rencontre et les salue,
puis les conduit dans le palais, et leur expose
comment le roi Hermin a agi avec lui.
3175 Il leur raconte aussi que Beuve lui a pris son trésor*
et sa femme Josiane, dont la beauté est admirable.
L'empereur dit alors : « Peux-tu, seigneur, en apporter la preuve ?
– Oui, répond Yvori, en combat corps à corps.
– Ma foi, dit l'empereur, voilà qui est bien dit. »

184

3180 Il y avait un espion de Beuve à Monbrant.
Quand il vit des barons en si grand nombre,
il prit bien vite le chemin d'Abreford

A Hermin conte e a Boun le vailant.
Kant l'entent Boves, engrés fu e dolent.
3185 .I. mesager mande a Civile errant
A duc Terri ke li soit eydant.
E Terri l'amene .I. grant mace de gent,
Ben .XV. mil a vers helmes lusant.
O li amena Boun son enfant.
3190 Par jor e par nuit se sont hasté tant
Ke a Abreford sont venu a l'aube parisant.
Kant Boves les vist, mult fu joiant,
Arundel monte, si lur vint par devant,
Terri apele, si li dist en riant :
3195 « Coment fet ta femme le franc ?
– Ben, par foi. Fort est e vailant.
.III. fiz en ai, merci Deu le grant,
Veez ci le eynez, Boun le chivachant.
– Par mun chef, dist Boves, tant su plus joiant. »
3200 Son filiol beise, si descendent a tant,
E Boves lur conte de Yvori de Monbrant.

CLXXXV

Al paleis entrent Boves e li ducz.
Josian la bele mult fu joius,
E le roi vint pur honorrer le ducs.
3205 Miles e Gui sont corant venus :
Mult fu Terri lee quant les avoit veuz.
« Sire, fet Terri, fetes monter vus chevalers tuz !
Alom a Monbrant, ne targom plus,
Ke home ke geré ne doit estre targus ! »

3194, a. si lur d. (S).
3197, f. en ad m. (S).
3203, Jsian la b. (S).

pour faire son rapport à Hermin et à Beuve le valeureux.
Quand Beuve l'entendit, il fut pris de colère et d'inquiétude.
3185 Aussitôt à Civile il envoya un messager
pour demander au duc Thierry de lui venir en aide.
Celui-ci amena des guerriers en grand nombre,
quinze mille guerriers au moins sous leurs heaumes aux reflets verts,
et aussi son fils Beuve.
3190 Ils ont fait route nuit et jour en se hâtant si fort
qu'ils sont venus à Abreford aux premières lueurs de l'aube.
Quand il les aperçoit, Beuve en est très heureux,
il enfourche Arondel et vient au devant d'eux.
Tout souriant, il appelle Thierry et lui demande :
3195 « Comment se porte ta noble épouse ?
– Fort bien, ma foi. Elle est forte et vaillante,
et m'a donné trois fils, grâce à Dieu Tout-Puissant.
Voici l'aîné, Beuve, à cheval.
– Sur ma tête, dit Beuve, j'en suis encore plus heureux. »
3200 Et il embrasse son filleul. Tous alors mettent pied à terre,
et Beuve leur dit ce qu'il sait d'Yvori de Monbrant.

185

Beuve et le duc entrèrent dans le palais.
Josiane la belle était au comble de la joie
et le roi vint pour faire honneur au duc.
3205 Miles et Guy accoururent vers lui
et Thierry les revit avec un grand plaisir.
« Seigneur, dit-il, faites monter vos chevaliers en selle !
Rendons-nous à Monbrant sans plus attendre :
un homme en guerre n'a pas de temps à perdre ! »

3210 A tant sunt lur garnemens venuz,
Ore s'en arment li princes e li ducs.
Pus montent a chivals quernu,
Hors de la porte se sont issuz,
Forment chivachent jor e nuz.
3215 Dehors Monbrant a un brulet foilluz :
Enbuchez sont, e l'aube aparust :
A .X.M. unt lur asemblé tenuz
Ke vunt prendre prei defors lé murs.
En Monbrant leve la noise e li hus,
3220 Leyns sont armé .XL.M. e plus.

CLXXXVI

Par la porte issent li Sarzinis felons.
3222 Devant toz les altres est venu Favons,
3224 Il tint de Arabie turs e dongons.
3225 A haute voice escrie : « N'i garez, glotons ! »
3223 E Terri l'entendit e Saber li barons,
3226 Le destrer broche de l'agu esporons,
Grant coupe doune sur li roi Favons,
Plein sa hante l'abat mort en sablons.
Ore crest la force dé Sarzinis felons.
3230 Lors vint Boves od .XXX. mil compaygnons.
La veÿsés l'estur si tré felons,
Tant hantes frenytes, tant escus rons,
Tant chevalers trebucher en sablons !
Boves let coure Arundel [l]'aragons,

3210, A t. funt l. (S).
3215, m. a brulet ueluz (S).
3222, Devat t. (S).
3224, Il vint de a.
3223, t. les condust *e* s. (S).
3231, La fu l'estur si t. (3143).

3210 Aussitôt leurs équipements leur furent apportés
et princes et ducs s'en armèrent.
Ils montèrent ensuite sur leurs chevaux à la longue crinière,
sortirent par la grande porte
et vigoureusement chevauchèrent jour et nuit.
3215 Près de Monbrant il y avait un petit bois couvert de feuilles.
Ils s'y mettent en embuscade. L'aube paraît.
Dix mille d'entre eux se rassemblent
et sous les murs vont saisir le bétail.
Des cris et du vacarme s'élèvent dans Monbrant,
3220 où plus de quarante mille hommes prennent les armes.

186

Par la porte de la cité sortent les traîtres Sarrasins.
3222 Devant les autres s'est avancé Favon :
3224 il possédait en Arabie tours et donjons*.
3225 Il crie à pleine voix : « Crapules ! Vous ne vous en tirerez pas ! »
3223 Thierry l'entend, comme aussi Soibaut le guerrier* ;
3226 il pique son cheval des éperons aigus
et sur le roi Favon frappe un grand coup :
de toute la longueur de sa lance il le jette mort sur le sable.
Les traîtres Sarrasins cependant se renforcent,
3230 mais alors survient Beuve avec trente mille compagnons.
Vous auriez pu voir là un combat sans merci,
tant de lances brisées, de boucliers rompus,
et tant de chevaliers s'effondrant sur le sable !
Beuve lâche la bride à Arondel, son cheval d'Aragon,

3235 En l'escu fert un Sarzin, Fauserons,
Tut li abate mort des arçons.
Les autres fererent com chevalers bons.

CLXXXVII

Mult fu dure l'estur e baudiz.
Mult [bien le] firent Boves e Terriz,
3240 Ne se feynt mie Sabaoth le floriz :
Qu'el consuit a cop a mort est comfiz.
A icele parole este vus Yvoriz
O .X. mil felons Arabiz.
Boves li encontre sur Arundel de pris,
3245 Devant tuz les autres va ferir Yvoriz,
Grant coupe li done sur l'escu floriz,
Rumpent [les cengles] e peytrels de pris ;
Tant com hante dure li abate en laris,
Tret Morgeley, si est sur li sailiz,
3250 Grant coupe li doune sur l'escu floriz,
La li ust tüé, mort e occis,
Mes Yvori s'escrie : « Pernez moi tut vifs !
Rançon te dorrai tot a ton devis.
– Par foi, dist Boves, issi le vus otriz. »
3255 Mener le fist al roi Hermins
E a sa file, Josian o le cler vis.
N'ert mes rescuz pur home ke seit viz.
En l'estur [ferent] Sabaoth e Terriz,
L'amirail d'Eclavonie ad Sabaoth occis,
3260 Puis escrie : « Monjoie ! Ferés, chevalers amis ! »

3235, E les escri f.
3236, Tant li a. (S).
3248, c. hanc d. (S).
3254, v. otreiz (S).
3255, r. h*er*minis (S).
3258, En l'estur b*oves* e t. (S, 2316).

3235 et sur son bouclier frappe un Sarrasin, Fauseron,
qu'il jette mort au bas de ses arçons.
Les autres frappent en parfaits chevaliers.

187

Le combat était rude et plein d'ardeur.
Beuve et Thierry s'y conduisaient d'admirable façon,
3240 Soibaut aux cheveux blancs ne faisait pas semblant :
celui qu'il touchait de ses coups était défait et tombait mort.
Alors arriva Yvori
avec dix mille Arabes malfaisants.
Monté sur son cheval de prix, Arondel, Beuve vient à lui
3245 et devant tous les autres va le frapper,
et donne sur son bouclier orné de fleurs un coup violent :
la riche poitrinière et les sangles se rompent,
et de la longueur de sa lance, il le renverse sur la lande ;
puis il tire Murgleie et, se jetant sur lui,
3250 il donne sur son bouclier orné de fleurs un coup violent*.
Il allait le tuer, l'occire pour de bon,
Mais Yvori s'écrie : « Capturez-moi vivant !
Vous aurez toute la rançon que vous voudrez.
– Ma foi, dit Beuve, je vous l'accorde. »
3255 Et il le fait conduire au roi Hermin
et à sa fille, Josiane au clair visage :
jamais homme vivant ne pourra plus venir à son secours.
Soibaut et Thierry frappent au sein de la mêlée*.
Soibaut tue le roi mécréant d'Esclavonie,
3260 Puis il s'écrie : « Montjoie ! Frappez, compagnons chevaliers ! »

Les sons oierent, mult sont abaudiz.
Les cristiens enchaucent com pruz e hardiz.

CLXXXVIII

Li enchace dure .IIII. lues grans.
Paiens s'enfüent jeskes Monbrant,
3265 E Boves repeire a Abreford le grant.
A lur ostel vunt chevalers vailant.
A desarmer Boun curent li enfant :
« Sire, dist Gui, ore sumes grant
Ke nos adobbez e donez garnement.
3270 – Bel fiz, dist il, cest an nent,
Trop estes tendre pur suffrer torment. »
Kant sont desarmez, si entrent a tant
Boves e Terri e Sabaoth le vailant,
E virent Yvori ou il sist sur un baunc.
3275 « Prendrez rançon ? fet le roi de Monbrant.

CLXXXIX

« Prendrez rançon, Boves, beaus amis,
Ou vus moi volez pendre e honir ?
– Par mun chef, dist Boves, nanil.
Vus moi jurez sur vos deus Apolin,
3280 Mahom e Tervagant e Baratron ausin. »
E respont le roi : « Volunters ensin. »
Le roi ad jurré tut ke li ad quis,
La rançon li nome d'argent e d'or fins.

3262, c. enhaucent c.
3277, p. *e* honis (S).
3283, d'a. *e* d'or finis.

Les siens l'entendent et redoublent d'ardeur.
Les chrétiens en hardis guerriers foncent à la poursuite des ennemis.

188

Ils les poursuivent sur quatre grandes lieues,
et les païens s'enfuient jusqu'à Monbrant*.
3265 Beuve retourne alors à Abreford la grande.
Les vaillants chevaliers rentrent chez eux,
et pour désarmer Beuve accourent les enfants.
« Seigneur, lui dit Guy, à présent nous sommes assez grands :
armez-nous chevaliers et donnez-nous nos armes.
3270 – Chers fils, leur répond-il, pas cette année ;
vous êtes encore trop jeunes pour endurer les peines du combat. »
Une fois désarmés,
Beuve, Thierry et Soibaut le vaillant entrent dans le palais,
et assis sur un banc ils trouvent Yvori.
3275 « Allez-vous accepter une rançon ?, demande le roi de Monbrant.

189

« Allez-vous accepter une rançon, Beuve, mon cher ami ?
Ou voulez-vous me pendre honteusement ?
– Non, sur ma tête, répond Beuve.
Mais vous allez prêter serment sur vos dieux, Apollin,
3280 Mahomet, Tervagant, et aussi Baratron. »
Le roi répond : « Je vais le faire volontiers. »
Il a juré tout ce que Beuve demandait,
et détaillé ce qu'il devait payer en argent et or fin.

CXC

« .XXX. chivals d'or e d'argent trussis,
3285 .III.C. lis d'or e d'argent overis
O tuz les coyltes e les orilis,
.III.C. coupes tuz coverclez
E .III. mil hanapes de fin or naylés,
.C. leüns e .C. [urces] chaenez,
3290 E .C. somers de brun payles trussez,
E .III. mil esqueles od les saucerez,
3292 Tretuz d'argent bien tailez,
3294 .XV. mil de blanc haubers saffrés
3295 E autretant de vert heumes gemmés,
3293 Tant vus dorrai pur la vie aver :
3296 Pus jeo a tant estre aquités ?
– Par mun chef, dist Boves, plus n'i dorrés.
Quant le tresor moi seit mostrez,
Vus en irez, ne te serra devëez. »
3300 Yvori ad un mesager apelé :
« Alez vus a Monbrant la cité,
Dïez a Fabur, mon chamberlen privé,
La rançon m'envoit com l'ai nomé. »
Le mesager s'en turne e Fabur ad trové,
3305 E dist com li rois ert a rançon turné :
« Veez ci le brefs ke vus ai porté. »
Fabur prent le bref, si ad dedens gardé,
E dist as amirals : « Ore soit escoté !
Yvori n'est pas mort, ens est enprisoné,
3310 A rançon est venu e ci l'ad demandé. »
Tut le tresor est tost ensemblé

3289, l. e .C. chaenez (S, 1494).
3291, De .III. m.
3293, p. la vie avers (S).
3308, *E* dist as as a. (S).

190

« Trente chevaux chargés d'or et d'argent,
3285 trois cents lits ouvragés d'or et d'argent
avec toutes leurs couettes et tous leurs oreillers*,
trois cents coupes munies chacune d'un couvercle,
et trois mille hanaps d'or fin niellé,
cent lions et cent ours enchaînés*
3290 et cent bêtes de somme chargées de brillantes soieries,
trois mille écuelles avec saucières assorties,
3292 toutes en argent ciselé*,
3294 quinze mille cottes de mailles blanches à garniture d'or
3295 avec autant de heaumes à reflets verts ornés de pierreries :
3293 je vous donnerai tout cela pour demeurer en vie* :
3296 Puis-je être quitte à cette condition ?
– Sur ma tête, dit Beuve, vous ne donnerez rien de plus.
Dès que j'aurai vu ces richesses,
vous partirez sans être retenu. »
3300 Yvori fait venir un messager :
« Allez jusqu'à Monbrant,
et dites à Fabur, mon chambellan particulier,
qu'il m'envoie la rançon telle que je viens de l'exposer. »
Le messager repart ; il va trouver Fabur
3305 et lui explique comment le roi se trouve mis à rançon :
« Voyez la lettre que j'apporte. »
Fabur la prend et l'examine,
puis dit aux chefs païens : « Écoutez-moi !
Yvori n'est pas mort, mais juste prisonnier.
3310 Il doit payer une rançon et la demande par ce message. »
Vite, ils rassemblent ce trésor

E mercient Mahom ke il est eschapé.
.VII. mil paiens unt le tresor amené.
A Abreford vindrent a un jorné,
3315 E Boves le prent, e cil s'en est alé.
Ceo fu grant damage en fin verité,
Ke pus fist a Boun grant iniquité,
Si com vus moi orrez, si soit escoté.
Ore lerrom de Yvori parler,
3320 E a Hermin devum retorner.
Mult est malades e gist en un soler.
« Deu ! dist Hermin, pur vostre bonté
Jeo ai longement mon realme gardé !
Pur Deu, moi fetes Gui amener :
3325 Demain ert rois, jeo le frai coroner,
E Miles duc, ne le frai trestorner.
Issi voile ma terre diviser. »
Kant l'oï Boves, si comence a plurer.
Le roi se fist a muster porter,
3330 Mande l'eveske, si se est conseylé
E de tuz sé pechez deliverez.
A Dampnedeu est il ben acordé.
Mande Gui e Miles le senez,
A .II. chevalers sunt il adobbez,
3335 E Boves le fiz Terri, e altre .II. miler.
Pus fist la corone devant lui aporter,
Si fist Gui roi coroner.
La furent eveskes e .XII. abbez,
Grant fu l'offrand a l'auter posez.
3340 Meyntenant est li roi devïez,
L'alme aportent li angle a Deus.
Ore est Gui roi coronez

3334, Al .II. c. (S).
3337, S si f.

en rendant grâce à Mahomet qu'il soit resté en vie*.
Sept mille mécréants apportent les richesses ;
ils arrivent à Abreford un matin au lever du jour.
3315 Beuve prend la rançon et Yvori s'en va.
Ce fut en vérité un grand malheur,
car par la suite il causa un grand tort à Beuve,
comme vous allez l'entendre : écoutez-moi.
Mais nous allons cesser de parler d'Yvori,
3320 et en revenir à Hermin.
Il gisait très malade dans une chambre haute.
« Mon Dieu !, dit-il, par le fait de votre bonté,
j'ai pu longtemps conserver mon royaume !
Au nom de Dieu, faites-moi venir Guy :
3325 demain il sera roi, je vais le faire couronner ;
et Miles sera duc, je n'oublierai pas ma promesse.
Voilà comment je veux répartir mon domaine. »
Beuve à ces mots fondit en larmes.
Le roi se fit transporter à l'église,
3330 il fit venir l'évêque, se confessa à lui,
et ses péchés lui furent tous remis :
avec Notre Seigneur il fut ainsi réconcilié.
Il fit alors venir Guy et Miles le sage,
et tous les deux furent armés chevaliers
3335 avec le fils de Thierry, Beuve, et deux mille autres.
Puis il fit apporter devant lui la couronne
et Guy en fut couronné roi*.
Il y avait là des évêques ansi que douze abbés*.
Sur l'autel une riche offrande fut déposée.
3340 Le roi alors perdit la vie,
et les anges portèrent son âme à Dieu*.
Guy était désormais un roi portant couronne,

E Miles est duc alosez.
Cele jur fu Hermin en sarcu posez.
3345 Kant l'ont enterré, si sunt montez,
Dist l'un a l'autre : « Le champ traversez,
Si pensom de joster : contre moi venez,
Ke ne savom kant serrom esprovez.
Kant ce vera mun pere li alosez,
3350 Nos armes porter, si serra mult lez. »
Ore purrez vere cops de chevalers.
« Par mon chef, dist Boves, cil erent bachelers !
S'il vivent longes, il atenderunt lur per. »
A lur escuz firent lur lances briser.
3355 Les haubers sunt fors, ne sont damagez,
Les vassals sont bons, nul ne chet a pez.
« Sente Marie dame, dist Boves li alosez,
Dame, merci ! les enfans me gardez. »
A haut voiz escrie : « Vostre tenser lessez ! »
3360 Kant les enfans oierent lur ancez,
Ignelement en paleis sont entrez.
Kant ceo vist lur pere, contre est alez...
....
Kant urent mangé, Sabaoth est levez,
Vint a Boun, si demande congez :
3365 « Sire, dist Sabaoth, .VII. [ans] o vus ai estez
Ke n'i vy ma femme ne mon heritez.
– Sire, dist Boves, al congé Deu alez.
A ta femme un mantele porterez
Tut de fin or batu e listez,
3370 E un cope d'or par moi le bailez,
Unkes meilur ne fu trovez,

3351, v. cop' de c. (S).
3353, l. il atenderent l. (S).
3358, m. lenfans me g. (S).

et Miles un duc de grand renom.
Hermin fut le jour même déposé dans un sarcophage.
3345 Quand on l'eut enterré, tous deux montèrent à cheval,
et chacun dit à l'autre : « Allez à l'autre bout du champ,
et occupons-nous à jouter : affrontez-moi,
car nous ne savons pas quand nous pourrons faire nos preuves.
Quand notre père, le héros réputé, nous aura vus*
3350 porter nos armes, il sera très heureux. »
Vous auriez pu alors voir échanger des coups dignes de chevaliers.
« Sur ma tête, dit Beuve, en voilà deux qui feront de fameux gaillards !
et s'ils vivent longtemps, ils vaudront bien leur père. »
Ils firent sur leurs boucliers briser leurs lances ;
3355 ils avaient de solides cottes de mailles : elles ne furent pas endommagées.
C'étaient de bons jouteurs, aucun ne mit le pied à terre.
« Sainte Marie, dit Beuve, le héros réputé,
Notre Dame, de grâce, veillez sur mes enfants. »
Il crie à pleine voix : « Cessez votre combat ! »
3360 Quand les enfants ont entendu leur père,
ils rentrent au palais tout aussitôt.
Voyant cela, leur père s'en est allé à leur rencontre*
[*et tout le monde passe à table.*]
Le repas terminé, Soibaut se lève
et s'approche de Beuve pour demander congé :
3365 « Seigneur, dit-il, je suis resté sept ans auprès de vous
sans revoir ni ma femme ni mes domaines*.
– Allez, seigneur, lui répond Beuve, et que Dieu vous protège !
À votre femme vous apporterez un manteau
entièrement orné de galons d'or battu,
3370 et de ma part donnez-lui une coupe d'or,
la meilleure qui jamais sera trouvée,

E .XII. anels de mon don la presentez,
Unkes mellurs ne furent forgez. »
A Boun e a tuz prent il congez,
3375 A lai de pelerin s'est il alez.
Or coile la voie Sabaoth li barbez
Envers Civile a Terri li alosez,
Mes od li n'ad nent enparlez.

CXCI

Passe la mer Sabaoth le ferant.
3380 A Rome a l'apostoile prent il penance grant
Pur ceo ke il out esté [loins] de sa femme tant.
Puis vint a sent Gile e vint a l'arbre grant,
En nef entre, si seglé a tant
Ke il vint a Hampton a midi sonant.
3385 A la porte vint de son paleis grant,
Encontre sa mulier e son fiz Robant.
Pur Deu e pur son non quert il herbergement,
E pur l'amur Sabaoth li chanu e li franc.
E dist la dame : « Ore ne faudrés nent. »
3390 Jeskes la sale venent errant.
« Dame, dist Sabaoth, le chevaler vailant,
Boves vus mande, li hardi combatant,
Saluz e ameytez par Sabaoth le franc
E par ses fiz que sont mult pussant
3395 E de la part Josian o le cors avenant
E de part le duc Terri, vostre chier enfant. »
Kant l'entent la dame, mult [fu] joiant.
« Veÿstes unkes Sabaoth le blanc ?
– Oyle, dame, e Boun, n'est pas longement,
3400 E Boves vus enveie .I. mantele bele e grant,

3381, loins *manque* (2758).
3400, v. ueint .I. m. (S).

ainsi que douze anneaux dont je lui fais présent,
les meilleurs qui jamais seront forgés. »
Il prend congé de Beuve et de toute la cour,
3375 et s'en va habillé en pèlerin.
Il fait route à présent, Soibaut à la barbe fleurie,
vers Civile, chez Thierry, le guerrier réputé,
mais sans lui dire rien*.

191

Soibaut aux cheveux gris franchit la mer.
3380 Le pape, à Rome, lui impose une sévère pénitence
pour être si longtemps resté loin de sa femme.
Il se rend ensuite à Saint-Gilles et va à l'Arbre Grand*,
monte à bord d'un bateau et fait voile si bien
qu'il arrive à Hamptone lorsque sonne midi.
3385 Arrivé à la porte de son vaste palais,
il rencontre sa femme avec son fils Robant.
Il leur demande de l'héberger au nom de Dieu,
et pour l'amour du noble comte Soibaut aux cheveux blancs.
La dame lui répond : « Rien ne vous manquera. »
3390 Ils gagnent aussitôt la grande salle.
« Madame, dit Soibaut, le vaillant chevalier,
Beuve vous fait porter, le hardi combatant,
salut et amitié de la part de Soibaut, le noble comte,
et de ses fils, qui sont puissants seigneurs,
3395 et de Josiane au corps gracieux,
et de votre cher fils, le duc Thierry. »
Quand elle l'entendit, la dame fut remplie de joie.
« Avez-vous donc pu voir Soibaut aux cheveux blancs ?
– Certes, madame, et aussi Beuve, récemment,
3400 et celui-ci vous fait porter un beau et grand manteau

3403 E .XII. anels e un cope grant.
3401 Tot est forgé a fin or lusant,
3402 N'i ad meillur ci ke a Abilent.
3404 – E, sire, es tu dunc Sabaoth le blanc ?
3405 – Oyl, bele dame, par sent Lorant ! »

CXCII

Kant l'entent, si li prent a regarder,
A rue de la buche conut le guerer.
Lors corust la dame son seynur acoler.
Ore est Sabaoth a Hampton sur mer,
3410 Ore devoms a Boun retorner.
Yvori ad un lers a Monbrant la cité,
Nul mur [ne] li tendra, ja seit si bien plané.
Ungles out longes com oster müé,
En son païs est Gebitus clamé.
3415 Yvori li apele : « Ami, sa venez.
De vos enchantemens ai veu assez :
Si le chival Boun embler moi purrez,
Assez vus dorrai chateus e richetez. »
E dist li lers : « Par Mahom, vus l'averez. »
3420 Ore est li gluz en chimin entrez,
E vint a Abreford quant fu anoytez.
Com fust oysel est le mur montez
E vint a l'estable, n'i est demorez,
Veit Arundel, le destrer preisez,
3425 L'uis ad overt, n'ad clef demandez.
Tant l'enchanta ke pris l'ad par les piez,
Pus monte, si est a Monbrant alez,
E vint a la cité a l'enjornez.
E le roi demene grant fiertez,
3430 Mahon jure e Apolin sé deus

3410, O. deuonms a b. retoner.
3422, le *est rajouté dans l'interligne supérieur* (S).

3403 et douze anneaux, et une grande coupe*,
3401 tous forgés en or fin étincelant :
3402 d'ici à Abilant il n'y a rien de mieux.
3404 – Eh, seigneur, es-tu donc Soibaut aux cheveux blancs ?
3405 – Oui, belle dame, par saint Laurent ! »

192

À ces mots la comtesse entreprit de l'examiner,
et au pli de sa bouche elle reconnut le guerrier.
Elle courut alors serrer dans ses bras son mari.
Voilà donc Soibaut de retour à Hamptone sur mer ;
3410 il nous faut maintenant en revenir à Beuve.
À Monbrant sa cité, Yvori avait un voleur à son service :
aucun mur ne lui résistait, si dépourvu fût-il d'aspérités.
Ses ongles étaient longs comme les griffes d'un autour après la mue,
et on l'appelait Gebitus dans son pays.
3415 Yvori l'appela : « Mon ami, approchez.
J'ai vu beaucoup de vos enchantements :
si vous pouvez pour moi dérober le cheval de Beuve,
je vous donnerai des châteaux et des richesses en quantité.
– Par Mahomet, répond le voleur, vous l'aurez ! »
3420 Il se met aussitôt en route, cette crapule,
et il arrive à Abreford après la nuit tombée.
Comme un oiseau il saute sur le mur
et sans perdre de temps se rend à l'écurie ;
il y trouve Arondel, le bon coursier de prix,
3425 et sans en demander la clef ouvre la porte.
Il l'a si bien ensorcelé qu'il peut le prendre par les pieds ;
puis il l'enfourche et retourne à Monbrant*.
Au lever du jour il arrive dans la cité.
Yvori exulte d'orgueil,
3430 sur ses dieux Mahomet et Apollin il jure

Ke en mal an est Boves entrez.
Les vallés Boun sont par matin levez.
Kant ne veyent le chival, mult sont irez.
.I. garçon va a Boun, si l'ad nunciez :
3435 Kant Boves l'entent, pur poi n'est ragez.
Ore vus lerrom de Boun parler,
Si en devum a Sabaoth retorner
Ke gist en sa chambre pres de sa mulier.
Sonja ke Boves estoit blescé,
3440 Le mestre os de sa quise li est brisé.
Le sunge conte a sa femme quant [est] veillé.
« Sire, dist ele, trop avez demoré,
Sa mulier ad perdu ou son destrer preysé.
– Allas ! dist Sabaoth, ore sui mal bailé. »
3445 Il prent sa palme e son burdon ferré,
Congé demande, si est en chimin entré.
3447 Jeskes a Abreford ne s'est demoré.
3449 Sabaoth entre en paleis principé.
3448 Mult fu Boves de son venu lee :
3450 « Mestre, dist Boves, mun destrer est amené !
Le lers Yvori mun destrer ad emblé.
– Allas ! dist Sabaoth, trop ai demoré. »
Il prist son burdon, de le paleis est alé,
Acoile sa voie par grant fierté,
3455 Unkes ne fine jeskes l'avespré.
Les chivals Yvori un garçon ad enbeveré
E Sabaoth si est venu al gué,
Ilukes s'asist li veil barbé.

3438, c. pret de sa m. (S).

que pour Beuve s'annoncent de mauvais jours.
Les serviteurs de Beuve se lèvent au petit matin,
et quand ils ne voient pas le cheval, ils s'inquiètent.
Un garçon court le dire à Beuve,
3435 que la nouvelle est près de rendre fou.
Mais nous allons cesser de vous parler de Beuve,
et en revenir à Soibaut
qui, dormant dans sa chambre auprès de son épouse,
rêvait que Beuve avait été blessé,
3440 et que le gros os de sa cuisse était brisé*.
À son réveil, il conta ce songe à sa femme.
« Seigneur, dit-elle, vous avez trop tardé :
il a perdu sa femme ou son coursier de prix.
– Hélas !, s'écrie Soibaut, voilà qui m'inquiète beaucoup ! »
3445 Il prend sa palme et son bourdon ferré*,
prend congé et se met en route,
3447 et jusqu'à Abreford il ne s'attarde pas.
3449 Soibaut pénètre dans le palais royal,
3448 et Beuve se réjouit très fort de sa venue* :
3450 « Maître, dit-il, mon cheval de combat a disparu !
C'est l'escamoteur d'Yvori qui m'a pris mon coursier.
– Hélas !, s'écrie Soibaut, j'ai trop tardé. »
Il saisit son bourdon, sort du palais
et se met en chemin très irrité.
3455 Il ne s'arrête pas avant le soir.
Un garçon d'écurie emmenait boire les chevaux d'Yvori.
Soibaut est venu près du gué,
et là il s'est assis, l'ancien à la barbe fleurie.

CXCIII

Kant Arundel le vist, bien li ad conu.
3460 Sabaoth dist al garçon : « Si Mahom te salu,
Dunt vint cel destrer ? Unkes tel n'e veu.
Mustrez derere, devant l'ai veu. »
E dist li valet : « Tost le verras tu. »
La croupe li torne de Arundel [le] quernu,
3465 E Sabaoth legerement salt derere lui,
Le burdon leve, si ad l'autre feru
3467 Dejoste le oye, ke mort l'ad estendu.
3469 Kant Sabaoth est monté sur le chival quernu,
3468 Dreit vers la cité est poignant venu.

CXCIV

3470 O haute voice escrie : « Yvori de Monbrant,
Arundel est pris, mal vus en est venant ! »
Kant Yvori l'entent, engrés est [e] dolent,
A haute voice escrie : « Montez, mi parent ! »
Tut .I. miler s'adubent vistement,
3475 Ke tuz enchacent Sabaoth li blanc.
Devant les autres va Fabur elessant,
E sist sur le fiz Arundel le bruant.
E Sabaoth s'en fuist ignelement,
Durement li chacent par mil e par cent.
3480 Josian estut en paleis en haut...
A une fenestre gard vers Monbrant,
E vener vit Sabaoth sur Arundel corant.

3462, m. de rerere d. (S).
3464, t. de arudel q. (S).
3466, b. leve sil ad l'a. (S).
3467, m. l'ad entendu (S).
3471, m. v*us* est en v. (S).
3474, Tut .I. mil s'a. ; *le* s *de* vistement *est rajouté dans l'interligne supérieur* (S).

193

Quand il l'a vu, Arondel l'a bien reconnu.
3460 Soibaut dit au valet : « Que Mahomet t'accorde ton salut,
d'où vient donc ce cheval ? Jamais je n'ai vu son pareil.
Montre-le par derrière, je l'ai assez vu par devant*. »
Et le valet répond : « Tu vas vite le voir. »
Il fait tourner vers lui la croupe d'Arondel à la longue crinière,
3465 et Soibaut saute agilement dessus ;
il lève son bourdon et frappe le garçon
3467 près de l'oreille, si bien qu'il l'étend mort.
3469 Et une fois monté sur le cheval à la longue crinière,
3468 à force d'éperons Soibaut s'approche de la cité*.

194

3470 Il crie à pleine voix : « Yvori de Monbrant,
Arondel est repris, pour toi la chance tourne ! »
Quand il entend ces mots, Yvori est saisi de peine et de colère ;
il crie à pleine voix : « En selle, les gens de mon lignage ! »
Ils sont bien un millier à s'équiper en hâte,
3475 et tous se lancent après Soibaut aux cheveux blancs.
Fabur fonce en avant des autres,
il chevauchait le fils d'Arondel le bouillant.
Mais Soibaut fuit au grand galop,
et ils le chassent furieusement par centaines et par milliers.
3480 Josiane se tenait tout en haut du palais*...
Par la fenêtre elle regarde du côté de Monbrant
et voit venir Soibaut sur Arondel à toute allure.

Ele vint a Boun e a Gui son enfant :
« Sire, fetes armer tuz vus gent !
3485 Sabaoth enchacent Arabi par cent,
Arundel amene dont estes si dolent.
– Adobbés vus, seynurs ! » dit Gui l'enfant.
Bien .XV. mil se dobbent a tant.
Le rei s'en ist primes sur un ferant,
3490 E Miles aprés sur .I. bauçant,
E Boves, le fiz Terri, sur .I. morant.
Este vus Fabur Sabaoth ateignant,
Primes li feri quant le roi vint poignant
E brise la hante de l'espé trenchant.
3495 Gui fiert Fabur sur son escu devant ;
Jeskes la bucle le va defendant,
Le hauberc rompe meyntenant,
Tant com hante dure l'abat mort senglant.
Sabaoth monta la sele de le bon ferant
3500 Pur reposer Arundel le corant,
Ke il ne savoit si Boves vint a champ.
E Miles let coure, si fiert .I. amirant,
Boves le fiz Terri occist .I. geant,
E checun fist li son mort e recreant.
3505 Le roi commande : « Ferez avant ! »
3506 Cil si fierent tut meyntenant.
3508 L'estur dure jeskes vespres sonant,
3509 De la gent Yvori ne repeyrent .IIII. cent,

3490, s. .I. bautant (S).
3494, b. sa lance de l'e.
3495, *E* fiert f.
3496, j. la buche le v.
3497, r. meytenant (S).
3499, Si m.
3501, n. sovoit s. (S).

Elle va trouver Beuve et son fils Guy :
« Seigneur, faites armer vos gens !
3485 Des centaines d'Arabes courent après Soibaut*,
il ramène Arondel, pour lequel vous étiez si fort peiné.
– Équipez-vous, seigneurs ! », dit Guy le jeune.
Ils sont bien quinze mille à prendre alors les armes.
Guy, le roi, sort en tête sur un coursier gris fer ;
3490 viennent derrière lui Miles montant un cheval pie
et sur un cheval noir le fils de Thierry, Beuve.
Or voilà que Fabur rejoint Soibaut* ;
il allait lui donner un premier coup lorsque le roi arrive à force d'éperons*,
mais la hampe se brise de son épieu tranchant.
3495 Guy le frappe sur le bouclier,
qu'il fend jusqu'à la bosse qui en orne le centre ;
il déchire aussitôt les mailles du haubert
et de la longueur de sa lance il l'abat mort couvert de sang.
Soibaut monte alors sur la selle de son bon cheval gris
3500 pour reposer Arondel le rapide,
ne sachant pas si Beuve venait dans la bataille.
Miles lâche la bride et il frappe un émir ;
le fils de Thierry, Beuve, tue un géant ;
chacun a vaincu et tué un adversaire.
3505 Le roi commande : « En avant, et frappez ! »
3506 Et tous de frapper aussitôt.
3508 Le combat dure jusqu'à l'heure de vêpres ;
3509 des hommes d'Yvori seuls quatre cents reviennent,

3510 E Gui repeyre od l'eschec bel e gent ;
3511 Jeskes a Abreford n'out recetement.
3507 Mult furent las k'enchacé eurent tant.
3512 Lur pere e lur mere sunt leez e joiant
De lur enfans ke de bataile sont venant ;
Deu honurerent ke forma Moïsent.
3515 A desarmer courent .V. cent.
Ore aforce le conseil de Monbrant.
« Beau fiz, dist Boves, mal nos est convenant
Si nus ore engine le barnage grant.
Mandom Terri qu'il nos soit aidant,
3520 Si dorrai vostre sour a Boun son enfant.
– Sire, fet le roi, tut a vostre comand. »

CXCV

Le roi ad un mesager mandé :
« Vos en irez a Civile la cité,
Si dirrez a duc Terri le honeré
3525 Qu'el nus succure pur la su bounté. »
Le mesager s'en torne, n'est demoré.
A Civile ad le duc Terri trové,
Il li salue, si l'ad aresoné :
« Le rois de Hermins a vus me ad mandé
3530 K'el soit par vus aidé e succuré.
– Par foi, dist Terri, volunters e de gré. »
Ses homes mande par tut le regné.
Quatre ducs e quatre contes i sont assemblé,
En lur compaignie checun .X. mil armé.
3535 Terri les apele, si les ad aresoné :
« Seynurs, nos irrum [en] estrange regné,

3510, r. od les chet b. (S).
3507, l. ke chace enrant ? (S).
3514, Deu hon*er*ent ke f.

3510 mais Guy rapporte un butin magnifique*
3511 et rentre à Abreford sans prendre de repos.
3507 Tous étaient las d'avoir mené une telle poursuite*.
3512 Grande est la joie du père et de la mère
quand leurs enfants reviennent de la bataille ;
ils rendent grâce à Dieu qui fit naître Moïse.
3515 Cinq cents personnes courent désarmer les vainqueurs.
On prend alors à propos de Monbrant une décision énergique.
« Cher fils, dit Beuve, notre situation est fâcheuse
si cette grande armée nous tend un piège.
Demandons à Thierry de venir nous aider,
3520 je donnerai votre sœur en mariage à son fils Beuve.
– À vos ordres, seigneur, répond le roi. »

195

Le roi a fait venir un messager :
« Vous allez vous rendre à Civile,
et vous demanderez au duc Thierry, l'admirable guerrier,
3525 qu'il ait le bon vouloir de venir à notre aide. »
Le messager part sans attendre,
et à Civile ayant trouvé le duc Thierry,
il le salue et lui parle en ces termes :
« Le roi des Arméniens m'a envoyé vers vous*
3530 pour que vous lui portiez aide et secours.
– Sur ma foi, dit Thierry, j'accepte avec plaisir. »
Et de tout son domaine il fait convoquer ses vassaux.
Quatre ducs se rassemblent, quatre comtes aussi,
chacun accompagné de dix mille guerriers.
3535 Il les appelle et leur parle en ces termes :
« Nous allons nous rendre, seigneurs, en pays étranger :

Ke jeo ne ose failer a Boun li alosé. »
Son bon chival ad le duc mandé.
Passent lé tere e lé ample regné,
3540 E vindrent a Abreford en l'ajorné.
Le roi s'en est a la tur püé
E veit la barnage de Civile la cité ;
Vint a son pere, si li ad conté
Ke Terri vent od son baroné,
3545 E respunt son pere : « Deu soit gracié ! »
A tant sont descendu li chevaler sené.
Boves e Josian sont contre els alé
E il lur conte com Yvori lur ad gueré.
Respont Terri : « Mal lur est encontré,
3550 Ke fere compaignie ai o moi mené. »
Ore dirrum de Yvori, li faus esprové.
A l'emdemain si [est] Yvori levé,
.XV. amirals e .XV. rois ad mandé,
E ceus venent volunters e de gré.
3555 Chivachent ensemble com gent devé,
Jeskes a Abreford ne sunt aresté.
La noise oyerent cels de la cité,
Le roi se escrie : « Adobbez vus, pur Dé ! »
Ignelement e tot sunt il monté,
3560 A portes s'en isserent serré e rengé.
Lors Yvori apele Judas e Masebré :
« Seynurs, fet il, conseil me ert doné
Si jeo prenge bataile acontre Boun li alosé :
Unkes tiel chevaler [ne] fust adobbé,
3565 Jeo sui le meylur de tut mun parenté. »
Dist li roi de Damacle : « Ore vus ajustez. »
Ignelement a chival c'est montez,

3555, e. e de co*m* g. (S).
3566, r. de macle o. (S).

je ne saurais manquer à Beuve, le héros réputé. »
Le duc fait amener son bon cheval.
Ils traversèrent bien des terres et de vastes contrées,
3540 et arrivèrent à Abreford au jour levant.
Le roi était monté au faîte de sa tour ;
il aperçut les guerriers de Civile,
vint à son père et lui conta
que Thierry arrivait avec tous ses guerriers.
3545 Le père répondit : « Que grâces soient rendues à Dieu ! »
Alors les sages chevaliers sont descendus de leurs chevaux.
Beuve est allé avec Josiane à leur rencontre
et leur a raconté comme Yvori lui fait la guerre.
Thierry a répondu : « Bien mal lui en a pris,
3550 car j'ai pour compagnie de farouches guerriers. »
Mais revenons à Yvori, le traître patenté.
En se levant, le lendemain,
il a fait appeler quinze rois et autant d'émirs,
qui sont venus très volontiers.
3555 Tous ensemble chevauchent avec fureur
et avant Abreford ils ne s'arrêtent pas.
Dans la cité on entend leur vacarme,
et le roi crie : « Aux armes, au nom de Dieu ! »
Tous aussitôt montent en selle
3560 et franchissent les portes en rangs serrés.
Yvori fait alors venir Judas et Masebré* :
« Seigneurs, dit-il, il me faut un conseil :
dois-je combattre Beuve, le guerrier réputé ?
Jamais on n'a donné ses armes à un tel chevalier,
3565 et je suis quant à moi le meilleur de tout mon lignage*. »
Le roi de Damas lui répond : « Battez-vous donc en duel ! »
Vite, il est monté à cheval,

A haute voice escrie Boun l'alossez :
« Sire duc Boves, un petit attendez !
3570 Vus avez grant barnage en la cité
E jeo ai sa dehors rois e amirez :
Grant ert la perte s'il soint ajustez.
Si cors al cors bataile otrere volez
E si jeo su mort ou recreant e priz,
3575 Jeo vus frai roi e amiral jurez,
Tut ma terre vus ert quite clamez
E le bel dongon de Monbrant la cité. »
E respont Boves : « Jeo vus di autretel,
E la bataile vus otrai volunters. »
3580 Lur mains tendrent, ore sont asuré,
Ignelement se sont armé.

CXCVI

Ore sont armé sur chivals de pris,
Le gué passent, oltre se sont mis.
Boves recleyme Deus ke ne mentis,
3585 Yvori recleyme Mahom e Apolins.
[A] tant sont monté [sur] lur chivals bruvez,
Grant cops se donent as escuz perciz.
Haubers sont fors, ne ne sont rompez.
A coupes ke il donent les espez sunt frussez,
3590 Oltre se passent que nul ne chaï.
Boves tret Morgelei, va ferir Yvori,
Grant coupe li doune [sur] le helme burni ;
Les pers e les flors Boves ad trenché par mi,

3574, Ke si j. su m. ou r. *e* piz (S).
3577, b. digon de m. (S).
3584, r. deix ke ne m. (S).
3585, Y. recliyme m. *e* apolinis (S).
3586, Tant s. m. lur c. b*ur*uez (2921, 3135 ; 2601, 3137).
3589, d. l'espez s.

et crie à pleine voix à Beuve, le héros réputé :
« Seigneur duc Beuve, écoutez un instant !
3570 Vous avez beaucoup de guerriers dans la cité,
et moi, à l'extérieur, des rois et des émirs :
les pertes seront lourdes s'ils doivent s'affronter.
Mais si vous acceptez un combat singulier,
et que je sois vaincu, tué ou prisonnier,
3575 je ferai de vous par serment un roi et un émir,
Toute ma terre vous reviendra en entière propriété,
avec le beau donjon de la ville de Monbrant. »
Beuve répond : « Je vous en dis autant,
et vous accorde volontiers le combat singulier. »
3580 La main tendue ils s'en font le serment*,
et bien vite ils se sont armés.

196

Les voilà donc en armes sur leurs chevaux de prix.
Ils traversent le gué et montent sur la rive opposée.
Beuve implore Dieu qui jamais ne mentit,
3585 et Yvori s'adresse à Mahomet et Apollin.
Ils enfourchent ensuite leurs rapides chevaux*
et frappent à grands coups leurs boucliers persans.
Les mailles des hauberts sont solides et ne cèdent pas,
mais les coups qu'ils échangent ont brisé leurs épieux,
3590 et ils se croisent sans tomber l'un ni l'autre.
Beuve tire Murgleie, va frapper Yvori,
sur son heaume fourbi il assène un grand coup,
brisant joyaux et fleurons d'ornement ;

Par devant l'arçon le chival attendi,
3595 Jeskes a tere le chival parfendi.
Kant le chival fent, Yvori chaï.
Il se releve e Boves descendi,
Ke ne voit ke Arundel fust honi.
Kant le voit Yvori ke Boves descendi,
3600 L'espé trait, grant coup li feri.

CXCVII

Amont sur le helme ou l'or i fu
Peres e flors ad il abatu.
E Boves out honte ke il li out feru,
A tor françois li fert par vertu,
3605 Le col li rompe, le chef li ad tolu.
Le cors chet a terre, le alme a Belsabu.
Kant ceo veient, al gué sont feru,
E le roi Gui turne son destrer kernu,
E Boves remeynt, al destrer est venu,
3610 E Miles i vynt com vailant e pruz.
A cele passage est l'estor dotus.
Gui le roi broche, si ad Bralu feru,
Le rei de Damascle ke fiz a Brandon fu.
Bien firent François e par grant vertu.
3615 Miles let coure, un roi ad abatu.

CXCVIII

Un altre occist Boves, le fiz Terri,
E le terz lur abate Sabaoth le flori,

3596, K. le chival le sent y.
3601, l'or .I. fu (S).
3604, A corn de f. (S).
3610, m. .I. vynt c.

il atteint le cheval devant l'arçon,
3595 et le coupe en deux jusqu'au sol.
Son cheval ainsi pourfendu, Yvori est tombé*.
Il se relève, Beuve met pied à terre,
car il craint qu'Arondel ne risque une blessure.
Quand Yvori voit Beuve à pied,
3600 il tire son épée et lui en assène un grand coup.

197

Du haut de son heaume orné d'or
il a fait tomber les joyaux et les fleurons.
Beuve, vexé d'avoir été touché,
fait volte-face brusquement et lui assène un coup violent* ;
3605 il lui brise le col et lui coupe la tête.
Le corps s'effondre à terre, l'âme descend chez Belzébuth.
Voyant cela, les autres courent vers le gué*,
mais le roi Guy fait faire demi-tour à son coursier à la longue crinière.
Beuve ne s'en va pas et rejoint son cheval,
3610 et en hardi guerrier Miles survient.
Le combat sur le gué est incertain.
Le roi Guy éperonne. Il a frappé Bralu,
qui était le roi de Damas, le fils du roi Bradmont.
Les Français combattaient fort bien, avec grande vaillance.
3615 Miles lâcha la bride et abattit un roi.

198

Le fils de Thierry, Beuve, en tua un deuxième,
Soibaut aux cheveux blancs abattit le troisième,

E Terri de Civili un admirail occist.
E Boves de Hampton tel coup ferist
3620 Que en poi de hure fust l'estur abaudi.
Jeskes a un ewe les Sarzinis coili.
François i firent com pruz e hardiz,
Treis amirals e .XV. rois unt pris.
Ore s'en vunt a Monbrant de pris.
3625 Dist l'amaçur, li baron sarezinis :

CIC

« Si vus volez la terre de Monbrant aver,
Des armes a paiens vus covent armer. »
François sunt armés, li chevaler vailant.
Dist l'amaçur de Cordes : « Jeo iray devant.
3630 Si ben volez, jeo serrai cristien
E crerai en Deu e lerrai Tervagant. »
E les .XV. rois lur dïent autretant.
A cele parole brochent avant,
L'amaçur entre primes en Monbrant,
3635 E le roi Gui aprés ignelement,
O li .XV. mil ke li vunt suant.
Dehors est Boves ke fet martir grant.
Kant ceo virent paiens, mult sont dolent,
La porte coliz avalent errant.
3640 E le roi Gui s'est dedens entrant,
O li .XX. mil chevalers vailant ;
A paleis Yvori est venu meyntenant.
E paiens li virent, si sont turné fuant.
N'esparnient a petis ne a grant :
3645 Si Deu ne cleyment e baptisement,

3622, F. .I. firent c.
3627, v. covent auer (S).
3645, d. ne lur cleyme b. *;* ne *est écrit au-dessus de la ligne* (S).

et Thierry de Civile leur tua un émir.
Les coups frappés par Beuve de Hamptone étaient si forts
3620 qu'en peu de temps l'intensité de la bataille fut à son comble.
Il repoussa les Sarrasins jusqu'à une rivière.
Les Français en hardis guerriers ont combattu :
ils ont capturé trois émirs et quinze rois,
et se sont dirigés vers Monbrant, la riche cité.
3625 Le baron sarrasin, l'amaçour, leur a dit :

199

« Si vous voulez vous emparer du pays de Monbrant,
il faut vous équiper d'armes païennes*. »
Les Français se sont équipés, les vaillants chevaliers.
L'amaçour de Cordoue leur dit : « Je vais aller devant.
3630 Si vous le voulez bien, je deviendrai chrétien,
ma foi sera en Dieu et je renoncerai à Tervagant. »
Les quinze rois en disent tout autant.
Et cela dit, ils éperonnent,
l'amaçour entre en tête dans Monbrant,
3635 suivi de près par le roi Guy
et les quinze mille hommes qui l'accompagnent.
Beuve est resté dehors, et il s'y livre à un carnage.
Voyant cela, les païens sont au désespoir ;
vite, ils font retomber la porte coulissante,
3640 mais le roi Guy a déjà pu entrer*
avec vingt mille valeureux chevaliers* ;
il se rend aussitôt au palais d'Yvori.
Voyant cela, les mécréants ont pris la fuite.
Ni les petits ni les grands ne sont épargnés :
3645 s'ils n'invoquent pas Dieu et ne demandent pas à être baptisés,

Jamés ne verrunt femmes nen enfant.
A tant este vus le duc Boun venant,
En la cité entre o tut sa gent,
E le roi Gui li va encontrant :
3650 « Sire, dist il, jeo vus rent la terre de Monbrant.
– Bel sire, fet Boves, merci vus rent. »
Josian mandent a Abreford le grant,
E a tuz clers e eveskes sachant,
E cil sont venu, ne demorent nent.
3655 Le roi de Damacle mandent ensement,
Ke cristienté voit aver : n'est de reyn perdant,
Mes li funt baptiser deboneremement.
Dist li roi de Damacle : « Oyez mon semblant :
Jeo voil estre cristené, si lerrai Tervagant. »
3660 Dÿent les altres : « Si volum ensement. »
Dist Boves : « Aportés avant Tervagant. »
E cil l'ont mis tut en esteant.
« Mahom, dist Boves, unkes ne fustes vailant,
Hui en ceste jor freez vertu grant. »
3665 Hil prist un mace, si fiert Tervagant,
Ewe beneit gette l'eveske Morant :
Une ruge mastin s'est torné fuant.
« Ore veez, dist Boves, en ky estes creant ! »
Dist li roi de Damacle : « Nus creom malement,
3670 E issi avant firent nos parent.
Ke mes en li creit, Deu li acravant ! »
Dÿent les rois e li .IIII. amirant :
« Ne li crerom mie en tut nostre vivant. »
Tost mandent lur femmes e lur enfant,
3675 Mandent lur amis e tuz lur parent,
E ceus venent de gré e deboneremement.
Ne fist unkes Deu clerc si bien lisant

3661, Dist gui a. (S).

ils ne reverront jamais plus ni femmes ni enfants*.
Alors arrive le duc Beuve,
il entre dans la ville avec tous ses guerriers,
et le roi Guy vient au devant de lui :
3650 « Seigneur, dit-il, je vous remets la terre de Monbrant.
– Cher seigneur, répond Beuve, je vous en remercie. »
Et ils envoient chercher Josiane à Abreford la grande
avec des gens d'église et de savants évêques
qui viennent sans tarder.
3655 Le roi de Damas, lui aussi, est appelé ;
il veut se faire chrétien. Il ne perd aucun de ses biens,
mais il est baptisé de très noble façon.
Il dit : « Écoutez-moi :
je veux être chrétien et renoncer à Tervagant.
3660 – Nous le voulons aussi, disent les autres. »
Beuve répond : « Apportez ici Tervagant. »
Et ils le posent bien debout.
« Mahomet, lui dit Beuve, vous n'avez jamais eu aucun pouvoir,
mais aujourd'hui vous allez accomplir un grand miracle. »
3665 Il saisit une masse et en frappe l'idole,
et l'évêque Morant l'asperge d'eau bénite :
aussitôt s'en échappe un gros chien roux*.
« Voyez donc, leur dit Beuve, en qui vous avez foi ! »
Le roi de Damas lui répond : « Notre foi est mauvaise,
3670 comme autrefois celle de nos parents.
Que Dieu puisse détruire quiconque persévère dans cette erreur ! »
Les rois et les quatre émirs disent* :
« Plus un seul jour de notre vie nous ne croirons en lui. »
Ils font vite venir leurs femmes et leurs enfants,
3675 ils font venir leurs amis et tous leurs parents
et tous arrivent très volontiers.
Jamais Dieu ne créa un clerc assez instruit

Ke vus set dire, tant est l'asemblé grant.
Mult est merveyle la grant baptisement.
3680 Bien les sermonne l'eveske Morant,
Bien dure .IIII. moys ke ne fist fenant.
Tant les sermone ke tuz sont plorant
E batirent lur coupe, si sont repentant.
Dampnedeus ad joie e le deble [est] dolent.

CC

3685 Ore oyez cum Boves est sené :
Il mande l'apostoyle, e il vint a grez.
Met soi en l'ewe, si sont syglez
Od li .II. eveskes e autre clergez.
Jeskes a Monbrant ne sont targez,
3690 La pape de Rome i est arivez.

CCI

Encontre li venent li petit e li grant.
Le jor fu Pentecoste, la fest grant.
Il funt aporter la corone avant
E il l'a beneit, l'apostoile franc,
3695 Sur le chef la mist a Boun le combatant,
Aprés corona Josian o le cors avenant.
Grant fu la joie demené a tant.
Este vus .IIII. mesagers devant le roi venant,
A haute voice escrient : « Ou est Sabaoth le franc ? »
3700 Kant l'entent Sabaoth, leve en esteant.
« Jeo sui, ceo dist il, ke vas demandant.
– Le roi desherite ton fiz Robant. »

3679, *Le* i *de* baptisement *est rajouté dans l'interligne supérieur* (S).
3684, Dampne ad j. *e* le deble dolent (S).

pour vous décrire la foule, tant elle est abondante.
La cérémonie de baptême est d'une prodigieuse ampleur.
3680 L'évêque Morant leur adresse de beaux sermons :
il y passa bien quatre mois avant d'y mettre un terme*.
Il les a si bien sermonnés que tous fondent en larmes,
battent leur coulpe et se repentent.
Notre Seigneur en est heureux et le diable affligé.

200

3685 Écoutez donc combien Beuve se montre sage :
il fait quérir le pape. Celui-ci vient très volontiers,
il prend la mer, et avec lui
font voile deux évêques et d'autres gens d'église*
jusqu'à Monbrant, sans s'attarder.
3690 Et le pape de Rome est arrivé au port*.

201

À sa rencontre viennent petits et grands.
C'était le jour de Pentecôte, la grande fête*.
On fait apporter la couronne
et le saint père la bénit,
3695 puis il la pose sur la tête de Beuve le guerrier,
et ensuite couronne Josiane au corps gracieux.
Tous alors manifestent une très grande joie.
Mais voici quatre messagers qui devant le roi se présentent,
et qui s'écrient à pleine voix : « Où est Soibaut, le gentilhomme ? »
3700 Soibaut se dresse quand il entend ces mots.
« Je suis, dit-il, celui que tu recherches.
– Le roi prive ton fils Robant de son domaine héréditaire. »

Kant l'entent Sabaoth, engrés fu e dolent.
Dist Sabaoth : « Ore va malement !
3705 Le roi moi desherite, ne me let nent. »
....
« Amis, dist Boves, atendez ceste an.
– Sire, dist Sabaoth, tot a vostre comand. »
Sabaoth dist a mesager : « Arere va a tant.
Ditez a ma femme e a mun fiz Robant
3710 Ke il moi attendent a la roche grant. »
Lé mesager s'en tornent, ne sont demorant.
Mult fu la joie e le barnage grant,
La curt dure .II. moys pleynement.
L'apostoile memes se va remuant.
3715 Boves est remis a la curt de Monbrant.
Este vus le duc Terri ke li vint devant :
« Sire, si vus plet, le congé vus demand.
– N'i irrez ore, dist le roi de Monbrant,
En Engletere irrom succure Robeant. »
3720 Dist le duc Terri : « Tut a vostre commant. »
Le roi se aparaile e fet venir sa gent.
Pur garder sa tere lessa .X.M. sergant,
O li amene .XL. mil chevalers vailant.
Ore va en Engletere Boves le gent,
3725 O li va Terri e ses .II. fiz bonement,
Sabaoth li veil e ment chevaler vailant,
E rivent a Coloynie od l'eveske Morant.

CCII

Ore segle li rois tut a bandon,
E venent a Hampton en sablon.

3714, Laposteile m. se r. (S).
3721, Le roi sa a. (S).

Quand il entend ces mots, Soibaut est pris de peine et de colère ;
il dit : « Cela va mal !
3705 Le roi me dépossède, il ne me laisse rien*. »
[*Il demande alors congé afin de retourner chez lui.*]
« Cher ami, lui dit Beuve, attendez l'an prochain.
– Sire, à vos ordres ! » répond Soibaut,
qui dit aux messagers : « Retournez immédiatement,
et dites à ma femme et à mon fils Robant
3710 qu'ils m'attendent au grand rocher. »
Les messagers repartent sans retard.
La liesse était extrême, les barons très nombreux :
l'assemblée de la cour dura deux mois entiers.
Le pape à son tour s'en alla,
3715 et Beuve demeura à la cour de Monbrant.
Mais voici devant lui le duc Thierry :
« S'il vous plaît, sire, accordez-moi congé.
– Vous ne partirez pas encore, dit le roi de Monbrant.
Il faut que nous allions en Angleterre au secours de Robant.
3720 – À vos ordres ! », répond le duc Thierry.
Le roi s'équipe et fait venir ses gens.
Il laisse pour garder ses terres dix mille hommes de troupe,
et emmène avec lui quarante mille chevaliers valeureux.
Beuve à la noble allure s'en va vers l'Angleterre,
3725 Thierry et ses deux fils lui font une fort belle escorte
avec le vieux Soibaut et quantité de vaillants chevaliers.
Ils ont abordé à Cologne en compagnie de l'évêque Morant.

202

Le roi fait maintenant force de voiles,
et il arrive sur la grève, à Hamptone.

3730 La dame vint encontre e Robeant le blunt.
Quant li voit li rois, si li ad mis a reson :
« Coment avez erré, sire gentilz hom ?
– Par Deu, sire, le roi ad tot kant que nus tenum.
– Par mun chef, dist Boves, nus vus le veinterum. »
3735 Ceus de la vile vunt a esporon
A Londres a la cité e content de Boun
E de son grant oste, unke [tel] ne vist hom.
Quant l'entent li rois, si li sua le front,
Par tut en Engletere mand ses barons.

CCIII

3740 Il oyerent la novele e venent volunters.
Jekes a Londres ne sont atargez.
Ly rois les vist, si les ad aresonez :
« Boves est venu, si ad corone a chef,
Son fiz ad les Herminis tuz a justiser.
3745 Jeo qui ke il vint pur moi guerer
E jeo moi doute de la mort aprocher.
Jeo ai une file ke est mun heriter,
Jeo la dorrai son fiz si vus me löez. »
Dïent les contes : « S'est bien grantez. »
3750 L'eveske de Londres ad le roi mandez
E .IIII. contes, uncles a Boun le senez.
Cil sont tost a Hampton alez,
A Boun dulcement vunt del mariage conter.
E le roi saluent com oier purrez,
3755 De part le roi Edegar, lur sire naturez.

3730, Lademain ; ain *est exponctué et* e *noté dans l'interligne supérieur* (S).
3731, r. si li ad mist a r. (S).
3733, r. ad tant k*a*nc q. (S).
3737, *E* content de so*n* g. o. unke ne v. (S).
3753, d. unt del m. contes.
3755, *E* de p. le r. e. l. pere naturez (S).

3730 La dame vient à sa rencontre avec Robant le blond.
Quand il le voit, le roi s'adresse à lui :
« Quelle condition est la vôtre, noble seigneur ?
– Par Dieu, seigneur, tous nos domaines sont dans les mains du roi.
– Sur ma tête, lui répond Beuve, nous allons vous le vaincre. »
3735 Des hommes de la ville à force d'éperons
à la cité de Londres vont conter l'arrivée de Beuve
et de ses troupes, les plus nombreuses que l'on ait jamais vues.
Lorsque le roi apprend cela, son front se couvre de sueur,
et il convoque ses barons à travers toute l'Angleterre.

203

3740 Quand les barons entendent la nouvelle, ils viennent volontiers
jusqu'à Londres sans s'attarder.
Le roi, lorsqu'il les voit, leur adresse ces mots :
« Beuve vient d'arriver. Il porte une couronne
et son fils règne sur tous les Arméniens.
3745 Je suppose qu'il vient pour me faire la guerre.
Mais quant à moi, je crains que ma mort soit prochaine.
J'ai une fille, elle est mon héritière :
je la donnerai à son fils si vous le trouvez bon. »
Les comtes lui répondent : « Nous y consentons tout à fait. »
3750 Le roi alors fait venir l'évêque de Londres
et quatre comtes, les oncles de Beuve le sage.
Tous sont vite allés à Hamptone
lui proposer amicalement ce mariage*.
Ils saluent le roi Beuve, vous pourrez le savoir,
3755 au nom du roi Edgar, leur seigneur légitime.

Kant Boves veit ses unkles, si les ad beisez.
Les noveles del mariage unt contez.
« Seynur, dist Boves, mult li mercïez,
Mes jeo n'ose pas, je qui ke il soit corociez
3760 Pur ceo ke il ad Robeant si desturbez.
– Nanil, funt ses uncles, ne l'ad en pensez. »
Cel nuit les contes li unt amenez,
Mes ne vint a Londres si poverement...
Ke ne seient par numbre .XX. mil armés.
3765 Devant le roi venent tuz lecez,
E le roi veit Boun, si ad le chef levez :
« Venez sa, sire roi, si moi beysez,
Si durrai a vostre fiz ma file honorez. »
Quant l'entent Boves, mult li ad mercïez.
3770 E dist li roi Edegar : « De mal su hastez.
Fetes Miles ton fiz devant moi mener,
Ke ma file li avera a ber. »
A la chapele les fet il esposer,
L'eveske de Londres fet le mester,
3775 Pus les remenent a paleis principé.
Dist li roi Edegar : « Miles, sa venez !
Doné vus ai ma file e mon regnez.
– Grant [merci], beau sire », dist Miles li senez.
Devant les barons est Miles coronez.
3780 Este vus a ceo jur est le roi devïez.
La nuit ly veilerent deskes a jornez,
E l'alme s'en va a Dampnedeus.
A l'emdemain est le cors enterez,

3756, b. veint s. (S).
3761, u. nad en p. (S)
3762, Cel nuit qu'il ad les c. (S).
3764, Ke ne sunt p. (S).
3765, t. letez (S).
3775, p. prncipe (S).

Quand Beuve voit ses oncles, il les embrasse.
Alors ils lui exposent la proposition de mariage.
« Seigneurs, leur répond-il, remerciez-le beaucoup,
mais je n'ose accepter, j'ai des raisons de craindre son hostilité
3760 à cause des dommages qu'il a infligés à Robant.
– Non, lui disent ses oncles, tel n'est pas son état d'esprit. »
Les comtes ce soir-là l'ont conduit chez le roi,
mais il n'est pas allé à Londres en si pauvre équipage*
qu'il ne soit escorté de vingt mille guerriers.
3765 Tous viennent au galop devant le roi.
Et celui-ci, quand il voit Beuve, lève les yeux vers lui :
« Approchez, sire roi, et venez m'embrasser :
à votre fils je veux donner ma fille de haute dignité. »
Quand il l'entend, Beuve le remercie beaucoup.
3770 Le roi Edgar ajoute : « La maladie me presse.
Faites venir votre fils Miles devant moi,
ma fille l'aura pour époux. »
Il fait faire le mariage dans la chapelle du palais,
et l'évêque de Londres célèbre le service ;
3775 puis on les reconduit dans la salle d'honneur.
« Miles, venez ici !, lui dit le roi Edgar.
Vous avez désormais ma fille et mon royaume.
– Grand merci, cher seigneur », répond Miles le sage.
Devant tous les barons il reçoit la couronne.
3780 Et voilà que ce même jour le roi est décédé.
On le veille toute la nuit, jusqu'au lever du jour,
et son âme rejoint Notre Seigneur*.
Le lendemain le corps est enterré.

Pus funt Miles estre coronez :
3785 Barons e contes, il sont asemblez,
Aprés manger li funt fëautez.
Ore est Boves roi coroné
E ses .II. fiz, com Deus out destiné.
De tuz lur enemis sont il bien vengé.
3790 .XV. jors i durent, e pus sunt returné.
Boves ad son fiz a Sabaoth comandé,
E sil li ad replevi e par parole juré
Ke ne li faudra jor de son heé.
Le rois s'en torne vers Hampton la cité,
3795 Venent a porte, al nef sont entré,
Naggent e syglent tot a randuné,
Par deça Coloynie si se sont arivé.
De aler en son païs Terri ad pris congé,
Ne se verunt mes en tretut lur heé.
3800 Cele nuit vint Boves a Coloyne la cité.
Al matin ad congé demandé,
E repassent les terres e les contrés,
E venent a Rome la bone citez.
La fist Morant erseveske de son regnez.

CCIV

3805 Et Boves e son fiz venent errant,
Entrent en mer, si vunt siglant.
Unkes ne finerent jekes a Monbrant,
E muntent en paleis de marbre lusant,
Trovent la reyne malades gesant.
3810 Ele veit son seynur, si li apela avant :

3790, j. .I. durent *e* p. (S).
3792, *E* si li ad r.
3796, t. arandue (S).
3799, Ne se u*er*nt m. (S).

Ensuite on fait porter à Miles sa couronne*
3785 pour l'assemblée des barons et des comtes,
qui après le repas lui jurent fidélité.
À présent Beuve et ses deux fils
sont rois et couronnés : tel était le destin voulu par Dieu.
Et ils sont bien vengés de tous leurs ennemis.
3790 Ils demeurèrent à Londres quinze jours, puis repartirent.
Beuve a recommandé son fils Miles à Soibaut,
qui, en réponse, lui a prêté serment
de ne jamais lui faire défaut un seul jour de sa vie.
Le roi retourne alors avec sa suite jusqu'à la cité de Hamptone.
3795 Ils vont au port, montent à bord des nefs,
prennent la mer et font force de voiles.
Quand ils ont abordé près de Cologne,
Thierry a demandé congé de retourner en son pays.
Jamais ils ne se reverront un seul jour de leur vie.
3800 Beuve est allé cette nuit-là dans la ville de Cologne,
et le lendemain au matin il en a pris congé.
Il retraverse bien des terres, bien des pays,
pour arriver à Rome, la ville sainte,
où il institua Morant archevêque de son royaume.

204

3805 Beuve et son fils repartent aussitôt,
prennent la mer et font force de voiles,
sans s'arrêter avant d'être à Monbrant.
Mais quand ils sont montés dans le palais de marbre étincelant,
ils y trouvent la reine malade et alitée.
3810 Elle voit son mari et l'appelle auprès d'elle :

« Sire, mult sui malades, ne dorrai longement. »
Kant l'entent le roi a poi n'est desvant :
« Dame, si vus murgez, jeo murrai ensement.
– Sire, ke tendra vostre riche cassement ?
3815 – Dame, jeo n'ai cure, a Deu lur command.
La merci Deu, uncore ay .III. enfans
Ke purrunt tener nos riche cassement. »
Son eveske fet apeler errant :
« Fetes a ma dame tut son command. »
3820 E respont son eveske : « Sire, bonement. »
Il l'ad confessé e dist son talent.
Boves est alé vers son afferant :
En l'estable li trove freit mort gesant.
Ignelement s'en torne tot en plorant,
3825 Son fiz Gui encontre, si li dist bonerement :
« Ja est mun chival mort, ta mere mort laeyns. »
Quant l'entent Gui le roi, pur poi perde le sent,
E vent devant sa mere, si la est confortant :
« Dame, vus occïez mun pere le vailant :
3830 Il fet tiel duel unkes ne vi si grant.
– Beau fiz, dist ele, apellez Boun avant. »
Li enfes Boun apele e il vint corant.
Kant veit la dame, entre ses bras la prent,
A Dampnedeu command Gui lur enfant.
3835 Ja morust la dame ici e Boves ensement.
Les almes aportent les angles as Innocens.
Cel nuit veilerent checun a l'endemain.
Le rey ne voit mie ne li vent a talent
Ke il gisent en terre com funt altre gent.
3840 Un sarcué lur firent de marbre lusant,
A muster les aportent eveskes e rois grant,

3833, s. b*ra*ns la p. (S).

« Sire, je suis très gravement malade, il ne me reste guère à vivre. »
Quand il entend ces mots, le roi est près de perdre la raison :
« Si vous mourez, madame, moi aussi je mourrai.
– Qui gouvernera, sire, vos riches possessions* ?
3815 – Madame, peu m'importe, je les confie à Dieu.
J'ai, grâce à Dieu, encore trois enfants
qui pourront gouverner nos riches possessions. »
Il fait bien vite appeler son évêque :
« Exécutez tout ce que madame demande.
3820 – Fort bien, sire », répond l'évêque.
Il la confesse et dit les mots qu'elle attendait.
Beuve est allé auprès de son cheval :
il l'a trouvé dans l'écurie mort et gisant tout froid.
Il revient vite, tout en larmes ;
3825 rencontrant son fils Guy, il lui dit avec émotion :
« Mon bon cheval est mort, et ta mère est mourante dans le palais. »
Quand il entend ces mots, le roi Guy manque perdre le sens,
il vient devant sa mère et cherche à la réconforter :
« Madame, vous faites mourir mon père le vaillant :
3830 jamais je n'ai vu un chagrin si profond que le sien.
– Cher fils, dit-elle, faites approcher Beuve. »
L'enfant l'appelle, et il accourt.
Voyant la dame, il la prend dans ses bras,
et à Notre Seigneur il recommande leur enfant Guy.
3835 La dame et Beuve alors perdent la vie ensemble.
Les anges emportent leurs âmes parmi les Innocents*.
Cette nuit-là tous veillent jusqu'au lendemain.
Le roi Guy ne veut pas, il ne saurait admettre
qu'ils reposent en terre comme les autres gens.
3840 On leur fait faire un sarcophage de marbre étincelant,
Des évêques et de grands rois les portent dans le sanctuaire,

A l'esglés ke fu fet en l'onur sent Laurent.
E Gui se fet coroner o l'onur de Monbrant.
Deus nus garist ke fist le firmament !
3845 Nostre chançon finist, ne dure plus avant.
Jeo ne vus dirrai plus en dist ne en chant.

CCV

Issi finist la geste, ke bien est complie,
De Boun de Hampton o la chier hardie.
Jeo le vus ay lui e vus l'avez oÿe :
3850 Rendez mun servise, si freyez curteysie.

3842, s. Lauront (S).
3845, N. chacon f. (S).
3848, De b. de b. de h. (S).

dans l'église édifiée afin d'honorer saint Laurent.
Et Guy reçoit la couronne de Monbrant.
Dieu nous protège, Lui qui créa le firmament !
3845 Notre chanson touche à sa fin, elle ne va pas plus loin.
Ni en parlant ni en chantant je ne vous en conterai plus.

205

Ainsi s'achève et vient à son terme la geste
de Beuve de Hamptone au visage hardi.
Je vous l'ai lue, vous l'avez écoutée :
3850 payez-moi mon service, vous agirez courtoisement*.

NOTES

6. Du fait de ses conditions les plus fréquentes de diffusion (récitation ou lecture à haute voix d'un manuscrit devant un auditoire privé), le texte médiéval ne comporte pas de « paratexte » ; plus exactement, les éléments qui y appartiendraient aujourd'hui dans un livre imprimé (titre, nom de l'auteur, quatrième de couverture, éventuellement préface, voire encarts publicitaires dans la presse spécialisée) doivent trouver place dans le texte lui-même. Tel est notamment le rôle du prologue des chansons de geste, dans lequel le jongleur (récitant, chanteur, qu'il soit réel ou qu'il résulte des mots attribués à sa voix dans le texte : cf. la note aux vers 434-436) indique ce qu'il va raconter, en donne un résumé plus ou moins détaillé, en situe les événements, et en fait l'éloge pour son public (en dénigrant à l'occasion les jongleurs concurrents). Voir à ce sujet J.-P. Martin, « Sur les prologues des chansons de geste : structures rhétoriques et fonctions discursives », *Le Moyen Âge* n° 93, 1987, p. 185-201. Dans sa fonction de régie du texte, le narrateur des chansons de geste intervient en outre régulièrement en tant que récitant pour changer d'axe narratif, commenter les événements, ou encore en annoncer plus ou moins explicitement les conséquences (par exemple aux v. 22-23). Il s'ensuit que le poème épique se présente comme une sorte de partition dramatique, dans laquelle un rôle échoit non seulement au jongleur, mais aussi, d'une certaine manière, au public, comme le montre la fréquence du recours aux pronoms *jeo* et *vus*.

46. Pour J. Weiss, « *Boeve de Haumtone* and *Gui de Warewic* », trad. cit., p. 26, le sujet de *ne demora mie* est *la dame*, ce qui est conforme à la syntaxe, mais convient moins bien à la situation, l'expression supposant un moment initial nettement défini.

53. Ce vers est noté comme suit : *A le riche emp'ur de la men′ dirrez′*pt ; prenant le repère destiné à remettre le mot *part* à sa place pour un accent placé sur le dernier jambage du mot, Stimming a lu *de la meii p.*
62-63. L'ancien français tolère beaucoup mieux les liens logiques implicites que la langue moderne, et le mot à mot, « dis-lui de ne jamais le laisser s'échapper sans lui trancher la tête », paraît aujourd'hui absurde.
64-65. Stimming corrige ces deux vers pour les faire assoner avec les quatre suivants : *pur la moy amisté, Kaunt il verra mun seignur, ke il seit tot apresté.* Ce n'est pas néanmoins le seul passage dans le texte, et dans les deux manuscrits principaux, où un couplet de vers offre une rime distincte de celles qui précèdent ou qui suivent : voir à ce sujet l'introduction, p. 58. Il est donc préférable de restituer la leçon du manuscrit.
86. *E* sert à coordonner, après le verbe, un nouveau sujet avec le précédent, même si celui-ci n'est pas explicitement exprimé.
113. L'ancien français attendrait en principe l'ordre *il par mei vus maunde*, mais on retrouve aux vers 283 et 339 des constructions analogues : *jeo vus ore must[e]rai*, et *si ne le a moi rendez*, qui incitent à ne pas corriger. Cf. introduction, p. 87, § 67, et v. 398 et 798.
120-121. Nouvelle intervention caractéristique de jongleur (cf. note au v. 6), cette fois pour commenter l'action.
130. On pourrait éventuellement couper la laisse ici, et voir dans le vers 131 un nouveau vers d'intonation. La longueur de cette laisse est en effet double de la moyenne de celles de cette partie (voir introduction, p. 56) ; la structure du vers 131 est identique à celle du vers 126, et chaque moitié ressemblerait tout à fait à ce que Jean Rychner définit comme des laisses parallèles (*La Chanson de geste*, *op. cit.*, p. 82-93).
142. La leçon du manuscrit, *mounta*, est douteuse : même si on peut comprendre à la rigueur « le comte monta à cheval pour son malheur », *a doel e a vilté* exprime plutôt la manière que le but ; l'amendement *mourra a doel* choisi par Stimming recourt d'autre part

à une expression trop courante pour ne pas être préférée (cf. *tüer a doel e a vilté*, v. 388), et une mélecture de *mourra* en *mounta* se comprend aisément peu après le vers 138.

153. Le vers est noté *Lui quens lui dist + volez vus mesprendre +donk*.

164/165. Un saut du même au même sur *fet* est vraisemblablement cause que la fin du vers 163 est répétée après le début du suivant. Stimming corrige en inventant deux morceaux de vers : *E encontre la tere le emperur fet il* verser E de sun destrer *le fet il a val voler*. Il est possible en outre qu'un copiste ultérieur ait rajouté un élément redondant, soit *le emperur*, soit *a val*, mais il est risqué d'aller plus loin dans l'amendement.

170. La leçon du texte, *a le duc*, est sans doute fautive, mais l'amendement de Stimming, *li quens*, change la construction en faisant disparaître le complément circonstanciel.

182. Je comprends *le* comme un pronom neutre à valeur cataphorique, représentant la proposition suivante, ce qui impose de le faire précéder d'une forme prédicative impersonnelle en fonction de sujet apparent. Même chose au vers 200, où le sujet apparent est clairement distingué de la conjonction dans la leçon du manuscrit.

220. A. J. Holden, « À propos du vers 220 du *Boeve de Haumtone* », *Romania*, 97 (1976), p. 268-271, propose de traduire « la dame a surpris ces paroles » ou « n'a pas manqué d'entendre ces paroles ».

223. Le *mestre* est un chevalier d'expérience, généralement sans domaine personnel ou pauvrement fieffé (ce qui toutefois ne semble pas ici le cas de Soibaut), dont la fonction est de servir de précepteur et de gouverneur à un enfant de famille aristocratique, dès lors qu'il n'est plus à la charge d'une nourrice, soit approximativement à partir de l'âge de sept ans. C'est à lui qu'il revient en particulier de le former à l'équitation et à l'usage des armes, et ce dès qu'il le prend en charge ; mais sa mission est aussi de veiller sur sa moralité et son éducation religieuse.

236-237. Le scribe écrit deux fois de suite *ensenglet-*. Il semble qu'il ait omis chaque fois la barre de nasalité au même endroit, d'où le double amendement. On peut toutefois se demander si cette graphie

ne transcrit pas une prononciation résultant d'une dissimilation avec affaiblissement de la voyelle prétonique interne en /ə/.
258. L'amendement de Stimming, *vers mount a destre*, d'après la version norroise, n'est pas nécessaire.
275. Stimming corrige *truaunt* en *ribaud*, notamment en s'appuyant sur le vers 281 ; mais si Beuve reproche au portier de l'avoir traité de *ribaud*, cela peut simplement s'expliquer par la première occurrence de ce mot au vers 273.
319. C'est en réalité le portier qui a utilisé le mot *truaunt* (v. 275-276), et qui l'a payé de sa vie. Mais l'important est d'abord que l'empereur ait injurié l'enfant, le choix du terme étant laissé aux contraintes de la rime.
329. On pourrait supposer un accord de proximité pour expliquer *sunt* alors que le sujet, *la boucle de ses soulers*, est au singulier ; il paraît toutefois plus vraisemblable qu'on ait affaire à une inattention du scribe, qu'il faut donc corriger, soit en mettant le verbe au singulier, soit, en suivant Stimming, en mettant le sujet au pluriel.
331. Si le texte précise que la dame parle à Soibaut *en engleis*, ce n'est sans doute pas seulement pour la rime. Dans l'Angleterre médiévale se côtoyaient plusieurs langues : sans compter l'Écosse et le Pays de Galles, d'idiomes celtiques, mais étrangers à l'Angleterre proprement dite, on y parlait selon les milieux le français insulaire, autrement dit l'anglo-normand, dans l'aristocratie originaire notamment de Normandie ou d'Anjou et dans l'entourage du roi (dont les domaines français étaient alors au moins aussi peuplés et donc aussi importants que son royaume) ; l'anglais proprement dit dans le peuple et une partie croissante de la noblesse, et le latin dans le monde ecclésiastique. Il ne semble pas que le recours à l'anglais soit ici le moyen de n'être pas compris du petit Beuve, fils de comte et donc parlant français, puisque lui-même réagit immédiatement aux propos de sa mère. Mais, fille du roi d'Écosse, la dame est une étrangère pour le public francophone auquel est destinée la chanson, et on a peut-être là l'indice, chez elle, d'une indignité originelle.

356-357. Stimming corrige l'assonance en remplaçant *emfaunt* par *emfaunsoun* et en intervertissant les deux hémistiches du vers 357. Voir la note aux vers 64-65.

366. La forme *ou* du texte peut difficilement être comprise comme représentant la préposition *ov*, celle-ci étant essentiellement employée pour l'accompagnement, le moyen ou éventuellement la caractérisation, mais non la manière. Il s'agit donc vraisemblablement d'une forme de PS P3 dont la désinence a été oubliée. Celle-ci étant régulièrement notée par le scribe de B, je la rétablis.

408-410. Hermin prend donc Beuve comme écuyer. L'écuyer était un adolescent noble en apprentissage auprès d'un autre chevalier, et par conséquent à son service. Il portait notamment son bouclier, son *écu*, en dehors des moments de combat, d'où le nom de cette fonction ; il veillait sur le bon état de ses armes, et, lorsqu'ils se déplaçaient, il tenait son cheval de combat par la bride pour ne pas le fatiguer ; mais son rôle ne se limitait pas au domaine des armes, et il était aussi chargé de le servir à table en lui donnant à boire et en lui découpant ses morceaux de viande, d'où l'expression d'*écuyer tranchant*. Lorsqu'il en avait atteint l'âge et que sa formation guerrière était accomplie, l'écuyer recevait l'adoubement et devenait à son tour chevalier (voir la note au v. 526). Être choisi comme écuyer par le roi représente évidemment une distinction exceptionnelle.

420. La position initiale du verbe peut sembler surprenante, même si elle n'est pas rare dans le style épique. Stimming remplace *estoit* par *estevus*, mais on pourrait sans doute plus légitimement mettre *venu* en tête de phrase, ce qui permettrait en outre de former un excellent décasyllabe.

434-436. Ces trois vers servent à suggérer une exécution orale de la chanson, ce qui ne saurait en aucune manière prouver que nous avons affaire à la transcription d'une véritable performance orale, mais vise sans doute plutôt à en donner l'illusion.

445. Stimming corrige en écrivant *de ci que*, mais *si que* est bien attesté dans le même sens, au demeurant temporel en principe (voir Gérard Moignet, *Grammaire de l'ancien français*, Paris, Klincksieck,

1979, p. 236, et Claude Buridant, *Grammaire nouvelle*, *op.cit.*, § 517, a2).
448. Le manuscrit écrit *le tronsoun de sa espeie*, mais le vers 474 donne *le trounsoun de sa launce*, ce qui justifie ici l'amendement de Stimming.
451. Le mot *bacheler* désigne en ancien français le jeune homme, celui qui n'est pas pleinement un adulte, qu'il ne soit pas encore armé chevalier, qu'il ne soit pas marié ou simplement qu'il ne se soit pas vu attribuer de fief personnel ; mais par extension, il s'emploie aussi pour caractériser les qualités propres de la jeunesse, entrain, énergie, audace, etc. Voir en particulier l'article de J. Flori, « Qu'est-ce qu'un *bacheler* ? Étude historique de vocabulaire dans les chansons de geste du XIIe siècle », *Romania*, 96 (1975), p. 289-314.
459. Le mot *laterie* n'est connu que par cette occurrence ; Stimming l'interprète comme *Lattenverschlag* « lattis, clôture », et l'*Anglo-Norman Dictionary*, 1995, I, p. 380, le glose *enclosure, compound* « enclos, enceinte », en ajoutant un point d'interrogation. J. Weiss donne aussi comme équivalent *enclosure*, mais traduit l'expression *held her in his grip* « la tient dans ses mains ». Ce vers, avec la mention du dieu d'amour, est plus dans la tonalité courtoise du premier *Roman de la Rose* que de la chanson de geste, comme le souligne le recours à une véritable métaphore, figure dont l'emploi est très rare dans l'épopée.
462. Stimming corrige *esteunt* en *este vus*, ce qui donne un tour plus habituel ; *esteunt* toutefois se comprend : « se tiennent debout », donc « se dressent », « surgissent » (devant lui).
475. On pourrait peut-être envisager d'écrire *abat a mort* ; l'ensemble *abata* est toutefois bien soudé sur le manuscrit, et d'autre part l'expression *a mort* se rencontre plutôt après *aler*, *traire*, *haïr*, *ferir* ou *navrer* ; Tobler-Lommatzsch, *Altfranzösisches Wörterbuch*, vol. 6, p. 296-305, ne donne pas d'attestation après *abatre*, alors que *abatre mort* est largement attesté.
526. L'*adoubement* est la cérémonie qui confère le statut de chevalier. Le jeune homme destiné à l'état de guerrier, après une nuit de veille dans l'église et un bain rituel, s'y voit remettre ses éperons,

son bouclier, son épée et sa lance, ainsi que son cheval, par un chevalier chevronné, ou au moins sous l'autorité de celui-ci, qui lui assène alors la *colée* en le frappant de la main sur la nuque, geste destiné à montrer son aptitude à recevoir des coups au combat, et aussi à lui transmettre symboliquement les qualités guerrières dont il est lui-même doté. Le nouveau chevalier doit alors montrer ses compétences lors de l'épreuve de la *quintaine*, en chargeant avec sa lance un mannequin suspendu à une sorte de potence pivotante et pourvu d'un fléau d'armes destiné à frapper dans le dos le cavalier qui n'aurait pas poussé assez vite le galop de son cheval. Si la remise solennelle des armes est déjà attestée à l'époque carolingienne pour les grands seigneurs, c'est au cours du XIIe siècle que l'adoubement prend peu à peu la dimension d'un rite d'entrée dans un « ordre » spécifique, le chevalier n'étant plus seulement un combattant à cheval, mais le membre d'une véritable caste dotée en principe d'une éthique propre. L'Église prend alors un rôle de premier plan, avec la veillée de prière, mais aussi la bénédiction préalable des armes, au point qu'on a pu envisager d'élever l'adoubement au rang de sacrement au même titre que le baptême. Voir à ce sujet J. Flori, *La Chevalerie en France au Moyen Âge*, Paris, PUF, Que sais-je ?, 1995, p. 74-87. Ici, l'adoubement ayant lieu juste avant le combat et sous l'autorité d'un roi païen, il est réduit à la remise des armes, tout aspect religieux étant évidemment exclu, mais sa valeur rituelle n'en est pas affectée pour autant, et Beuve sera désormais chevalier au même titre que s'il avait reçu l'adoubement rituel en terre chrétienne.

538. *Seinte* est sans doute à interpréter comme un ind. prst P3, avec *e* final intempestif comme dans *departe* (v. 864).

541. Dans les chansons de geste et les romans arthuriens, les épées des héros portent généralement un nom. Celle de Roland s'appelle Durendal, celle de Charlemagne Joyeuse, celle de Renaud de Montauban Froberge, celle d'Arthur Escalibur, et celle de Rodrigue (le Cid) Tizón. Sur Murgleie, voir aussi l'introduction, p. 32. Certaines épées ont d'ailleurs une histoire, et transmettent ainsi symboliquement à leurs détenteurs successifs les droits et les vertus de leur premier possesseur. Ainsi la chanson de *Floovant* (éd. F.H. Bateson, Lough-

borough, 1938, p. 69) raconte-t-elle comment le héros, fils de Clovis, est entré en possession de Joyeuse, de sorte que Charlemagne s'en trouve légitimé comme successeur des rois mérovingiens ; il en fera don par la suite à Guillaume d'Orange, signe, dans les chansons dont celui-ci est le héros, de sa prééminence parmi les chevaliers au service de l'empereur. C'est aussi pourquoi Roland, demeuré seul survivant sur le champ de bataille de Roncevaux, cherche à briser Durendal pour éviter qu'elle ne tombe entre les mains d'un Sarrasin (*Chanson de Roland*, v. 2312-2354).

542. Le *destrier* est le cheval de bataille, que le chevalier ne monte en principe qu'au moment du combat, et que l'écuyer (voir *supra* la note aux vers 408-410) conduit sans cavalier en le tenant par la bride lors des voyages afin de le fatiguer le moins possible et de lui conserver toute sa puissance en vue de la bataille (c'est d'ailleurs là une des explications données au mot *destrier*, la bride étant tenue par la main droite). Il s'agit d'un cheval à la fois robuste et rapide, capable d'un puissant galop tout en portant le poids d'un chevalier lui-même très solide et lourdement armé. Il faut le distinguer du *palefroi*, cheval plus doux destiné à la promenade, du *chaceor*, réservé à la chasse, ou du *roncin*, cheval de qualité inférieure monté notamment par les écuyers qui, n'étant pas adoubés (voir *supra* la note au v. 526), n'ont pas droit au destrier.

545. Mot à mot : « qui l'atteindrait sur la distance d'un arpent » ; mais il est clair qu'il s'agit moins ici de l'inaptitude des autres à le rattraper que de sa propre aptitude à le faire ou à les distancer, comme on le verra lors de l'épisode de la course (v. 2472-2516).

547. L'*espé* (épieu, continental *espié*) et la *lance* sont deux armes voisines, constituées d'une longue hampe terminée par un fer pointu et tranchant. En principe, l'*espié* est plus court et plus massif que la lance, et il peut être utilisé aussi bien à la chasse qu'au combat ; il n'est pas en outre réservé au chevalier. La *lance*, plus longue et plus fine, est en revanche l'arme caractéristique du combat à cheval ; calée sous l'aisselle, elle fait bloc avec le chevalier et sa monture lors de la charge ; selon la vitesse de celle-ci et la résistance des armes défensives de son adversaire, elle peut le transpercer ou seulement le

précipiter à bas de sa monture, à moins qu'elle ne se brise sous le choc. Les deux mots sont toutefois souvent utilisés l'un pour l'autre, comme on le voit aux vers 429 et 448, où Beuve chasse le sanglier avec une *launce de pomer* qui devient plus loin un *espé* (voir à ce sujet la note au v. 448). Même équivalence aux vers 1238 et 1241. La chanson de *Renaut de Montauban*, éd. cit., v. 8655-8656 et 8694-8695, établit toutefois une différence lors du duel qui oppose Renaud à Roland : en se combattant à la lance ils se désarçonnent et leurs armes se brisent, alors que les épieux auraient perforé boucliers et cottes de mailles et que les deux héros se seraient mutuellement transpercés et tués ; mais l'évocation de cette différence reste isolée dans la littérature épique.

552. Je conserve la forme *damosole*, attestée par l'*Anglo-Normand Dictionary*, fascicle 2, 1981, p. 139b.

561. Plus exactement « à la moustache fleurie », mais la barbe évoque mieux aujourd'hui le respect dû à l'âge, et l'allusion à Charlemagne s'impose.

564. L'image du lion est ici clairement un symbole de vaillance. Inspiré par celui de la Bible, le symbolisme médiéval du lion est ambivalent. Si sa signification est principalement royale ou christique, et s'il est fréquemment utilisé pour figurer le courage au service du bien commun (d'où sa présence sur les pierres tombales, aux pieds des gisants de chevaliers), il peut aussi représenter la cruauté et une force au service du diable : voir Michel Pastoureau, *Bestiaires du Moyen Âge*, Paris, Seuil, 2011, p. 58-63 ; et ci-dessous les notes aux vers 1668 et 2732-2742.

576. Les noms des chevaux évoquent le plus souvent leur robe : *Bayard*, cheval bai, dans *Renaut de Montauban*, *Baucent*, à la robe pie (tachetée de blanc et noir), dans *la Chanson de Guillaume*, *Flori*, cheval blanc, dans *Gerbert de Mez* ; ou leurs qualités de rapidité ou d'endurance : *Tencedur* « qui produit un vigoureux effort », le cheval de Charlemagne dans la *Chanson de Roland*, *Passecerf*, « plus rapide qu'un cerf », dans la même chanson, ou, comme ici, *Arondel* « qui court aussi vite qu'une hirondelle » (à rapprocher par exemple de la

comparaison figurant au v. 2510). Mais d'autres noms se rencontrent, tous signifiants, comme *Marchegai* dans *Aiol*.

591. Le scribe a placé un point après chacun des mots *testes*, *poins* et *jambes*. Voir aussi la note au vers 617 : il semble que la ponctuation lui serve à souligner les énumérations.

593. Les chansons de geste ne sont pas très riches en comparaisons, mais celles auxquelles elles recourent sont presque toujours animales et interviennent pour l'essentiel dans les contextes de combat. Elles peuvent se limiter à une simple analogie, comme au vers 572, *plus velu ke nul porc o tuson*, ou au vers 630, *plus tost ke ne vole esperver* ; mais elles donnent aussi lieu à de brèves comparaisons homériques comme ici, ou encore aux vers 601-602, avec l'évocation d'oiseaux fuyant devant le faucon. Les animaux mentionnés sont principalement les oiseaux, pour leur rapidité ; à deux reprises sont aussi évoqués les sangliers ou les porcs (v. 572 et 1554), toujours avec une valeur dépréciative ; la comparaison avec une fourmi, au vers 403-404, renvoie à la petite dimension, signe d'impuissance, de l'animal, celle avec une brebis, au vers 604, à son caractère inoffensif. Il est aussi d'autres façons de recourir à des comparaisons animales, notamment à travers les emblèmes peints sur les boucliers, comme le lion figurant sur celui de Beuve au vers 564.

617. Il y a un point après chacun des quatre premiers mots de ce vers. Cf. note au vers 591.

627. Ce vers représente sans doute une erreur de copie pour *E de autre Martin le fra il chaunter* ; mais le texte étant clair, un amendement ne s'impose pas absolument. Voir à ce sujet Gilles Roques, « Parler d'autre Martin », *Travaux de linguistique et de philologie*, 37 (1999), p. 109-122.

652. Les anticipations (ou prolepses) par lesquelles le jongleur/récitant annonce par avance des événements ultérieurs sont fréquentes dans les chansons de geste (cf. la note au vers 6). Elles contribuent à soutenir l'intérêt de l'auditoire en même temps qu'elles confirment le statut de la chansons de geste comme épopée, c'est-à-dire comme récit d'une histoire appartenant à la culture commune du récitant et du public, et dont par conséquent les événements sont (réellement

pour les œuvres les plus largement diffusées, ou fictivement pour les autres) également connus d'avance par l'un et l'autre. Le procédé se rencontre d'ailleurs dans nombre d'épopées originaires d'autres aires culturelles. Ce qui nourrit l'attente du public est donc moins de découvrir ce qui va se passer que d'apprécier la manière dont on va le lui raconter, un peu comme le public de l'opéra s'intéresse plus à l'interprétation de l'œuvre qu'il est venu voir représenter qu'à la suite des événements qui en constitue la trame. Il s'ensuit qu'annoncer ce qui n'arrivera que plus tard n'est pas affaiblir l'intérêt de l'œuvre, mais simplement poser d'avance des jalons pour inviter le public à attendre le récit détaillé d'événements qu'il est supposé connaître au moins dans leurs grandes lignes. C'est là une des différences majeures entre le récit épique et le roman.
667. Josiane se comporte donc ici en écuyer : elle aide Beuve à ôter son équipement et lui découpe sa nourriture : voir la note aux vers 408-410.
693. J. Weiss traduit « rougit comme braise ». À quel état du charbon le texte fait-il allusion ? Il me semble plutôt ici, compte tenu de l'évanouissement qui s'ensuit, d'autre part du fait que le verbe *taindre* « changer de couleur » peut notamment signifier « pâlir », et enfin que la pâleur s'exprime fréquemment en ancien français par le verbe *noircir* (cf. v. 1162), que Josiane perd ses couleurs plutôt qu'elle n'est victime d'un coup de sang.
705. La forme *confoundue* est confirmée au vers 783, et apparaît donc comme une forme alternative de *confound(e)* que donnent les vers 36 et 497.
719. Stimming écrit *enchés*, mais on retrouve *chef* avec même sens aux vers 2819, 2969 et 2996, donc dans une leçon du manuscrit D, ce qui suggère que nous avons affaire à une interprétation dialectale de cette expression, ou même à une leçon appartenant au modèle commun.
738. Le *bliaut* est, au XIIe siècle, une tunique à manches larges ou serrées au poignet, portée sur la chemise, et dont les bordures sont ornées de fourrures souvent précieuses. Il peut être, comme ici, fait

d'une étoffe luxueuse et orné de jours et de broderies. Le cadeau que Beuve en fait au messager souligne la richesse de ce vêtement.

763. *Enviler* « outrager » n'est pas impossible à comprendre ici : par ses larmes, Josiane fait outrage à la beauté de son visage ; l'amendement de Stimming, *muiler* « mouiller », ne semble donc pas s'imposer.

775. La connexion par *mes* exprime une opposition qui est plus au niveau de l'histoire (Beuve est trahi par ceux qu'il a délivrés) que du récit, où les vers 775-780 apparaissent comme une explication de la phrase précédente.

814. Sur le palefroi, voir la note au vers 542.

819. Les prières en faveur des personnages épiques sont caractéristiques des chansons de geste. En faisant des vœux pour son héros, le narrateur contribue à rendre l'histoire qu'il raconte présente à l'imagination de son public, qu'il associe d'ailleurs implicitement à sa prière. Il souligne son appartenance et celle de son auditoire à la communauté qui s'incarne dans le personnage, et contribue ainsi à la fonction de célébration propre au genre épique. Sur les interventions du narrateur, voir *supra* la note au vers 6.

846-847. Ces deux derniers vers ne riment pas avec le reste de la laisse, et Stimming les corrige en écrivant *vus oi parler de nent* et *tochaunt*. Faut-il y voir une bévue du copiste due à un moment de distraction, comme pourrait le suggérer le vers 851, où l'amendement s'impose ? ou plutôt voir là un trait tenant à la versification particulière du texte ? Voir la note aux v. 62-63.

853. Ce vers est le seul de B où la P3 d'ind. prst du verbe *estre* est notée *e* ; comme le copiste use souvent d'une abréviation consistant en un *e* surmonté d'une demie boucle, il est probable qu'il y a eu ici une faute de copie, d'où l'amendement. Dans D, en revanche, l'emploi de la seule lettre *e* pour cette forme est fréquent, de sorte que, à partir du vers 1269, il n'y a plus lieu de procéder à de telles corrections.

854. Parce qu'il voyage pour son salut, les informations que transmet le pèlerin sont implicitement véridiques, et en quelque sorte viennent de Dieu lui-même : voir J.-P. Martin, « Le pèlerin messager », art.

cit. Celui que rencontre ici Beuve, s'il ne lui apporte pas une nouvelle à proprement parler, ne le met pas moins en garde à très juste titre en devinant exactement la nature de sa mission et des menaces qui pèsent sur lui. Le héros est donc tout autant que l'auditoire au fait de ce qui l'attend, mais que sa trop grande confiance en Hermin l'empêche de prendre réellement en considération. Voir à ce propos V. Fasseur, « La tentation sarrasine », art. cit.
865. Le fait que Beuve se mette à chanter en voyageant est un signe littéraire du sort qui l'attend : il s'agit d'un épisode caractéristique du motif narratif du *guet-apens*. Voir Marguerite Rossi, « Les séquences narratives stéréotypées. Un aspect de la technique épique », dans *Mélanges Pierre Jonin*, Aix-en-Provence-Paris, Publications du CUER MA-Champion, *Senefiance*, 7 (1979), p. 593-607, particulièrement p. 597-598.
869. L'Orient est, pour le Moyen Âge occidental, l'espace de toutes les merveilles comme de toutes les richesses. Cela tient d'une part à une réalité historique : l'empire romain d'Orient a longtemps été beaucoup plus riche que les royaumes chrétiens occidentaux, et le monde musulman, qui s'y est substitué tant en Afrique du Nord qu'au Moyen Orient, en a largement été le continuateur sur ce point comme sur d'autres. Les Croisades ont d'ailleurs été l'occasion de contacts avec les richesses et les raffinements de l'Orient tant arabe que byzantin. Les pillages d'Antioche et de Jérusalem, dès la Première Croisade, ont contribué à cette image de l'Orient, avec ses villes opulentes pleines de somptueux monuments. Dès les premiers contes et romans dont l'action était située dans ces régions, cette magnificence réelle rejoignait un imaginaire paradisiaque qui prenait racine dans la localisation à l'Est du jardin d'Eden. S'y est en outre ajouté un mythe de l'Orient merveilleux, nourri notamment par les diverses versions de la légende médiévale d'Alexandre ; devenu héros de roman, le conquérant macédonien y vit des aventures prodigieuses parmi des peuples et des pays plus extraordinaires et fantaisistes les uns que les autres : « Avec lui, écrit Jacques Le Goff, la science-fiction médiévale, le merveilleux géographique, la tératologie pittoresque débouchaient sur l'aventure, s'ordonnaient en une quête

de merveilles et de monstres. Avec lui, l'Occident médiéval retrouvait les sources grecques de l'Inde fabuleuse » (« L'Occident médiéval et l'Océan Indien : un horizon onirique », dans Jacques Le Goff, *Pour un autre Moyen Âge*, Paris, Gallimard, Bibliothèque des Histoires, 1977, p. 287). Voir sur toute cette question Catherine Gaullier-Bougassas, *La Tentation de l'Orient dans le roman médiéval. Sur l'imaginaire médiéval de l'Autre*, Paris, Champion, 2003 ; et aussi Alexandre de Paris, *Le Roman d'Alexandre*, Traduction, présentation et notes de Laurence Harf-Lancner (avec le texte édité par E.C. Armstrong *et al.*), Paris, Le Livre de poche, 1994 ; et Thomas de Kent, *Le Roman d'Alexandre ou le Roman de toute chevalerie*, Traduction, présentation et notes de Catherine Gaullier-Bougassas et Laurence Harf-Lancner, avec le texte édité par Brian Foster et Ian Short, Paris, Champion Classiques, 2003. Bien que vraisemblablement plus tardif que notre texte, un bon exemple de l'émerveillement des croisés devant l'opulence des villes orientales est fourni par Robert de Clari, *La Conquête de Constantinople*, publication, traduction, présentation et notes par Jean Dufournet, Champion Classiques, 2004.

883. Les pronoms personnels *li* et *le* du texte peuvent aussi bien désigner le prêtre que la statue. Le vers 887 oriente plutôt vers la seconde interprétation, mais la première est suggérée par la proximité de *prestre* comme antécédent possible et par *les autres* au vers 884.

892. Le roi ne saurait siéger dans une simple chambre lors d'une cour plénière, et l'ivoire est une matière qui convient mieux à un siège qu'à une pièce ; l'amendement de Stimming s'impose d'autant mieux que la méprise du copiste se comprend aisément.

912. Ici commence le manuscrit D, par les vers *Il vunt prendre mult estreytement A son col pendunt un kartayne pesant Boun ceo dist brandon par mahun tervagant...* Sauf amendement ponctuel, je continue à suivre le manuscrit B jusqu'à son terme.

915. Le mot *quartier* désigne un quart de muid, et pour les matières sèches on compte douze douzaines de boisseaux dans un muid (le boisseau représentant approximativement entre 10 et 13 litres). *Quartier* n'évoquant plus une mesure de capacité en français

moderne, et le recours aux unités anachroniques (mais seules réellement parlantes pour le lecteur moderne) du système métrique étant évidemment exclu, j'ai choisi d'utiliser le terme le moins obscur, comptant sur le chiffre pour suggérer l'énormité du poids.

916. Les Sarrasins sont ordinairement présentés comme idolâtres et polythéistes, vraisemblablement parce que les auteurs de chansons de geste y voient les continuateurs des persécuteurs antiques des chrétiens, mais à travers une connaissance du polythéisme romain qui leur est transmise par l'hagiographie et les récits de martyres plutôt que par la littérature latine. Les dieux de l'Antiquité, dans cette interprétation, existaient bel et bien, mais étaient des démons. Le peu qu'ils connaissent du monde musulman est perçu à travers ce miroir déformant, de sorte que le nom de Mahomet devient celui de leur principal dieu ; s'y ajoutent, sans spécialisation particulière, des noms de dieux hérités des croyances antiques, Jupiter et Apollin notamment ; des noms de persécuteurs notoires transformés en dieux païens, comme Pilate et Noiron (Néron) ; de divinités orientales depuis longtemps assimilées à des diables, comme Astarut ou Belgibus (Belzébuth), voire de concepts, *chaos*, *barathrum* « gouffre », associés au monde infernal chez les pères de l'Église, d'où le Baratron du v. 3280 ; et d'autres d'origine inconnue, comme Tervagant, le plus fréquemment mentionné avec Mahomet. Au regard des chrétiens, tous ces noms sont ceux de figures démoniaques. Le cas de Mahomet est particulièrement intéressant : au Moyen Âge, diverses légendes s'étaient répandues à son propos en Occident. Dans l'ensemble, elles le montraient initié aux Écritures saintes par un moine hérétique désireux de prendre sa revanche sur ceux qui l'avaient excommunié, et poussé par lui à inventer une nouvelle religion, ajoutant parfois que ce moine l'avait reconnu comme possédé du démon ; d'autres traditions faisaient de lui un cardinal ulcéré de n'avoir pas été élu pape, et se vengeant de la même manière. Pris par des crises d'épilepsie, il niait sa maladie, prétendant que, lorsque l'ange Gabriel venait lui parler, il lui apparaissait avec un éclat tel qu'il le faisait entrer en convulsion. Il se faisait reconnaître comme prophète ou comme roi par le peuple en lui présentant

comme un miracle l'apparition d'un veau blanc préalablement dressé, portant entre ses cornes le texte de sa nouvelle loi, qui venait s'agenouiller devant lui ; une colombe également dressée descendait picorer de la nourriture dans son oreille, et il faisait alors croire que l'Esprit Saint était en train de s'adresser à lui. La doctrine qu'il prêchait favorisait les instincts charnels, autorisant les hommes à avoir jusqu'à dix épouses, et remplaçait le baptême par la circoncision. Plusieurs variantes concernaient sa mort : selon certaines il mourait empoisonné, d'autres le faisaient assassiner par ses disciples, d'autres enfin racontaient qu'il était mort dévoré par des porcs, soit au cours d'une crise d'épilepsie, soit même ivre sur un tas de fumier. Cette dernière version est mentionnée notamment par plusieurs chansons de geste (*Couronnement*, éd. cit., réd. AB, v. 852-853 ; *Floovant*, éd. cit., v. 373-374 ; *Aiol*, éd. cit., v. 10 085-10 091). Son corps était ensuite (éventuellement les restes rassemblés) placé dans un cercueil maintenu magiquement dans les airs grâce à des aimants. Toutes visaient ainsi à faire de lui un imposteur et de sa religion une hérésie, et donc d'une manière ou d'une autre un serviteur du diable. Voir à ce propos Alessandro d'Ancona, « La Leggenda di Maometto in Occidente », *Giornale storico della letteratura italiana*, XIII (1889), p. 199-281 ; 2e éd. in *Studj di critica e storia letteraria*, II (1912), p. 165-308. Et, plus récemment, Alexandre du Pont, *Le Roman de Mahomet*, nouvelle édition par Yvan G. Lepage, Louvain-Paris, Peeters, 1996. Une version de cette légende figure aussi dans le chapitre que Jacques de Voragine consacre à « Saint Pélage, pape » (*La Légende dorée*, traduit du latin par Alain Boureau, Monique Goullet et Laurence Moulinier, Gallimard, Pléiade, 2004, p. 1023-1027). Pour plus de précisions sur la religion sarrasine, voir Paul Bancourt, *Les Musulmans dans les chansons de geste du cycle du roi*, *op. cit.* ; Norman Daniel, *Heroes and Saracens : an interpretation of the « chansons de geste »*, Edinburgh University Press, 1984, trad. française *Héros et Sarrasins. Une interprétation des chansons de geste*, Paris, Cerf, 2001 ; Jean-Pierre Martin, « Les Sarrasins, l'idolâtrie et l'imaginaire de l'Antiquité dans les chansons de geste », dans *Littérature et Religion au Moyen Âge et à la Renaissance*, sous la direction de Jean-Claude Vallecalle, Lyon, Presses Universitaires de Lyon, 1997 (XI-XVI Littérature), p. 27-46 ; et John Tolan, *Les Sarrasins. L'islam dans l'imagination européenne au Moyen Âge*, trad. P.-E. Dauzat, Paris, Flammarion, Champs, 2003.

921. La toise mesurait six pieds (un peu moins de deux mètres), unité de mesure plus courante dans la langue moderne.

927. C'est bien entendu à Bradmont que s'adresse ici Beuve, non à Dieu, qu'il appelle plutôt *Beau sire Dieus* (cf. v. 1040). La leçon de D est plus expressive que celle de B, que reprend D au v. 934. Reste à décider si les vers 930-934 sont un ajout de ce dernier manuscrit – ajout au demeurant bien dans l'esprit du style épique puisque reprenant les vers 920-927 pour marquer l'enchaînement entre les deux laisses – ou une lacune de B. Je choisis d'autant plus la première solution qu'elle permet de conserver une plus grande part du texte qui subsiste dans ses rares témoins ; du coup la numérotation des vers reste la même que dans l'édition Stimming.

929. La leçon de D donne un sens plus satisfaisant : la précision fournie par *assez*, outre qu'elle n'allonge pas démesurément le vers, souligne que le supplice de Beuve, dans sa prison, sera notamment de ne recevoir qu'une nourriture insuffisante.

945. La prison sarrasine est régulièrement décrite comme une fosse remplie de vermine et de bêtes venimeuses, parmi lesquelles notamment serpents et crapauds (tous considérés comme venimeux). Le prisonnier y croupit exposé à toutes sortes de mauvais traitements, mal nourri, régulièrement battu ; en poussant démesurément, ses cheveux et sa barbe lui retirent l'apparence civilisée et le font ressembler à un « homme sauvage » (sur ce motif, cf. la note au vers 1748) : voir Philippe Verelst, « Le *locus horribilis*. Ébauche d'une étude », dans *La Chanson de geste. Écriture, intertextualités, translations*, textes présentés par François Suard, *Littérales*, 14, (1994), p. 41-60 ; et Jouda Sellami, « De la vieille forteresse à la prison : représentation du *locus horribilis* dans l'épopée », dans *Epic Studies. Acts of the Seventeenth International Congress of the Society Rencesvals for the Study of Romance Epic*, édités par Anne Berthelot et Leslie Zarker Morgan, *Olifant* n° 25, I-II (2006), p. 387-400. Il

arrive toutefois que l'amour d'une princesse sarrasine pour l'un des captifs ou le désir secret nourri par le geôlier de se faire chrétien non seulement contribue à adoucir leur sort, mais souvent même leur permette de se procurer des armes, de sortir de la prison et de s'emparer du château où ils sont enfermés : c'est le cas, par exemple, dans *Le Siège de Barbastre* (éd. Bernard Guidot, Paris, Champion, 2000) et *La Prise de Cordres et de Sebille* (éd. Ovide Densusianu, Paris, Firmin Didot, SATF, 1896).
947. Il est plus conforme au sens du texte de voir la vermine chercher à empoisonner le prisonnier, leçon de D, que de l'empoisonner effectivement, leçon de B.
983. Ici encore la précision fournie par la leçon de D donne un texte plus explicite en même temps qu'un vers de longueur plus voisine de celle des autres.
1002. La structure logique, bien conservée par D, a échappé au copiste de B.
1005. Le protecteur magique de chasteté est un motif folklorique largement attesté ; il est répertorié entre autres sous les codes D 1387 et T 351 dans le *Motif-Index of Folk-Literature* de S. Thompson, *op. cit.* Dans la littérature médiévale, il peut s'agir d'une herbe ou d'une racine qui, tenue par la femme, rend l'homme impuissant (*Raoul de Cambrai*, *Orson de Beauvais*) ; d'un philtre ou d'un sortilège qui fait croire à l'homme qu'il possède la femme alors qu'il dort auprès d'elle (*Les Enfances Guillaume*, *Cligès* de Chrétien de Troyes, édition bilingue par Laurence Harf-Lancner, Paris, Champion Classiques, 2006) ; ou encore d'un objet magique, anneau (*Aye d'Avignon*) ou, comme ici, ceinture. La femme peut aussi protéger sa chasteté en imposant à l'homme un délai dont, quelle qu'en soit la raison, il ne connaîtra pas la fin, comme dans le *Guillaume d'Angleterre* de Chrétien ; c'est ce qui sera utilisé ici, avec inversion des sexes, dans l'épisode de Civile. Voir l'introduction, p. 29.
1046-1047. Stimming place la coupure entre les deux laisses au v. 1047 en se fondant uniquement sur la rime, et sans tenir compte du blanc destiné à recevoir une lettrine au v. 1046. Il est vrai que ce vers peut aussi bien convenir à une conclusion qu'à une ouverture de

laisse, comme on le voit dans G, où il est dédoublé, 1046 rimant en *–er* et concluant la laisse XCIX : *Les chartrers l'orent si prennent a crier* ; et 1046a rimant en *–ez* et ouvrant la suivante : *Les chartrers unt haltement parlez*, avec une capitale *L* rouge et verte : voir J. Weiss, « The anglo-norman *Boeve de Haumtone* », art. cit., p. 306.
1073. La répétition de *Boefs* dans B est suspecte, et la leçon de D paraît plus naturelle.
1078. On a du mal à comprendre comment Beuve peut couper au-dessus du geôlier la corde qui sert à celui-ci à le rejoindre au fond de la fosse. Mais le réalisme n'est à coup sûr pas l'objectif visé par le trouvère, et chacun peut s'imaginer la scène à sa fantaisie.
1080. Les deux manuscrits donnent *par unt*, ce qui incite à garder leur leçon, qu'on peut comprendre « à cause de cela, par conséquent », *unt* < *unde*, surtout attesté en anglo-normand, se rencontrant occasionnellement comme adverbe de cause, relatif-interrogatif il est vrai, plutôt que de suivre Stimming, qui corrige dans les deux cas en *parfunt*.
1090. À côté du merveilleux oriental (cf. *supra*, note au vers 869) et du merveilleux féerique particulièrement présent dans les romans arthuriens et tristaniens, et plus généralement dans les divers contes bretons, la littérature médiévale exploite largement le merveilleux chrétien, notamment illustré par les textes bibliques et les vies de saints (voir en particulier, sur ce dernier point, Jacques de Voragine, *La Légende dorée*, *op. cit.*). Inspirées par ces récits, fondés sur le principe de la toute-puissance divine, les chansons de geste mettent régulièrement en scène l'aide que Dieu apporte à ses serviteurs contre les infidèles, les miracles (*vertuz* en ancien français) dont il les favorise et l'écoute toujours positive qu'il accorde à leurs prières. Ainsi, dans le *Chanson de Roland* (v. 2447-2481), il arrête la course du soleil suite à la prière de Charlemagne pour donner à l'armée franque le temps de poursuivre et d'exterminer les Sarrasins après la bataille de Roncevaux, comme il l'avait fait en faveur de Josué contre les Amoréens dans la Bible (*Josué*, 10, 12-13) ; dans nombre d'autres chansons de geste, lorsque les chrétiens sont en mauvaise posture dans leur combat contre les païens, des chevaliers aux armes blanches

et montés sur des chevaux également blancs, parmi lesquels notamment saint Georges, saint Domin et saint Maurice, apparaissent tout à coup pour les secourir : *Garin le Loherenc*, v. 1798-1799 ; *Aspremont*, chanson de geste du XIIe siècle, présentation, édition et traduction par François Suard d'après le manuscrit 25 529 de la BNF, Paris, Champion Classiques, 2008, v. 8122-8236. Le plus souvent, Dieu communique avec les héros chrétiens par des songes pendant leur sommeil, ou par l'intermédiaire d'un ange, saint Gabriel en général, lorsqu'ils sont éveillés (cf. encore *Chanson de Roland*, v. 718-736, 2520-2554 et 3993-3998). Les reliques des martyrs contenues dans le pommeau de leur épée donnent en outre aux héros chrétiens une valeur guerrière hors du commun. Sur les diverses formes du merveilleux au Moyen Âge, voir Jacques Le Goff, « Le merveilleux dans l'Occident médiéval », art. cit.

1113. Sur *esquier* voir les notes aux vers 408-410 et 667.

1117. On remarque bien devant le second *e* le point caractéristique d'un *r* qui invite à lire *vodrerent*, et non directement *vodreient* comme l'a transcrit Stimming.

1165. Lorsqu'ils essuient une défaite, les Sarrasins des chansons de geste ont coutume d'en rendre leurs dieux responsables et de frapper leurs idoles. C'est le cas aux vers 2580-2591 de la *Chanson de Roland*, mais nombre d'autres chansons reprennent ce motif dans les mêmes circonstances. L'idolâtrie païenne, telle qu'elle est imaginée dans l'épopée médiévale, identifie le dieu et sa statue, dans la continuité de ce que suggère la Bible à propos du culte des idoles et de ce qu'on peut lire dans les vies de martyrs chrétiens. Cette identification est d'ailleurs parfois soulignée par le fait que les statues des dieux païens sont creuses et renferment tantôt un diable, tantôt un imposteur chargé de leur donner la parole, tantôt, comme ici au vers 3667, un animal méprisable et potentiellement diabolique. Bien entendu, dès qu'un chrétien conjure la statue, son occupant s'échappe et fait apparaître du même coup la nature démoniaque ou du moins la fausseté de la foi païenne. Conformément à ce qu'on lit dans les vies des martyrs (et qu'on retrouvera notamment dans le *Polyeucte* de Corneille), lorsqu'ils se trouvent en présence d'une telle statue, les chrétiens de nos chansons s'empressent de la détruire, comme l'a fait Beuve aux vers 880 et suivants, et comme le font les guerriers de Charlemagne après la prise de Saragosse (*Roland*, v. 3862-3865).

1211. Le vainqueur jette souvent une raillerie au guerrier qu'il vient de tuer, comme le fait ici Beuve à l'égard de Bradmont. C'est très fréquent en particulier à la fin des nombreux combats singuliers qui figurent dans la *Chanson de Roland*, au point de devenir un topos de ce motif. L'assimilation sarcastique de Bradmont à un prêtre tient d'abord au coup d'épée qui lui a ôté le haut du crâne, et qui est présenté comme une tonsure. Mais le trouvère joue en outre sur une double inversion ironique, d'une part en présentant la mort du roi païen comme une conversion définitive au christianisme, d'autre part en l'intégrant à l'ordre clérical, et donc en l'excluant de l'ordre chevaleresque.

1254. Beuve prononce ici une « prière du plus grand péril », ou *credo épique*, qui consiste à énoncer un ensemble d'articles de foi (en y intégrant souvent des références aux Évangiles apocryphes), et à mettre leur véracité en parallèle avec celle de la demande présentée à Dieu, ce qui revient à s'exposer à être damné au cas où la prière ne serait pas motivée, mais aussi, en quelque sorte, à mettre Dieu en demeure d'en secourir l'énonciateur. Le héros recourt à ce type de prière lorsqu'il est en grande difficulté, généralement en danger de mort imminente comme ce serait ici le cas si Beuve ne réussissait pas à mettre le fleuve entre ses poursuivants et lui. Bien entendu, le *credo épique* est toujours exaucé, explicitement ou implicitement. Le *Couronnement de Louis* (*Les Rédactions en vers du Couronnement de Louis*, édition par Yvan G. Lepage, Paris-Genève, Droz, 1978, rédaction AB, v. 693-697) indique d'ailleurs qu'une telle prière protège immanquablement celui qui la prononce contre les embûches du démon. Voir E.-R. Labande, « Le "credo" épique, à propos des prières dans les chansons de geste », *Recueil de travaux offerts à M. Clovis Brunel*, Paris, Société de l'École des Chartes, 1955, t. II, p. 62-80 ; et Jean Frappier, *Les Chansons de geste du cycle de Guillaume d'Orange*, Paris, SEDES, t. II, 1965, p. 131-140.

1278. La leçon du manuscrit, *Boves se regarde en ue la tur quarré*, est évidemment fautive. Stimming remplace *en ue* par *e veit* ; je préfère *envers*, qui me semble mieux rendre compte de la faute de copie. Le pronom réfléchi n'est pas ici en fonction de COD, mais sert à marquer l'implication forte du sujet dans le procès : voir Cl. Buridant, *Grammaire nouvelle*, *op. cit.*, § 233.
1283. « Devant *tu*, il y a un cercle entourant un point » (note de Stimming). C'est bien ainsi que B écrit O majuscule, et il est vraisemblable que D procédait de la même manière. J'incline à y voir l'interjection précédant une apostrophe : celle-ci est en effet attestée dès le XIIe siècle dans le *Psautier de Cambridge*, donc précisément en domaine anglo-normand. Mais le ton très emphatique du tour en français moderne rend difficile son maintien dans la traduction.
1291. Les géants sont une des formes de la monstruosité qui caractérise les Sarrasins et les inscrit de façon explicite comme l'une des menaces auxquelles la Chrétienté doit faire face. Dès la *Chanson de Roland*, on rencontre dans l'armée païenne un corps de bataille entier de géants (v. 3285) ; dans *Aliscans*, les principaux guerriers païens atteignent des tailles exceptionnelles, comme Haucebier, haut de quinze pieds, soit le triple d'une taille normale, plus fort que quatorze Esclavons, large d'une toise (six pieds, presque deux mètres), et dont les yeux rouges sont – signe d'extrême laideur – écartés d'un demi-pied (v. 368-376 et 6970) ; ou encore Flohart, elle aussi haute de quinze pieds, plus puante qu'une charogne pourrie, dont la bouche exhale une fumée aussi épaisse que pestilentielle, et qui dévore les armes de ses adversaires aussi facilement que du fromage (v. 6824-6863). Dans le *Couronnement de Louis*, Guillaume doit affronter le géant Corsolt en combat singulier pour le salut de Rome, et se découvre en présence d'un monstre dont le portrait n'atteint sans doute pas un tel degré d'énormité bouffonne, mais qui n'en est pas moins hideux, mesure près de deux mètres de l'épaule à la ceinture, et dont les yeux rouges comme braise sont aussi écartés d'un demi-pied (éd. cit., réd. AB, v. 508-513). Ce ne sont là que les exemples les plus caractéristiques dans les chansons de geste. Les géants des romans, même s'ils ne sont pas explicitement caractérisés

comme sarrasins, sont aussi des figures étrangères à l'humanité ordinaire, des monstres sauvages menaçants pour l'ordre civilisé auquel appartiennent les héros, tout particulièrement par la violence de leur *libido* qui les conduit à exiger qu'on leur livre des jeunes filles, comme Harpin de la Montagne dans *Yvain* (*Les Romans de Chrétien de Troyes*, IV, *Le Chevalier au lion (Yvain)*, publié par Mario Roques, Paris, Champion, CFMA, 1971, v. 3846), ou qui entreprennent directement de les violer, ainsi dans l'histoire du Bel Inconnu (Renaud de Beaujeu, *Le Bel Inconnu*, publié, présenté et annoté par Michèle Perret, traduction de Michèle Perret et Isabelle Weill, Paris, Champion Classiques, 2003, v. 705-723). Créature monstrueuse, le géant est le représentant d'une nature brute qui menace la culture, d'où son recours fréquent à des armes non chevaleresques. Corsolt et Haucebier portent des armes doubles ou triples (*Couronnement*, AB, v. 642-644 et 659, *Aliscans*, v. 6971-6973), mais ils y ajoutent un outillage qui n'a pas sa place dans la panoplie d'un chevalier : le premier porte un arc, une arbalète et des armes de trait en tous genre (*Couronnement*, v. 645-653), c'est-à-dire des armes de chasse, de forêt en quelque sorte, de nature sauvage, non de champ de bataille, indignes d'un chevalier qui se doit de combattre au contact de son adversaire ; le second tue Vivien d'un tronçon de lance et porte en bataille un épieu empoisonné (*Aliscans*, v. 383 et 6974-6975), deux comportements contraires à l'éthique chevaleresque ; quant à Flohart, elle combat avec une faux, un outil de paysan (*Aliscans*, v. 3817). Mais leur arme favorite est la massue, masse de fer comme celles que Corsolt a attachées à l'arçon de son cheval (*Couronnement*, v. 654), et surtout énormes gourdins dont ils assomment leurs adversaires – or la massue est notamment l'arme du fou, autre figure du désordre menaçante pour la culture. C'est bien une telle arme qu'utilise ici le géant auquel s'affronte Beuve.

1318-1319. Le lien logique entre ces deux vers semble être celui de l'imminence contrecarrée, d'où l'amendement.

1325. Ce vers n'est pas clair, mais l'amendement de Stimming, *E Boves li saut suz, tost y met son pé*, qui donne le sens le plus

satisfaisant, prend un peu trop de liberté avec le texte pour qu'on s'y rallie.
1329. Autre amendement trop éloigné du texte dans l'édition Stimming : *A tant est Boves en le chastel entrez.* Le texte du manuscrit se comprend si on tient compte du fait que *entrez* peut être un futur avec métathèse et effacement de *e* devant *r* (voir l'introduction, p. 74-86, § 10, 25 et 59), et d'autre part, que le vainqueur adresse généralement un sarcasme à l'ennemi qu'il vient de tuer (cf. *supra*, note au vers 1211). La répétition de *Boves* au vers 1330 pourrait cependant suggérer une inexactitude dans la copie de ce passage, mais la nouvelle incise s'explique par le changement de destinataire.
1334. Troisième amendement de Stimming proposant une interprétation osée : *Payn besquid ke mult estoit afamé.* Si *esquid*, qui n'aurait guère de sens en tant que participe d'*esquerre* « rechercher, fouiller », peut être légitimement corrigé en *besquid*, le second hémistiche ainsi proposé (sans doute à cause de la variante fautive du vers 1055 du même manuscrit) détonne dans l'énumération des nourritures proposées, et anticipe sur le vers 1336. Le *biscuit* était un pain peu levé, dur et sec, obtenu par plusieurs cuissons successives au four, et susceptible ainsi d'une longue conservation ; à l'époque des Croisades on lui ajoutait des épices, notamment de la cannelle.
1335. On appelait *vin clar(r)é* une liqueur faite de vin et de miel, et passée à plusieurs reprises à travers un sac d'épices aromatiques.
1346. *Torné* est plus courant que *trové* dans cette expression, et l'erreur de copie est facile à concevoir. Je reprends donc l'amendement de Stimming.
1350. L'expression *le fort roi coroné* est un cliché trop fréquent pour qu'on accepte telle quelle la leçon du manuscrit.
1358. La leçon du manuscrit, *e mirre*, est une mélecture très probable à cause d'un automatisme tenant au souvenir de l'épisode évangélique des Mages ; même chose au vers 3041.
1391. Cf. v. 781.
1426. La tenue du pèlerin et les signes qu'il porte de son état sont assez nettement codifiés. Il est vêtu d'une *pèlerine*, large manteau sans manches, ou d'une *esclavine*, manteau court d'étoffe velue à

capuchon et larges manches, vraisemblablement d'origine slave (d'où son nom), et coiffé d'un grand chapeau ; en bandoulière, il porte l'*escherpe* ou *escharpe*, sorte de besace destinée à transporter les provisions nécessaires à son voyage, et s'appuie pour marcher sur un grand bâton ferré, le *bourdon*, le voyage s'effectuant d'ordinaire à pied, tout au plus à dos de mule. Il porte en outre un insigne en rapport avec le but de son pèlerinage, coquille Saint-Jacques pour Compostelle, palme, rameau de palmier, pour ceux qui reviennent de Jérusalem, d'où le nom de *paumier* qui leur est fréquemment attribué.
1504. La brièveté de ce vers fait penser qu'il doit être corrompu, mais le sens de l'ensemble demeurant clair, il n'y a pas lieu de proposer un amendement.
1514. Alors que Stimming écrit *meynie*, je garde la leçon *meyne* du manuscrit, forme anglo-normande de *maisniee* avec réduction de la diphtongue *ié* et effacement de *e* final, par suite de la rime qui en résulte avec *verité* au vers suivant et du fait que de tels couplets se sont déjà rencontrés auparavant, et cela dans l'autre manuscrit, ce qui peut laisser penser qu'il s'agit d'un trait propre à l'auteur : cf. note aux v. 846-847 et 1182-1183.
1515. La *bannière* est l'unité militaire de base, manœuvrant autour d'un même étendard et sous les ordres du chevalier qui l'a levée et qui est pour cette raison appelé chevalier *banneret* ; il ne peut donc s'agir que d'un seigneur suffisamment important pour disposer du pouvoir et des moyens financiers nécessaires à cette fonction : ce sont évidemment ici les quinze *barons* mentionnée au vers 1492, d'où la traduction.
1524. Vers obscur. Stimming propose *Jeo ne puai entrer pur tut l'or de Pavie*, nettement plus clair et reprenant un cliché épique fréquent, mais assez éloigné de la leçon du manuscrit, et où la forme *puai* est plus que suspecte. Je m'y rallie néanmoins, tout en conservant *purrai*, qui revient avec la même valeur d'irréel au vers 1789 : voir l'introduction, p. 88, § 74.
1528. Stimming remplace *mue* par *varie*. L'assonance entre /y/ et /i/ n'est pourtant pas impossible en anglo-normand : cf. vers 3049,

Stimming lui-même, p. lvi-lvii, et Pope, § 1142, iii. Il n'y a donc pas lieu de corriger le texte.

1537. Vers corrompu. Stimming corrige : *Quant ceo out fet, si l'ad icy lessé*. Je préfère rester plus près de la leçon du manuscrit en supposant une mélecture de *bailé* en *baisé*, d'où *bessé*.

1551. Stimming ajoute *e as suns* après *al roi*, amendement que peuvent légitimer le pronom *les* du vers suivant, la leçon du vers 1564, et le contexte. Je préfère rester près du texte en supposant que l'évocation du roi suffit à désigner implicitement les hommes placés sous ses ordres. Il ajoute aussi *en* devant *frai doner*, bien que ce pronom soit aussi absent du vers 1564 (qu'il corrige de la même façon), mais la syntaxe souvent allusive du texte autorise l'absence d'un tel complément.

1556. Nouveau vers à la brièveté suspecte, mais le sens n'impose pas d'ajouter *aussi* comme le fait Stimming.

1595. Les Sarrasins sont en général experts en sciences occultes. Il y a souvent parmi eux des astrologues et des enchanteurs, comme on le verra ci-dessous avec Gebitus (v. 3411-3416), ce qui s'accorde parfaitement avec le fait que, dans la pensée médiévale, les dieux qu'ils adorent sont en réalité des diables. Dans la classification de Jacques Le Goff (cf. *supra*, note au vers 869), cela relève du *magicus*, autrement dit du merveilleux démoniaque. On a vu aux vers 999-1000 que Josiane avait étudié la magie ; ici, c'est Garcie qui use d'une pierre dotée de pouvoirs surnaturels, parce qu'il en connaît les secrets, autrement dit qu'il est lui-même quelque peu magicien. La ville de Tolède était en particulier réputée pour les enseignements de *nigromance* (nécromancie, mais plus largement magie noire) qui y étaient dispensés. Voir à ce sujet Philippe Verelst, « L'art de Tolède ou le huitième des arts libéraux : une approche du merveilleux épique », dans *Aspects de l'épopée romane. Mentalité, idéologie, intertextualités*, recueil publié par Hans van Dijk et Willem Noomen, Groningen, Egbert Forsten, 1995, p. 3-41.

1620-1621. Se fondant sur la version galloise publiée par Robert Williams en 1892, Stimming intervertit ces deux vers sans réelle nécessité. D'autre part l'expression *prendre en cors* est inhabituelle, et, sauf à être interprétée au sens mal adapté au contexte de « prendre à la course », semble une erreur de copie pour *prendre en cuer*, amendement suggéré en note par Stimming et donné par l'*Anglo-Norman Dictionary*, d'où la correction ; voir aussi la traduction de J. Weiss.

1634. Stimming lit *memse* ou *menise*, et propose de corriger en *morne*, mais *meseisé* (cf. v. 950) me paraît somme toute plus proche ; on pourrait aussi penser à un hypothétique **mesvisé*, inconnu toutefois des dictionnaires...

1667. Comme forme de participe passé, *manjue* est pour le moins atypique, et, en écrivant *manjué*, Stimming ne résout guère la difficulté. On peut sans doute y voir une construction analogique des personnes fortes de l'indicatif présent (*manju*, *manjues*, etc.), mais, le manuscrit D écrivant régulièrement *mangé*, *mangez*, un amendement semble justifié.

1668. Dans nombre de textes médiévaux, les enfants de roi disposent de pouvoirs ou sont marqués de signes surnaturels ; il présentent souvent de naissance, par exemple, la marque d'une croix sur l'épaule. Dans ce passage, les lions apparaissent avec leur double signification (cf. *supra*, note au vers 564) : il s'agit de toute évidence d'animaux cruels, comme le montre le traitement infligé au malheureux Bonnefoy, justifiant la vengeance que Beuve en tirera dans la suite de l'épisode. Mais leur retenue à l'égard de Josiane rappelle qu'ils sont eux-mêmes des figures de la royauté, et à cet égard la victoire de Beuve sur eux peut apparaître comme le rendant digne d'épouser une princesse de sang royal.

1676. Stimming corrige *vodrent* en *vodront* ; le passé proche est cependant admissible, puisque les lions se sont déjà attaqués à Josiane, et que par conséquent elle peut craindre qu'ils ne recommencent.

1690. Stimming suppose qu'a été oublié devant celui-ci un vers commençant par la formule courante *Qui dont veïst...* ; le sens serait alors « Si quelqu'un avait pu voir cela, il aurait été pris d'une grande pitié ». Néanmoins le cheval Arondel est tellement humanisé dans

cette chanson qu'on peut conserver intacte la leçon originelle en lui appliquant cette réaction.
1740. La leçon du manuscrit n'est guère satisfaisante, et une faute de copie paraît vraisemblable. Stimming suppose la perte d'un vers contant explicitement comment Beuve a tué le lion. Son amendement, *Mes n'ad lessé que forement n'eit rechinés*, « il n'a pas manqué de montrer les dents avec force », donne un sens clair et mieux adapté au contexte, mais on voit mal quel a pu être le mécanisme de la faute conduisant à la leçon conservée. Il propose en note une autre solution, *Mes neporoc forement ad rechinés*, qui peut s'expliquer un peu mieux par un bourdon à partir des lettres *nep* et d'un éventuel *k* final (**neporok*) devenu *ke*, d'où *ne parlez que* ; bien que cet adverbe n'apparaisse nulle part dans le texte, et qu'il faille alors supprimer la négation devant *ad*, c'est la solution que je retiens en désespoir de cause comme la plus acceptable tant pour le texte que pour le sens.
1748. L'Escopart présente ici les caractères du géant sarrasin : taille très supérieure à la normale, yeux largement écartés, etc. : voir *supra*, la note au vers 1291. Mais ses traits correspondent aussi à ceux de l'homme sauvage, figure en quelque sorte de l'humanité brute, encore liée à la nature, comme le *vilain* que, dans *Le Chevalier au lion*, rencontrent successivement Calogrenant et Yvain (éd. cit., v. 292-311) ; lui aussi est désigné comme un rustre, un *vilain*, armé d'une massue, et chaque détail de son portrait donne également lieu à des comparaisons animales. Enfin la longueur des cheveux est encore un signe de sauvagerie, comme on le voit dans le même roman lorsque Yvain, ayant perdu la raison, se retrouve à son tour ensauvagé et couvert de poils (v. 3131-3133). Voir notamment Micheline de Combarieu, « Image et représentation du vilain dans les chansons de geste (et dans quelques autres textes médiévaux) », dans *Exclus et systèmes d'exclusion dans la littérature et la civilisation médiévale*, *Senefiance* n° 5, Université de Provence, Publications du CUER MA, Paris, Champion, 1978, p. 7-26.
1752. L'amendement de *corns* en *cornus* ne fait pas difficulté ; quel sens convient-il en revanche de donner à cet adjectif, qui peut aussi bien signifier « pourvu d'une corne » qu'« en forme de corne » ?

J'aurais tendance à choisir la seconde solution, bien que les Sarrasins dotés de cornes ne manquent pas dans les chansons de geste, mais c'est alors leur front qui en est orné, comme celui des diables. La même interprétation est suggérée par le glossaire de Stimming, qui le glose *mit Auswüchsen versehen* « pourvu d'une excroissance » (mais non explicitement d'une corne), et par la traduction de J. Weiss, qui le rend par *knobbly* « noueux ». Tout à fait acceptable en français moderne, le calque permet toutefois de conserver l'ambiguïté originelle du texte.
1754. *Longes* paraît une faute de copie suscitée par le vers précédent, mais n'est pas absurde. En revanche *plays* n'est pas clair. Je suis pour ce dernier mot l'amendement de Stimming.
1763. L'initiale de ce vers est en italiques dans l'édition Stimming : il s'agissait donc d'une abréviation et non d'une lettrine indiquant matériellement un changement de laisse. Cf. v. 2117.
1765. Stimming suppose ici un nouveau bourdon substituant *longes* à *dures*, mais le choix de son amendement se fonde seulement sur la version galloise. Je m'en tiens au texte du manuscrit ; voir la note que J. Weiss, trad. cit., consacre à ce vers.
1776. L'interpellation de Beuve au géant implique évidemment une apostrophe, que le copiste a visiblement oubliée.
1780-1781. *Publicant*, *Puplicant*, *Popeliquant*, *Popelicans*, est un nom de peuple païen bien attesté dans les chansons de geste (voir *Aliscans*, éd. cit., v. 2283, et *Renaut de Montauban*, éd. cit., v. 13 162) ; il est très vraisemblablement issu du latin *publicanum* « publicain », terme désignant à Rome les collecteurs d'impôts et souvent associé dans l'Évangile à celui de *pharisien* pour qualifier ceux qui refusent de reconnaître le Christ. *Escopart*, *Açoupart*, *Achopart*, est aussi attesté dans la littérature épique comme nom de peuple païen (il semble avoir primitivement désigné les Éthiopiens : voir *La Chanson des Saisnes*, éd. Annette Brasseur, Genève, Droz, 1989, v. 1345 et note ; cf. aussi *Aliscans*, éd. cit., v. 8017, ou *Le Siège de Barbastre*, éd. cit., v. 1214, 1762 et 1759), d'où l'article dont il est le plus souvent doté ici. Il convient de signaler par ailleurs que le terme *publicains* a désigné, aux XIIe-XIIIe siècles, des groupes

hérétiques champenois et bourguignons proches des cathares : Anne Brenon, *Le Vrai Visage du catharisme*, Cahors, La Louve éditions, 2008 [1988], p. 51-56. Ajoutons enfin que, dans les versions italiennes et celles qui en sont issues, *Pulican* est le nom propre du serviteur de Bovo, désormais fidèle à son maître jusqu'à la mort, et qui est alors présenté comme un monstre mi-homme mi-chien, sans doute aussi sous l'effet de la terminaison *-can*. Signe de la popularité du conte de *Bova le Prince*, *Polkan* demeure en Russie un nom fréquemment donné aux chiens, bien que les illustrateurs le représentent plutôt comme un centaure. Merci à Elena Koroleva pour les informations concernant la réception russe de la légende.
1785. Il faut sans doute supposer pour le pluriel *alerent* un accord par le sens, *l'em* impliquant une pluralité de sujets.
1793. Il manque ici un ou deux vers pour finir la phrase. Stimming propose en note, à partir des versions anglaise, galloise et norroise, *Ta teste irrai tantost acravantant O ma massue, ke est fort e pesant.* Comme Ch. Sanders toutefois, J. Weiss, trad. cit., pense que de tels vers ont pu être ajoutés indépendamment les uns des autres au modèle anglo-normand, mais elle ne s'en trouve pas moins dans l'obligation de placer ici des points de suspension. Le texte moyen-anglais donne (v. 2531) : *"I schel thee sle her, yif i mai!"* « je vais te tuer sur-le-champ, si je peux ». Cette phrase comble la lacune du texte anglo-normand tout en restant suffisamment générale pour ne pas lui y ajouter tel ou tel élément qui pourrait lui être étranger, d'où ma proposition entre crochets.
1828. La forme *ceo* du pronom est douteuse : représente-t-elle le démonstratif sujet *cil* avec identification de l'Escopart comme des autres païens aux bourreaux du Christ (« ce Dieu que celui-ci laissa mourir sur la croix »), comme le comprend J. Weiss, ou, mieux en accord, me semble-t-il, avec le texte évangélique et le contexte du jurement, le réfléchi *se* (« ce Dieu qui se laissa supplicier ») ? Mieux vaut dans ces conditions laisser le texte tel quel.
1850. La leçon du manuscrit est incohérente. Il y a peut-être eu ici un saut du même au même, un premier vers commençant par *Kant lé paiens unt veu...* suivi d'un autre terminé par *...unt pris l'Escopart*

a garder. Plutôt que d'inventer deux hémistiches, il vaut mieux suivre la correction de Stimming. La version anglaise précise que les Sarrasins de la nef n'ont personne pour la piloter, mais que, apercevant Ascopard qu'ils savent excellent marin, ils pensent pouvoir faire appel à lui pour les conduire en toute sécurité (v. 2553-2560).

1875. Stimming suppose ici soit une lacune suggérée par les versions norroise et galloise, soit qu'il faille corriger *Amustrai son uncle detrés li enveia* « envoya son oncle Amustrai à sa poursuite ».

1889. Le leçon du texte, *si out tele roun*, est incompréhensible, et on voit mal comment en interpréter le dernier mot. Si conjectural qu'il soit, l'amendement de *roun* en *frissun* que propose Stimming en s'inspirant des versions norroise et galloise fournit néanmoins une solution, par ailleurs appuyée sur le vers 592, dont je reprends par conséquent la graphie.

1901-1902. La répétition de *li vist* est suspecte ; Stimming suggère de remplacer la première occurrence par *la vint* ou *l'aprocha* en se fondant sur les versions galloise et norroise. Une autre solution envisageable serait de remplacer la seconde par *l'oï*. Mais, la leçon du manuscrit étant cohérente, mieux vaut la conserver telle quelle.

1946. Les terres dont Soibaut a été chassé sont vraisemblablement des fiefs qu'il tenait du comte de Hamptone, par héritage ou acquisition, ou du moins les plus importantes d'entre eux, *demene* signifiant également « personnel » ou « principal ». Mais le rocher sur lequel il s'est fait bâtir un château échappe apparemment au pouvoir du comte, soit que celui-ci n'ait pas réussi à s'en emparer, soit qu'il se situe hors de sa juridiction.

1949. Stimming corrige *.C.* en *.V.C.* en s'appuyant sur le v. 1982 et les versions norroise et galloise, mais pour sa part la version anglaise donne seulement « *hondred men* » (v. 2923), de sorte que rien ne justifie que l'amendement soit fait dans ce sens plutôt que dans l'autre, ni même que le texte soit amendé en l'un quelconque de ces deux passages.

1956. Stimming suggère que ce vers résulte d'un bourdon, deux vers ayant été fondus en un, et propose de corriger : *Adunkes fu l'Escopart amené (apelé), Mes li vilein fu si long e si lé*. Mais qu'on corrige ou non le texte, la fin de la phrase se trouve dans la laisse suivante, si du moins il y a bien ici changement de laisse, puisque le savant allemand indique, sans plus de précision, que toutes les laisses ne sont pas marquées par une lettrine (p. v). Il est donc impossible de savoir s'il n'a pas simplement fondé son découpage sur le passage de la finale *–ez* à *–er* ; son édition est muette sur ce point. Faute de pouvoir décider suite à la perte du manuscrit, je garde la distinction en deux laisses. Voir *supra* l'introduction, p. 62-64.

1971. L'absence d'élément nominal, nom sujet, pronom personnel sujet ou démonstratif objet, est rarissime dans une incise, et résulte très vraisemblablement d'une faute de copie, d'où l'amendement. On en trouve toutefois un autre exemple dans *Renaut de Montauban*, éd. cit., v. 4682 : « *Biaux niés, dist, je vos ai mon barnage chargié* », où l'ajout du pronom sujet fausserait le vers.

1986-1987. Dans la stratégie d'anticipation qui caractérise la chanson de geste (voir *supra*, note au v. 652), le pressentiment est destiné à se vérifier, et constitue en quelque sorte une prolepse intégrée au discours d'un personnage.

2040. On s'étonne que le château de Hamptone soit séparé par *la grant mer* de la forteresse où réside Soibaut, qui est néanmoins capable, la nuit, d'attaquer l'empereur. Sans doute s'agit-il de passer par mer plutôt que par terre, l'adjectif *grant* servant seulement à préciser qu'il s'agit bien de la mer et non seulement de l'estuaire au fond duquel se trouve la ville.

2044. Le manuscrit présentait un doublon avec le vers 2046, d'où l'amendement de Stimming, *Este vus chevaler ? Dites verité*, fondé sur la nécessité de faire correspondre la question avec la réponse du vers suivant, mais aussi sur les témoins norrois et gallois. Si le doublon et la discordance avec la réponse sont assurés, l'amendement proposé pour la fin du vers paraît trop hypothétique pour être conservé.

2059. Je conserve la négation, qui peut avoir ici une simple valeur explétive.

2089. La leçon du manuscrit paraît incompréhensible. Je suis ici une suggestion de Jean-Charles Herbin, qui propose d'interpréter *hu virent*

comme un seul mot, *huuirent*, la présence de *h* à l'initiale d'une forme du verbe *oïr* étant garantie par le v. 3046 ; pour la lisibilité du texte, je change simplement le premier *u* en *o*, les deux voyelles ayant souvent la même valeur dans le texte (introduction, p. 75-77, § 14 et 21).
2117. Voir la note au vers 1763.
2160. L'amendement de Stimming, *teis* pour *tint*, ne se justifie guère, le berger n'ayant rien dit.
2163. Vers hypométrique : Stimming le complète en ajoutant *en ceo fu* entre *Une pucele* et *ars serra.*
2179. C'est bien entendu l'Escopart que représente *il.* Stimming corrige le texte en remplaçant *Boves* par *l'Escopart* compris comme objet second, en expliquant que, sinon, le pronom *il* est incompréhensible. Il faut toutefois se rappeler que le recours à ce pronom marque souvent un changement de thème, et que, par conséquent, la leçon du texte est tout à fait acceptable. Au vers 2183 en revanche, il y a sans doute eu un amendement erroné du copiste.
2229. L'entrée *cauber* de l'*Anglo-Norman Dictionary*, 2005, I, 385a, qui n'en cite que cette occurrence, le rend par « to défend (?) », et le fait suivre de *caubesun* « defence », terme rapproché hypothétiquement de *gambeisun*, ce qui ne convient guère au présent contexte. Stimming le rapprochait d'une part de *chalbinder*, mentionné par *Godefroy*, II, 39a, avec la citation suivante tirée d'une lettre de rémission de 1395 : « lui commença a dire que il avoit un grand vit et que sa femme en seroit la nuit bien chalbindé », et glosé non sans euphémisme « caresser amoureusement » ; et d'autre part de *combrer*, *coubrer* « saisir, empoigner ». J. Weiss enfin y voit un allomorphe de *cobrer/covrir* « s'accoupler » (*TL*, II, 1003-1004), ordinairement employé dans un contexte animal, et d'autant plus insultant. Si peu assurée que soit cette proposition, elle ne l'est pas moins que les autres et a le mérite de donner un sens acceptable, d'où la présente traduction.
2247-2248. Rime du même au même : faudrait-il par exemple remplacer *le grant* par *errant* après *Almayne* ?

2270. Devant la négation, le pronom *vus* doit se comprendre soit comme sujet, soit plutôt comme emploi prédicatif à valeur d'emphatisation du réfléchi.
2296. L'*ost banie* est l'armée que le seigneur convoque gratuitement au titre et dans les limites des droits qu'il exerce sur ses vassaux, c'est-à-dire en particulier pour une période n'excédant pas ordinairement quarante jours (Marc Bloch, *La Société féodale*, Paris, Albin Michel 1978 [1939], p. 311-312).
2313. Ce personnage ne doit pas être confondu avec Yvori de Montbrant ; il s'agit d'un guerrier de l'armée de Doon, qui n'apparaît ici que pour compter dans les exploits de Beuve.
2317. Stimming voit dans *amoiier*, d'après Tobler, le résultat d'*admetare*, et interprète son emploi réfléchi comme « être attentif à », ce qui oblige à comprendre *nul* comme pleinement négatif et sa collocation avec *ne* comme une double négation, d'où la traduction de J. Weiss : « *each was intent on it* » « chacun s'y appliquait ». Il me semble syntaxiquement plus judicieux de voir dans ce verbe une forme d'*esmaiier* « se troubler, perdre ses moyens ».
2320-2321. Ces deux vers sont peu clairs. La traduction de J. Weiss, « *God grant I never go on pilgrimage until I've got your big head !* » « Que Dieu fasse que je n'aille jamais en pèlerinage avant d'avoir pris votre grosse tête ! », impliquerait que la négation se trouve au vers 2320 et non au vers 2321, seule structure autorisant à interpréter *si* comme adverbe et son emploi comme *si* d'anticipation : voir Christiane Marchello-Nizia, *Dire le vrai : l'adverbe « si » en français médiéval. Essai de linguistique historique*, Genève, Droz, 1985, p. 93-115. Mais si l'on veut respecter la place de la négation, il faut comprendre *si* comme conjonction hypothétique, et voir dans *voie* l'évocation, courante dans la littérature médiévale, d'un pèlerinage pénitentiel, comme par exemple celui qui est imposé à Renaud : *Renaut de Montauban*, éd. cit., v. 12 892-12 893.
2354. On attendrait plutôt *lur vie saver*, mais le texte n'est pas incompréhensible tel quel. Il ne semble donc pas impératif de corriger.

2393. Stimming lit *s'i out engendré*, tour peu courant ; la confusion entre *n* et *u* autorise à lire *ont engendré*, même si le passage au singulier au vers suivant produit une rupture un peu brusque.
2395-2396. Stimming intervertit les noms des deux enfants en se fondant sur les versions norroise et galloise, et en invoquant le fait que Guy est le premier né (cf. v. 3108). L'argument est toutefois d'autant plus contestable qu'on a souvent pensé autrefois que, de deux jumeaux, le premier né était le second engendré : voir par exemple M. Planque, *Bibliothèque choisie de médecine*, Paris, D'Houry, 1748, I, p. 85, « Discours sur l'aisné des jumeaux » ; et Germain-Antoine Guyot *Traité des fiefs*, Paris, Saugrain, 1751, p. 217.
2403-2404. Je conserve la séparation des laisses au milieu de la phrase (cf. note au vers 1956) ; un amendement possible serait de corriger *herbergés* en *herbergeant*, et de rattacher le vers 2404 à la laisse CLXVI. Le vers 2405 toutefois ne correspond pas à ce qu'on attend ordinairement d'un vers d'intonation, et une lacune de deux ou trois vers n'est pas impossible, ce qui rend tout amendement d'autant plus aléatoire que le manuscrit est perdu.
2405. La leçon du manuscrit n'est guère compréhensible. Stimming propose de corriger *returne* en *remonte*, mais le passage est trop problématique pour autoriser un quelconque amendement. On peut supposer que, une fois logés, Beuve et Soibaut repartent en direction du palais royal. J. Weiss traduit « *He [...] turned around* » « Il fit demi-tour ».
2423. La forme *solés*, qui appartient en principe à l'indicatif présent, doit nécessairement être interprétée ici comme un imparfait par suite du contexte. Voir l'introduction, p. 85, § 57.
2430. Sur le droit de relief, voir l'introduction, p. 19.
2433. Je suis ici la ponctuation de J. Weiss, plus satisfaisante que celle de Stimming, qui coupe la phrase après le vers suivant.
2453-2458. Le texte n'explicite pas au vers 2453 quelle autorité symbolise le bâton que le roi remet à Beuve, et l'expression *rendre le chef*, au vers 2458, est tellement insolite que Stimming corrige *chef* en *clef* en référence à la coutume consistant à remettre les clefs d'une

ville au vainqueur ou au roi, et ajoute que ce dernier vers est absent des versions anglaise et norroise, mais que la même « faute » figure dans le texte gallois, qui dit « je vous fais chef en Angleterre ». Les vers 3506-3508 de la version anglaise fournissent cependant une explication à tout ce passage : « *'Fet me,' a seide, 'me yerde of golde ! Gii, is fader, was me marchal, Also Beues, is sone, schal.'* » « Apportez-moi mon bâton d'or ! Gui, son père, était mon maréchal, son fils Beuve le sera aussi ». L'office du maréchal, originellement entretenir les chevaux du roi, était devenu par extension un commandement militaire, sous l'autorité du chef des armées, le connétable, dont les maréchaux étaient les adjoints : voir à ce sujet Georges Duby, *Guillaume le Maréchal ou le meilleur chevalier du monde*, Paris, Fayard, 1984, p. 74-75. Il semble toutefois ici qu'il s'agisse en fait du commandement général des armées. Pour insigne de sa fonction, le maréchal recevait effectivement un bâton, alors que celui du connétable était une épée.

2465-2466. Il ne s'agit pas d'un couronnement au sens moderne, cérémonie inaugurale du règne, mais d'une remise ordinaire quoique ritualisée de la couronne, préliminaire à une fête lors de laquelle le roi, qui ne la porte pas constamment, apparaît pourvu de tous les signes de sa puissance.

2467. Le sujet du verbe est incertain. En stricte syntaxe, l'absence de tout sujet exprimé, nom ou pronom, suggère que c'est le même que celui du vers précédent, donc Beuve ; J. Weiss traduit cependant « *The king went to the altar* » « le roi alla à l'autel », ce qui s'accorde aussi à la situation. Le déterminant *ses* du vers 2469 ne permet pas de décider, puisqu'il peut aussi bien s'agir du possessif que du démonstratif épique (cf. v. 1986). Le recours au pronom *il* permet de conserver l'ambiguïté du texte dans la traduction.

2473. Stimming suggère en note d'amender *prendre* en *prover* en s'appuyant sur les versions anglaise et galloise, et J. Weiss traduit en conséquence « *we should test* » « nous devrions évaluer ». Ce vers n'est cependant pas incohérent et peut être conservé tel quel.

2477-2485. Le passage est d'une extrême confusion, et le texte de D peu cohérent. Il y a apparemment eu interversion des vers de la part des copistes successifs, et sans doute tentatives de réécriture (un doublon n'est pas à exclure entre les vers 2479 et 2484). Je suis l'ordre proposé en note par Stimming, avec l'amendement qu'il propose pour le vers 2479, en donnant néanmoins la numérotation correspondant au texte du manuscrit.

2475. La forme *averent* est suspecte. Peut-être faudrait-il lire *aveient* : la confusion entre *i* et *r* n'est pas impossible, mais au vers 1117 le ms B donne effectivement *vodrerent* et non *vodreient* (voir la note correspondante).

2486. L'expression courante *pur les menbres couper* est devenue en ancien français une pure indication d'impossibilité, sans guère de valeur référentielle. Comme en outre elle porte ordinairement sur le sujet, il faudrait la traduire *dût-on vous couper les membres*, ou à la rigueur *vous menacerait-on de vous couper les membres*, ce qui paraîtrait peu adapté à la situation.

2495. *Malfé* est le résultat de *male* et *fatum*, et qualifie étymologiquement celui dont le destin est mauvais, ou qui favorise un destin funeste, autrement dit un diable, et c'est en ce sens que le mot est utilisé aux vers 1328 et 2536, où il désigne effectivement Satan et ses démons, qui ont en charge de tourmenter les réprouvés, donc particulièrement les infidèles. On le trouve d'ailleurs régulièrement en collocation avec *diable*. Par extension, on appelle *malfé* tout individu dont l'activité ou l'apparence représente une menace ; c'est notamment le cas au vers 1921, où, sous le coup de l'effroi devant la monstruosité potentiellement diabolique du personnage, l'évêque de Cologne voit un *malfé* dans l'Escopart. Et le mot se rencontre par extension comme terme d'injure. Ici, en revanche, c'est la puissance prodigieuse du cheval qui fait soupçonner en lui un animal aux pouvoirs surnaturels, donc suspect de les devoir aux puissances infernales. On sait que Bayard, le cheval de Renaud de Montauban, autre monture exceptionnelle, était, selon la chanson de *Maugis d'Aigremont* (édition critique par Philippe Vernay, Berne, Francke, 1980, v. 668) le fils d'un dragon et d'une serpente. Comme lui, même si l'on ignore quelle est son origine, Arondel est, du moins aux yeux du roi d'Angleterre, en quelque sorte un cheval *faé*, un cheval

fée, un animal plus ou moins enchanté. Aussi bien est-ce la Sarrasine Josiane, elle-même magicienne experte, qui en a fait présent à Beuve.
2505-2506. Cet épisode n'a pas été raconté auparavant, comme le note Stimming.
2526. La réplique de Beuve n'est pas compréhensible si Soibaut ne lui a pas au préalable fait une remarque, que je reconstitue hypothétiquement. Stimming cite à ce propos la rédaction galloise : « Alors arriva Sabaot. "Seigneur, dit-il, tu as beaucoup dormi." »
2571. Le manuscrit porte *Lur homes trove mors*, mais le rapport que Soibaut fait à Beuve justifie un amendement. Il apparaît cependant que le corps a été apporté au palais, puisque le roi peut dire au vers 2578 qu'il le voit devant lui. Il y a sans doute un ou deux vers sautés, ici et aussi après le vers 2557, indiquant que plusieurs des compagnons du jeune homme ont subi le même sort, mais il est impossible de les restituer, et je suis l'amendement de Stimming pour donner un texte à peu près cohérent.
2591. La séparation entre les deux laisses est suspecte, d'une part à cause de la proximité dans cette partie du texte des assonances en /e/ et en /i/, d'autre part du fait qu'elle intervient dans le cours d'une réplique, et sans être marquée par un vers de conclusion dans la laisse précédente ni un vers d'intonation dans la suivante.
2617. Il faut ici considérer que le *e* final de *pere* n'est pas prononcé.
2621. Stimming corrige *defui* en *deservi* « mérité » en se fondant sur les versions galloise et norroise, et en expliquant qu'un ſ suivi de l'abréviation de *er* peut aisément se lire *f*. La leçon du texte est cependant acceptable si on comprend *defuir* au sens de « faire défaut à », « abandonner », d'où peut-être « manquer à ses devoirs (seigneuriaux) à l'égard de », « ne plus traiter avec la faveur légitimement attendue », cette phrase venant alors confirmer la précédente.
2622-2623. Stimming corrige le vers 2622 pour obtenir une assonance en /ã/ en écrivant *se est torné a tant*. Il n'est cependant pas exclu qu'il s'agisse ici du vers de conclusion de la laisse CLXIX rattaché par erreur à la suivante, et ce d'autant plus que le vers 2623 pourrait former un très bon vers d'intonation. Il faut en outre noter

que le dernier mot de ce vers sur le manuscrit est *coroné*. Si l'on peut légitimement soupçonner ce mot d'être un ajout destiné à prolonger l'assonance en /e/, du fait qu'il allonge excessivement le vers en donnant une expression inusitée, cela suggère néanmoins que la coupure entre les deux laisses n'était guère sensible pour le copiste.

2637. Stimming observe en note que le *mes* du vers suivant n'a de sens dans le manuscrit que s'il vient après un énoncé de sens opposé, et il propose d'ajouter *ben* en tête de la réplique de Beuve, amendement d'autant plus vraisemblable qu'un bourdon est possible à partir des abréviations successives de *Boves* et de *ben*.

2652. La ville de *Large*, que le trouvère situe apparemment en Angleterre, et sans doute dans les domaines précédemment possédés par Beuve, n'est pas autrement connue et demeure impossible à identifier.

2658. Sur ce revirement inattendu, voir l'introduction, p. 35-36. Alors que souvent, dans les chansons de geste, des traîtres chrétiens renient Dieu et se font païens, il est exceptionnel qu'un Sarrasin converti retourne à sa foi originelle ; on ne peut guère citer que l'exemple de Guichard dans la *Chanson de Guillaume*, le neveu de Guibourc, ellemême Sarrasine convertie lors de son mariage avec Guillaume d'Orange, lequel, blessé à mort en combattant ses anciens coreligionnaires, regrette de s'être converti et veut abjurer la foi chrétienne et retourner à Cordoue (v. 1196-1201).

2666. Stimming corrige *trovera* en *trovas* ; le futur peut néanmoins se justifier, en ce sens que l'Escopart n'a pas ramené Josiane avec lui, et devra donc repartir la chercher.

2677. « La famille Albini, possible commanditaire de *Boeve de Haumtone*, venait de Saint-Martin d'Aubigny ; aucune de leurs fondations religieuses n'a toutefois été dédiée à ce saint. Mais Roger de Montgoméry, précédent seigneur d'Arundel, était un des principaux bienfaiteurs de Séez, dont saint Martin était le saint patron » (note de J. Weiss).

2684. Stimming corrige la fin de ce vers en *nagent Boves e Terriz*, arguant d'une part que *le paleÿn* figure déjà au vers 2676, d'autre part que *paleÿn* ne convient pas pour l'assonance, et enfin que le sujet du vers suivant est pluriel. Outre que la nasalisation de /i/ n'a pas encore eu lieu au XIIIe siècle, la langue épique n'est avare ni de répétitions ni de ruptures syntaxiques, de sorte que, pas plus que la répétition de *paleÿn*, le passage du singulier au pluriel n'est en soi un motif d'amendement suffisant : en vers d'intonation, le nom de Beuve implique ses compagnons ; et, à la différence de ce qui se passe au vers 2878, que Stimming prend pour modèle, le pluriel qui suit ne désigne pas seulement Beuve et Thierry, mais aussi Josiane, comme on le voit au vers 2689.

2699-2700. Stimming intervertit ces deux vers, jugeant que la structure syntaxique en serait meilleure.

2702. Stimming corrige *may* en *ma* ; il est probable toutefois que *may* soit une graphie alternative pour *meie*.

2704. « On considérait au Moyen Âge, comme encore aujourd'hui, qu'il était indécent pour un homme d'être présent à la délivrance d'une femme » (note de Kölbing aux vers 3630 *sqq.* de la version anglaise).

2705. L'amendement de Stimming, *Alez vus en*, donne un meilleur texte et un doublon est effectivement possible ici, mais la leçon du manuscrit n'est pas absurde et peut donc être conservée.

2712-2713. Rime du même au même : il y a sans doute une erreur sur l'un de ces vers.

2715. Stimming indique en leçons rejetées : « le *manque* », sans préciser s'il s'agit du premier ou du second article. Par ailleurs il conserve *puns* et corrige *larres* en *larriz*.

2721. Stimming cite deux occurrences de *devenir* au sens d'« aller » chez Marie de France : *Bisclavret*, v. 27, et *Fables*, 53, v. 39. Si ce sens paraît en effet s'imposer dans le second cas (Marie de France, *Les Fables*, édition critique accompagnée d'une introduction, d'une traduction, de notes et d'un glossaire par Charles Brucker, Louvain, Peeters, Ktémata, 1991, p. 226-227), il ne semble pas nécessaire dans le premier (*Lais de Marie de France*, traduits, présentés et annotés par Laurence Harf-Lancner, texte édité par Karl Warnke, Paris, Librairie Générale Française, Livre de Poche, 1990, p. 118-119).

2725-2726. Stimming intervertit ces deux vers, ce qui donne certes un ordre plus logique, mais ne s'impose pas absolument.
2727-2728. On aurait sans doute une meilleure assonance avec l'expression courante *par ample païs* (cf. v. 2746) dans le premier de ces vers, et en substituant *revertiz* à *retornez* dans le second. Mais les timbres /e/ et /i/ ont trop tendance à se confondre dans cette partie du texte pour que l'amendement soit justifié.
2732-2742. Le rapport entre le songe de Soibaut et l'interprétation que lui en donne sa femme n'est pas absolument clair. Il comporte deux parties : la première est un songe proprement dit (un *somnium* selon le vocabulaire que les théoriciens médiévaux empruntent à Macrobe, *In somnium Scipionis*, I, 3, 8-9), qui apporte une information à travers des images énigmatiques, ici en recourant au symbolisme animal ordinaire dans les chansons de geste, et plus généralement dans la littérature médiévale ; la seconde donne une injonction tout à fait claire (c'est, toujours selon le même vocabulaire, un *oraculum*). C'est la première partie qui fait difficulté : on reconnaît bien les Sarrasins dans les cent lions, et plus nettement encore Josiane dans le cheval (cf. introduction, p. 46) ; mais rien ne permet de repérer d'où la dame tire l'information concernant les deux enfants. Le recours aux autres versions ne semble pas permettre d'y voir plus clair : la *saga* (dont je remercie Daniel W. Lacroix d'avoir bien voulu me fournir la traduction pour le présent passage) répète presque mot à mot le contenu du songe, sans néanmoins en fournir l'interprétation ; le *romance* moyen-anglais en revanche donne bien l'interprétation, mais limite le contenu à dire, selon les rédactions, Beves blessé ou attaqué par Ascaparde. Je n'ai pas eu accès sur ce point à la version galloise, mais il paraît peu probable que la coïncidence précise entre notre texte et celui de la *saga* pour le contenu du rêve autorise à supposer qu'il y aurait eu dans la source commune des indications plus détaillées, et que deux des versions dérivées les auraient escamotées indépendamment l'une de l'autre tout en restant si voisines sur l'évocation des cent lions et du cheval. Sur le rêve et sa symbolique, voir Herman Braet, *Le Songe dans la chanson de geste au XIIe siècle*, Gent, Romanica Gandensia, XV,

1975, p. 111-118 et 149-158 ; et Mireille Demaules, *La Corne et l'Ivoire. Étude sur le récit de rêve dans la littérature romanesque des XIIe et XIIIe siècles*, Paris, Champion, 2010, p. 28 et 36. Je note d'ailleurs que la signification symbolique du lion et du cheval est ici à l'opposé de celle qui leur est attribuée dans la littérature romanesque, totalement positive pour le premier (figure du Christ ou du roi guerrier : voir ci-dessus, note au vers 564) et négative pour le second (symbole d'orgueil et de vanité) : M. Demaules, *op. cit.*, p. 393-395 et 407-408.

2744. Il y a sans doute une lacune après ce vers pour évoquer les circonstances du voyage.

2751-2760. Dans la version anglaise, Saber est accompagné de douze chevaliers vêtus en pèlerins, dans la *saga* de neuf ou onze : faut-il penser que, sur ce point aussi, le manuscrit est défaillant ? Peut-on supposer que ses compatriotes se trouvaient fortuitement avec lui dans le lieu saint ? Quoi qu'il en soit, le texte suggère que Soibaut et les pèlerins retrouvent Josiane non loin de Saint-Gilles, donc alors que les Sarrasins la conduisent vers Monbrant. L'intervention de la population aux vers 2769-2770 semble confirmer que les choses se passent en terre chrétienne, mais la fin de la laisse, où Josiane doit changer son apparence pour se déplacer, n'est alors plus guère compréhensible. Dans la version anglaise (v. 3861-3881), c'est dans le château du roi Yvore que Saber et ses compagnons vont la délivrer.

2783. Abreford apparaissant par la suite comme la capitale du royaume d'Hermin, il faut supposer que Soibaut tombe malade avant d'y arriver.

2785. Le motif de la femme déguisée en homme pour éviter les dangers ou contourner les obstacles auxquels elle est confrontée est largement attesté dans la tradition populaire. On le rencontre à plusieurs reprises chez Jacques de Voragine, où il s'agit régulièrement d'une jeune fille admise dans un monastère sous une apparence et un nom masculins, et qui se voit ensuite accusée de viol ou d'adultère (*La Légende dorée*, *op. cit.*, p. 427-428, « Sainte Marine, vierge » ; p. 749-752, sainte Eugénie, dans « Saints Prote et

Hyacinthe » ; p. 837-838, « Sainte Marguerite, appelée Pélage »). Ici, c'est au contraire pour la protéger des désirs masculins que Soibaut fait déguiser Josiane en homme, situation qu'on retrouvera dans *Lion de Bourges* (édition critique par William W. Kibler, Jean-Louis G. Picherit et Thelma S. Fenster, Genève, Droz, 1980, v. 666-671) avec Alis à la cour du roi de Tolède, ou encore dans *Tristan de Nanteuil* (édition critique par Keith V. Sinclair, Assen, Van Gorcum, 1971, v. 12801-12818) avec Blanchandine échappant au pouvoir de son père en armure de chevalier et bientôt combattant comme tel, et qui l'une comme l'autre suscitent l'amour des princesses auprès desquelles elles se trouvent. Les fabliaux jouent aussi sur ce motif, mais en le parodiant, soit qu'un cordelier fasse déguiser une jeune fille en moine pour pouvoir plus aisément profiter d'elle (Rutebeuf, *Frère Denise*, dans le *Nouveau Recueil complet des fabliaux*, édité par Willem Noomen et Nico van den Boogaard, Assen et Maastricht, Van Gorcum, t. VI, 1991, p. 1-23), soit qu'une femme se déguise en chevalier pour terroriser son mari poltron et le tromper à son aise (Guérin, *Bérenger au long cul*, *Ibid.*, t. IV, 1988, p. 245-277). La littérature ultérieure ne sera pas en reste, d'abord avec les héroïnes guerrières de l'Arioste et du Tasse, puis avec Shakespeare (*La Nuit des rois*), Honoré d'Urfé (*L'Astrée*) – et plus récemment, dans un nouveau contexte, celui d'un père qui, n'ayant eu que des filles, décide de faire passer la dernière pour un garçon, avec *L'Enfant de Sable* de Tahar Ben Jelloun (Paris, Seuil, 1985). Ce qui fait ici l'originalité du traitement appliqué à ce motif, c'est que Josiane choisit de se faire jongleur pour chanter les exploits de Beuve, retrouvant ainsi un élément du conte 938, le récit par l'un ou l'autre des membres de la famille de leurs tribulations communes, sans toutefois le traiter à fond, puisque la reconnaissance s'opérera dans d'autres circonstances : voir l'introduction, p. 27-28. En revanche, dans *Aucassin et Nicolette* (édition et traduction par Jean Dufournet, Paris, Garnier-Flammarion, 1984, 1e édition 1973, XXVIII-XXIX), qui s'inspire vraisemblablement de notre chanson, c'est bien en chantant l'histoire de son amour et de ses aventures avec Aucassin que Nicolette se fait reconnaître de celui-ci.

2809. Autre motif du conte de la famille séparée, voir également introduction, p. 27-28.
2812-2813. Stimming ponctue autrement, et attribue le vers 2812 au narrateur. Le sens est alors : « Il [le forestier] le porte aussitôt à l'église, et il [Beuve] le recommande à Dieu, puis tous deux reprennent la route. »
2819. Voir la note au vers 719.
2835. Il doit ici manquer un ou peut-être deux vers, dont le sens, selon Stimming, qui s'appuie sur les versions galloise et norroise, était « si Beuve n'était pas fortuitement arrivé » ou « si ce secours n'était pas arrivé » ; je choisis de compléter la traduction en tenant compte de l'adverbe *isci* « ainsi » du vers suivant.
2845. Comme Armiger au vers 2841, la *pucele* ne fait l'objet d'aucune présentation, ce qui confirme l'hypothèse d'une lacune dans les vers qui précèdent.
2846. L'amendement de Stimming est *turnez*, mais une mélecture à partir d'*errez* me paraît plus vraisemblable.
2860-2865. Ce passage rappelle les vers 724-751, et souligne le parallèle qui s'établit ici entre la déclaration de la demoiselle et celle de Josiane.
2866. La brusquerie de l'enchaînement entre les deux laisses fait suspecter une lacune de quelques vers.
2877. Sans doute gênée par le sens généralement défavorable de *losenge/losengier*, J. Weiss conserve la leçon du manuscrit, *pur defere losoenge*, qu'elle traduit « *to deflect slander* » « pour détourner la calomnie », apparemment sans tenir compte de l'assonance, qui suppose *losoengé*. L'amendement de Stimming me paraît le seul moyen de la conserver, à condition de prendre le mot dans son sens originel favorable.
2878. Stimming lit *out... parlé*, mais la confusion entre *u* et *n* est si fréquente dans les manuscrits, et selon toute apparence dans D, qu'il convient plutôt de restituer le tour plus courant *ont... parlé*.
2887. Stimming propose en note d'ajouter *meis* en se fondant sur le témoignage de la version galloise. Je reprends cette suggestion, qui

est en cohérence avec le vers 2789, selon lequel la maladie de Soibaut a duré sept ans et trois mois.
2888-2891. Le vers 2888 a été précocement placé après la première partie de la réplique de la dame, qui marquait déjà l'accord avec Beuve, sans tenir compte des trois vers suivants. Stimming rétablit justement l'ordre logique. Il amende d'autre part la répétition de *parole* en écrivant *la tenson est finé*, mais comme le texte est alors compréhensible, je préfère le conserver faute de témoin sûr pour corriger.
2896. Stimming comprend *sené* comme étant le nom de l'évêque.
2916-2917. Stimming propose de remplacer *aprés* par *as sons*. Il semble toutefois possible de comprendre *aler aprés* au sens de « poursuivre », d'où « aller chercher, aller voir », et donc de voir dans *la noise* le complément des deux verbes.
2948. Le haubert *jacerant* était en fait constitué d'écailles de métal fixées sur une tunique généralement faite de cuir plutôt que de mailles cousues de la même manière, ou tout au moins d'un assemblage de mailles et d'écailles de métal.
2955. Stimming corrige ce vers en remplaçant *n'e* par *n'out*. Il est cependant vraisemblable que *e* représente ici le subjonctif présent P3 d'*aveir*, et que ce vers constitue une proposition exceptive.
2958-2959. Les deux fins identiques dénoncent une faute de copie, au demeurant impossible à amender.
2963-2964. La réponse de Josiane incite Stimming à faire du vers 2963 une affirmation. On peut néanmoins le comprendre comme une interrogation rhétorique et garder la leçon du manuscrit.
2976. Le vers est intelligible tel quel, et n'autorise donc pas un amendement de *avez* en *amez*, qui donnerait néanmoins un texte meilleur.
2980. Stimming corrige *demandent* en *demand*. Le pluriel peut néanmoins s'expliquer par l'accord *ad sensum* avec *meyné*.
2996. Stimming met ce vers entre guillemets et supprime *ou*, supposant ainsi qu'il s'agit d'une réponse en discours direct de Soibaut dont la fin manquerait. La relative raideur de la transition peut certes faire penser qu'un vers ait été sauté, mais elle n'est pas

sans exemples dans d'autres chansons de geste, et le passage se comprend fort bien sans amendement.
3033. Stimming conserve le verbe *juer*, qui ne convient guère au contexte, puisque les deux vers suivants montrent clairement que, selon l'usage, les deux enfants sont allés se livrer à une joute, un combat amical, et non à des jeux puérils : voir aussi v. 3345-3359, cette fois après leur adoubement et le couronnement de Guy. Il s'agit de montrer l'excellence de l'éducation qu'ils ont reçue de leurs pères nourriciers, apparemment fort éloignés du monde chevaleresque : bien servir à table, lutter avec force et vaillance, et enfin, comme on le voit aux vers 3036-3037, jouer aux échecs et montrer ainsi des compétences de chefs militaires.
3041. Voir la note au vers 1358.
3049. Voir la note au vers 1528.
3073. On attendrait en principe après ce vers une réplique d'Hermin, sauf à supposer que *le* est une erreur de copie, et donc que le sujet de *veit* est le messager. Le texte restant toutefois clair, il n'est pas impératif de corriger.
3078. Le Dieu qu'invoque ici Hermin est bel et bien celui des chrétiens. Il faut, soit que le poète ait oublié les origines sarrasines de Josiane, soit que, pour l'auteur de ce passage, la conversion de la fille ait *ipso facto* impliqué celle du père et de tout son pays ; dans un cas comme dans l'autre, il y a là une incohérence qui confirme l'intervention d'un nouveau trouvère dans cette partie. On notera d'ailleurs que le successeur du roi Hermin, lequel était originellement présenté comme roi d'Égypte, est appelé au vers 3529 *roi de Hermins*, rejoignant ici la version anglaise, où Ermin est roi d'*Ermonie*. Voir à ce sujet l'introduction, p. 34-35. Cf. aussi vers 3744.
3081. Stimming, suivant la version norroise, place ce vers après la réplique d'Hermin. Si cet ordre semble *a priori* plus logique, celui du manuscrit n'est cependant pas absurde et peut donc être conservé.
3101. Le sens de ce vers est peu satisfaisant ; il signifie mot à mot : « elle compose trois lais puis se repose » ; J. Weiss traduit : « *and composed three lays before ceasing* » « et compose trois lais avant de s'arrêter », ce qui ne vaut guère mieux. J'essaie de suggérer, sans

rien ajouter explicitement au texte, qu'il s'agit de se reposer des fatigues du voyage. Le lai est un genre littéraire d'origine celtique, dont les premiers exemples en langue française sont ceux de Marie de France, composés en anglo-normand, sans doute autour de 1170. Il s'agit à cette époque de contes assez brefs en couplets d'octosyllabes, chantés ou tout au moins accompagnés à la rote, c'est-à-dire avec une sorte de violon ou de vielle à archet. Ils sont le plus souvent d'inspiration courtoise et racontent des histoires d'amour faisant largement appel au merveilleux, et on peut penser que ceux que compose Josiane sont inspirés de ses amours avec Beuve. Si enfin il y a un instrument de musique dans sa chambre, c'est bien que, comme l'indique le texte anglais aux vers 3905-3906, elle a appris la musique avant son mariage. La paronymie entre *Ermonie*, nom du pays d'Hermin dans cette version, et *harmony* n'y est sans doute pas fortuite.

3111. Ce vers répète le vers 3104 : cliché stéréotypé ou doublon ?

3112-3113. L'annonce par Hermin des honneurs qu'il réserve à ses petits-enfants a en même temps valeur de prolepse pour le public, une telle promesse ne pouvant pas ne pas être suivie d'effet. Voir la note au vers 652.

3122. Le motif de l'espion, qui se répète au vers 3180, se rencontre en termes voisins dans *Renaut de Montauban*, éd. cit., v. 5472, lorsque Charlemagne prend la décision de mettre le siège devant Montauban : *Laienz out .I. espie qui fu né de Gascoigne, Renaut l'i envoia por savoir la besoigne*.

3158. C'est ici Yvori qui fait de l'anglais Beuve un *françois*, ce qui pourrait éventuellement se comprendre de la part d'un Sarrasin ; mais au vers 3614, tous les chrétiens vont être appelés *françois*, sans doute par stéréotypie épique. Citant Ian Short, « *Tam Angli quam Franci* : Self-definition in Anglo-Norman England », *Anglo-Norman Studies*, 18 (1995), p. 153-175, J. Weiss suggère en note que cette désignation des Anglais, ou tout au moins des Normands d'Angleterre, aurait pu ne pas être isolée ; il ressort néanmoins de cet article que l'emploi de *françois* dans ce sens n'a pas dépassé le milieu du XIIe siècle. Ne faudrait-il pas plutôt penser que *françois* soit, dans les mêmes conditions que dans les *Gesta Dei per Francos* de Guibert de Nogent, un terme générique servant à désigner, indépendamment de leur nationalité, les chrétiens qui combattent les infidèles ? Quoi qu'il en soit, dans les versions continentales, Beuve tendra à devenir de plus en plus français, et, dans les dernières, Charles Martel apparaîtra comme une sorte de protecteur d'une Angleterre incapable de se trouver un roi.

3175. Il manque sans doute un vers puisque le sujet est ici Beuve et non plus Hermin.

3223-3225. Il y a eu ici une suite d'erreurs. Le vers 3223, dans sa forme originelle, a pu se trouver après un autre évoquant les attaquants, mais qui a disparu ; et, après le vers 3225, un vers commençant par *E Terri l'entendit* ou une formule analogue est indispensable. On peut supposer un saut du même au même entre ces deux vers, mais cela n'explique pas tout. Compte tenu de la confusion de l'ensemble, je suis l'amendement de Stimming, qui pose quant à lui une erreur de lecture sur *l'entendit*, dont le copiste aurait fait *les condust*, d'où le déplacement du vers. Notons que le copiste utilise ici exceptionnellement pour le maître de Beuve la forme *Saber*, qui est celle de la version anglaise : ne faut-il pas soupçonner ici une autre faute de copie, dans la mesure où le vers 3223 suppose un seul sujet, qui semble alors être *Terri*, *Saber* résultant d'une confusion avec un autre mot (Stimming propose *e (si) sortit li barons*) ?

3224. Le texte du manuscrit, *Il vint de Arabie turs e dongons*, pourrait à la rigueur se comprendre « Il venait d'Arabie, de ses tours et de ses donjons », mais la brachylogie que cela suppose est particulièrement raide, et le sens peu satisfaisant. Plutôt que de suivre Stimming, qui remplace *vint* par *out*, je préfère ne changer qu'une lettre, qui permet, avec *tint*, de recourir à un verbe plus courant pour évoquer la propriété féodale : voir par exemple *Roland*, v. 1915, *Ki tint Kartagene, Alfrere, Garmalie*.

3250. Ce vers répète le vers 3246 : cliché stéréotypé ou doublon ? voir la note au vers 3111.

3258. Ce vers est visiblement corrompu, et je reprends l'amendement de Stimming qui donne un sens satisfaisant, en substituant simplement le présent *ferent* au passé *ferirent*, pour obtenir un hémistiche plus exact. On pourrait toutefois conserver *Boves* et substituer *returnent* à *ferent* en observant que Beuve s'est éloigné de la mêlée pour envoyer Yvori à Hermin et Josiane, et doit donc ensuite revenir au combat, si les chansons de geste ne nous avaient pas habitués à une narration moins elliptique des faits et gestes de leurs protagonistes.
3263-3264. Stimming intervertit ces deux vers sur le modèle des versions galloise et norroise, ce qui aboutit à une rime du même au même. Le texte du manuscrit donne cependant un sens tout à fait satisfaisant.
3284-3286. Stimming corrige l'assonance de ces trois vers en remplaçant *i* par *é*. La confusion entre les deux timbres est néanmoins assez fréquente (voir les vers 2590, 2641, 2777-2778, 3041, et plus largement la laisse CLXXV) pour qu'on conserve intacte la leçon du manuscrit. La coupe avec la laisse précédente en apparaît d'autant plus douteuse, comme le souligne le fait que le vers 3284 n'a rien du vers d'intonation attendu en début de laisse.
3289. Stimming trouve les ours dans la version galloise ; voir aussi *Roland*, v. 30, 128 et 183 ; il note le mot *urs* comme dans *Roland*, mais je préfère lui donner la forme qu'il a au vers 1494. La liste de la rançon s'inspire largement ici du modèle canonique des « offres de présents » : cf. J.-P. Martin, *Les Motifs*, *op. cit.*, p. 268-291.
3291-3292. Ces deux vers seraient mieux à leur place après les hanaps du vers 3288, mais ces sortes d'énumérations sont de vrais pièges à copiste, et mieux vaut conserver celle-ci sans trop la bousculer. Je corrige néanmoins le premier mot du vers 3291, qui résulte très certainement d'un bourdon causé par la structure du vers précédent. Dans de pareilles listes les chiffres portent sur les objets ou sur les bêtes de somme, non sur les deux à la fois.
3293-3295. Ici l'interversion des vers est évidente, et je suis l'amendement de Stimming.

3311-3312. L'interversion de ces deux vers, proposée par Stimming, ne s'impose pas.
3337. Stimming rejette ici une leçon *S si en fist*, qu'il corrige en écrivant *E si en fist* : il est probable que, comme aux vers 624 et 973, il a redoublé l'initiale dans sa transcription : voir l'introduction, p. 11.
3338. Le nombre des évêques manque. Stimming met le chiffre *.XII.* devant *eveskes*.
3341. Sur la religion du roi Hermin, cf. vers 3078.
3349. Stimming corrige *ce* en *nus* et obtient ainsi une construction infinitive régulière, mais on ne peut exclure l'emploi du démonstratif pour annoncer un infinitif.
3362. Il doit ici manquer quelques vers rapportant l'accueil du père à ses fils et le passage à table.
3365-3366. Le délai paraît court, puisque Soibaut a quitté sa femme à l'époque de l'accouchement de Josiane, et que les deux enfants viennent d'être adoubés. Comme souvent, il faut voir dans ce chiffre une indication symbolique et non une mesure réelle de durée.
3377-3378. Ces deux vers font difficulté, d'autant plus qu'ils laissent entendre que Soibaut va *a Terri* : d'une part il n'a pas été dit que Thierry soit déjà retourné à Civile, et d'autre part on ne voit pas pourquoi Soibaut passe par chez lui sans rien lui dire. Faut-il voir dans Civile un port de mer où Soibaut doit passer pour traverser la mer, et supposer que, son fils étant encore auprès de Beuve, il ne peut évidemment pas s'entretenir avec lui ? Plutôt que de chercher des explications dans une hypothétique réalité géographique, mieux vaut sans doute penser que l'espace imaginaire du poète résulte du caractère linéaire de la narration, et se caractérise lui aussi par une certaine linéarité : dès lors que Civile s'est trouvée, dans l'itinéraire de Beuve et Thierry, entre l'Angleterre et l'Arménie, elle devient un lieu de passage obligé pour le retour de l'Arménie à l'Angleterre.
3382. *L'arbre grant* de Saint-Gilles est par ailleurs inconnu.
3401-3404. Nouvelle interversion vraisemblable : même au sens de « fabriquer », le verbe *forger* s'applique mieux aux anneaux et à la coupe qu'au manteau ; cf. les vers 3372-3373.
3426-3427. Il faut qu'Arondel soit sous l'effet d'un enchantement pour accepter de se laisser emmener, puisque jusque-là seul Beuve

pouvait l'approcher. Et apparemment l'enchantement durera jusqu'à ce qu'il voie arriver Soibaut, sinon on comprendrait mal comment un simple garçon d'écurie pourrait le conduire jusqu'à la rivière au vers 3456. Le vers 3477 laisse même entendre qu'il est resté assez longtemps chez Yvori pour y avoir eu un fils en état d'être monté.
3440. Nouveau *somnium*, toujours interprété par la femme de Soibaut. Voir la note aux vers 2732-2742.
3445. Voir la note au vers 1426.
3448-3449. Ces deux vers étaient intervertis dans le manuscrit.
3461-3462. La rime du même au même laisse supposer une erreur de copie impossible à corriger.
3468-3469. L'absence de sujet au vers 3468 suggère que les deux vers étaient intervertis dans le manuscrit.
3480. Le dernier mot du vers manque. Stimming ajoute *mandement*. Les témoins indiquent seulement qu'elle se trouve dans un lieu élevé du palais. On pourrait tout aussi bien écrire par exemple *Josian esteit en paleis en estant*.
3485. *Arabi par cent* pourrait bien être une faute de copie pour *Arabi et Persant*, formule courante dans les chansons de geste.
3492-3501. Le passage est confus et le scribe semble s'y être quelque peu perdu. Stimming lui consacre une longue note pour savoir quel est le sujet de chaque verbe, en supposant que le vainqueur de Fabur est Soibaut, et que le remanieur a oublié qu'il n'était armé que d'un bâton de pèlerin. Il semble plus vraisemblable de penser que, puisque les exploits suivants sont le fait de Miles puis du fils de Thierry, il vaut mieux que Fabur soit tué par Gui – ce qui apparaît plus nettement si on suppose une faute de copie sur le premier mot du vers 3499, une abréviation *S.* du modèle ayant été lue *si*. Par ailleurs, il y a vraisemblablement lieu de lire *hante* plutôt que *lance* au vers 3494 (erreur sur *l'ante* ?). Et plutôt que de remplacer *escu* par *elme* au vers 3495 sous l'influence de *buche*, ce qui suggère ensuite un combat à la lance sans adversaires identifiables, c'est *buche* qu'il convient de corriger en *bucle* au vers suivant, le combat retrouvant dans ces conditions la structure normale d'un affrontement à la lance. La seule difficulté subsistant concerne la succession des vers 3494-3495 : il convient sans doute de restituer *Gui* en tête du second, en

supposant la confusion entre *G.* et *E*, transcrit ⁊ (abréviation pour *e/et*) par le copiste.
3493. Je comprends *feri* comme un subjonctif imparfait exprimant l'imminence contrecarrée.
3510. Stimming ajoute *e Miles*, ce qui ne paraît pas indispensable et allonge excessivement le vers : Guy étant roi, son nom suffit à impliquer l'ensemble des autres, y compris son frère et le jeune Beuve, fils de Thierry, avec lequel les jumeaux forment ici un trio de héros. La mention de *lur père e lur mere* au vers 3512 ne suffit pas à légitimer cet ajout.
3507. Ce vers n'était visiblement pas à sa place dans le manuscrit. Comme le suggère Stimming, je le repousse après le vers 3511.
3529. Sur le passage de l'Égypte à l'Arménie, voir l'introduction, p. 34-35. Il exista au Moyen Âge deux royaumes d'Arménie, la Grande Arménie, dans le Caucase et l'Est de la Turquie actuelle, alternativement vassale de l'Empire byzantin et du Califat de Bagdad, tombée à partir du XIe siècle sous la domination des Turcs seldjoukides, et la Petite Arménie, en Cilicie, autour d'Adana et jusqu'à Édesse (aujourd'hui Sanliurfa, en Turquie, à proximité de la frontière syrienne), au voisinage d'Antioche, royaume fondé en 1180 par des émigrants ayant fui leur région d'origine suite aux invasions seldjoukides, et ayant poursuivi à partir de ce nouveau bastion leur résistance à l'invasion. Dès la Première Croisade, les rois de la Petite Arménie firent alliance avec les Croisés et leur fournirent un appui humain et militaire considérable. Ayant réussi à devenir maître d'Édesse, Baudouin de Boulogne, frère de Godefroi de Bouillon et son successeur sur le trône de Jérusalem, épousa une princesse arménienne ; nombre de chefs croisés l'imitèrent, et, faute d'une immigration occidentale suffisante, les Arméniens constituèrent une large partie de la population chrétienne du royaume de Jérusalem.
3561. À la différence de ce qui se passe dans nombre de chansons de geste, il semble difficile d'interpréter les noms donnés dans *Beuve* aux Sarrasins. Judas est toutefois une exception, dont le nom vient souligner son appartenance aux ennemis de Dieu. Dans *La Prise de*

Cordres et de Sebille, le roi sarrasin de cette dernière ville s'appelle aussi Judas.
3564-3565. L'opposition entre ces deux vers appellerait sans doute une coordination par *e* pour souligner la thématisation de *jeo* comme au vers 3571.
3580. Stimming corrige *tendrent* en *tindrent*, ce qui invite à comprendre « se tinrent la main ». Je préfère cependant suivre J. Weiss, qui traduit *they extented their hands* « ils tendirent la main », ce qui invite à interpréter ce geste comme constituant de leur part un engagement sous serment de combattre loyalement, comme le confirme le second hémistiche. La main tendue ou levée est effectivement attestée comme geste de serment à l'époque du texte : voir Jean-Claude Schmitt, *La Raison des gestes dans l'Occident médiéval*, Paris, Gallimard, 1990, p. 99-100 notamment. Autre conséquence : il faut dès lors considérer *tendrent* comme une forme du verbe *tendre*, ce qui pourrait appeler un amendement, soit en *tendent* (IP6), soit en *tendirent* ou *tenderent* (PS6 : *cf. fererent*, *sailerent*, *saiserent*, *tolerent* ou *oierent*). Dans l'incertitude, je conserve la leçon du texte, qui peut aussi résulter d'un choix délibéré.
3586. Stimming lit la leçon du manuscrit *burnez* et l'interprète comme une forme de *brunez*, *bruni* « poli, lustré », terme qui ne s'applique ailleurs qu'aux armes. Compte tenu de la fréquente confusion entre *n* et *u* dans la pratique du scribe, il me semble aussi légitime de lire *buruez* et d'y voir une forme de *bruvé*, allomorphe d'*abruvé*, qualificatif appliqué à deux reprises à Arondel.
3596. La leçon du manuscrit, *kant le chival le sent*, est absurde, et peut s'expliquer par une mélecture de *fent*, d'où l'amendement. Une autre solution serait *chet*, formellement plus éloigné de *sent* cependant, et que répèterait *chaï* à la fin du vers.
3604. La leçon du manuscrit, *corn de françois*, n'a pas de sens, et l'amendement de Stimming, *tor françois*, expression très fréquente dans les chansons de geste, semble effectivement légitime, bien qu'elle ne semble guère à sa place ici puisque les deux adversaires combattent à pied. Le *tor françois* consiste en effet, pour le chevalier qui vient de charger son adversaire et de le croiser, à faire faire une

rapide volte-face à sa monture pour revenir attaquer en sens inverse. Il faut donc supposer que le poète recourt ici à un cliché épique courant sans tenir compte du sens exact de l'expression. L'hypothèse de J. Weiss, trad. cit., p. 91, qui suppose que Beuve serait remonté à cheval sans que le texte l'ait indiqué, n'est pas acceptable, puisqu'il ne rejoint son cheval que six vers plus loin ; elle impliquerait d'ailleurs de la part du héros, face à un adversaire à pied, un comportement peu conforme à l'éthique chevaleresque.
3607. Le sujet de *veient* manque. Stimming propose *paien*, mais on pourrait tout aussi bien écrire *Sarzinis* ou *li son* (cf. 3504).
3626-3627. Ces deux vers sont doublement suspects. D'abord à cause de la rime du même au même, et j'adopte sur ce point l'amendement de Stimming qui remplace *aver* par *armer* au vers 3627 ; je conserve en revanche l'ordre des mots, sans faire comme lui passer *Monbrant* et *covent* en fin de vers, le changement de rime pour deux vers s'étant déjà rencontré aux laisses XC, CX et CXXIII : voir la note aux v. 846-847 et 1514, et les vers 1182-1183. Toutefois le vers 3626 n'a guère l'allure d'un vers d'intonation, ce qui suggère que la coupe pourrait être située deux vers plus loin, le vers 3628, où se situe dans le manuscrit le changement d'assonance, convenant nettement mieux en ouverture de laisse.
3640. *S'* représente ici l'adverbe *si*.
3641. Ils n'étaient que quinze mille cinq vers plus haut : hyperbole, ou confusion du scribe entre *.XV.* et *.XX.* ?
3646. Le choix imposé aux Sarrasins par les conquérants chrétiens entre la conversion et la mort est un motif régulier des chansons de geste : c'est ce qu'on lit dans la *Chanson de Roland* après la prise de Sarragosse, où les évêques, sur l'ordre de Charlemagne, *Meinent paien entresqu'al baptistirie. S'or i ad cel qui Carle cuntredie, Il le fait pendre o ardeir ou ocire* (v. 3668-3670). Dans l'épopée, la plupart des survivants choisissent évidemment la conversion. Plus qu'à un idéal, cela renvoie à un imaginaire de la Croisade, dont la réalité, lors de la conquête d'Antioche et de Jérusalem notamment, fut plutôt celle du massacre systématique des habitants sans distinction de sexe, d'âge, ni même de religion. Le chroniqueur Raimond

d'Aguilers raconte notamment que, lors de la prise de la Ville Sainte, « dans le Temple et dans le Portique de Salomon les chevaux marchaient dans le sang jusqu'aux genoux et jusqu'à la bride » (cité par Paul Alphandéry et Alphonse Dupront, *La Chrétienté et l'idée de Croisade*, Paris, Albin Michel, 1995 [1954-1959], p. 123). Dans la vision eschatologique qui présidait à la Croisade, les ennemis de Dieu devaient disparaître de la surface de la terre, à commencer par les Juifs, considérés globalement comme responsables de la mort du Christ, et que, pour le venger, les foules conduites par Pierre l'Ermite commencèrent à massacrer dès leur traversée de Mayence (*Ibid.*, p. 74-75). Voir aussi Amin Maalouf, *Les Croisades vues par les Arabes*, Paris, Jean-Claude Lattès, 1983. Si l'idéal de la Croisade était dans un pèlerinage de purification et d'imitation du Christ par le choix de la pauvreté, de la souffrance et de la mort à Jérusalem, impliquant la libération des Lieux Saints, sa réalité fut celle d'une violence meurtrière et d'une barbarie allant jusqu'à des actes d'anthropophagie lors du siège d'Antioche et du sac de Maarra, qui ne furent pas pour rien dans la terreur des populations locales qui choisirent souvent de se rendre en offrant des rançons considérables dès l'apparition des guerriers chrétiens. Sur la conception des Juifs et des Sarrasins comme continuateurs des persécutions subies par Jésus et les martyrs, voir P. Rousset, « La Conception de l'histoire à l'époque féodale », dans *Mélanges d'histoire du Moyen Âge dédiés à la mémoire de Louis Halphen*, Paris, PUF, 1951, p. 630-631 ; et J.-P. Martin, « Les Sarrasins, l'idolâtrie... », art. cit.
3667. Le pelage du chien, roux comme la chevelure de Judas dans la tradition médiévale, est à elle seule le signe, aux yeux des chrétiens, de l'imposture de la religion sarrasine et de ses dieux, à commencer par Mahomet. Voir à ce sujet la note au vers 916.
3672. Comme souvent, les chiffres sont incertains. *Treis amirals* ont été capturés au vers 3623 ; il y a maintenant *.IIII. amirant*, et l'article défini ne laisse aucun doute sur l'identité entre les deux groupes : faute de copie ou distraction du poète ?
3680-3681. Stimming intervertit ces vers en s'appuyant sur les versions galloise et norroise. Cela peut se justifier en supposant un saut du même au même sur *bien*. La leçon du manuscrit n'est

toutefois pas absurde, si on veut bien comprendre que l'évêque consacre quatre mois à prêcher dans la ville pour en convertir les habitants, le temps passé à cette prédication expliquant le *tant* du vers 3682.

3687-3688. Stimming corrige *sont* en *est*, puisque seul le pape a été mentionné auparavant. On peut toutefois conserver le texte si on considère que le sujet se trouve au vers suivant. Sans doute les enjambements sont-ils rares dans les chansons de geste, mais celui-ci demeure dans les limites du possible.

3690. Le mot *pape* est régulièrement féminin en ancien français ; cf. *patriarc*, v. 1347.

3691-3692. La répétition de *grant* à la rime est acceptable dans la mesure où le mot, nom dans le premier vers et adjectif dans le second, peut ne pas être considéré comme exactement le même.

3705. Après ce vers, la version anglaise (v. 4267-4268) donne : *And sire Saber in haste tho Tok leue of Beues, hom to go* « Alors Saber demanda aussitôt congé à Beuve afin de rentrer chez lui », précision nécessaire pour justifier la réponse de Beuve au vers suivant. C'est aussi l'opinion de Stimming, mais son absence dans les versions norroise et galloise lui fait supposer une disparition précoce.

3753. En soi la leçon du manuscrit, *unt del mariage contés*, n'est pas absurde, mais d'une part elle fait double emploi avec le vers 3757, et d'autre part elle implique que le roi du vers 3754 n'est pas Beuve, mais par conséquent Gui (comme l'indique J. Weiss dans sa traduction, en note au vers 3728), alors que celui-ci ne joue aucun rôle notable dans la négociation. La confusion entre *vunt* et *unt* est enfin assez fréquente pour autoriser l'amendement.

3763. Le dernier mot du vers manque. Stimming ajoute *conreez*, mais propose aussi en note *atornez* ou *armez*.

3781-3782. Stimming intervertit ces deux vers. Je garde néanmoins l'ordre du manuscrit, qui oppose visiblement le sort de l'âme à celui du corps.

3784. Voir la note aux vers 2465-2466.

3814. Stimming met au pluriel *vostre riche cassement* (faudrait-il lire *nostre*, comme suggéré par le v. 3817 ? Josiane utilise plutôt le singulier parce que les biens de Beuve résultent de ses seules conquêtes, mais Beuve ensuite l'associe à leur possession) pour l'accorder avec le pluriel de *lur* au vers suivant. Outre que l'accord inverse serait possible et justifié par le retour au singulier du vers 3817, le passage d'un singulier à sens global à un pluriel en quelque sorte distributif (et *vice versa*) peut s'expliquer par un accord *ad sensum* implicite.

3836. La mort de Beuve et Josiane fait penser à celle de Tristan et Iseut, et à ce titre paraît moins épique que romanesque. Mais on peut évoquer aussi, dans une chanson de geste, il est vrai fortement marquée d'hagiographie, la fin d'Ami et Amile (*Ami et Amile*, chanson de geste publiée par Peter F. Dembowski, Paris, Champion, CFMA, 1969, v. 3495-3498), deux héros liés par une ressemblance et une amitié si fortes qu'ils ne peuvent que périr ensemble et de la même mort. C'est plutôt toutefois à la légende de saint Eustache, et plus généralement au conte populaire qui a servi de matrice à cette dernière partie qu'il convient d'attribuer cette fin : l'histoire est terminée, l'avenir des enfants est assuré, les héros ont atteint le terme de leur parcours. Dans la légende de saint Eustache, toute la famille est ensemble livrée au martyre, et donc à la gloire éternelle ; dans une chanson de geste où la gloire des héros est dans les honneurs du siècle, les enfants assurent la succession des parents à la tête des royaumes qu'ils ont conquis. Mais le cheval, partenaire du couple depuis l'origine de leur amour, meurt en même temps que les époux. Cette mort est moins une mort d'amour que la mort du récit.

3850. Toujours à l'image de la performance orale, la chanson s'achève par le retour au devant de la scène du jongleur et de son public, comme elle s'était ouverte par leur évocation mutuelle. Ayant continuellement commenté l'histoire qu'il racontait, le jongleur indique explicitement qu'elle est achevée, qu'on revient donc dans le présent, dans une situation d'énonciation que caractérisent par conséquent des rapports d'ordre économique entre lui et ceux qui l'ont écouté. Comme le précédent appel aux deniers de l'auditoire aux vers 434-436, cette dernière laisse contribue à l'effet de réel, non de l'histoire racontée, mais du discours qui la rapporte.

VARIANTES

Compte tenu de la faible quantité de texte concerné, il a paru souhaitable d'établir un relevé très détaillé, en n'excluant que les variantes graphiques ou consistant en un monosyllabe grammatical ne changeant rien au sens. Les majuscules transcrivent les initiales de vers, un mot non abrégé terminant une variante correspond à une fin de vers. J'ai conservé les transcriptions de Stimming pour D même en cas de confusion vraisemblable entre *c* et *t* ou *n* et *u*, mais en ajoutant un point d'interrogation entre parenthèses. Je reprends de même les transcriptions de Judith Weiss pour G[1], avec les crochets indiquant si nécessaire ses propres ajouts, les parenthèses pour ses conjectures ou les points pour les lettres indéchiffrables.

Variantes de D pour les vers 912-1268

912, Il wnt prendre m*u*lt estreytement. – 913 *manque*. – 914, A son c. pendunt un kartayne p. – 915 *manque*. – 918, f. pendu endreit present. – 919, a. peyne *e* turment. – 920, m. p*re*son des ore en a. – 921, .XXX. tens de p. – 922, a. la ren de v. – 923, c. piles de a. – 924, q. de payn le jur s. – 925, o. petré malement. – 926, o. frez ton comandement. – 927, m. covent soffrer ke v. – 928, B. ceo d. b. ore v*us* s. – 936, B. memes li ad m. – 938, Ke fetes seyn*ur*s p. q. – 939, *E* si li p. – 940, Jeskes a la p*re*son lens ly unt r. – 941, Si deu li de cele ne out e. – 944, p. le pez estreyteme*n*t fu l. – 946, c. *e* altre v*er*min assez. – 947, a. venumnes. – 949, l. s*er*pens ad il t. – 950, *E* p*us* fust e. – 951, Nul j. fu de p. saule. – 952 *manque*. – 953, u. iluc

[1] « The Anglo-Norman *Boeve de Haumtone*... », art. cit.

garde. – 957, A rey h*er*mmi *(?)* t. sa c. – 958, H. sey jeo si t. – 960, Il me ad fet traher m. vilement. – 961, Je ne le s*er*ui pas si c. – 962 *manque*. – 964, b. tut en plurant. – 965, o. b*oves* bon v. – 967, v. a li manassant. – 968, En milui le f. ly mort tro m. – 969, B. s'eveyle la c. – 975, Pere ou est b. ou p*ar*mey*nt* il a t. – 976, Bele dist li r. – 979, Ke la m. sun p*er*e voit il v. – 980, r. ce *con*ta l'a. – 983, Hey ja me fra v*ost*re a. tut duel f. – 985, e. de flas q. – 986, K[a]nt al v. p*artie* ne uod*ras* od m. – 987, e. curteis e ch*evale*r. – 989, l. pucele ke out le q. – 1000, U. seynture de s. f. de meyntenant. – 1001, p. tel enchantement. – 1002, f. l'out desuz s. – 1004, d. tocher *(?)* od li out a. – 1005, Ne al lit ou ele f. – 1008-1010 *manquent*. – 1013, De ceo ke il o. p. le bon c. – 1014, h. suz cel ke l. – 1015, p. ke le osa doscer. – 1016, J. le fist en u. – 1017, d. cheynis ferement a. – 1024, d. li vit si comence a r. – 1026, En milu le p. si f. le coup resoner. – 1030, c. ne ussent plu tost venu e. – 1031, d. li unt occis s. demorer. – 1033, Eyns en sa c. si li unt coche. – 1035, v. lerru*m* isci e. – 1037, p. b*r*andon le fer. – 1038, e. .VI. anz t. – 1039, Un jur c. b*oves* a p. – 1040, *E* dist bele sire d. ke deygnastes f. – 1041, l. croiz o ton s. – 1042, J. v*us* p. bel s. de fin qer. – 1043, Ke v*us* ne me suffrez si l. durer. – 1044, p. ou escorg*er*. – 1045, f. de ci eschaper. – 1046, Les .II. ch*evale*rs li o. si c. a c*r*ier. – 1047, Par t*er*vagant trayt*ur e* tu p. – 1048, Li un de els e. – 1050, B*oves* li vist encontre li e. alez. – 1051, l. poyne hauce. – 1052, D. oreayl li ad t. – 1053, b. jus a s. – 1054, Chaytivement est b. – 1055, m. fu ame. – 1058, m. mayn un b. – 1059, *E* .C. paiens me u. – 1060, Ne donage la v. de un den*er* demoné. – 1062, Me ad ore a. – 1063, n. sey ore e. – 1064, Jeo ne p*r*eyse de un d. – 1065, c. li redoune d. – 1066, Ke tot f. m. ly ad acravante. – 1067, *E* p*us* si regarde *e* p*r*ent un b. – 1070, *Com*payun ne fetes t. – 1071, s. le fray a. – 1072, s. comence a regaber. – 1074, s. si pesant de fer ke il n. – 1075, Mes si v*us* p. ly v. – 1078, B. li v. la teste v. – 1079, j. en milui le grav*er*. – 1080, f. p*ar*unt escrever. – 1081, m. amedeus le chartreis. – 1082-1189, *lacune*. – 1190, n. ose demorer. – 1193, M. jeo v. ore asair. – 1194, Si je p*us* un p. – 1195, f. m*u*lt fers hom. – 1196, f. le destrer esp*ero*-ne. – 1198, l'e. defendi en viro*n*. – 1200, A dunc tret l'espe un t. – 1202, b. b*oun* out assené. – 1203, Purfendi son e. d'or b. – 1205, De sa espé li a t. – 1210, d. il b*r*andon b. estes contre. – 1212, B. r. p*re*stre l. – 1213, v. Gaut*er* t. repose. – 1214, Vistement chivachant sur s. – 1216, k. v*us* passez pendu s. – 1218, v. uncle od v*us* a m. – 1220, s. me eï de. – 1221, J. v*us* son dekene de m. – 1225, la lauce *(?)* b. – 1226, L'e. li ad defendu *e* q*u*asse. – 1228, v. ban*er* li ad en le c. liv*er*e. – 1229, E il resorti de le coupe si est jus v*er*se. – 1231, *E* mu*n*ta sus ke estoit tot a son gre. – 1232, a. s'en va aveise. – 1233, T. surement ne se e. – 1234, a. li unt ferement haste. – 1236, d. fust m*u*lt ire. – 1238, p. l'espe deeyns l'ad t. – 1239 *manque*. – 1241, Ke pres h. de sa mayn p. – 1242, B. le vist si fu m. abaye. – 1243, Hey dist b*oves* roi de p. – 1245, e. la croiz m. s. – 1247, *E* en e. descendistis p*ur* t. – 1248, s. fol liz. – 1250, v. a drein juger m. – 1251, *E* sur ta destre rend*r*as a tes amis. – 1252, J. tey requer sire jh*es*u c. – 1253, e. estre ewe *e* m. – 1254, n. soi de ses p. – 1255, b. out de*us* ici p. – 1256, P. le destrer p. – 1257 *manque*. – 1258, Le d. se est isci p*ar*ewe. – 1259, r. en*con*tre mo*n*te li ad p. – 1260 *manque*. – 1261, *E* le d. de la g. forment ad ru*n*flez. – 1262, l. freyn leverez. – 1265, f. se escront *(?)* le b. – 1267, P*us* saut b. sus si e. – 1268, O. s'en va b*oves* ke m.

Variantes de G

1005, f. cochant. – 1009, E jo*siane* m*u*lt f. – 1010, c. tindre*n*t v*er*s m. – 1015, l. [p]ucele q*ue* l'o. adresc*er*. – 1016, l. fist en .I. estable l. – 1020, r. se p*r*ent a p. – 1021, g. herteme*n*t volt esp*r*uv*er*. – 1024, Le destr*er* veit si p. – 1025, p. derere li fiert s. – 1028, i. chai fist la [teste] f. – 1031, d. [le] ust mort s. dem*or*er. – 1034-1035 *manquent*. – 1038, Il out esté sis anz t. – 1041, En la croice de t. – 1042, t. v(*uche*) sire de f. qer ent*er*. – 1043, l. si l. durer. – 1044, p. u eschorch*er*. – 1046, Les chart*rer*s l'ore*n*t si p*renne*nt a c*ri*er Les chart*rer*s unt halteme*n*t p*ar*lez. – 1047, P. deu (t*r*ait*ur*) huy pe*n*du s. – 1048, [Li] un deus e. a li tost a. – 1049, Un cord descendi c. – 1051, E c. en ad le poigne haucez. – 1052, [D]esuz l'oreuile ad t. – 1053, b. plein*ment* p. a ses pez. – 1056, A dit il m. su ore feblez. – 1058, m. mein .I. b. ..stez. – 1059, E .C. paens [m]e eusent d. – 1063, n. sei or e. ben v. – 1065, c. li redone del b.

APPENDICE, LE FRAGMENT L

Le fragment conservé à Lambeth Palace sous la cote 1237 (1 & 2) consiste en une bande de parchemin contenant de chaque côté la fin de 25 vers correspondant aux vers 1641-1664 et 1672-1696 de la présente édition ; au milieu du premier, les lettres sont presque totalement effacées, sans doute suite au frottement résultant d'une pliure. Il date apparemment de la deuxième moitié du XIIIe siècle.

Les principales différences avec le texte de D sont la présence d'un vers supplémentaire après le vers 1661 et l'interversion des seconds hémistiches des vers 1663-1664, sans doute à cause d'un bourdon sur *comence*, mot toutefois illisible dans le second vers.

En voici la transcription, les lettres impossibles à déchiffrer étant remplacées par des points d'interrogation, et celles restituées par conjecture entre crochets. Je ne suis intervenu que par l'ajout d'apostrophes facilitant la lecture ou pour résoudre les abréviations conventionnelles.

1641 [d]urer gere[s l]ongem*en*[t]
it b'. si deu [me a]m*ent*
? ch*er* sachez [ve]rem*ent*
garder or e[n] dreit en p[resent]
1645 ierf u dai*n* c*ur*[ra]nt
ard*er*a tant q*ue* sei reve[nant]
m*er*ci v*us* en r[en]t
? ne seez de[m*ur*]ant
dit .b'. par [deu] tut crea[nt]
1650 ? esp*er*ons brochant
??t la puc[ele] gardant
II. leons m*u*lt fiers

rs q*ue* fure*n*t a [de]tr*é*s
a bonef' l'es[q*ui*]er
1655 q*ue* deu gard d'en*con*br*er*
t [si] se ala [ar]m*er*
destr*er* c'u*n* vailant bach[eler]
la lance de pom*er*
[d]ure ne pout le q*ue*r p*er*cer
1660 o*n*m*en*ce*n*t a ra*n*[per]
f' l'aut*re* son [d]estr*er*
1661a ch*ev*al l'aut*re* l'[es]q*ui*er
?? lessent re[n] ent*er*
veit si *con*me*n*c[e] a c*r*ier
??? [tr]enbler
1672 vi*n*dre*n*t sus .I. roch*er*
?i siet od m*u*lt dole*n*t q[uer]
*con*me*n*ce a regrete[r]
1675 b'. m*u*lt fetes dem*or*er
volent ces bestes est*r*ang[ler]
e v*er*rez seinz [*n'enter*]
sus b'. q*ue* vi*n*t de chac*er*
ot b*er*cé o lance de pom*er*
1680 ard si vist iluc giser
nef' son ge*n*til esq*ui*er
p*ar*t vist le pé tut ent*er*
la q*u*ise de son destr*er*
[m]*en*ce b'. a huch*er*
1685 es v*us* venez a men p*ar*ler
a oi pas ne pot pl*us* end*ur*er
chet en mi le sent*er*
eit arondel le destr*er*
[a] g*r*atir solo*n* son sav*er*
1690 pité le poeit rem*en*br*er*

1677, s. m*enter*.

esce si p*r*ist hardi *que*r
l monte *e* p*re*nt a esp*e*ron*er*
garde amo*n*t sur le roch[er]
[r]s leons la pucele gard[er]
1695 o*n* del secle ne l'osa toch[er]
eit si *con*me*n*ce a c*r*ier

INDEX DES NOMS DE PERSONNAGES

1306, 1351, 1411, 3613 : Bradmont, roi sarrasin de Damas, d'abord vaincu par Beuve ; l'ayant ensuite retenu captif à la demande d'Hermin, il finit par être tué par lui en combat singulier après son évasion.

Bralu 3612 : Bralu, fils de Bradmont, roi sarrasin de Damas, qui, vaincu (et capturé ?) par le roi Guy, se convertit au christianisme.

Brise de Bretoue 2584 : Brice de Bristol, chevalier qui intervient en faveur de Beuve à la cour d'Angleterre.

Claris de Leycestre 2586 : Claris de Leicester, chevalier qui intervient en faveur de Beuve à la cour d'Angleterre.

Dampnedeu 282, 307, 458, 497, 1255, 3332, 3834 ; Dampnedé 941 ; Dampnedeus 3684, 3782 ; Dampnedieu 1086 ; Damedeu 1513, 1639, 1642, 2320, 2615, 2706 ; Damedé 1924, 2545, 2637 ; Damedez 3095 : le Seigneur Dieu, Notre Seigneur.

Dé 124, 390, 550, 744, 1062, 1220, 1403, 1709, 1715, 2902, 3558 ; Deu 126, 131, 146, 186, 224, 268, 469, 473, 544, 706, 768, 828, 829, 830, 844, 1088, 1210, 1292, 1305, 1337, 1359, 1395, 1401, 1438, 1461, 1463, 1467, 1481, 1586, 1611, 1630, 1649, 1655, 1711, 1827, 1839, 1914, 1992, 2005, 2023, 2038, 2067, 2080, 2141, 2150, 2174, 2197, 2214, 2235, 2316, 2319, 2361, 2424, 2536, 2580, 2613, 2673, 2745, 2757, 2771, 2813, 2817, 2872, 2987, 3078, 3088, 3197, 3324, 3367, 3387, 3514, 3545, 3631, 3645, 3671, 3677, 3733, 3815, 3816 ; Dieu 135, 338, 571, 656, 678, 681, 771, 943 ; Deus 175, 819, 851, 875, 954, 981, 1243, 2131, 2135, 2450, 2474, 2518, 2722, 2961, 3082, 3341, 3584, 3788, 3844 ; Dieus 649, 1040, 1056 ; Dez 3154 : le Dieu des chrétiens, Jésus-Christ.

Doctrix 2909, 2947 : le duc Doctrix, ennemi de la dame de Civile qu'il attaque en compagnie du duc Vastal ; tué par Beuve.

Doun 2008, 2282, 2293, 2356, 2365, 2366, 2369, 2377, 2434 : Doon, l'empereur d'Allemagne, meurtrier du comte Guy et aussitôt marié à sa veuve ; ayant par conséquent usurpé le fief de Hamptone, il est finalement attaqué par Beuve, capturé et exécuté.

Edegar 2623, 3755, 3770, 3776 : Edgar, roi d'Angleterre, peut-être à rapprocher d'Edgar le Pacifique, dernier grand roi de l'Angle-

terre anglo-saxonne unifiée entre 959 et 976 et à ce titre figure pouvant incarner le passé mythique susceptible de donner lieu à un récit épique.

Eneborc 2737 : Eneborc, épouse de Soibaut.

Escopart 1781, 1822, 1834, 2081, 2267, 2343 ; Aschopart 2064 ; Escoupart 2067 ; l'Escopart 1784, 1799, 1801, 1804, 1805, 1815, 1831, 1840, 1843, 1850, 1852, 1855, 1860, 1865, 1868, 1874, 1881, 1882, 1916, 1931, 1956, 1962, 1965, 1969, 1989, 2052, 2062, 2079, 2083, 2088, 2153, 2167, 2174, 2183, 2271, 2346, 2646 ; l'Escoupart 2066, 2070, 2289 ; l'Escopar 2340 ; li Escopart 1885, 2074, 2092, 2159, 2171, 2348 ; ly Escopart 1978, 2076, 2155 : Escopart, nom de peuple païen, et plus particulièrement ici personnage monstrueux, qui passe du service d'Yvori à celui de Beuve pour lequel il combat à Cologne et en Angleterre. Bien que baptisé sous le nom de Guy, il rejoint Yvori après le départ de Beuve en exil et organise l'enlèvement de Josiane. Il meurt tué par Soibaut. Voir Guy et la note au vers 1780.

Espirist (seint) 159, 307 : le Saint-Esprit.

Fabur 3302, 3304, 3307, 3476, 3492, 3495 : Fabur, chambellan personnel d'Yvori de Monbrant, en charge de son trésor, tué par Guy, le fils de Beuve.

Fauserons 3235 : Fauseron, combattant sarrasin tué par Beuve.

Favons 3222, 3227 : Favon, roi sarrasin originaire d'Arabie, tué par Thierry (ou Soibaut ? voir la note aux vers 3223-3225).

François 3158, 3614, 3622, 3628 : Français, nom générique désignant à la fois les Français de France et les Normands d'Angleterre, ou même les chrétiens dans leur ensemble. Voir la note au vers 3158.

Furez 3089 : Furez, chevalier libéré par Beuve lors du combat contre Bradmont, et qui le fait néanmoins envoyer en captivité à Damas.

Garcie 1535, 1558, 1596, 1610, 1631 ; Garsie 1589 ; Garsi 1565 : roi sarrasin, vassal d'Yvori, chargé par celui-ci de garder Josiane en son absence.

Gebitus 3414 : Gebitus, voleur et magicien au service d'Yvori de Monbrant.

Gerner 2819 : Gernier, bourgeois de Civile chez qui logent Beuve et Thierry.

Gerraud 2015, 2018, 2025 ; Gyraut 2014 ; Gyrald 2213 : Giraud, nom sous lequel Beuve se présente à Doon afin de le tromper.

Gile (sen) 2749 : saint Gilles.

Giré 2464 : l'archevêque Giré, prélat attaché à la cour d'Angleterre.

Glos de Gloucestre 2585 : Glos de Gloucester, chevalier qui intervient en faveur de Beuve à la cour d'Angleterre.

Gocelyn 3089 : Jocelyn, chevalier libéré par Beuve lors du combat contre Bradmont, et qui le fait néanmoins envoyer en captivité à Damas.

Graunder 1148, 1149, 1151, 1154, 1178, 1181, 1213, 1226 : Grandier, neveu de Bradmont, tué par Beuve.

Guy de Hampton 2454 ; Guioun de Haumtone 387 ; Gui 2447 ; Guioun 11, 13, 21, 28, 34, 190, 196, 207, 212 ; Guion 161 ; Guyun 1905 ; Guiun 2215, 2423 : le comte Guy de Hamptone, père de Beuve.

Guiun 2396 ; Guy 2811, 3008 ; Gui 3015, 3108, 3114, 3124, 3205, 3268, 3324, 3333, 3337, 3342, 3483, 3487, 3495, 3510, 3608, 3612, 3635, 3640, 3649, 3825, 3827, 3834, 3843 : l'un des fils de Beuve et Josiane, qui succèdera à Hermin, devenant roi des *Hermins* (Arméniens), puis à Beuve lui-même après leur mort. Voir Hermins.

Guy 1967, 2649 ; Gui 2648 : nom de baptême de l'Escopart.

Hermyne 367 ; Hermine 395, 499, 502, 503, 537, 561, 607, 623, 643, 655, 659, 777, 812, 910, 957, 972, 995, 996, 1350 ; Heremine 488, 495, 510 ; Heremins 3047 ; Hermin 3068, 3073, 3120, 3122, 3151, 3158, 3174, 3183, 3320, 3322, 3344 ; Hermins 3255 : Hermin, roi sarrasin d'Égypte, père de Josiane ; chrétien dans la deuxième partie de la chanson.

Hermins 3529 ; Herminis 3744 : Arméniens, peuple dont Guy est devenu le roi à la suite d'Hermin. Voir la note au vers 3259.

Innocens 3836 : les saints Innocents, qui accueillent les élus au Paradis.

Jhesu 36, 277, 402, 783, 2206, 2300 ; Jesu 273 ; Jhesu Crist 157, 253, 1471, 1722, 1861, 2439 ; Jesu Crist 1252 : Dieu, Jésus-Christ, fils de Marie.

Josiane 372, 450, 507, 516, 549, 612, 663, 688, 721, 722, 733, 741, 743, 755, 911, 972, 973, 997, 1009, 1012, 1016 ; Josian 1364, 1371, 1375, 1384, 1388, 1395, 1396, 1403, 1419, 1423, 1436, 1450, 1460, 1480, 1495, 1538, 1568, 1590, 1598, 1603, 1635, 1638, 1685, 1696, 1701, 1821, 1835, 1842, 1859, 1873, 1955, 1983, 2051, 2060, 2082, 2096, 2100, 2104, 2105, 2111, 2177, 2183, 2385, 2506, 2629, 2636, 2643, 2689, 2709, 2721, 2741, 2752, 2784, 2883, 2962, 2994, 3026, 3029, 3064, 3092, 3094, 3096, 3125, 3159, 3176, 3202, 3256, 3395, 3480, 3547, 3652, 3696 : Josiane, fille du roi Hermin, amoureuse de Beuve de Hamptone ; mariée de force au roi sarrasin Yvori, elle parvient à rester vierge grâce à une ceinture magique, ce qui lui permet ensuite d'épouser Beuve dont elle aura deux fils et une fille. Elle meurt en même temps que lui.

Judas 2413 : Judas Iscariote, l'apôtre qui a trahi Jésus.

Judas 3561 : Judas, chevalier de l'armée d'Yvori.

Juys 2414 : les Juifs, ceux à qui Jésus a été livré.

Karfu 2196, 2211 ; Karefu 2223, 2230, 2236 : Karfu, messager que Beuve envoie provoquer Doon en lui révélant qu'il a été l'objet d'une supercherie.

Lancelin 2928 : chevalier de l'armée des ducs Vastal et Doctrix, vaincu par Thierry.

Lorant (sent) 3405 ; sent Laurent 3842 : saint Laurent.

Lucifer 2090 : Lucifer, l'un des noms de Satan.

Madeleyne 1248 : Marie-Madeleine, la pécheresse de l'Évangile.

Mahun 381, 383, 395, 403, 405, 407, 453, 466, 483, 489, 500, 510, 526, 558, 571, 625, 689, 705, 746, 747, 767, 878, 887, 888, 1047, 1125, 1158, 1288, 1793, 1878, 1913 ; Mahoun 801, 1166 ; Mahon 1530, 1883, 3430 ; Mahom 2665, 3280, 3312, 3419, 3460, 3585, 3663 ; Mahumet 504, 517, 639, 647, 786, 881, 1164 : Mahomet, le principal dieu des Sarrasins. Voir la note au vers 916.

Marie 402 ; sent Marie 2135 ; sante Marie 2623 ; sente Marie 2707, 3357 : la Vierge Marie, mère de Jésus-Christ. Voir Pucele.
Martin (seyn) 2677 : saint Martin.
Masebré 3561 : Masebré, chevalier de l'armée d'Yvori.
Miles 2060, 2063, 2075, 2078, 2080, 2099, 2108, 2110, 2112, 2114, 2126 : Miles, comte qui à Cologne épouse Josiane de force, et qu'elle tue lors de la nuit de noces.
Miles 3295, 3016, 3108, 3112, 3124, 3205, 3326, 3333, 3343, 3490, 3502, 3610, 3615, 3771, 3776, 3778, 3779, 3784 : l'un des fils de Beuve et Josiane, qui deviendra roi d'Angleterre.
Moïsent 3514 : le patriarche Moïse.
Morant 3666, 3680, 3727, 3804 : l'évêque Morant (ce pourrait être l'oncle de Beuve, évêque de Cologne, dont le nom n'est pas donné), évangélisateur puis archevêque de Monbrant.
Murgleie 541, 590, 632, 815 ; Murglei 811 ; Morgelei 1615, 2336, 3591 ; Morgeley 1726, 2170, 2944, 3134, 3249 : Murgleie, l'épée de Beuve, offerte par Josiane.
Oube de Mundie 2314 ; Oube de Modeye 2315 : Oube de Mondoie, chevalier de l'armée de Doon, tué par Beuve.
Pere de Rome (seint) 956 ; Pere (sen) 1573, 1835 : l'apôtre saint Pierre.
Publicant 1780 ; Puplican 2666 : Publicant, nom de peuple païen. Voir la note au vers 1780.
Pucele (la) 2410 : la Vierge Marie. Voir Marie.
Radefoun : voir Rudefoun.
Reiner 2859 : Régnier, prévôt de la demoiselle qui gouverne Civile.
Richers (seint) 97 ; Richer (seint, sen) 169, 2018 : saint Riquier.
Robant 3386, 3702, 3709 ; Robeant 3719, 3730, 3760 : Robant, l'un des fils de Soibaut, sans doute le second.
Rudefoun 570, 577 ; Radefoun 597 : porte-étendard de Bradmond, couvert de poils ; il est tué par Beuve.
Sabot 224, 229, 232, 237, 243, 317, 321, 326, 331, 333, 338, 840 ; Sabaoth 1939, 1999, 2021, 2032, 2041, 2042, 2046, 2048, 2185, 2187, 2191, 2243, 2260, 2275, 2285, 2287, 2290, 2296, 2297, 2307, 2405, 2428, 2526, 2570, 2572, 2599, 2614, 2631, 2645,

Vastal 2908, 2939 : le duc Vastal, ennemi de la dame de Civile qu'il attaque en compagnie du duc Doctrix ; vaincu et capturé par Beuve.

Ydrac de Valarie 1525 : roi supposé assiéger Baligant dans Abilent.

Ysoré 2925 : chevalier de l'armée des ducs Vastal et Doctrix, tué par Beuve.

Yvori 993, 1008, 1020, 1373, 1382, 1479, 1483, 1491, 1497, 1501, 1503, 1514, 1528, 1604, 1872, 3047, 3048, 3121, 3127, 3163, 3171, 3178, 3252, 3274, 3300, 3309, 3319, 3411, 3415, 3451, 3456, 3472, 3509, 3548, 3551, 3552, 3561, 3585, 3591, 3596, 3599, 3642 ; Yvoriz 2760, 3242, 3245 ; Yvori de Munbraunt 1007 ; Yvori de Monbrant 1374, 1791, 3146, 3154, 3201, 3470 : Yvori, roi païen de Monbrant, auquel Josiane a été mariée de force, et qui devient, dans la deuxième partie de la chanson, le principal ennemi sarrasin de Beuve, lequel finira par le tuer en combat singulier.

Yvori le gris 2313 : chevalier de l'armée de Doon, tué par Beuve.

Index des noms de lieux

épouse ensuite Thierry. Une identification avec Séville paraît vraisemblable, quoique, à l'époque où le texte a été composé, cette ville ait encore été musulmane, sa reconquête par Ferdinand III de Castille n'ayant eu lieu qu'en 1248 : or Civile est manifestement une ville chrétienne. Par ailleurs, les attaques dont elle est l'objet ne sont à aucun moment caractérisées comme d'origine sarrasine, ce qui est d'ordinaire le cas dans les chansons de geste évoquant des agressions contre des villes chrétiennes d'Espagne.

Clavie 1520 : pays sarrasin imaginaire, peut-être l'Esclavonie.

Colonie 1895, 2386 ; Coloine 2052 ; Coloyne 2648, 3800 ; Coloynie 2098, 3727, 3797 : la ville de Cologne, dont l'évêque est l'oncle de Beuve.

Cordes 3629 : Cordoue, ville sarrasine gouvernée par l'amaçour.

Damascle 497, 804, 866, 1134, 3612 ; Damacle 1307, 1352, 3566, 3655, 3658, 3669 : Damas, siège du royaume de Bradmond, puis de son fils Bralu.

Dygon 2012 : Dijon, ville d'où Beuve prétend être originaire lorsqu'il se présente à Doon sous le nom de Giraud.

Eclavonie 3259 : l'Esclavonie, pays situé sur la côte orientale de l'Adriatique, correspondant à peu près à la Croatie et à la Dalmatie, considéré comme région sarrasine dans les chansons de geste.

Egipte 362, 1365 : Égypte, pays du roi Hermin dans la première partie de la chanson.

Engletere 105, 386, 838, 978, 1402, 1466, 1484, 1557, 1573, 1712, 1904, 1981, 1996, 2458, 2532, 2667, 3719, 3724, 3739 : Angleterre, pays où se trouve Hamptone et dont Edgar est le roi.

Escoce 20, 27 ; Eschose 2295 ; Eschos 2249, 2280 : Écosse, royaume dont le roi a donné sa fille en mariage à Guy de Hamptone, mais soutiendra plus tard Doon contre Beuve et sera tué par Soibaut.

Famer 1377 : ville sarrasine imaginaire, à situer apparemment quelque part au Maghreb.

Gloucestre 2585 : Gloucester, ville d'Angleterre, fief de Glos.

Haumtone 2, 10, 80, 177, 192, 208, 387, 779, 1036 ; Hamtone 109, 839, 1199, 1204, 1209 ; Hampton 1361, 1389, 1414, 1439, 1441, 1674, 2007, 2047, 2198, 2209, 2255, 2399, 2422, 2454, 2528,

Sen Gile 2736, 2747 ; sent Gile 3382 : Saint-Gilles du Gard, lieu de pèlerinage où Soibaut retrouve Josiane, et l'Escopart et la délivre.
Valarie 1525 : ville ou pays dont Ydrac est le seigneur (la Valachie ?).
Wastrande 2497 : Wastrande, ville d'Angleterre non identifiée.

GLOSSAIRE

Les mots sont glosés à la forme la plus fréquemment attestée dans le texte, ou, en cas d'égalité, à la plus proche de l'a.fr. central ; seules les formes du texte, sans référence de cas, sont données pour les substantifs et les adjectifs ; les verbes sont classés à l'infinitif, en romains si celui-ci figure dans le texte, en italiques dans le cas contraire.
Lorsque les différentes formes d'un même mot ne peuvent pas être classées alphabétiquement à la même place, chacune fait l'objet d'une entrée séparée renvoyant à l'entrée principale, à moins que les différences résultent de l'équivalence graphique entre i *et* y, an *et* aun, on *et* oun *et, devant consonne,* l *et* u.
Lorsqu'un mot apparaît plus de trois fois dans le texte avec le même sens, les références retenues sont celles des occurrences les plus notables pour leur forme ou leur sens. Toutes les occurrences des formes résultant d'un amendement sont mentionnées, chacune suivie de la leçon amendée.
Si le genre d'un nom n'est pas clairement assuré par le contexte, c'est le plus courant en a.fr. qui a été retenu, mais avec un point d'interrogation.

A

abandoner, *PP* abandoné, abaundoné *v.t.* : 2836, *abandonner, laisser au pouvoir (de l'ennemi)* ; a. le freyn 1262, *lâcher la bride à un cheval.*

abaudir, *PP* abaudi, abaudiz, baudiz *v.t.* : 3238, 3261, 3620, *réjouir, donner de l'entrain, de l'acharnement.*

abrivé, abruvé, abruvez, brevé, bruvé, bruvez *adj.* : 138, 1852, 2475, 2480, 2601, 3586..., *rapide. Voir la note au vers 3586.*

aceré, acerez, asceré, asseré *adj.* : 66, 1058, 1415, 2694..., *d'acier*.
acerveler, *PP* acervelés *v.t.* : 1863, *décerveler, faire jaillir la cervelle*.
achiminez : *voir enchiminer*.
acoilir, *IP3* acoile, *IP6* acoylent *v.t.* : a. lor chimin 2674, sa voie 3454, *se mettre en route*.
acoler, coler, *IP5* acolez *v.t.* : 137, 298, 1489..., *prendre par le cou, serrer dans ses bras*.
aconter, *PS3* aconta *v.t.* : 1560 (*ms.* ad conta), *exposer verbalement*.
acorder, *PP* acordé, acordez *v.t.* : 2085, 3091, 3332, *réconcilier*.
acravanter, *IP3* acravante, *SP3* acravant, *PP* acravantez *v.t.* : 1768, 2085, 2673..., *abattre, détruire*. *Voir* cravanter.
adestiner, *PP* adestiné *v. imp.* : 2394, *décider de toute éternité. Voir destiner*.
admiré, admirail, admiral : *voir* amiral.
adober, *IP3* adobbe, *IP5* adobbez, adubbez, *IP6* adubent, dobbent, *Imp5* adobbés, adobbez, *PP* adobé, adobbé, adobbez, adubbez *v.t.* : 517, 536, 3039..., *armer chevalier* ; 2506, 2537, *équiper de ses armes* ; *(sei) v.r.* : 3132, 3474, 3488..., *s'équiper, s'armer*.
adrecer, *PS6* adrecerent, *PP* adressé *v.t.* : 2437, *redresser, d'où réparer (injustice)* ; 360, *appareiller (navire)*.
adubbez, adubent : *voir adober*.
adverser *s.m.* : 2063, 2099 (*ms.* adadverser), 2256..., *diable, d'où méchant homme, traître, etc., digne d'aller en enfer*.
ael *s.m.* : 2281, *aïeul, grand-père*.
afeiter, *PP* afeyté *v.t.* : 1357, *dresser (animaux)* ; afeité *adj.* : 24, *gracieuse, élégante*.
afermer *v.t.* : 2520, *fonder, établir, bâtir. Voir fermer*.
afier, *IP1* afie, *IP3* afie, *PS3* afia, *Imp2* afie *v.t.* : 47, *assurer, promettre* ; *(sei) v.r.* : 159, 405, 1566..., *se fier, avoir confiance*.
afferant *s.m.* : 2940, 3822, *cheval de bataille. Voir ferant*.
afiner *v.i.* : 676, 1071, 2176, *mourir*.
[1]afoler *v.i.* : 1391, *devenir fou* ; afolé *adj.* : 781, *fou, insensé*.
[2]*afoler*, *PP* afolez *v.t.* : 524, *mettre hors d'état de nuire, blesser, assommer*.

aforce, aforcé : *voir* enforcer.

agarder, *IP6* agardent, *PP* agardé *v.t.* : 1280, 1539, 2682, *regarder avec intensité*, *observer*, *surveiller*.

ahourer, *PP* ahoré, ahouré, ahuré, aoré *v.t.* : 771, 1088, 1914..., *adorer*, *rendre grâce à*.

ajorné, enjornez, jorné, jornez *s.m.* : 3314, 3428, 3540..., *lever du jour*.

ajuster, *Imp5* ajustez, *PP* ajusté, ajustez *v.t.* : 2510, *se mesurer à* ; 3566, 3572, *affronter en duel*.

aloser, *PP* alosé, alosez, alossez : 742, 2930, 3568..., *louer*, *couvrir d'éloges*, *de gloire*.

alouer *v.t.* : 1582, 2019, *engager contre rétribution*, *payer les services de*.

alous *s.m. ?* : 593, *alouette*.

alouyner *v.i.* : plus a. 2884, *aller plus loin, dépasser*.

altrer (l') *adv.* : 1475, 2200, 2212, *l'autre jour*, *récemment. Voir* her.

alumer, *IP3* alume, *PS3* aluma *v.t.* : 1154, 2156, *allumer*, *faire brûler*.

aluminer, *PS3* alumina, *PP* aluminé *v.t.* : 2129, 2146, 2161, *allumer*, *faire brûler*.

amaçur *s.m.* : 3629, 3634, *chef sarrasin*.

amaier, *IP3* amoye, *Imp5* amaiez, amayez, enmaez *v.t.* : 552, 2317, 2773..., *inquiéter*, *effrayer*.

amblaunt *adj.* : 814, *qui va l'amble (cheval)*.

amender, *SP3* ament, *PP* amendé, amendez *v.t.* : 277, 766, 3083..., *corriger*, *réparer*, *pardonner*.

amener, *IP3* amene, *IP5* amenez, *IP6* amenent, *PS3* amena, *F5* amenerés, *PP* amené, amenez, *v.t.* : 326, 1908, 2388..., *mener avec soi*, *conduire* ; 377, 1468, *emmener* ; 1603, 1773, 1792..., *enlever* ; 3313, *apporter* ; 1572, *emporter*.

amerveiler (sei), *PP* amerveilez *v.r.* : 1919, *s'émerveiller*, *être pris de stupeur*, *s'effayer. Voir merveiller*.

ami, amis, amiz, amie *s.m. et f.* : 2225, 2641, 2973..., *membre d'un groupe proche*, *ami*, *parent* ; 454, 484, 1842..., *personne aimée*, *amant(e)* ; 185, 1516, 1534, *épouse* ; 606, *guerriers qu'on commande* ; *(en apostrophe)* 82, 836, 2025..., *ami, appellatif aimable.*

amirail *s.m.* : 3162, 3167, 3177..., *chef suprême des Sarrasins.*

amiral, amirals, amirant, amiré, amirez, admiré, admirail *s.m.* : 684, 697, 748..., *chef sarrasin.*

amistez (charnel) *s.f. ?* : 2955, *relation charnelle.*

amis 2055 : *PP d'amer.*

ancez *s.m.* : 3360, *personne située plus haut dans la génération, père, grand-père, ancêtre.*

anoier, F3 anoiera *v.t.* : 816, *causer du désagrément à, gêner.*

anoy *s.m. ?* : 2024, *ennuis, désagrément.*

anoyter, PP anoytez *v. imp.* : 3421, *faire nuit.*

aoré : *voir ahourer.*

aparailer, *IP3* aparaile *v.t.* : 1568, 1958, 2278..., *préparer.*

apareir, IP3 apert, *PS3* aparust, *F-ant* aparant : 1795, *apparaître, devenir évident* ; 2117, 2118, 3216, *paraître, se lever (jour). Voir pareistre.*

apertement *adv.* : 280, 1597, *assurément, visiblement.*

aplaer, *PP* aplaé, esplëez *v.t.* : 551, 555, *employer.*

apostoile, apostoyle *s.m.* : 3380, 3694, 3714 (*ms.* aposteile)..., *successeur de l'apôtre saint Pierre, pape.*

aprester, prester *(sei)*, *Imp5* aprestez 2401, *PP* adpresté, aprestez *v.r.* : 1556, 1980, *(se) préparer, (se) mettre en état de* ; 56, 1601, 1849, *(se) préparer à combattre* ; *v.t.* : 2853, *apprêter, préparer.*

apüer, *PP* apüé *v.i.* : 1279, *s'appuyer.*

aquiter, *PP* aquités *v.t.* : 3296, *libérer, épargner.*

aragé : *voir rager.*

aragons *s.m.* : 3234, *cheval aragonais.*

arascer, *PP* arascez *v.t.* : 1769, *arracher.*

ardre, arder, *PP* ars *v.i.* : 1106, *brûler, produire une flamme* ; *v.t.* 2835, *incendier* ; 151, 339, 2150..., *brûler vif.*

aresoner, *PP* aresoné, aresonez *v.t.* : 2795, 3528, 3535..., *interpeller, adresser la parole à.*

arester, *PP* arestu, aresté, arestés *v.i.* : 1809, 2406, 2524..., *s'arrêter* ; *v. imp.* : 2198, 2207, *y avoir une halte.*

aretison *s.f. ?* : 2006, *arrêt, halte.*

ariver, *IP6* rivent, *PS3* ariva, *PS6* ariverent, *PP* arivé, arivez, rivé *v.i. ou r.* : 362, 1893, 3797..., *toucher à la rive, parvenir par voie maritime.*

aroter, *PP* arotez *v.t.* : 3029, *accorder un instrument de musique.*

arpent, arpens *s.m.* : 545, 2326, 2490..., *arpent, mesure de longueur équivalant approximativement à 600 mètres.*

arrement *s.m. ?* : 1751 (*ms.* arnement), *encre.*

asailer, *PP* asailez *v.t.* : 2733, *assaillir.*

asayer *v.t.* : 1448, *essayer, faire l'expérience de.*

asceré : *voir aceré.*

ascient, escient *s.m.* : 17, 176, 1640..., *escient, jugement personnel.*

asener, sener, *PS3* assena, *PP* asené, assené, assenez *v.t.* : 1026, 1310, 2231 (*ms.* enseyna)..., *assener, porter (un coup), atteindre en frappant.*

asprement *adv.* : 813, *avec brutalité, péniblement.*

assegé : *voir* enseger.

assemez *adj.* : 3028, 3031, *préparés, entraînés, qui font bien leur office.*

asser *s.m. ?* : 2370, *acier.*

asseré : *voir* aceré.

asurer, *PP* asuré *v.t.* : 3580, *rendre certain, donner entière certitude.*

atarger, *PP* atargez *v.i.* : 3741, *s'attarder. Voir* targer.

atirer, *PP* atiré *v.t.* : 2822, *arranger, soigner.*

atorner (*sei*) *v.r.* : 1978, *se préparer, se vêtir, s'arranger.*

atteindre, *PS3* attendi, *F5* attendrez, *F6* atenderunt, *Cd3* ateindereit *v.t.* : 3594, *atteindre, toucher, frapper* ; 545, 2486 (*ms.* attendez), *atteindre, rattraper* ; 3553 (*ms.* atenderent), *égaler.*

auter *s.m.* : 2467, 3339, *autel.*

avaler, *IP3* aval, *IP6* avalent, *PS3* avala, *PP* avalé, avalez, avalis, envalez *v.i. ou r.* : 512, 1019, 1048..., *descendre* ; *v.t.* : 2512, *parcourir en descendant* ; *v.t.* 1732, 2693, 3639, *faire descendre.*

avanter, *SI1* avantas, *F-ant* avantant *v.i. ou r.* : 1713, 1794, *se vanter.*

aveile : *voir enveiler.*

avenant, avenaunt *adj.* : 37, 41, 997..., *avenant, beau, plaisant.*

avenir, *PS3* avint, *SI3* avenist *v. imp.* : 22, 966, *arriver, advenir* ; 700, *convenir, être adéquat.*

aver *s.m. ?* : 2477, 2515, *somme d'argent, prix de la course.*

avespré, avesprés *s.m. ?* : 2966, 3455, *moment où le soir tombe.*

avouez *s.m.* : 2963, *protecteur, défenseur, d'où suzerain.*

ayé, heé *s.m.* : 1925, 2151, 3793..., *âge, vie.*

B

bacheler, bachelers *s.m.* : 167, 1118, 1762..., *jeune homme, garçon* ; 431, 1470, *jeune homme noble (au moins jeune d'esprit), qui n'a pas encore obtenu tout ce qui fait le seigneur pleinement adulte* ; 3352, *jeune homme noble ayant toutes les qualités requises pour être armé chevalier. Voir la note au vers 451.*

[1]baier *v.t.* : 440, *ouvrir grand.*

[2]*baier*, *PS3* baia, *F-ant* baiant *v.i.* : 1756, 1757, *aboyer.*

bailie *s.f.* : 184, *pouvoir, possession.*

bailer, *IP1* baile, *Imp5* bailez, baillez, baylez, *PP* bailé, bailez *v.t.* : 810, 1465, 2946..., *donner un objet* ; 2671, 2804, 2809..., *donner, confier des personnes* ; 3113, *transmettre un royaume* ; 2414, *livrer en trahison* ; 1537 *(voir la note), gérer, gouverner, organiser* ; mal b. 3444, *mettre en mauvaise posture.*

bainer *(sei) v.r.* : 2366, *prendre un bain* ; bayné *adj.* : 1228, *baigné, plongé, enfoncé (dans le corps).*

baise, baisé, baissa : *voir* beiser.

banere, baner, baners *s.f.* : 530, 570, 598..., *bannière, étendard* ; 1515, *unité militaire de base, manœuvrant autour d'une même bannière et sous les ordres du chevalier qui l'a levée. Voir* eschele *et* ost, *et la note au vers 1515.*

banie *adj.* : 2296, *convoquée au nom des droits que le seigneur exerce sur ses vassaux. Voir la note.*

barnage *s.m.* : 3712, *ensemble des barons* ; 3181, 3518, 3542, 3570, *armée. Voir* baroné *et* baronnie.

baron, barons, ber *s.m.* : 1492, 2379, 2786..., *baron, seigneur féodal riche et puissant* ; 3772, *mari* ; 730, 3223, *vaillant guerrier* ; 1, *appellatif de courtoisie à l'intention de l'auditoire.*

baroné, baronez, baronnez *s.m.* : 1713, 2409, 2419 (*ms.* boronez)..., *ensemble des barons* ; 530, 3544, *armée. Voir* barnage *et* baronnie.
baronnie *s.f.* : 270, *ensemble des barons. Voir* barnage *et* baroné.
barrer *v.t.* : 2075, *fermer au moyen d'une barre.*
basez : *voir* beiser.
bauçant *s.m.* : 3490 (*ms.* bautant), *cheval à la robe pie, tachetée blanc et noir* ; bausent *adj.* : 2476 (*ms.* bausten), *même sens.*
baud *adj.* : 288, *joyeux, plein d'entrain et d'aplomb.*
baudiz : *voir abaudir.*
baudré *s.m. ?* : 1318, *ceinture.*
baundoun, bandon *s.m.* : 638, *volonté, pouvoir discrétionnaire* ; a b. *loc. adv.* : 587, 3728 (*ms.* a abandon), *librement, à volonté, sans retenue.*
bausent : *voir* bauçant.
beiser, *IP3* baise, beise, *PS3* besa, baissa, *Imp5* basez, *PP* baisez, baissé, beisé, beisez *v.t.* : 136, 773, 782..., *embrasser, donner des baisers.*
bendé *adj.* : 1203, *orné de bandes obliques.*
beneir, *PP* beneit *v.t.* : 2812, 3694, *bénir, consacrer* ; ewe beneit : 3666, *eau bénite.*
[1]ber : *voir* baron.
[2]ber 2578 : *voir* bere.
bercer, breser, *PP* bercé *v.t.* : 135, *chasser, ordinairement à l'arc* ; 1299, 1679, *par ext. frapper avec une arme munie d'une pointe ou d'une lame.*
bercher *s.m.* : 263, 1933, *berger.*
bere, ber *s.f. ?* : 2559, 2578, *civière.*
besa : *voir* beiser.
besans *s.m.* : 1358, *besants, pièces d'or byzantines, d'où par ext. monnaie de grande valeur.*
bosoyne *s.f. ?* : 2252, *besoin, nécessité.*
besquid *s.m. ?* : payn b. 1334 (*ms.* esquid), *pain cuit deux fois, biscuit. Voir la note.*
beyvere *v. sbst.* : 2027, 2036, *boire, boisson.*
bliaut *s.m.* : 738, 745, *tunique d'homme portée sous le manteau.*

bonté *s.f.* : 2227, *qualité de ce qui est bon, qualité, valeur.*
boter, *PP*. boté *v.t.* : 1731, *pousser, enfoncer.*
botoun, boton *s.m.* : 580, 1888, *bouton (indice expressif de valeur nulle).*
brace, braces *s.m. ou f.* : 1326, 1681, 1869..., *bras.*
branc, braunc, brancs *s.m.* : 66, 1058, 2694..., *lame d'épée, épée.*
bref, brefs *s.m.* : 792, 3164, 3306..., *lettre.*
bren *s.m. ?* : 925, *son, résidu de mouture.*
breser : *voir* bercer.
brevé : *voir* abrivé.
briser, bricer, *IP3* brise, *PS2* brisas, *PS3* brisa, *PP* brisé *v.t.* : 942, 1800, 2335..., *briser, rompre* ; 1803, 2330, 2942..., *se briser, se rompre* ; 1029, *se fracturer, s'ouvrir (partie du corps)* ; 1247, *forcer l'ouverture de.*
brocher, *IP3* broche, *IP6* brochent, *PS3* brocha, *F-ant* brochant *v.t.* : 161, 442, 576..., *piquer (des éperons)* ; *v.i.* 3612, 3633, *éperonner.*
bruant *adj.* : 3477, *bruyant, frémissant, d'où ardent, bouillant.*
brulet *s.m. ?* : 3215, *petit bois, bosquet.*
brunir, *PP* bruné, burni *v.t.* : 2607, 3592, *faire briller, fourbir.*
bruvé, bruvez : *voir* abrivé.
bu *s.m.* : 2220, *torse, poitrine.*
bucle *s.f.* : 3496 (*ms.* buche), *bosse centrale du bouclier, destinée à le renforcer.*
bulté *adj.* : 1275, *bluté, finement tamisé pour évacuer le son.*
burdon *s.m.* : 3445, 3453, 3466, *bourdon, bâton à bout ferré de pèlerin.*
burgeus *s.m. ?* : 2446, *cités fortifiées.*
burni : *voir brunir.*

C

carboun, *s.m. ?* : 693, 1162, *charbon. Voir la note au vers 693.*
carcaunt *s.m.* : 914, *carcan, lourd collier de fer fixé au cou d'un prisonnier ou d'un condamné.*
carfu *s.m.* : 1128, 1145, *carrefour.*

casés *s.m.* : 3070 (*ms.* caseles), *vassaux ayant fait hommage pour un fief.*

cassement *s.m.* : 3814, 3817, *domaine féodal, ensemble des domaines appartenant à un seigneur ou, ici, à un roi.*

cauber, *PP* caubé *v.t.* : 2229, *s'accoupler avec (?). Voir la note.*

cave, kave *s.f.* : 1628, 1629, *grotte.*

ceindre, *IP3* ceint, ceynt, *IP6* ceynent, *PP* ceinte *v.t.* : 1002, 2919, 3134, *ceindre* ; *(sei) v.r.* : 1006, *se ceindre.*

[1]celer, *Imp5* celez, *PP* celé, celez *v.t.* : 293, 670, 1779..., *cacher, dissimuler* ; *(sei) v.r.* : 2705, *se retirer pour ne pas voir ni être visible.*

[2]celer *s.m. ?* : 1548, *cellier, cave.*

cerf : *voir* serf.

chaener, *PP* chaenez *v.t.* : 3289, *enchaîner.*

chaere *s.f.* : 892 (*ms.* chaumbre), *cathèdre. Voir la note.*

chaier, *IP3* chet, *PS3* chaï, chaïst *v.i.* : 222, 309, 694..., *choir, tomber.*

chaines : *voir* [1]cheinis.

chalenger, chalanger *v.t.* : 168, 265, *disputer par les armes.*

chaleir, *IP3* chaut *v. imp.* : 285, 2605, *importer.*

champ *s.m.* : 2154, 2943, 2949, *champ, terrain découvert* ; 2324, 3346, *terrain découvert où les adversaires peuvent s'affronter en combat singulier* ; 2934, 3501, *champ de bataille, d'où bataille rangée.*

chaper, *SP3* chape *v.i.* : 2294, *échapper.*

chaperon *s.m.* : 2159, *capuchon.*

charbocle, charbucle *s.m. ?* : 872, 1593, *escarboucle, pierre précieuse d'un rouge très vif.*

charer *s.m.* : 1494, *chariot.*

charters *s.f. ?* : 3164, *chartes, documents à valeur juridique.*

chartre *s.f.* : 940, 1102, *prison, cachot, basse fosse où sont enfermés les prisonniers.*

chartrers *s.m.* : 1046, 1048, 1150..., *geôliers.*

[1]chef *s.m.* : 23, 305, 487..., *tête* ; 2478, 2547, *extrémité* ; 2458, *commandement militaire ?*

[2]chef *prép.* : 2819, 2969, 2996, *chez* ; au c. 719, *loc. prép.* : *dans la demeure de, chez.*

[1]cheinis, chaines, cheines, cheynis *s.f.* : 913, 1017, 1440..., *chaînes.*

[2]cheinis *s.m.* : 1617, *chiens.*

chere, chier *s.f.* : 28, 453, 3848, *visage, expression du visage.*

clamer, *IP1* cleyme, *IP6* cleyment, *PP* clamé, clamez *v.t.* : 2533, 2902, 3577, *déclarer* ; 3414, *appeler, nommer* ; 3645 (*ms.* cleyme), *invoquer.*

[1]clarré, claré, *adj.* : 2824, 2907, *brillant, clair* ; 2837, *clair, distinct.*

[2]clarré (vin) *adj.* : 1335, *vin miellé et aromatisé. Voir la note.*

clerc *s.m.* : 3675, *clerc, homme instruit, pas nécessairement ecclésiastique* ; clerc lisant : *clerc que son instruction autorise à occuper une position importante.*

clergez *s.m.* : 3688, *ecclésiastiques.*

cleyme, cleyment : *voir clamer.*

coile, coilent : *voir* colier.

[1]coler *s.m.* : 1702, *collier, crinière d'un lion.*

[2]coler 1489 : *voir* acoler.

colier, *IP3* coile, *IP6* coilent, *PS3* coili, *PP* colie *v.t.* : 1561, *cueillir* ; c. sa veye, la voie 1533, 3376, *se mettre en chemin* ; 3130, *prendre possession d'un lieu, s'y installer* ; 3621, *rassembler, réunir, d'où repousser.*

coliz *adj.* : 3639, *coulissant.*

colouré, coluré, colurez, colorie *adj.* : 373, 401, 1281..., *au teint délicat.*

comaund, comand, command, commant *s.m.* : 232, 809, 817..., *ordre, volonté.*

comaundent *s.m.* : 199, *ordre, volonté.*

comaunder, *IP1* comand, command, *IP3* comand, command, comande, commande, *IP5* comaundez, comandez, *PS3* comanda, comaunda, *PS5* comaundastes, *PP* comandé *v.i.* : 195, 1476, 2401 (*ms.* comandre)..., *commander, ordonner, recommander* ; *v.t.* : 562, *confier, mettre sous les ordres de qqn* ; 1359, 2745, 2813..., *recommander qqn à qqn, le mettre sous sa sauvegarde.*

combataunt, combatant *adj.* : 14, 225, 1781..., *bon guerrier, vaillant.*

come *s.f. ?* : 1759 (*ms.* comz), *crinière*.
comfire, *PP* comfiz *v.t.* : 3241, *déconfire, vaincre*.
commandement *s.m.* : 2191, 2256, *ordre, volonté*.
command, commant : *voir* comaund.
compaignie, compaynie *s.f.* : 2292, 2301, 3534, *troupe aux ordres d'un chef*.
complir, *PP* complie *v.t.* : 3847, *achever*.
comprer, *F3* comprez, comparez, *PP* compré *v.t.* : 219, 391, 1884 (*ms.* comparet)..., *payer, expier*.
concenter *v.i.* : 1830, *consentir, se conformer*.
concy : *voir consuivre*.
conduire, *IP3* condust, *SP3* condye, coundue *v.t.* : 2290, *conduire, commander* ; 819, 1125, *guider, protéger*.
conerai *s.m.* : 2980, *provisions*.
confondre, *SP3* confoundue, confundue, confunde, *PP* confundu, confunduz, confoundu *v.t.* : 1159, 1167, 1614 (*ms.* conpondre), *détruire, abattre, tuer* ; 705, 783, 2211..., *détruire (en formule de malédiction)*.
conforter, *PP* conforté, *F-ant* confortant *v.t.* : 1541, 3828, *réconforter, rassurer, redonner de l'énergie à*.
congé, congez *s.m.* : 2608 (*ms.* coge), 2676, 3364..., *congé, autorisation de partir* ; 292, 294, 2885..., *autorisation, consentement*.
conjurer, *PS3* conjura *s.m.* : 1594, 1596, *user des secrets permettant de se servir d'un objet magique*.
conquere, *PS1* conquis, *PS2* conquis, *PS3* conquist, *F1* conquerai, *PP* conquis *v.t.* : 4, 805, 917..., *vaincre, capturer* ; 541, 715, 963..., *conquérir* ; 2527, 2950, *gagner, remporter*.
conquester, *PP* conquesté *v.t.* ; 2546, 3150, *gagner, remporter* ; 2605, *conquérir* ; 2843, *capturer*.
conreyer, *PP* conreyé *v.t.* : 2820, *arranger, approvisionner*.
conseil *s.m.* : 515, 791, 1500..., *conseil, avis* ; 322, *conseil, recommandation, instructions* ; 48, *projet, intention* ; 3516, *décision*.
conseylur *s.m.* : 2536, *conseiller*.
consuivre, *IP3* consuit, *PP* concy *v.t.* : 2938, 3168, 3241, *poursuivre, rejoindre*.

conter, counter, *IP3* conte, *IP6* content, *PS3* conta, *PP* conté, contez, contés, counté, countez *v.t.* : 1770, *compter* ; 434, 652, 1872..., *conter, raconter* ; 206, 514, 3753 (*ms.* contes)..., *dire, exposer.*

contre : *voir* encontre.

[1]contré, contrés, contrez *s.m. ?* : 1413, 2786 (*ms.* contrer), 3128..., *pays.*

[2]contré 1851 : *voir encontrer.*

contredire, *PS3* contredit *v.i. ?* : 2057, *s'opposer à, refuser.*

contredist, contrediz *s.m.* : 32, *contredit, avis contraire* ; 76, *contre-temps* ; 156, *opposition.*

contreester, *v.i.* : 646, 1117, *s'opposer, se mettre en travers.*

contur *s.m.* : 2121, comtes.

convener, *IP3* covent, *F3* covendra, *F-ant* convenant *v.i. ?* : 2706, *décider* ; *v. imp.* : 229, 271, 484..., *falloir* ; mal c. 3517, *arriver malheur.*

converser, *PP* conversis *v.i.* : 2954, *vivre, passer sa vie.*

corage *s.m.* : 876, 893, 1085, *le cœur comme siège des vertus et de la vie intérieure.*

corant, coraunt *adj.* : 99, 426, 1645..., *rapide.*

cornus *adj.* : 1752 (*ms.* corns), *en forme de corne ou doté d'une excroissance de cette forme. Voir la note.*

corociez : *voir* corucer.

corone, coroune *s.f.* : 957, 994, 2466..., *couronne, insigne de royauté* ; 1201, *partie supérieure du crâne.*

cors seint *s.m.* : 692, *relique de saint.*

corser *adj.* : 863, 1139, *à la course rapide.*

corsu *adj.* : 3109, *bien bâti, robuste.*

corteis : *voir* curteis.

corteisement *adv.* : 378, *poliment, avec de bonnes manières. Voir* curteis.

corucer, *PP* corucé, corocez, corociez *v.i.* : 323, 1199, 1939..., *se mettre en colère.*

coste *s.f. ?* : 109, 461, *piqûre* ; a c. de esperun : *en piquant des éperons.*

cote *s.f.* : 689, 1488, *tunique portée sous le manteau, d'où la connotation de pauvreté qui s'y attache dans les deux occurrences.*

coursseler *s.m.* : 702, *garçon de courses.*
couve *s.f. ?* : 1958, *cuve.*
coveiter *v.t.* : 2529, *convoiter, désirer ardemment et sans légitimité.*
covenant *s.m.* : 2882, *convention, accord, condition.*
coverclez *adj.* : 3287, *munies d'un couvercle.*
coverer, PP coveré *v.t.* : 1339, *récupérer. Voir* recoverer.
coye *adj.* : 1453, *immobile et silencieux.*
coyltes *s.f. ?* : 3286, *couettes.*
cravanter *v.t.* : 1444, 1810, 2342, *abattre, renverser. Voir acravanter.*
crestre, IP3 crest, *F-ant* cressanz *v.i.* : 1787, 3229, *croître, grandir.*
crine *s.f. ?* : 368, *chevelure.*
cüez *adj.* : 946, *pourvus d'une queue.*
curs *s.m. ou f. ?* : 2517, 2546, *course* ; 2477, 2478, *parcours à suivre pour une course* ; 2483, *départ* ; 2514, *arrivée.*
curteis, corteis, curtays *adj.* : 3, 748, 2791..., *dont le comportement témoigne d'une bonne éducation, conforme à ce qu'on attend à la cour.*
curteysie *s.f. ?* : 3850, *comportement conforme aux bonnes manières.*

D

dancel *s.m.* : 3015 (*ms.* dantele), *jeune garçon noble.*
dart *s.m.* : 1298, 1319, 1320, *javelot.*
dathat *adv.* : 2431, 2605, *formule de malédiction.*
daunger *s.m. ?* : 710, *tort, difficulté faite à qqn.*
deboneirement, debonerement *adv.* : 996, 3657, 3676, *noblement, généreusement, avec bienveillance.*
debriser, debruser, *PP* debrisé *v.t.* : 448, 887, 2127..., *briser, mettre en pièces* ; 2026, *endommager.*
decerte *s.f.* : 1251, *service, mérites.*
decoler *v.t.* : 324, 634, 1820..., *décapiter.*
dedut *s.m. ?* : 260, *réjouissance.*
[1]defendre, *IP1* defent, *Imp5* defendez *v.t.* : 154, 173, 2838, *défendre, protéger.*
[2]*defendre v.t.* : *F-ant* defendant 3496, *fendre.*

defïer, *PP* defïé, defïez *v.t.* : 520, 1059, *attaquer* ; 2620, *retirer sa confiance à, mal juger* ; defïez *adj.* : 2503, *qui ne mérite pas la confiance, de mauvaise qualité.*
defroter *v.t. ?* : 2997, *frictionner, frotter pour faire disparaître (une teinture).*
defublé *adj.* : 752, *sans manteau.*
defuir, *PP* defui *v.t.* : 2621, *faire défaut à. Voir la note.*
degaber *v.t.* : 1072, 1119, *tromper, duper plaisamment. Voir gaber.*
degerper, *F1* degerperai : 767, *renoncer à, renier. Voir guerper.*
degré *s.m.* : 2407, 2525, *escalier, perron.*
deigner, *IP3* deyne, *Impft3* deignoit, *PS5* deignastes, deygnastes *v.i. ou t.* : 1040, 1452, 2415..., *daigner, consentir à.*
deiner : *voir diner.*
dejuste *prép.* : *voir* [2]juste.
dekene *s.m.* : 1221, *diacre.*
delaier *v.i.* : 351, *s'attarder* ; *sbst.* : 631, *retard.*
delaiur *s.f. ?* : 71, *perte de temps.*
deliz *s.m.* : 1248, *fautes, péchés.*
demeintenaunt *adv.* : 1000 (*ms.* bien tenaunt), *aussitôt. Voir* meintenant.
demene *adj.* : 1946, 3099, *personnel, qui appartient en propre.*
demener, *IP3* demeyne, demene, *IP6* demenent, *PP* demené *v.t.* : 1446, 1455, 3006..., *montrer, manifester* ; 3174, *traiter, se comporter à l'égard de.*
dementres *adv.* : 2188, 2997, *pendant ce temps.*
demeur *s.m. ?* : 203, *retard.*
demoné : *voir* moné.
demoraunce, demuraunce *s.f.* : 77, 475, *retard, perte de temps.*
demorer, demorrer, demurer, *IP6* demorent, *PS3* demora, *F5* demorrez, demurrez, *PP* demoré, demorez, *F-ant* demorant *v.i.* : 46, 1070, 1557..., *tarder, s'attarder, attendre* ; 249, 884, 3058..., *demeurer, rester dans un lieu* ; 1686, *se retenir, résister* ; *sbst.* : 446, *retard, perte de temps.*
demorison *s.f. ?* : 2007, *retard, perte de temps.*
demustrer, *PS3* demustra *v.t.* : 565, *montrer, signifier, symboliser.*

deneier, *Imp5* deneiez *v.t.* : 269, *repousser*.
dener 1296 : *voir* diner.
departer, *IP3* departe, *IP6* departent, *F2* departeras, *PP* departez, departiz, *F-ant* departaunt *v.i.* : 841, 864, 3042..., *s'en aller, quitter (pour aller ailleurs)* ; 384, *se séparer, abandonner, rompre avec* ; *(sei) v.r.* : 862, 2326, *se séparer pour aller ailleurs* ; *v.t.* : 3035, *séparer (des adversaires)* ; *sbst.* : 1795, *départ* ; 2707, *accouchement.*
departie *s.f.* : 986, *départ.*
depeindre, *PP* depeint *v.t.* : 564, *peindre, représenter.*
depescer, *PP* depescé *v.t.* : 1090, *briser, mettre en pièces.*
derumpre, *PP* derumpu *v.t.* : 1165, *briser, mettre en pièces. Voir rumpre.*
desacher, *IP6* desachent *v.t.* : 1662, *déchirer.*
descendre, *IP3* descent, *IP6* descendant, *PS3* descendit, descendi, *Imp5* descendez, *PP* descendu *v.i.* : 1049, *descendre* ; 150, 634, 1463..., *descendre de cheval, mettre pied à terre.*
descoverir, *IP3* descovere, *F2* descoveras *v.t.* : 669, *révéler* ; 48, *trahir en révélant les intentions de.*
deseveir, *F1* deseverai, *PP* desu *v.t.* : 2001, 2201, *tromper, mystifier.*
deservir, *PP* deservi *v.t.* : 961, *mériter.*
desheyter, desheyté *v.t.* : 1540, *décourager, accabler. Voir haiter.*
desirer, desiré *v.t.* : 1735, *déchirer, mettre en lambeaux.*
destiné *s.f.* : 29, 1422, *destinée malheureuse* ; 2575, *coup du sort.*
destiner, *PP* destiné *v.t. ?* : 3788, *prédestiner, décider de toute éternité. Voir adestiner.*
destoundre *v.i.* : 148 (*ms.* estoundre), *se précipiter sur.*
destrer *s.m.* : 99, 1742 (*absent du ms., corr.*), 1759 (*ms.* destres)..., *cheval puissant et rapide, prioritairement destiné au combat à la lance et par conséquent aux chevaliers. Voir* palefrei *et la note au vers 542.*
destrin *s.m.* : 2679, *destin.*
desturber, *PP* desturbé, desturbez *v.t.* : 2228, 3760, *troubler, gêner, faire tort à* ; *s.m.* : 433, 1127, *tort, ennuis.*
desvé : *voir* devé.

desver, *F-ant* desvant *v.i.* : 3812, *devenir fou.*
detrencher, *PP* detrenché, detrenchez *v.t.* : 2553, 3090, *couper en morceaux, décapiter.*
detrere *v.t.* : 1836 (*ms.* detrerer), *tirer, traîner* ; d. od chivals : *tirer à quatre chevaux, écarteler.*
deveyer, *IP5* devëez, *PP* deveé, deveyé, devëez *v.t.* : 27, 504, 1315, *refuser* ; 1450, 3299, *empêcher, interdire.*
devé, desvé, devez *s.m.* : 522, 1336, 1729..., *fou, furieux.*
devïer, *PP* devïez *v.i.* : 3340, 3780, *perdre la vie, mourir.*
devis *s.m.* : 2873, *projet* ; 3253, *volonté.*
devisement *s.m.* : 1001, *projet, manière.*
deviser, diviser *v.t.* : 2279, 2286, 3327, *diviser, répartir, partager.*
deyne : *voir deigner.*
diner, deiner, deyner, dener *v.i.* : 829, 1291, 1398, *prendre le repas de midi* ; *s.m.* : 824, 1296, 1395..., *ce repas.*
diviser : *voir* deviser.
dobbent : *voir adober.*
doel, dol, duel, duil *s.m.* : 44, 142, 1941..., *peine, souffrance* ; 676, 849, 2680..., *tristesse, chagrin* ; 3830, *manifestations de chagrin, deuil.*
dorrai 3811 : *voir* durer.
doter, doters, *IP1* doute, *IP5* dotez, *PS6* doterent, *Cd3* dotereit, *PP* doté, dotez *v.t.* : 61, 604, 1224..., *craindre* ; (ke fet) a d. : 1373, 1545, 1653, *redoutable, puissant* ; *(sei) v.r.* : 860, 1093, 1233..., *craindre* ; 3746, *envisager avec crainte.*
dotus *adj.* : 3611, *douteux, à l'issue incertaine.*
dras *s.m. ?* : 236, 237, *vêtements* ; 1110, *étoffes.*
dreit *s.m.* : 169, *bon droit* ; 2703, *droit, coutume admise comme juste* ; a d., en d. : 434, 652, *bientôt.*
dreiturer, dreyturer, dreiturel, dreyturel, dreyturez *adj.* : 126, 1292, 1401..., *juste, justicier (qualificatif prioritairement appliqué à Dieu)* ; 2991, *naturel, légitime.*
drescer *v.t.* : 2189, *redresser, refaire un escarpement.*
dreyn *adj.* : 1250, *dernier.*

dromoun, dromun *n.m.* : 354, 2744, *grosse galère d'origine byzantine.*

dru *adj.* : 2221, *objet d'un attachement impliquant affection et confiance* ; 3159, *personne aimée.*

druerie s.f. : 2138, *amour, confiance.*

duel, duil : *voir* doel.

durer, durrer, *IP3* dure, *IP6* durent, *F1* dorrai *v.i.* : 3263, 3508, 3681..., *(temps) durer, avoir une certaine durée* ; 621, 1641, 2166..., *durer, résister* ; 3790, *rester en un même lieu* ; 675, 3811, *rester en vie* ; tant com hante dure : 2831, 2929, 3139..., *(espace) avoir une certaine longueur, d'où « de toute la longueur de la lance ».*

E

egarré, egarez *adj.* : 2838 (*ms.* e garre), *abandonné, d'où sans ressort, lâche* ; 3076, *égaré, effrayé.*

eim : *voir* eymer.

eir *s.m. ou f. ?* : 397, *héritier.*

eire, eyre *s.m. ?* : 103, 1183, *vitesse.*

elessant : *voir enlesser.*

embler, *PP* emblé *v.t.* : 1302, 3175, 3417..., *voler, dérober* ; 2483, *partir en avance lors d'une course.*

emfes, emfe, emphes, enfes, emfaunt, enfant, enfans, enfaunt *s.m.* : 2717, 2809, *nouveau né* ; 213, 312, 3103..., *enfant, jeune garçon n'ayant pas atteint l'âge de l'adolescence, trop jeune pour porter les armes* ; 416, 2535, 2571 (ms. lur homes)..., *adolescent, ayant l'âge de porter les armes (quinze ans)* ; 2489, 2828, *jeune homme, même pleinement adulte (voir* bacheler*)* ; 3487, *terme caractérisant un jeune homme en relation avec ses parents* ; *s.m. ou f.* : 37, 1668, 2624..., *fils ou fille par rapport à ses parents, sans référence à l'âge.*

emparla : *voir enparler.*

emphes : *voir* emfes.

empirer, *PP* empiré : 536, *abîmer, détériorer.*

enbaïr, *PP* enbaïs, esbaÿz *v.t.* : 599, 1242, *stupéfier, effrayer, étonner au point de rendre incapable de réagir.*

enbeverer, *PP* enbeveré *v.t.* : 3456, *mener boire.*

[1]enbracer, enbrace *v.t.* : 1707, *embrasser, prendre en passant le bras dans une courroie* ; 2178, *prendre, serrer dans ses bras.*

[2]enbracer, enbraser *v.t.* : 1137, 1604, 2275, *brûler vif.*

enbrouncher, *PP* enbrounché *v.t.* : 784, *baisser la tête en signe de désagrément.*

enbrun *adj.* : 1885, *baissé (en parlant de la tête).*

enbucher, *PP* enbuchez *v.i.* : 3216, *se mettre en embuscade.*

enchace *s.m.* : 3263, *poursuite.*

enchacer, *IP6* enchacent, enchaucent, *PP* enchacé, enchacez *v.t.* : 1945, 2436, 2616..., *chasser* ; 3262 (*ms.* enhaucent), 3475, 3507 (*ms.* chace)..., *poursuivre.*

enchiminer, *PP* enchiminé, enchiminez, achiminez *v.i.* : 1996, 2813, 2965..., *se mettre en route, se diriger.*

encombrer *s.m. ?* : 473, 1655, 2024..., *difficulté, dommage, malheur.*

encontre, contre *prép.* : 154, 2020, 2268..., *contre* ; 164/165, 2009, 2043..., *vers, pour rejoindre* ; *adv.* : 2294, *contre lui* ; 3092, 3151, 3172..., *dans sa/leur direction.*

encontrer, *IP3* encontre, *PS3* encontra, *PS6* encontrerent, *PP* encontré, encountré, contré, *F-ant* encontrant *v.t.* : 73, 1368, 1879 (*ms.* econtra)..., *rencontrer* ; *v. imp.* : 2398, 2561, 2574..., *arriver.*

encuser, *PP* encusé *v.t.* : 777, *accuser.*

endreit, endreyt (ore) *adv.* : 918, 1063, 1290..., *immédiatement, très bientôt. Voir* dreit.

endrescer *v.t. ?* : 1015, *s'occuper de, soigner.*

endurer, *PP* enduré *v.i. ou t.* : 981, 1621, 2397..., *supporter, résister* ; *v.i.* : 2612, *demeurer.*

[1]enfant *s.m.* : 2699, 2704, *enfantement, accouchement.*

[2]enfant, enfans : *voir* emfes.

enfaunsoun *s.m.* : 211, *jeune enfant.*

enfaunt : *voir* emfes.

enfebler, *PP* enfeblé *v.t.* : 1056, *affaiblir.*

enfes : *voir* emfes.

enforcer, *IP3* aforce, *PP* aforcé *v.t.* : 2188, 2203, *renforcer, consolider, fortifier* ; *v.i.* : 3516, *devenir fort, énergique* ; enforcez *adj.* : 1764, *vigoureux.*
enfraier, *PP* enfraiez *v.t.* : 3074, *effrayer.*
enginer, *IP3* engine *v.t.* : 3518, *tromper, tendre un piège à.*
engrés *adj.* : 2728, 3184, 3472, *préoccupé, fâché, abattu* ; 3703, *mécontent, courroucé.*
engulez, enguliz *adj.* : 2723, 2582, *à collet de fourrure.*
enhaucer, *PP* enhaucez *v.t.* : 1051 (*ms.* enhauncez), *lever, dresser* ; 2815, *élever (un enfant).*
eniré *adj.* : 22, *peiné, fâché.*
enjornez : *voir* ajorné.
enlesser, *PP* enleessé, enlessé, lecez, *F-ant* elessant *v.i.* : 1213, 3476, 3765 (*ms.* letez)..., *se lancer au galop, aller à toute vitesse. Voir* lece.
enmaez : *voir amaier.*
enparler, *IP5* enparlez, *PS3* emparla, *PP* enparlez *v.i.* : 2487, 2531, 3378, *parler* ; 516, *prendre la parole.*
enpenser, *PP* enpensé *v.t.* : 2649, *penser, projeter.*
enprisoner, *PP* enprisoné, enpresonez *v.t.* : 1473, 1911, 3309, *tenir en captivité.*
enragera : *voir rager.*
ensayer *v.t. ?* : 1193, *essayer, faire l'expérience de.*
enseger, *PP* assegé *v.t.* : 1505, 2270, *assiéger.*
enseigné, ensyné, enseignez *adj.* : 747, 1903, 3032, *bien éduqué.*
enseler, *PP* enselé, enselez *v.t.* : 792, 3164, *sceller.*
ensembler, *IP6* ensemblent, *PP* ensemblé, emsemblez *v.t.* : 2484, 3052, 3311, *mettre ensemble, rassembler* ; 3178, *affronter, engager au corps à corps.*
ensement *adv.* : 593, 820, 1753..., *aussi, de même.*
ensyné : *voir* enseigné.
entailé *adj.* : marbre e. 1277, *blocs de marbre taillés, appareillés* ; bliaut e. 745, *orné de broderies.*
enter 2748 : *IP3* d'*entrer.*

entrebeiser (sei), PP entrebeisé, entrebeysez *v.r.* : 772, 2993, *échanger des baisers. Voir beiser.*
entrencher *v.t.* : 2440, *dépecer.*
entrine *adj.* : 366, *entière, très forte.*
envalez : *voir* avaler.
enveier, IP3 enveie, *PS3* enveia, envoia, *F1* enveierai, *SP1* enveit, envoit, *PP* envëez *v.t.* : 198 (*ms.* voia), 247, 2232, *envoyer qqn* ; 3303, 3400 (*ms.* ueint), *envoyer qqch* ; 2197 (*ms.* te ueit), *transmettre, faire tenir un message.*
enveiler (sei), veiler, *IP3* enveile, aveile, *PS3* enveila, *Imp5* enveilez, *PP* veillé *v.r.* : 756, 969, 1141, 1558, 2737, 3441, *s'éveiller* ; *v.i.* : 1589, 1591, *même sens.*
enviler *v.t.* : 763, *avilir, outrager, endommager.*
envoyder, Imp5 envoydez *v.t.* : 1860, *vider, sortir de.*
enyverir, enyverer *v.t.* : 1552, 1592, *enivrer.*
eraument *adv.* : 221, *très vite, aussitôt.*
ere, eire, eyre *s.m.* : *chemin, voyage* ; bon e. 103, grant e. 1183, *grande allure, grande vitesse.*
errant adv. 2627, 2672, 3182..., *rapidement.*
errer, PP erré, errez *v.i.* : 1845, 3012, *voyager, faire route* ; 2846 (*ms.* urez), *aller, passer (par un certain chemin)* ; 2501, 2636, 3096, *se conduire, se comporter* ; 3732, *être affecté par un certain événement* ; *v. imp.* : 2569, *se produire, arriver.*
erseveske *s.m.* : 2464, 3804, *archevêque.*
esbaÿz : *voir enbaïr.*
escharnier *v.t.* : 2587, *offenser.*
eschec *s.m.* : 2950 (*ms.* le chef), 3150 (*ms.* le chef), 3510 (*ms.* les chet), *butin.*
eschele, escheles *s.f.* : 2279, 2286, 2304, 2341, *corps de bataille, unité tactique organisée dans le cadre d'un plan de bataille particulier en réunissant sous un commandement commun un certain nombre des* baneres *qui composent l'*ost, *l'armée tout entière. Voir* banere *et* ost.
eschés *s.m.* : 3036, *jeu d'échecs.*
escient : *voir* ascient.

esclaveyne *s.f. ?* : 1426, *manteau de pèlerin. Voir la note.*
escomer, *PP* escomé *v.i.* : 1261, *écumer.*
escorre (sei), *PS3* escost *v.r.* : 1265 (*ms.* estort), *se secouer.*
esglés *s.f. ?* : 3842, *église.*
esmerer, *PP* esmeré, esmerez *v.t.* : 1358, 3041, *purifier*, *débarrasser de ses impuretés. Voir les notes correspondantes.*
esparnier, *IP3* esparnie, *IP6* esparnient, *PP* esparnié *v.t. ou i.* : 421, 1314, 1666..., *épargner.*
[1]espé, espee, espez *s.m.* : 139, 448 (*ms.* espeie), *épieu*, *arme de chasse* ; 547 (*ms.* espeie), 1241, 2607, 2931..., *lance*, *en particulier grosse lance*, *épieu de combat. Voir la note au vers 547.*
[2]espé, espee, espees, espeie, espeies *s.f.* : 4, 1109, 1306, 2919, 2946..., *épée. Voir l'introduction*, p. 12, 75, § 11, et 79 § 30.
espie *s.m.* : 3122, 3180, *espion.*
esplëez : *voir aplaer.*
espleiter, *PP* espleité, espleyté *v.i.* : 2544, *obtenir un résultat*, *tirer profit* ; 736, 2861, *réussir*, *obtenir le résultat escompté* ; 2792, *agir dans un but.*
esprover, *PP* esprovez *v.t.* : 3348, *éprouver*, *mettre à l'épreuve* ; esprové *adj.* : 2508, *expérimenté*, *zélé* ; 3561, *évident*, *bien connu comme tel. Voir* prover.
espunter, *PP* espuntez *v.t.* : 525, *épouvanter.*
esquasser, *PP* esquassé *v.t.* : 1226, 1862, *briser*, *mettre en pièces.*
[1]estable *s.f.* : 1016, 1023, 3423..., *écurie.*
[2]estable *adj.* : 406, *ferme.*
estapir, *PP* estapiz *v.i. ou r.* : 88, *se cacher.*
estaunt, esteant (en) *loc. adv.* : 908, 1801 3662..., *debout.*
[1]ester, *IP6* esteunt, *PS3* estut, *F-ant* esteant *v.i.* : 755, 882, 1815..., *se dresser*, *se tenir debout* ; 462, *se montrer*, *surgir* ; 1108, 3480, *se trouver (dans un lieu)* ; 1453, *rester* ; lerrai, lerrom, lerrum, lessent, lessa, lessez e., 436, 678, 1432..., *abandonner*, *renoncer à* ; 1480, 1662, 2192, *ne pas se soucier de*, *oublier* ; 888, 2060, 2526, *laisser tranquille*, *ne pas inquiéter.*
[2]ester 1015 : *Voir* estre.
estoveir, *IP3* estoit, estut, *PS3* estut *v. imp.* : 61, 438, 1367..., *falloir.*

estor, estur *s.m.* : 554, 2326, 2851..., *combat, mêlée.*

estordre, *IP3* estort (son coup) *v.t.* : 1229, *retirer, d'un mouvement de torsion, son arme du corps de l'adversaire.*

estrange *adj.* : 3536, *étranger.*

estrangler, *PP* estranglé, estranglés, estranglez *v.t.* : 2124, 2126, 2148, *étrangler* ; 1676, 1730, *dévorer.*

estre, ester *prép.* : 1015, *sans, à l'exception de* ; 298, 389, *sans, contre.*

estru *s.m.* : 546, 1231, 2481..., *étrier.*

estur : *voir* estor.

[1]estut 1453 : *voir* [1]ester.

[2]estut 934, 1367, 2259, 2611 : *voir estoveir.*

ewe *s.f.* : 952, 1959, 2086..., *eau* ; 239, 1236, 3621..., *espace aquatique, étang, lac ou rivière.*

eymer, *IP1* eim, eyme, *IP3* eyme *v.t.* : 689, 1254, 2137 (*ms.* eyme)..., *aimer.*

eyté *: voir haiter.*

F

failer, *IP2* faylis, *IP3* fayle, *PS3* faili, *F1* fauderai, *F3* faudra, *F5* faudrés, *F6* fauderunt, *Cd3* faudroit *v.i.* : 254, 1536, 2301..., *manquer, faire défaut* ; 1311, 1324, 2221, *manquer, échouer* ; *v.t.* : 3389, *manquer de.*

fasoun *s.f. ?* : 685, *allure, beauté.*

fausart *s.m.* : 1299, 1322, *fauchard, sorte de lame de faux emmanchée droite à l'extrémité d'une hampe et employée comme arme.*

fauser *v.i.* : 644, 1132, 1477..., *mentir, tromper, déformer la vérité.*

fauseté *s.f. ?* : 1711, *mauvaise action, déloyauté.*

fayle : *voir* failer.

fëautez : *voir* feuté.

feer : *voir* fer.

feffer, *PP* feffé, feffez *v.t.* : 2460, 2634, *investir d'un fief.*

felunement *adv.* : 960, *de façon déloyale, indigne.*

fenant *s.m. ?* : 3681, *fin, terme.*

fendre, *IP3* fend, fent, *PS3* fendi, *PP* fendu *v.t.* : 1203, 1318, 3596 (*voir la note*)..., *fendre, couper en deux* ; 149, 2329, 1198, *se fendre, être coupé en deux.*

fer, feer, fier, fyr, fere, fers *adj.* : 876, 1289, 1431..., *fier, vaillant, sans peur et/ou sans pitié, d'où cruel* ; 643, 957, 1427..., *fier, noble, qualificatif valorisant* ; a/o le vis f., a f. vis, 289, 1037, 2281..., *au visage farouche, épithète épique caractérisant un guerrier redoutable* ; 1261, *violent, puissant* ; 1493, 1652, 1727, *féroce* ; 158, *brutal, impudent.*

ferant *s.m.* : 2669, 3489, 3499, *cheval à la robe gris fer* (*à moins qu'il ne s'agisse d'une forme d'*afferant *avec aphérèse : voir ce mot*) ; *adj.* : 2498, *même sens* ; 3379, *aux cheveux gris.*

ferement *adv.* : 1017, 1196, *fortement* ; 578, *violemment* ; 274, 2323, *brutalement, grossièrement.*

ferer : *voir* ferir.

fereté, ferité : voir ferté.

ferir, ferer, *IP3* fert, fiert, feert, refert, *IP6* ferent, fierent, *PS2* feris, *PS3* feri, ferist, *PS6* fererent, *Imp5* ferez, ferés, fereys, ferrez, *PP* feru *v.t.* : 190, 221 (*ms.* freet), 2311..., *frapper de la lance, de l'épée ou d'une autre arme de poing* ; *emploi absolu* : 585, 616, 3258 (*absent du ms., corr.*)..., *même sens* ; 1025, 1819, 2556..., *frapper d'un coup de sabots (cheval)* ; 2220, 2221, *toucher avec un projectile* ; f. *un coup*, 3600, 3619, *assener* ; *(sei) v.r.* : 1257, 3607, *se lancer, se précipiter.*

fermer, *IP6* ferment, *PP* fermé *v.t.* : 574, 914, 2466, *fixer, placer de façon à faire fermement tenir* ; 2541, *attacher* ; 2548, *fonder, édifier.*

fermetez *s.f. ?* : 2446, *places fortes.*

ferté, fereté, ferité, fierté, fertez, fiertez *s.f. ?* : 565, *vaillance* ; 559, 1239, 1446..., *violence, énergie* ; 3429, *orgueil* ; 3454, *colère.*

festu *s.m.* : 1169, *brin de paille (indice expressif de valeur nulle).*

feuté, fëautez *s.f. ?* : 2631, 2901, 3786..., *serment d'hommage féodal.*

[1]fez, fiez *s.f.* : 929, 1180, 1447..., *fois.*

[2]fez *s.m. ?* : 2442, *fiefs.*

fierté, fiertez : *voir* ferté.

fiez : *voir* [1]fez.
fin, fins *adj.* : 1358, 1571, 3283 (*ms.* finis)..., *pur, sans alliage* ; 332, 3316, *véritable, exact* ; 1042, 2870 (*ms.* sine), *sincère, loyal.*
finer, *IP3* fine, *PS6* finerent, *PP* finé *v.t.* : 365, 2851, *finir, achever, cesser* ; *v.i.* : 3455, 3807, *s'arrêter, faire halte* ; 983, *mourir.*
finir, *IP3* finist, *PP* finiz *v.t.* : 2951, *finir, achever* ; *v.i.* : 3845, 3847, *s'achever.*
flori, florie, floriz *adj.* : 3246, 3250, *orné de fleurs* ; 561, 2297, *blanc (barbe, cheveux)* ; 2187, 2275, 2730..., *chenu, qui a la barbe et les cheveux blancs.*
foile *s.f.* : 2720, *feuillage.*
foilluz *adj.* : 3215 (*ms.* veluz), *couvert de feuilles.*
folesoun *s.f.* : 681, *action déraisonnable, folie.*
fons, fonce *s.m. ?* : 1930, 1957, *fonts baptismaux. Voir* funte.
forbie, furbie, furbé, forbis *adj.* : 188, 600 (*ms.* forblis), 2931..., *fourbi, poli.*
forcer, forcir, PP forcé, forcis *v.t. ou i.* : 419, *devenir fort* ; 1338, *revigorer* ; forcez *adj.* : 2992, *accru.*
forement : *voir* [2]forment.
forester, foresters, foresteres *s.m.* : 472, 520, 2794..., *forestier, agent chargé de contrôler le respect des coutumes relatives à l'usage de la forêt.*
forfere, IP5 forfestes *v.t. ou i.* : 345, *faire du tort.*
forjurer, PP forjuré *v.t.* : 2598, *renoncer par serment à.*
forma, formé, formez : *voir* fourmer.
[1]forment, furment *s.m. ?* : 825, 915, 1275, *froment.*
[2]forment, forement, fortment, fortement *adv.* : 81, 841, 1592..., *avec force, beaucoup.*
forsaner, PP forsané *v.i.* : 2563, *perdre la raison, devenir fou.*
fortment, fortement : *voir* [2]forment.
forveier *v.i.* : 1128, *se tromper de chemin.*
fou *s.m.* : 687, *foyer.*
founder *v.t.* : 871, *placer, fixer.*
fourmer, *IP3* forma, *PP* formé, formez *v.t.* : 705, 1040, 1992..., *créer.*
franc *adj.* : 2123, 2697, 3195..., *noble.*

freis : *voir* or freis.

freit, freyd, freyde *adj.* : 1066, 1968, 2558..., *froid* ; *avoir* f. *loc. v.* : 2367, *avoir froid.*

frenytes : *voir* freyndre.

freteler *v.i.* : 2493, *courir au galop.*

freyn *s.m.* : 1230, 1262, *frein, mors du cheval, et par ext. bride à laquelle le mors est fixé.*

freyndre, *PP* frenytes *v.t.* : 3144 (*ms.* freydre), 3232, *briser.*

frusser, *PP* frussez *v.t.* : 3589, *briser, fracasser.*

fu *s.m.* : 1137, 1162, 2129..., *feu, bûcher.*

füer, *IP6* fuount, *PS3* fuist (*ou IP3 ?*), *PS6* fuirent, füerent, *PP* fuïs, *F-ant* füant *v.i. ou r.* : 481, 525, 2157..., *fuir, s'enfuir* ; *v.t.* : 601, *fuir.*

funte *s.f.* : 1967, *cuve. Voir* fons.

furbie, furbé : *voir* forbie.

furches *s.f. ?* : 1168, *fourches patibulaires, potence.*

furment : *voir* [1]forment.

fyr : *voir* fer.

G

gaber, *F1* gaberai, *F-ant* gabant, gabaunt *v.t.* : 1785, 1788, *se moquer de* ; 836, 837, *tromper par moquerie.*

gagis *s.m. ?* : 2820, *gages, objets de valeur donnés en garantie.*

galies *s.f. ?* : 1876 (*ms.* galeis), *galères.*

garantie *s.f. ?* : 1527, *protection, ce qui met à l'abri d'une menace* ; 2298, 2303, *protection, moyen de défense.*

garaunt, garant, garrant *s.m.* : 469, 819, 1630..., *protecteur, personne assurant une protection* ; 2938, *protecteur, protection.*

garçon : *voir* garson.

garder, *IP3* garde, gard, *PS3* garda, *F3* gardera, *F5* garderez, *SP3* garde, *Imp5* gardez, *PP* gardé, gardez, *F-ant* gardant *v.t.* : 244, 953, 1534..., *garder, surveiller, veiller sur* ; 991, *conserver* ; 551, 2294, *faire attention, veiller à* ; 451, 1850 (*ms.* grader), 3481..., *regarder, examiner soigneusement* ; g. de 1655, *protéger* ; *(sei) v.r.* : 990, 1808, 1993, *se garder, se conserver, veiller à soi-même* ; 258, *se tourner vers, regarder.*

garir, F3 garira, *F5* garez, *SP3* garist, *PP* gari, garis *v.t.* : 2592, 3844, *sauver, acquitter, pardonner* ; *v.i.* : 3225, *se tirer d'affaire, sortir vivant* ; 320, 2961, *guérir.*

garnement, garnemens *s.m. ?* : 3210, 3269, *équipement, armes de chevalier.*

garnir, PP garnis *v.t.* : 87, 423, *équiper, armer.*

garson, garçon *s.m.* : 1113, 1892, 3434..., *serviteur* ; 2195, *valet de rang inférieur.*

gas *s.m. ?* : 1805, *plaisanterie, moquerie.*

gayner, *PS3* gaina, *PP* gainé, gayné *v.t.* : 94, 1223, 1892..., *gagner, conquérir, s'approprier* ; 2517, *remporter, être vainqueur dans* ; *v.i.* : 101, *être récompensé.*

gaytes *s.m.* : 1117, 1124, *guetteurs, gardes.*

gemmé, gemmés *adj.* : 140, 1206, 2918..., *orné de pierres précieuses.*

geniloun : *voir* genulun.

gent, gens *s.f.* : 1510, 2838, 3555..., *ensemble de personnes* ; 1778, *peuple, nation* ; 1099, *population d'une ville* ; menue g., 2254, *petites gens (domestiques, paysans, etc.)* ; 61, 607, 2251..., *suite, troupe, ensemble de ceux que l'on commande* ; 19, *naissance, extraction.*

gent *adj.* : 911, 972, 1635..., *beau, gracieux, distingué* ; 1512, 1627, *de bonne qualité, judicieux* ; 3510, *de valeur, précieux.*

gentil, gentis, gentiz, gentilz *adj.* : 248, 691, 2133..., *noble* ; 2745, 3046, *de qualité, de valeur.*

gentilement *adv.* : 111, *poliment.*

genuler, PS3 genula *v.i.* : 1085, *s'agenouiller.*

genulun (en), geniloun (a) *loc. adv.* : 111, 636, *à genoux.*

geroun, geron *s.m.* : 590, 1748, *taille, ceinture.*

gernoun *s.m.* : 561, *moustache.*

gesir, *IP3* gist, *IP6* gisent, *F3* girra, *F-ant* gisaunt, gesant *v.i.* : 507, 1744, 2113..., *être couché, être étendu* ; 1680, 2332, 2720, *être sur le sol* ; 3839, *reposer, être enseveli.*

geste, gestes *s.f.* : 2, 3847, *récit d'exploits, aventures* ; 2196, *source écrite ou orale invoquée par la chanson à titre de garantie.*

geter, getter, giter, jetter, *IP3* gette, *PS3* getta, gita, jetta, *PS6* getterent, *PP* geté, getté, jetté, getez, gettez *v.t.* : 2108, 2112, *lancer* ; 3666, *jeter un liquide* ; 239, 363, 1353..., *jeter, précipiter qqn ou qqch* ; 178, 1066, 2927..., *faire tomber sur le sol, étendre* ; 2478, *poser sur le sol, déposer* ; 2488, *faire sortir, libérer, délivrer* ; g./j. un ris 609 (*ms.* iutta), 1775, *éclater de rire* ; g. un cris 2696, 2714 (*ms.* getre), 2717 (*ms.* gettre), *pousser un cri.*

glut, gluz, glotoun, gloton, glotouns, glotons *s.m.* : 189, 510, 1887..., *terme d'injure impliquant originellement une intempérance alimentaire, glouton, d'où la traduction par « crapule ».*

granter, *PS3* graunta, *PP* grantez *v.t.* : 642, 996, 3749, *consentir à, accepter.*

grantment *adv.* : 2283 (*ms.* grarantment), *grandement, beaucoup.*

graver *s.m. ?* : 1687, *sable.*

gré, grez, greez *s.m.* : 2427, 2808, *remerciement, reconnaissance* ; mau g. 1332, *aucun remerciement* ; de g. 770, 1344, 2373..., *volontiers, volontairement* ; a g. 3686, *volontiers*, 2567, *de façon satisfaisante* ; *saveir* g. 379, 546 (*ms.* gee), 1231, *être reconnaissant, d'où avoir besoin* ; venir a g. 68, 698, 1926..., *plaire, convenir, être de la volonté de* ; mal g. *loc. prép.* : 2100, 2101, 2102, *malgré*, m. g. le sun : *contre sa volonté.*

gregeis *adj.* : 328, *grec.*

grever, *Imp5* grevez, *PP* grevé *v.t.* : 1728, 2929, *blesser* ; 1938, 2022, 2272, *faire tort à, combattre avec succès.*

griffer *v.i.* : 439, *gratter le sol.*

guencher, *IP6* guenchent, gwenchent, *PS3* guencha *v.t.* : 481, *faire faire demi-tour* ; *v.i. ou r.* : 594 (*ms.* gwenche), 1808, *se détourner, s'écarter, s'esquiver.*

guerdon *s.m.* : 2448, *don en retour, récompense, rétribution.*

[1]guerer, guerrer, gwerer *s.m.* : 800, 2191, 2832 (*absent du ms., corr.*)..., *guerrier, combattant.*

[2]guerer, guerrer, *IP3* gueré, geré, *F5* guerez, *PP* guerré, gueré *v.t.* : 1948, 2264, 2910..., *combattre, faire la guerre à* ; *v.i.* : 2020, 3209, *combattre, guerroyer.*

guerper *v.t.* : 2595, *abandonner, chasser. Voir degerper.*

guier, IP3 guie *v.t.* : 50, *diriger, régner sur* ; 2280, 2290, *commander.*

gwenchent : *voir guencher.*

gwerer : *voir* [1]guerer.

H

hachie *s.f. ?* : 2304, *massacre.*

haiter, PP eyté *v.t.* : 1403, *réjouir* ; haitez *adj.* : 3118, *joyeux, plein d'entrain. Voir desheyter.*

hante, hantes *s.f.* : 2927 (*ms.* haut), 3144, 3248 (*ms.* hanc), 3494 (*ms.* lance)..., *hampe de la lance.*

hardement *s.m.* : 173, 1021, *vaillance.*

haterel *s.m.* : 1207, *nuque.*

heé : *voir* ayé.

her *adv.* : avaunt h. 1188, *l'autre jour, il y a quelque temps, récemment.*

herberger, *PS5* herberjastes, *PP* herbergé, herbergés, herbergez *v.t.* : 1942, 2404, 2664..., *loger.*

herbergement *s.m. ?* : 3387, *hospitalité.*

heritage *s.m.* : 2376, *domaine héréditaire.*

herité, heritez *s.m.* : 2426, 2435, 2447..., *domaine héréditaire.*

hermin *s.m.* : 2582, 2723, *pelisse fourrée d'hermine.*

homage *s.m.* : 657, 1840, 2354..., *hommage, serment féodal par lequel le vassal reconnaît sa dépendance envers son seigneur.*

honeré : *voir* honurer.

honir, *PP* honi, honis *v.t.* : 679, 958, 3277 (*ms.* honis), *couvrir de honte* ; 285, 405, 2231, *maudire* ; 615, *vaincre, anéantir* ; 3598, *blesser.*

honor, onur *s.f. ?* : 2533, 2617, 3843, *possession féodale, fief, royaume* ; 3842, *honneur, culte, hommage.*

honurer, honorrer, *PS6* honurerent, *PP* honuré *v.t.* : 703, 1492 (*ms.* coroner), 3204, *honorer, témoigner du respect à* ; 407, 878, 3514

(*ms.* honerent)..., *adorer, vénérer, rendre un culte à* ; honuré, honeré, honorez *adj.* : 1283, *honoré, respectable, terme de politesse* ; 1460, 1538, 1841..., *qui mérite d'être honoré, admirable.*
hoïr, F5 horrez *v.t.* : 3046, *entendre.*
[1]hoste, hostes *s.m.* : 2834, 2853, *personne chez qui on est hébergé à titre plus ou moins temporaire. Voir* ostel.
[2]hoste 2296 : *voir* ost.
hostel : *voir* ostel.
hourer *v.t.* : 1471, 1481, 1611, *prier.*
hure, oure *s.f.* : 1189, 2807, *heure, moment* ; 2496, 3620, *temps, durée* ; bon, mal h./o. 308, 2393, 2710, *moment propice ou néfaste* ; a bon o. 662, *à la bonne heure, volontiers.*
[1]hus, uis *s.m.* : 2075, 2127, 3425, *porte.*
[2]hus *s.m.* : 3219, *cris, huée, vacarme.*

I

ici 2308 : *voir issir.*
ignel *adj.* : 3015, *rapide.*
ignelement *adv.* : 234, 818, 1509..., *rapidement.*
iniquité *s.f. ?* : 3317, *tort, trahison.*
irestre, PP irascu, irascuz *v.i.* : 2216, *être fâché, affligé* ; 1161, *se mettre en colère.*
irer, PP irez *v.t.* : 2565, *mettre en colère* ; iré, irré, irez *adj.* : 778, 1316, 1723..., *en colère, en fureur, furieux* ; 721, 1236, 1341..., *mécontent, contrarié, fâché* ; 2803, *triste, affligé.*
irement *adv.* : 2334, *avec fureur.*
issir, IP3 ist, *IP6* issent, *PS3* issit, ici, *PS6* isserent, *PP* issis, issuz *v.i.* : 2751, 3221, *sortir* ; *(sei) v.r.* : 2308, 3213, 3560..., *même sens.*

J

jacerant *adj.* : 2948 (*ms.* lacerant), *qualifie un haubert dont la protection comporte des écailles de fer (voir la note).*
jantes *s.f. ?* : 1335 (*ms.* janes), *oies sauvages.*
jetta, jetter : *voir* geter.

joiant, joiaunt *adj.* : 905, 2325, 2625..., *joyeux, heureux.*
joiez *adj.* : 2753, *heureux.*
joius *adj.* : 117, 3203, *heureux.*
jolyvement *adv.* : 1144, *gaiment.*
jorné, jornez : *voir* ajorné.
joyn, joyns *adj.* : j. pez, 1865, 1965, 2049, *à pieds joints, d'un bond.*
juge *s.m. ?* : 2418, *le Jugement Dernier.*
jugulurs *s.m.* : 3028, *jongleurs.*
jurné *s.f ou m.* : 1845, *journée de voyage, étape.*
[1]juste *s.f ?* : 577, *combat singulier.*
[2]juste, dejuste *prép.* : 2765, 2973, *près de.*
juster, joster, *PP* justé *v.t.* : 2841, 3033 *(voir la note)*, 3347, *affronter en combat singulier.*
[1]justiser *s.m.* : 2377, *seigneur, en charge de l'administration, de la défense et de la justice.*
[2]justiser s.m. : 1297, *faire justice à, châtier comme il convient* ; 3744, *diriger, commander.*

K

kave : *voir* cave.
kernel, kerner *s.m.* : 450, 868, 1279, *créneau.*
kernu : *voir* quernu.

L

lacete *s.f.* : 2107, *lacet.*
laeyns : *voir* leyns.
lai : *voir* lei.
lais *s.m. ?* : 3101, *poèmes lyrico-narratifs accompagnés à la rote (voir la note).*
lancer, *IP3* launce, *PP* lancé, *F-ant* launzaunt *v.t.* : 1319, *lancer* ; *v.i.* : 1298, *combattre avec une arme de trait* ; *v.i. ou r.* : 478, 967, *s'élancer brusquement, se jeter (sur qqn), fondre.*
laner *adj.* : 2829, *paresseux, timoré.*
large, larges *adj.* : 748, *généreux* ; 1750, 2715, *large, vaste.*

laris, larrés *s.m. ?* : 2715, *terre inculte, lande* ; 617 (*ms.* leirs), 3248, *sol.*

laterie *s.f.* : 459, *enclos ? (AND 1995, 1, 380a).*

[1]lé *s.m.* : 1067, *côté.*

[2]lé 1091, 2048 : *voir* [2]lee.

lece *s.m. ?* : 548, *brusque et bref temps de galop. Voir enlesser.*

lecez : *voir enlesser.*

ledengez, ledengé : *voir* lledenger.

[1]lee *adj.* : 1094, *large* ; 1956, *trapu* ; *s.m. ?* : 1237, *largeur.*

[2]lee, [2]lé, leez, lez *adj.* : 116, 1091, 1953..., *heureux, joyeux.*

lëement *adv.* : 834, *avec plaisir, de bon cœur.*

leger, F3 legera *v.t.* : 2236 (*ms.* lergera), *alléger, d'où purger, saigner en contexte médical.*

lei, ley, lai *s.f.* : 2703, *coutume* ; 798, 806, 879 (*ms.* li)..., *religion* ; 2774, 2743, 3375, *manière, façon.*

lels *adj.* : 2379, *loyal.*

lers *s.m.* : 3411, 3419, 3451, *larron magicien.*

lettré *adj.* : 1212, *instruit, savant.*

[1]lever, relever, *IP3* leve, releve, *IP6* levent, *PS3* leva, *Imp5* levez, *PP* levé, levez, *F-ant* levant *v.t.* : 1960, 2333, 3466..., *soulever* ; 2578, *porter* ; 2647, 2763, 2805..., *tenir sur les fonts baptismaux* ; *v.i ou r.* : 122, 1147, 2123..., *se lever le matin, commencer sa journée* ; 312, 908, 1700..., *se mettre debout, se dresser* ; 636, 850, 1840..., *se relever (après une chute)* ; 2494, 3219, *se soulever (poussière, bruit).*

[2]lever *s.m.* : 1291, 1300, 2171..., *énorme gourdin, pieu, poteau, utilisé comme massue.*

leverer : *voir* liverer.

leyns, leyens, leins, laeyns *adv.* : 2452, 2695, 2724..., *là, dedans, à l'intérieur.*

lez : *voir* [2]lee.

listez *adj.* : 3369, *orné de bordures, de galons.*

liverer, leverer, *PP* liveré *v.t.* : 2039, *livrer, remettre* ; 2142, 2181, *amener, faire venir.*

lledenger, *PP* ledengez, ledengé *v.t.* : 708, 723, 1970, *injurier, invectiver.*

loé *adj.* : 2051, *que l'on loue, digne d'éloges.*

loer, loyer, *IP1* lo, *IP5* löez *v.t.* : 322, 2285, *louer, féliciter* ; 296, 1217, 1822..., *conseiller, recommander* ; 1998, 3748, *être d'accord avec.*

loge, loges *s.f.* : 2278, *abris temporaires démontables pour les armées en campagne* ; 2694, 2709, 2716..., *abri de feuillage.*

losoenger v., *PP* losoengé *v.t.* : 2877, *faire l'éloge de, flatter.*

louer *s.m.* : 760, *loyer, ce que l'on doit* ; *rendre son* l., *payer de retour, récompenser.*

loyer : *voir* loer.

lue, lues, luïs *s.f. ?* : 1237, 2499, 3263, *lieue, mesure de longueur correspondant en général approximativement à un peu plus de 4 km.*

luser, *F-ant* lusant *v.i.* : 875, 3188, 3401..., *briller.*

M

[1]mace *s.f.* : 1746, 1807, 1843..., *masse d'armes, massue.*

[2]mace *s.f.* : 3187, *grande quantité.*

maile *s.f. ?* : 1488, *maille, demi-denier, soit la plus petite pièce de monnaie.*

malader *v.i.* : 2783, *être malade.*

malade, malades *s.m.* : 2516, *lépreux* ; *adj.* : 125, 3321, 3809..., *malade, en proie à une affection physique* ; 2714, *en proie à des douleurs, notamment celles de l'enfantement.*

malement *adv.* : 760, 925, 2502..., *mal, de mauvaise façon* ; 1321, 2335, *fâcheusement* ; 40, *méchamment, avec malignité* ; 968, *cruellement, douloureusement.*

malfé, malfez *s.m.* : 1328 (*ms.* maluis), 2536, *diable* ; 1921, 2495 *(emploi figuré), personnage d'apparence ou de comportement diabolique. Voir la note au vers 2495.*

manasser, *IP3* manasse, *IP6* manassent, *PS3* manassa, *PP* manassé, *F-ant* manassant *v.t.* : 499 (*ms.* manasunt), 1607, 2880..., *mena-*

cer ; 1877, *proférer des menaces à l'encontre de* ; *v.i.* : 2323, *proférer des menaces.*

mander, *IP1* mande, maund, maunde, *IP3* mande, mand, maund, *IP6* mandent, *PS1* mandaie, *PS3* manda, maunda, *PS6* maunderent, *F4* manderum, *F5* mandrez, *Imp4* mandom, *Imp5* mandez, *PP* mandé, mandez *v.t.* : 3051, 3161, 3529..., *envoyer* ; 64, 910, 2249..., *envoyer dire* ; 1034, 2866, 3739..., *envoyer chercher*, *convoquer.*

marbrin *adj.* : 2407, 2525, *en marbre.*

marchaundies *s.f. ?* : 360, *opérations commerciales.*

marine *s.f.* : 364, *mer.*

mariner *s.m.* : 1854, 2745, *marin*, *pilote.*

mars *s.m. ?* : 2478, 2815, *marc*, *unité de poids principalement utilisée pour les métaux précieux et valant en général un peu moins de 250 g., et par extension valeur monétaire correspondant à ce poids.*

martir *s.m. ?* : 3637, *massacre.*

mater *v.t.* : 1192, *dominer*, *vaincre.*

materie *s.f.* : 627, *sujet. Voir la note.*

maumetre, maumis, mausmys *v.t.* : 480, 1253, *mettre à mal.*

mauviz *s.m. ?* : 601, *mauvis*, *petite grive.*

mausmys : *voir maumetre.*

mautalent, maltalent *s.m. ?* : 2318, 2492, *colère.*

mauveis, mauvés, malveis, maveis, maveys *adj.* : 415, 509, 1971..., *mauvais*, *vil*, *méprisable* ; 332, 384, *scélérat*, *criminel.*

mecler *s.m. ?* : 1679, *néflier.*

medire, *PP* medist, mesdist *v.t.* : 708, 728, *injurier*, *offenser.*

medlé *s.f.* : 3034, *mêlée.*

medler, *PP* medlé *v.t.* : 1549, 2494, *mélanger*, *imprégner* ; *v.i.* : 1615, *se mêler*, *s'enfoncer.*

mefere, *PP* mesfet, meffet *v.i.* : 723, 1837, *mal agir* ; 3083, *faire du tort.*

meffet *s.m.* : 2668, *méfait.*

meintenant, meyntenant meintenaunt *adv.* : *(en récit)* 233, *486*, 2039 (*ms.* meytenant ; *id.* 2942 *et* 3497)..., *aussitôt*, *à l'instant* ; 2552, *au même moment* ; *(en discours)* 928, 2402 (*ms.* meytenant), *maintenant, à présent.*

[1]menbré, membré, *adj.* : 28, 243, 1898..., *sage, réfléchi, avisé* ; 1949, *de valeur (par confusion avec* [2]menbré*).*

[2]menbré, menbrez *adj.* : 1355, 1410, *robuste, aux membres puissants.*

menbru, membru, menbrus *adj.* : 21, 2195, 2204, *vigoureux, robuste.*

mener, *IP3* mene, *IP6* remenent, *PS3* mena, *PS6* menerent, *F1* menerai, *F5* menerez, *Imp5* menez, *PP* mené, menez *v.t.* : 2265, 2650, 3056..., *mener, avoir en sa compagnie* ; 108, 664, 3775..., *emmener, conduire* ; 2860, 3000, 3771, *amener, faire venir* ; 2287, *conduire, commander* ; 348, 624, 2101..., *emmener de force* ; 1859, 2029, *enlever, dérober* ; 118 (*ms.* amené), *manifester (un sentiment, une émotion).*

mensounger *v.i.* : 870, *mentir.*

mentir, *IP2* mens, mentes, *IP5* mentez, *PS3* menti, mentis, *PS6* mentirent *v.i.* : 280, 338, 1529..., *mentir, tenir délibérément des propos contraires à la vérité* ; 2165, *se tromper, énoncer des erreurs.*

menue *adj.* : *voir* gent.

mer *adj.* : 869, *pur.*

merci, mercis, merciz *s.f. ?* : 179, 2162, 2358 (*absent du ms., corr.*)..., *pitié, grâce, appel à la pitié* ; 2989, 3082, *pardon, demande d'excuse* ; 1252, 2736, 2749..., *pitié, grâce demandée à Dieu ou à ses saints* ; la m. Damedé, la Deu m., *etc.* 2545, 2637, 2757..., *grâce à Dieu* ; 255, 2460, 3778 (*absent du ms., corr.*), *merci, terme de remerciement* ; 1647, 1951, 2427..., *remerciement.*

mercier, *IP3* mercie, merci, *IP6* mercient *v.t.* : 104, 1379, 3312..., *remercier.*

merveile, merveyle *s.f. ?* : 3679, *prodige, phénomène surprenant* ; a m. *loc. adv.* : *prodigieusement.*

merveiler, *IP3* merveile *v.i. ou r.* : 1478, 1775, 1599, *s'étonner prodigieusement* ; 261, 1591, *se demander avec étonnement.*

merveilus, merveiluse *adj.* : 2433 (*ms.* meruerisse), 2873, *extraordinaire, étonnant.*

meryz *s.m. ?* : 1251, *récompense méritée, salaire.*

mesasis *adj.* : 1752, *mal posé, mis de travers.*
mescheaunces *s.f. ?* : 955, *malheurs.*
meschin *s.m.* : 2866, *jeune garçon, jeune serviteur.*
meschine *s.f.* : 2874, *jeune fille, ici de haute naissance.*
mesdist : *voir medire.*
meseisé *adj.* : 950, *mal à son aise, soumis à de mauvais traitements* ; 1634, *inquiet (voir la note).*
mesfet : *voir mefere.*
mesprendre *v.i.* : 153, *commettre un crime.*
mester *s.m.* : 1596, *aptitude à réaliser des opérations spécialisées, ici utiliser un procédé magique* ; 3774, *service religieux* ; *aveir* m. *loc. v.* : 666, 1110, 1990..., *avoir besoin* ; 1581, 2358, 2775, *être utile.*
mestre, mestres *s.m.* : 223, 1939, 3021..., *maître, personne chargée de l'éducation d'un enfant (voir la note au vers 223)* ; *adj.* : 870, 3440, *principal, maître.*
metailez, metaylez *adj.* : 1763, 1774, *mal formé, difforme.*
meyné, meynnie *s.f.* : 2979, *personnes proches, famille et domestiques* ; 1514, 2291, *ensemble des personnes se trouvant au service d'un seigneur ou d'un roi et vivant dans sa maison, et par extension troupes qu'il commande régulièrement.*
mi (par) *loc. adv.* : 2329, 3593, *par le milieu, par moitiés, en deux* ; *loc. prép.* : 184, 1320, 1443..., *dans, à travers, en plein milieu de.*
midi, middy, middiz *s.m. ?* : 618, *milieu du jour* ; m. sonant 3384, *heure canoniale de midi* ; haute m. 1133, *midi juste.*
mires *s.m.* : 1034, *médecins.*
mole *s.f.* : 238, 336, *meule de moulin.*
moldre, *PP* molu *v.t.* : 2219, *meuler, affuter.*
moné, demoné *adj.* : 534, 1064, 1227..., *en pièces de monnaie.*
monter, mounter, munter, *IP3* monte, mounte, munte, *IP6* montent, muntent, remuntent, *PS3* monta, mounta, *Imp5* montez, mountez, *PP* monté, mounté, remounté, montez, muntez *v.i.* : 217, 2372, 2683..., *monter* ; *v.t.* : 1185, 3422, 3499, *monter sur, gravir, escalader* ; *v.i. ou r.* : 141, 1267, 1454..., *se mettre à cheval* ; *v.t.* :

138, 1274, 1657..., *se mettre en selle sur* ; 2295, *chevaucher* ; 2338, *mettre qqn à cheval.*
morant *s.m.* : 3491, *cheval à la robe noire.*
mordre, *PS3* mordi, *PP* mors *v.t.* : 968, *mordre* ; 2553, *couper.*
morer, *IP3* mort, murt, *PS3* morust, *F1* murrai, *SP5* murgez, *PP* mort, mors, morz *v.i.* : 446 (*ms.* vint), 484, 3813..., *mourir.*
moveir, *IP3* mut *v.i.* : 404 (*ms.* uint), *se mouvoir. Voir* müer.
mu *adj.* : 2210, *muet.*
müer, *IP3* mue *v.i.* : 1452, 1528, *bouger, s'agiter. Voir moveir.*
mulier *s.f.* : 152, 1476, 3002..., *épouse* ; *prendre a* m. 200, 2882, *épouser.*
munter, munte, muntent, muntez : *voir* monter.
murgez : *voir* morer.
musser, *PS3* musça *v.t.* ; 326, 342, *cacher.*
muster *s.m.* : 1954, 2101, 2388..., *église.*
mustrer, *IP3* mustre, *PS3* mustra, *F1* mustrai, *Imp5* mustrez, *PP* mustré, mostrez *v.t.* : 799, 856, 1516..., *montrer, faire voir* ; 283, 1482, *montrer, donner la preuve* ; 1875, *exposer, faire savoir* ; 2382, 3298, *donner, remettre en mains propres à titre de gage.*

N

nafrer, *PP* nafré, naffré, naufré *v.t.* : 177, 480, 1321, *blesser.*
nager, *IP3* nege, *IP6* naggent *v.i.* : 2092, 2684 (*ms.* negent : *voir la note*), 3796, *naviguer, piloter un bateau.*
nanil, nanyl, nanal *adv.* : 1428, 2702, 3278..., *non.*
naturez *adj.* : 3755, *légitime.*
naufré : *voir nafrer.*
naylés : *voir* neielez.
nëer : *voir* neyer.
nege : *voir* nager.
neielez, naylés *adj.* : 2456 (*ms.* analez), 3288, *niellé, incrusté d'émail noir.*
nekedent : *voir* nequident.

nent, neint *adv.* : 235, 1625, 2122 (*ms.* ne)..., *rien* ; 846, 1286, 1428, *objet inexistant, sans pertinence* ; 342, 837, 3378..., *nullement* ; 3270, *non.*
neporoc *adv.* : 1740, *néanmoins. Voir la note.*
nequident, nekedent *adv.* : 535 (*ms.* ne quide nent), 919, 1193, *cependant, néanmoins.*
neyer, nëer, *PP* neyé, neyez *v.t.* : 352, 1253, 1864..., *noyer.*
noise *s.f.* : 260, *bruit* ; 2258, *bruit de conversation, brouhaha* ; 2916, 3131, 3219..., *vacarme, tumulte.*
noyer, *PP* noé *v.i.* : 1260 (*ms.* vee), 2086, *nager.*
nuncier, *PP* nuncié, nunciez *v.t.* : 3167, 3434, *annoncer, informer.*
nurrir, *PS3* nurrit *v.t.* : 2447, *élever, faire l'éducation de.*
nuz *s.m. ?* : 1163, *nœuds.*

O

offrir, *IP6* offerent *v.i.* : 2469, *faire une offrande.*
onur : *voir* honor.
orde *adj.* : 211, *sale, infâme.*
or freis *s.m.* : 329, *broderies d'or, ornements d'or.*
orgulos, orgulus *adj.* : 1452, 1458, *fier.*
ost, oste, hoste *s.m.* : 2279, 2296, 2911..., *armée, ensemble des guerriers réunis pour affronter le même ennemi* ; 2290, *partie d'une armée aux ordres d'un même chef. Voir* banere *et* eschele
ostel, hostel *s.m.* : 227, 2539, 2852, *demeure, lieu où l'on réside ordinairement ou temporairement. Voir* [1]hoste.
[1]oster, *IP6* oustent, *PS3* osta, *Imp5* oustés, oustez *v.t.* : 3110, *retirer* ; 1618, *supprimer, renoncer à* ; 1547, 1562, *extraire (le jus d'une plante)* ; oustés, oustez *interj.* : 855, 860, 1573..., *laissez cela, pas question.*
[2]oster *s.m.* : 3413, *autour, rapace voisin de l'épervier.*
otrere, *IP1* otrai, otreai, otriz, *PP* otreyé *v.t.* : 1586, 3254 (*ms.* otreiz), 3573..., *accorder, accepter* ; 2887, *accorder, offrir* ; 2550, 2600, *permettre, autoriser.*
oure : *voir* hure.
oustent, oustés, oustez : *voir* [1]oster.

ov, ove, *prép.* : 57, 141, 2341, *avec, en compagnie de* ; 188, 963, *avec, au moyen de* ; 123, *avec (un interlocuteur)* ; 323, *avec, envers* ; 28, *à (complément déterminatif).*

ovrer, *PP* ovré, overis *v.t.* : 3285, *ouvrager* ; *v.i.* : 2904, *agir, opérer.*

oy, oye, oi *s.m.* : 1052, 2765, 3467, *oreille.*

oylis, oyls *s.m. ?* : 1409, 1749, 2557..., *yeux.*

P

paile, payles *s.m. ?* : 328, 3290, *riche drap d'or ou de soie, soierie mêlée de fils d'or.*

palefrei, palefrey *s.m.* : 814, 1139, 2180..., *cheval destiné à la promenade ou au voyage, plus doux à monter que le destrier mais moins puisssant et rapide. Voir* destrer *et la note au vers 542.*

paleis *s.m. ou f.* : 259, 1386, 2855..., *palais, demeure princière ou royale* ; 287, 3018, 3775..., *grande salle d'honneur du palais, destinée aux fêtes ou aux manifestations publiques du pouvoir féodal.*

paleÿn *s.m.* : 2676, 2684, *palatin, titre honorifique originellement appliqué aux comtes chargés d'un office auprès du roi* ; *il a notamment désigné les douze pairs de Charlemagne.*

palme *s.f.* : 3445, *rameau de palmier servant d'insigne aux pèlerins.*

palmer, paumer *s.m.* : 823, 1394, 3049..., *pèlerin. Voir la note au vers 1426.*

panis *s.m. ?* : 2723, *pans.*

parastre *s.m.* : 318, 988, 1415..., *parâtre, beau-père.*

pareistre, *F-ant* parisant *v.i.* : 3191, *paraître, apparaître. Voir apareir.*

parfendre, *PS3* parfendi *v.t.* : 3595, *fendre intégralement, de part en part.*

parfist *adj.* : 33, *parfaitement conforme à ce qu'on en attend, bon, loyal.*

parfound, parfund, parfounde *adj.* : 1155, 1239, *profond* ; *s.m. ?* : 921, 931, *profondeur.*

parisant : *voir pareistre.*

parole *s.f.* : 2888, 3633, 3792, *mot, parole* ; 2888, *dialogue, discussion* ; 2711, 2851, 3242, *mot figurant dans le texte, d'où moment, circonstance.*

parsis *s.m. ?* : 608, *denier parisis, de Paris (indice expressif de valeur nulle).*

patriarc *s.m. ou f.* : 1347, 1356, 1475, *patriarche.*

paumer (sei), IP3 palme, *PP* paumé, palmé *v.r.* : 309, 1419, 2681..., *perdre connaissance, s'évanouir.*

paumisoun *s.f. ?* : 694, *pâmoison, évanouissement.*

pautoner, pautener, pautouner, pautoners *s.m.* : 761, 1187, 2656..., *individu méprisable, misérable, gueux.*

peiser, peyser, *IP3* peise, peyse, *PS3* peisa, peysa *v.i.* : 534, 915, *peser, avoir un certain poids* ; 340, 1173, 1450..., *fâcher, affliger.*

peisaunce *s.f. ?* : 476, *affliction, tristesse.*

pelichun *s.m.* : 1736, *pelisse.*

pendant *adj.* : 2935, *incliné vers le bas.*

pener, PP pené, penez *v.t.* : 768, 2411, *faire souffrir, supplicier* ; 2799, *éprouver, épuiser* ; *(sei) v.r.* : 1258, *se donner du mal, faire des efforts.*

penoun *s.m.* : 574 (*ms.* pomoun), *drapeau, enseigne* ; 579, *plume (indice expressif de valeur nulle).*

penser, pensez *s.m.* : 669, *pensée, sentiment* ; 1618, 3761, *intention, projet.*

pensin *s.m. ?* : 2868, *pensée, intention.*

perciz *adj.* : 3587, *persans.*

pere, peres, pers *s.f.* : 1597, 3593, 3602..., *pierre.*

pertriz *s.f. ?* : 424, *perdrix.*

pesaunt, pesant *adj.* : 815, 914, 1746..., *lourd* ; 2933, *pénible, douloureux.*

pess'a, pez'a *adv.* : 1173, 2237, *depuis longtemps.*

pessoner *s.m.* : 2814, 3009, 3016, *poissonnier.*

pestrine *s.f.* : 369, *poitrine.*

petitet *adv.* : un p.734, 757, *un petit peu.*

peytrels *s.m. ?* : 3247, *poitrinière, courroie passant sous le poitrail du cheval.*

pez'a : *voir* pess'a.

pikes, pik *s.m. ou f.* : 923, 1079, *piquets, pieux.*

pilé *adj.* : 1060, *pelé, écalé.*

piment *s.m.* : 826, *terme générique désignant tous les vins aromatisés.*

pité, pitez *s.f.* : 311, 392, 1356..., *pitié, compassion* ; 943, 1089, 2150, *miséricorde divine* ; 789, *chagrin* ; 717, 2147, 2433, *événement suscitant la pitié, malheur.*

piz *s.m.* : 1026, 1799, 1804, *poitrine.*

planer, *PP* plané *v.t.* : 3412, *polir, débarrasser de ses aspérités.*

pleger, *PP* plegez *v.t.* : 2580, *se porter caution pour.*

plener, pleners *adj.* : 651, 1479, 2789..., *entier, complet* ;1300, 2283, 2664, *très grand, très important* ; chimin p. 1380, 1588, 2098, *grand-route, route directe.*

plenté, plentez (a) *loc. adv.* : 945, 1119, 1333..., *en abondance, en quantité.*

plur *s.m. ?* : 848, *accès de larmes.*

poestifs *adj.* : 1249, *puissant.*

poin, poine, poing, poyn, poins *s.m.* : 429, 591, 3015..., *poing.*

poindre, *IP3* point, poynt, *IP6* poynent, poynnent, *F-ant* poinaunt, poignant, poignaunt, poynant, puignaunt *v.t. ou i.* : 172, 464, 1798..., *éperonner* ; 2307, 1606, *aller à cheval.*

[1]point *s.m.* : 189, *pommeau.*

[2]point *s.f.* : 445, *pointe.*

pomelé, pomelez *adj.* : 2476, 2498, *(cheval) à la robe couverte de taches rondes, grises ou blanches.*

porc *s.m.* : 234, *porc* ; 572, *sanglier.*

port, porte *s.m.* : 349, 3795, *port de mer.*

porte, portes *s.f.* : 2291, 2971, 3560..., *porte fortifiée de ville, de château ou de palais.*

pose *s.f.* : 1088, *moment, laps de temps.*

poser, *PP* posé, posez *v.t.* : 796, *mettre, placer* ; 2416, 2559, 3339..., *déposer.*

pouer *s.m.* : 1703, *pouvoir, force.*

pouerus *adj.* : 3076, *apeuré.*

pour, pur *s.f. ?* : 113, 902, 1664..., *peur.*
pray, prei *s.f.* : 1516, *proie, tableau de chasse* ; 3218, *bétail razzié.*
preise, preisé, preiserei, preisez : *voir* priser.
present (en) *loc. adv.* : 344, 824, *physiquement présent* ; 918, 1644, ha p. 1974, *aussitôt.*
presenter, PS6 presenterent, *Imp5* presentez, *PP* presenté *v.t.* : 378, 3372, *offrir* ; 2845, 2858, *livrer, remettre.*
presons, prisons *s.m.* : 2843, 2858 (*ms.* prisans), *prisonniers.*
preson, presoun : *voir* prisoun.
prester : *voir* aprester.
preyse, preysé, preysez, preysi : *voir* priser.
principé, principez *adj.* : 2560, 3098, 3775 (*ms.* prncipe)..., *où réside le seigneur, princier, royal.*
pris *s.m. ?* : 2591, 2952, 3038..., *grande valeur, qu'il s'agisse de la valeur marchande, de la qualité ou de la magnificence* ; 2695, *haute naissance.*
priser, *IP1* preise, preyse, *Cd1* preiserei, *PP* preysé *v.t.* : 158, 1064, 1797..., *juger, évaluer* ; 880, 1134, *apprécier, juger comme de grande valeur (objets)* ; 1923, *apprécier positivement pour ses qualités (personnes)* ; prisé, prisez, preisé, preysé, preysi, preisez, preysez *adj.* : 11, 746, 2827..., *fameux, bénéficiant d'une haute considération* ; 542, 1867, 2309..., *de grand prix, de grande valeur (chevaux).*
prisons : *voir* presons.
prisoun, prison, presoun, preson *s.f.* : 1100, 1129, *captivité, détention* ; 651, 945, 1152..., *prison, lieu où sont enfermés les prisonniers.*
privé *adj.* : 413, 2973, *intime* ; 3302, *qui est au service personnel de qqn* ; *s.m.* : 724, *personne de confiance* ; 248, *ami proche.*
procher *v.t. ou i.* : 1613, *approcher.*
prodome *s.m.* : 2969, 2996, *homme de bien, brave et honnête homme.*
prover, *PP* prové *v.t.* : 1021, 1486 *(sbst.)*, 3177, *montrer, faire la preuve de* ; 1412, *démontrer, assurer* ; prové, provez *adj.* : 211, 704, 779, *véritable, évident, qualificatif renforçant un terme*

infamant ; 1351, *connu comme criminel* ; 3124, *qui a fait les preuves de sa valeur. Voir esprover.*
provolt *s.m.* : 2859, *prévôt, intendant.*
pruz, prus *adj.* : 14, 86, 2396..., *preux, valeureux, doté des qualités attendues d'un chevalier.*
püer, PP püé *v.t.* : 3541, *monter, gravir.*
puignaunt : *voir poindre.*
pugneis *adj.* : 330, *puant.*
pur : *voir* pour.
purgesir, PP purjuwe, purgüe *v.t.* : 780, 911, *coucher avec.*
purpenser *(sei), IP3* purpense, *PP* purpensé *v.r.* : 40, 722, 1362 (*ms.* purpense)..., *songer avec attention, réfléchir* ; *v.t.* : 2065, *concevoir, machiner.*
pute *adj.* : 2838, *sale, méprisable.*

Q

qer : *voir* quer.
quarel *s.m. ?* : 1214, *javelot.*
quarré, quarrez *adj.* : 1278, *carré* ; 523, 1065, *massif, gros* ; 3109, *solide, bien taillé, trapu.*
quarter, quarters *s.m.* : 924, 1206, *quart* ; 915, *quartier, mesure de capacité pour les denrées sèches (voir la note au vers 915).*
queintement *adv.* : 314, *adroitement, habilement.*
quer, qer *s.m.* : 445, 716, 1732..., *le cœur en tant qu'organe, considéré comme siège de la vie* ; 32, 733, 1385..., *le cœur comme siège des émotions, des sentiments et de la conscience morale* ; 406, 575, 1606, *le cœur comme siège du courage et de la force d'âme* ; 722, 1135, 1222, *le cœur comme siège de la réflexion* ; *prendre* en q. *loc. v.t.* : 1620 (*ms.* cors), *prendre à cœur, faire une affaire de conscience de.*
quere, qerre, *IP1* quer, qer, *IP3* quert, *SP6* quergent, *SI1* queisse, *PP* quis, *F-ant* querant, queraunt *v.t.* : 293, 984, 1392..., *vouloir, désirer, avoir l'intention de* ; 2736, 3282, 3387, *demander, prier* ; 143, 842, 2662..., *chercher, rechercher* ; 2384, *aller chercher, faire venir* ; 252, *provoquer, attaquer.*

quernu, kernu *adj.* : 2223, 3212, 3464..., *qui a une crinière, orné d'une crinière.*

quider, *IP1* quid, quide, qui, *IP3* quide, *IP5* quidez, *IP6* quident, *PS3* quida, *Imp5* quidez *v.t.* : 130, 785, 3759..., *penser, croire, d'où craindre* ; 612, 1131, 1933..., *croire, s'imaginer* ; 3034, *douter* ; 467, 1310, 1730..., *chercher à, essayer de, vouloir* ; *sbst.* : 1303, 1439, 1559..., *avis, façon de voir.*

quier *s.m.* : 1317, *peau* ; 1659, *cuir, peau d'animal.*

quise *s.f. ?* : 1320, 1683, 3440, *cuisse.*

quit, quite, quites *adj.* : 2902, *libre* ; 160, *libéré, exempt* ; 2533, 3576, *libre de toute redevance, en pleine propriété.*

R

rager, *F1* enragera, *PP* ragez *v.i.* : 2235, 3435, *enrager, devenir fou* ; aragé *adj.* : 1708, *enragé, furieux.*

raier *v.i.* : 1670, *couler, ruisseler.*

ramper *v.i.* : 1660, *se dresser* ; rampans *adj.* : 1741, *debout, dressés.*

randuné (a) *loc. adv.* : 3796 (*ms.* arandue), *avec rapidité.*

raunponer, *PP* raunponé *v.t.* : 1209, *adresser une raillerie, se moquer de.*

recetement *s.m. ?* : 3511, *action d'héberger, accueil, d'où interruption d'une chevauchée pour se reposer.*

rechiner, *PP* rechinis *v.i.* : 1740 (*ms.* rechmis), 1805, *montrer les dents de façon agressive, grincer des dents.*

reclamer, *IP3* recleyme *v.t.* : 3584, 3585 (*ms.* recliyme), *implorer, prier, invoquer.*

recoverer *v. sbst.* : 1031, *réparation, recours.*

recreyre, *F-ant* recreant *v.i.* : 1796 (*ms.* creant), 3504, 3574, *renoncer, se reconnaître ou être vaincu* ; recru *adj.* : 1166, *lâche* ; recreant *adj.* : 2322, *même sens.*

red, redde *adj.* : 443, *droit, ferme* ; 1240, 1259, *puissant, violent.*

redoscez *adj.* : 2224, *émoussé, obtus.*

redrescer, *IP3* redresce, *PP* redrescé, redressez *v.t.* : 700, *redresser, réparer (un fossé) en en refaisant l'escarpement* ; 3081, *relever* ;

v.i. ou r. : 902, 1054, 2864..., *se redresser, se relever* ; a vie r. 1420, *reprendre conscience.*

refert : *voir* ferir.

refreyder, *PP* refreydez *v.t.* : 1968, *refroidir.*

refuser, *IP3* refuse, *IP5* refusez, *PP* refusé *v.t* : 674, 675, 699, *refuser, repousser* ; 2591, *renoncer à.*

regarder, *IP3* regard, regarde, *IP6* regardent, *PS3* regarda, *Imp5* regardez, *PP* regardé *v.t.* : 496, 1067, 1517..., *regarder, diriger son regard vers* ; 430, 1105, 1424..., *regarder avec attention, contempler, examiner, scruter du regard* ; 1774, *voir, évaluer en regardant* ; *(sei) v.r.* : 356, 1278, 1680..., *se retourner pour regarder, d'où tourner les yeux vers* ; 1098, *regarder avec attention, explorer du regard.*

regibber *v.i.* : 1024, *ruer.*

regioun, regiun, regiouns *s.f.* : 686, *pays* ; 398, 641, 1890..., *royaume, domaine.*

regné, regnez *s.m. ?* : 247, 1712, 2727..., *pays, région* ; 541, 715, 3777..., *royaume, domaine.*

reson, reisoun *(metre a) loc. v.t.* : 210, 2010, 3731, *adresser la parole à.*

[1]releve, relefz *s.m.* : 2430, 2432, *droit de relief. Voir l'introduction*, p. 19.

[2]releve 850, 3597, relever : *voir* [1]lever.

remaneir, *IP3* remeint, remeynt, *PS3* remist, *PS6* remiterent, *F4* remeyndrum, *F5* remeyndrez, *PP* remis, remyz *v.i.* : 584, 1510, 2872..., *rester.*

remenbrer *v.imp.* : 1690, *souvenir, faire éprouver.*

remenent : *voir* mener.

remüer, *F-ant* remuant *v.r.* : 3714, *partir.*

reneier, *PP* renëez *v.t.* : 402, 1913, *abjurer, renoncer à* ; renëez *adj.* : 1848, *renégat, d'où mécréant, infidèle.*

repeirer, repeyrer, *IP3* repeire, repeyre, repaire, *IP6* repeyrent, *PP* repeirez, reparié *v.i.* : 2610 (*ms.* resparire), 2790, 3155 (*ms.* reparire)..., *retourner, revenir* ; 228, *rejoindre qqn* ; *(sei) v.r.* : 2523, *s'en retourner.*

replevir, *PP* replevi *v.t.* : 3792, *jurer à nouveau.*
reprové *adj.* : 699, *qui n'a pas de moralité, indigne.*
requere, *IP1* requer, *IP3* requert, *Impft3* requereit, *PS3* requist *v.t.* : 81, 841, 2749..., *requérir, demander, prier.*
rere, *PP* rez *v.t.* : 1932, *raser.*
rescurre, *PP* rescuz *v.t.* : 3257, *venir à la rescousse de, secourir.*
reseyvre, *IP3* reseyt *v.t.* : 2050, *accueillir.*
resembler, *IP3* resemble, *IP5* resemblez *v.t.* : 215, 1212, 2266..., *sembler, ressembler à, avoir les traits de, avoir l'air de.*
respit *(metre en) loc. v.* : 2740, *perdre du temps.*
retrere (sei), *Imp5* retrëez *v.r.* : 1887, *se retirer, s'en aller.*
retur *s.m. ?* : 2122, *mouvement en sens inverse, d'où remède.*
returner, retorner, *IP3* returne, *PS3* returna, *PS6* retornerent, *F4* returnerum, *SP5* returnez, *Imp5* returnez, *PP* returné, retorné, retornez *v.i.* : 1132, 2264, 3410 (*ms.* retoner)..., *retourner, revenir* ; 739, 1365, 1634..., *s'en aller, s'en retourner, repartir* ; 548, 1187, 1609..., *faire demi-tour, exécuter une volte* ; 622, *s'enfuir* ; *v.r.* : 740, *s'en retourner* ; 2405, *repartir, ressortir* ; 170, *se retourner, faire face.*
rez : *voir rere.*
ribaud *s.m.* : 273, 281, 761..., *individu sans moralité, vaurien.*
riche, riches *adj.* : 53, 225, 1470, *puissant* ; 867, 2445, 3814..., *riche, de grande valeur.*
richetez *s.f. ?* : 3418 *: richesses.*
richez *s.m ou f. ?* : 1576, *richesses.*
rire, *PS3* rystrent, *SP3* rie, *F-ant* riant, riaunt *v.i.* : 835, 2242, 2305..., *rire.*
ris : *voir* riz.
rivé, rivent : *voir ariver.*
riz, ris *s.m.* : 609, 1775, 2691..., *éclat de rire.*
rober, *PP* robé *v.t.* : 2835, *voler, piller, mettre à sac.*
robes *s.f. ?* : 1110, 2787, *vêtements* ; 2839, *ce qui peut être volé, richesses.*
rojoier, *IP3* rojoie *v.i.* : 2318 (*ms.* rejoie), *rougir.*
rompe, rompez, rons : *voir rumpre.*

rote *s.f.* : 3100, *sorte de violon ou de vielle à archet.*
rue *s.f. ?* : 3407, *ride, pli.*
rüer, *IP3* rue, *PP* rüé *v.t.* : 881, 940, 3140, *faire violemment tomber, précipiter* ; 1807, 1844, *donner un violent coup de haut en bas* ; 2334, *jeter violemment* ; rüant *adj.* : 1798, *fringant.*
ruffler : *voir* runfler.
rumpre, *IP3* rumpe, rompe, *IP6* rumpent, *PS3* rumpist, *PP* rumpuz, rompez, rons *v.t.* : 883, 3232, 3497..., *rompre, briser, déchirer* ; 3247, *se rompre, lâcher. Voir derumpre.*
runcin, runcis *s.m.* : 1546, 2503, *cheval de qualité inférieure. Voir la note au vers 542.*
runfler, ruffler *v.i.* : 753, 1554, *ronfler.*
rust *adj.* : 162, *violent, violemment assené.*
rystrent : *voir rire.*

S

sablon, sabeloun, sablons *s.m.* : 3729, *plage, grève* ; 582, 2842, 3228..., *sol sur lequel se déroule un combat, sablonneux par tradition littéraire.*
sachant, sachaunt *adj.* : 3653, *savant* ; 38, *sage, intelligent.*
saffrés *adj.* : 3294, *ornés de parements d'or.*
saie : *voir* seie.
saillir, *IP3* salt, *IP6* sailent, *PS3* saili, sailist, *PS6* sailerent, *PP* sailli, saili, sailiz *v.i.* : 2091, 2115, *sauter, se précipiter* ; 1092, 1093, *sauter en l'air, atteindre en sautant en l'air* ; 1865, 1965, *entrer d'un bond* ; 1974 (*ms.* li), *sortir d'un bond* ; 144, 223, 2719..., *bondir, surgir, se jeter (sur qqn ou qqch.).*
saiser, *IP5* seysez, *PS6* saiserent, sayserunt, *PP* saisé, seisy, seysez *v.t.* : 2770, 2833, 3036, *saisir, prendre* ; 2582, 2583 (*ms.* saiser), *se saisir de qqn pour l'arrêter* ; 2459 (*ms.* seyse), *investir d'un fief.*
saker, *F5* sakerez *v.t.* : 1963, *tirer, faire sortir.*
salt 1865, 1965, 3465 : *voir saillir.*
salt 2419 : *voir* salver.
salvement *adv.* : 1636, *en sûreté.*

salver, *SP3* salve, salt *v.t.* : 1513, 2412, 2419..., *sauver*, *donner le salut éternel à.*
santé, saunté *s.f.* : 114, *125*, 1915..., *bon état physique*, *santé* ; 1853, *force*, *vigueur.*
sarcu, sarcué *s.m.* : 3344, 3840, *sarcophage.*
saucers, saucerez *s.f. ?* : 1760 (*ms.* sauceris), 3291, *saucières.*
saul *adj.* : 1192, *nourri à satiété.*
saulé *s.m.* : 951, *saoul*, *satiété.*
sauler, *PP* saulé *v.t.* : 1337, *rassasier.*
secle *s.m. ?* : 375, 397, 1003..., *le monde terrestre*, *ici-bas.*
seglé : *voir sigler.*
seeir, *IP3* sist, *Imp5* sëez, *F-ant* sëaunt *v.i.* : 450, 823, *se tenir* ; 892, 3274, 3477, *être assis* ; *v.r.* : 928, *s'asseoir* ; 2103, 2114, *être assis.*
seie, seye, sey, saie *s.f. ?* : 738, 1000, 1110, 2106, *soie.*
seisy : *voir saiser.*
selés *adj.* : 701, *destiné à être sellé*, *(cheval) de selle.*
semblant, semblaunt *s.m.* : 1782 : *apparence* ; 3658 : *opinion* ; fere s. 754 : *sembler*, *faire semblant.*
[1]sen, sent *s.m.* : 1442, 1565, 3827, *aptitude à raisonner*, *intelligence*, *raison*, *conscience* ; *perdre le* s. *loc. v.* : *perdre conscience*, *perdre la raison.*
[2]sen *adj.* : 1573, 1835, 1882..., *saint.*
[3]sen 1677 : *voir* seyn.
sené, syné, senez *adj.* : 297, 858, 2568..., *sage*, *raisonnable*, *avisé* ; *sbst.* : 2609, *personne d'expérience.*
sener : *voir* asener.
senescal *s.m.* : 3155, 3160, *sénéchal*, *grand officier en charge de l'administration*, *de la justice et du trésor d'un royaume ou d'une principauté*, *dont il peut aussi commander l'armée.*
senyture *s.f.* : 2106, 2111, *ceinture.*
serrer, *F3* serra *?*, *PP* serré, serrez *v. imp.* : 2655, 2905, *faire soir*, *faire nuit* ; 874, 1550, *même sens*, *mais peut se comprendre comme* estre *F3.*

serf, cerf, serfs *s.m.* : 2508, 2595, *serviteur* ; 415 (*ms.* sefs), 779, *serf, homme de rien, terme d'injure.*

sergant, serjans *s.m.* : 2253, 3722, *valet d'armes, combattant de rang inférieur* ; 1754, *garçon.*

sermonner, *IP3* sermonne, sermone *v.t.* : 3680, 3682, *prononcer un sermon à l'intention de, prêcher.*

servise *s.m. ?* : 2379, 3850, *service rendu, aide* ; *rendre le* s. *loc. v.* : *récompenser.*

seyens, seyns *adv.* : 1430, 1434, *céans, ici.*

seyn, sen *adj.* : 1677, 2033, *sain, en bonne santé.*

seyner (sei), *PP* seynez *v.r.* : 1920, *se signer.*

seyns : *voir* seyens.

seysez : *voir saiser.*

sigler, *IP3* segle, *IP6* syglent, siglint, syglint, *PS6* siglerent, *PP* seglé, syglez, *F-ant* siglant *v.i.* : 361, 1891, 3383..., *naviguer, faire voile.*

soffrer : *voir* suffrer.

soler *s.m.* : 665, 1019, *étage supérieur d'un édifice* ; 3321, *chambre haute.*

soleir, *Impft1* soleie, solai, *Impft3* soleit, *Impft5 ?* solés *v.i.* : 982, 2423, 2519..., *auxiliaire d'aspect marquant strictement l'imperfectif* ; 259, *être habituellement* ; 2988, *avoir l'habitude de.*

somers *s.m. ?* : 1587, 3290, *bêtes de somme.*

soner, *PP* sonez *v.t.* : 797, *faire entendre, prononcer* ; 3030, *chanter.*

soper *v.i.* : 1189, 1550, 1602..., *souper, prendre le repas du soir.*

souder *s.m.* : 2015, *mercenaire, combattant servant un seigneur contre rémunération et non par devoir vassalique.*

soun, son (a/o haut) *s.m.* : 209, *à grand bruit* ; 1880, *à pleine voix.*

sour, soure *s.f.* : 3520, *sœur* ; 2875, *soeur, terme de politesse pour témoigner d'une grande affection.*

succur, succurs *s.m.* : 2166 (*ms.* succurus), *secours* ; 2261, *renfort.*

succurer, succurrer, succure, *SP3* succure, *PP* succuré *v.t.* : 2251, 3055 (*ms.* succur), 3530..., *secourir.*

süef, swef *adj.* : 814, *doux* ; *adv.* : 2447, 3093, *avec douceur, tendrement.*

suffrer, soffrer, *PS2* suffris, *PS3* suffrit, *SI3* suffrit *v.t.* : 927 (*ms.* fere, *voir la note*), 1245, 3271..., *endurer, subir* ; 1817, 2436, *supporter, tolérer, consentir à.*
suire, IP3 suit, *IP6* süent, *F-ant* süant *v.t.* : 2503, 2922, 3636, *suivre* ; s. a costé 2499, *rester à la hauteur de.*
sujurner, IP6 sujurnent : 2186, *séjourner* ; surjornez *adj.* : 2473, *reposés, frais.*
surdre, PS3 surdi *v.i.* : 106, *sourdre, résulter.*
surjornez : *voir sujurner.*
swef : *voir* süef.
syné : *voir* sené.

T

taindre, IP3 taint, teint, tent *v.t.* : 2780, *teindre* ; 693 (*ms.* tait), *changer de couleur, devenir gris, pâlir* ; *v.r.* : 2989, *changer de couleur.*
talent *s.m. ?* : 175, 927, 3821..., *volonté, désir, envie, souhait.*
tant ne kant, taunt ne kaunt *loc. adv.* : 345, 1633, 1789..., *quoi que ce soit, en quoi que ce soit.*
tardis, *adj.* : 85, 2311, *qui attend, qui tarde, perd du temps.*
targe *s.f.* : 218, *bouclier.*
targer, *Imp4* targom, *PP* targiés, targez, *F-ant* targant *v.i. ou r.* : 1107, 2718, 3208..., *tarder, s'attarder.*
targus *adj.* : 3209, *qui perd du temps, en retard.*
taunt (deus) *loc. adv.* : 569, *deux fois.*
teises *s.f. ?* : 921, 931 (*ms.* tens), *toise, unité de mesure d'une valeur de six pieds.*
tendre, PS6 (ou IP6 ?) tendrent *v.t.* : tendre (la main) en signe de serment. *Voir la note.*
tenser, *PP* tensé *v.i.* : 2878, *débattre, disputer* ; *sbst.* : 3359, *joute.*
tent 2780 : *voir taindre.*
tocher *v.t.* : 1007, 1014, 1434..., *toucher, porter la main sur* ; 445, *atteindre* ; *v.i.* : 847, *parler, évoquer.*

tollir, *PS5* tolerent, *F1* touderai, toudrai, *Imp5* tollez, *PP* tolu *v.t.* : 556, 957, 2734, *ôter, (re)prendre* ; t. la teste, le chef 188, 3605, *décapiter*.
torcher *v.t.* : 701, *bouchonner, frotter*.
torchoun *s.m.* : 701, *bouchon, poignée de paille ou de foin tortillée*.
torner : *voir* turner.
toucer, *PP* toucé : 1932 (*ms.* taucé), *tondre, tonsurer*.
toup *s.m.* : 881, *toupet, touffe de cheveux*.
traitur, traitor, tretur, tretre *s.m.* : 155, 1187, 2764..., *traître*.
travailer, *IP5* traveilez, traveylez, *PP* traveilez *v.i.* : 1962, 2125, 2799, *se donner de la peine, se fatiguer* ; 897, *voyager, se déplacer*.
trebucher, trebocher *v.i.* : 883, 1027, 1312..., *tomber, se renverser*.
trecheter *v.i.* : 2175, *jeter des sorts, pratiquer la sorcellerie*.
treison : *voir* treson.
trepasser, *PP* trepassé, trespassé *v.t.* : 2496, *dépasser* ; 766, *transgresser, mal agir*.
trere, *IP3* tret, treit, trait, *PP* tret *v.t.* : 2116, *tirer* ; 170, 1200, 2302..., *dégainer* ; 102, *amener en tirant*.
tresoïr, *PP* tresoï *v.t.* : 220, *entendre parfaitement*.
treson, treison *s.f. ?* : 1884, *trahison, passage à l'ennemi* ; 2065, *ruse* ; 137, *traîtrise, comportement de traître*.
trespasser : *voir trepasser*.
trestorner, *v.t.* : 3326, *changer, revenir sur (un engagement)*.
tretre, tretur : *voir* traitur.
truaunt *s.m.* : 275, 319, 704..., *misérable, coquin, terme d'injure*.
trusser, *PP* trussez, trussis *v.t.* : 2678, *charger sur une bête de somme* ; 3284, 3290, *charger une bête de somme*.
tur, tor *s.m.* : t. françois 3604 (*ms.* corn de f.), *rapide volte-face à cheval lors d'un combat à la lance pour revenir sur l'adversaire (voir la note)* ; en t. *loc. adv.* : 2119, 2363, *à l'entour, autour*.
[1]turner, torner, *IP3* turne, torne, *IP6* turnent, tornent, *PS3* turna, *PP* turné, torné, tornez *v.t.* : 2850, 3464, *tourner, diriger* ; 2842, *retourner, renverser* ; t. *son chemin* 1346 (*ms.* troué, *voir la note*), 3182, *se diriger* ; t. (le chef de) *son cheval* 2960, 3608, *lui faire*

faire demi-tour ; t. *qqn* a rançon 3305, *imposer une rançon à qqn* ; *v.r.* : 1561, *aller* ; 2157, 2238, 2622..., *s'en aller, partir* ; s'en t. 2351, *retourner* ; 70, 718, 2626..., *s'en aller, s'en retourner, partir* ; *v.i.* : 1130, 1553, 2356..., *se diriger, s'orienter* ; 2970, *retourner, revenir* ; 3643, *s'en aller, partir* ; t. ariere 1270, 2078, *repartir.*

[2]turner *v.i.* : 419, *jouter, affronter en combat singulier.*

tusun *s.f. ?* : 572, *toison, soies de porc.*

U

uis : *voir* [1]hus.

uncore, unkore *adv.* : 687, 1408, 1579..., *encore, jusqu'à présent* ; 1363, 1999, *déjà, tout de suite* ; 230, 1167, 1543, *bientôt, sans tarder* ; 117, 1322, 1737, *en outre, davantage* ; u. si *loc. conj.* : 2226, *si seulement.*

unt (par) *loc. prép.* : 1080, *par là, à cause de cela. Voir la note.*

urces *s.m. ?* : 1494, 3289, *ours. Voir la note au vers 3289.*

us, *s.m.* : 152, *usage, profit, plaisir.*

V

[1]vailant, vaillaunt *s.m.* : 608, 1797, 2441..., *valeur marchande estimée.*

[2]vailant, vailaunt, vaillaunt, vailans *adj.* : 171, 2400, 3196..., *valeureux, au courage ferme* ; 839, *riche, de valeur* ; 3663, *de quelque valeur* ; *adv.* : 1060, 1169, *qqch. qui ait la valeur de (indice expressif de valeur nulle).*

valet, vallés *s.m.* : 3432, 3463, *serviteur.*

value *s.f.* : 1888, *valeur marchande estimée.*

vassal, vassals *s.m.* : 742, 3356, *guerrier de valeur* ; 1217, 1329, 3156, *terme d'interpellation employé à l'égard d'un inférieur, souvent employé avec mépris ou insolence pour provoquer un adversaire.*

veüm : *voir* veÿr.

veiler, veillé : *voir enveiler.*

veiller, *IP6* veilerent *v.i.* : 672, *veiller, ne pas pouvoir dormir* ; *v.t.* : 3781, 3837, *veiller un mort.*
veils *s.f. ?*: 363, *voiles.*
veintre, *F4* veindrom, veinterum, *PP* vencu *v.t.* : 586, 3734, *vaincre* ; 2546, 2934, *gagner*, *remporter.*
veir, veirs : *voir* [2]vers.
velein, veleyn, velen, vilein, vilen, vylen *s.m.* : 1744, 1758, 1776 *(voir la note)...*, *rustre*, *personnage de rang inférieur* ; 699, 831, 2020..., *rustre, misérable, terme de mépris* ; *adj.* : 1757, 1971, *méprisable*, *gueux.*
vencu : *voir veintre.*
vené (chemin) *adj.* : 1276, *mauvais, plein d'ornières (AND II, 1985, 850a).*
venimer, *PP* venimés *v.t.* : 947, *infecter de venin.*
verement *adv.* : 1526, 1643, 2668, *en vérité.*
verge *s.f.* : 2456, *tringle*, *baguette.*
vergunder *v.t.* : 679, 2104, *couvrir de honte*, *déshonorer.*
vermine *s.f. ?* : 945, *ensemble d'animaux jugés répugnants et venimeux, serpents, vers, crapauds, etc.*
verms *s.m.* : 946, *vers, reptiles divers.*
[1]vers *s.m. ?* : 3030, *poèmes, chansons.*
[2]vers, veir, veirs *(dire) loc. v.* : 1305, 1529, *dire vrai* ; pur v. *loc. adv.* : 357, 1084, 2569..., *en vérité.*
verser, *PP* versé *v.i.* : 1208, 1324, 1733..., *tomber à la renverse, tomber mort.*
vertu *s.f.* : 2205, 2218, 3604..., *force physique, puissance guerrière* ; 2214, *force, grâce divine* ; 1089, 3664, *puissance divine, miracle.*
veye : *voir* voie.
veÿr, *IP4* veüm *v.t.* : 1987, 2592, *s'opposer à, empêcher.*
veyrun *s.m.* : 1345, *cheval pie, pommelé.*
viaunde, viande *s.f.* : 2986, *nourriture, vivres* ; 666, 667, *plats sans doute carnés.*
vile *s.f.* : 3029, *vielle.*
vilein, vilen, vylen : *voir* velein.
vileinement *adv.* : 702, *à la manière d'un rustre.*

vilté *s.f.* : 142, 780, 1941..., *honte*, *infamie*.
vis *s.m.* : 83, 1371, 2780..., *visage* ; *estre* a vis *loc. v. imp.* : 1303, 1437, 1976, *paraître*, *donner telle impression*.
vitayle *s.f. ?* : 1637, *vivres*, *nourriture*.
voice, vois, voiz *s.f.* : 2766, 2837, 3359..., *voix*.
voie, veye *s.f.* : 1533, 3376, 3454, *chemin*, *route* ; 2320, *pèlerinage pénitenciel*. *Voir acoilir et* colier.
voler *s.m.* : 890, 1114, 1576..., *volonté*, *désir*, *convenance*.
voliz *s.m.* : 602, *vol d'un oiseau*.
voutiz *adj.* : 2731 (*ms.* uentiz), *couvert d'une voûte de pierre et non d'une charpente de bois (signe de magnificence)*.

W

wakerer, *IP1* wakere *v.i.* : 1802, *vaciller*.

TABLE DES MATIÈRES